珍本萬年曆

林國雄

圓方立極

「天圓地方」是傳統中國的宇宙觀，象徵天地萬物，及其背後任運自然、生生不息、無窮無盡之大道。早在魏晉南北朝時代，何晏、王弼等名士更開創了清談玄學之先河，主旨在於透過思辨及辯論以探求天地萬物之道，當時是以《老子》、《莊子》、《易經》這三部著作為主，號稱「三玄」。東晉以後因為佛學的流行，佛法便也融匯在玄學中。故知，古代玄學實在是探索人生智慧及天地萬物之道的大學問。

可惜，近代之所謂玄學，卻被誤認為只局限於「山醫卜命相」五術及民間對鬼神的迷信，故坊間便泛濫各式各樣導人迷信之玄學書籍，而原來玄學作為探索人生智慧及天地萬物之道的本質便完全被遺忘了。

有見及此，我們成立了「圓方出版社」（簡稱「圓方」）。《孟子》曰：「不以規矩、不成方圓」。所以，「圓方」的宗旨，是以「破除迷信、重人生智慧」為規，藉以撥亂反正，回復玄學作為智慧之學的光芒；以「重理性、重科學精神」為矩，希望能帶領玄學進入一個新紀元。「破除迷信、重人生智慧」即「圓而神」，「重理性、重科學精神」即「方以智」，既圓且方，故名「圓方」。

出版方面，「圓方」擬定四個系列如下：

1. 「智慧經典系列」：讓經典因智慧而傳世；讓智慧因經典而普傳。

2. 「生活智慧系列」：藉生活智慧，破除迷信；藉破除迷信，活出生活智慧。

3. 「五術研究系列」：用理性及科學精神研究玄學；以研究玄學體驗理性、科學精神。

4. 「流年運程系列」：「不離日夜尋常用，方為無上妙法門。」不帶迷信的流年運程書，能導人向善、積極樂觀、得失隨順，即是以智慧趨吉避凶之大道理。

在未來，「圓方」將會成立「正玄會」，藉以集結一群熱愛「破除迷信、重人生智慧」及「重理性、重科學精神」這種新玄學的有識之士，並效法古人「清談玄學」之風，藉以把玄學帶進理性及科學化的研究態度，更可廣納新的玄學研究家，集思廣益，使玄學有另一突破。

目錄

簡易起八字四柱法

萬年曆（一九三〇年至二〇三八年）

簡易起八字四柱法

排年柱

要注意，不是以農曆的正月初一為一年之始，而是以農曆的節氣「立春」日為一年之開始。

例如二〇〇一年立春日是在農曆正月十二日凌晨二時二十分（丑時），故在此交節日時之前仍算是屬龍年，而不是屬蛇年。此交節日時之後，就是屬蛇年。

排月柱

由節氣決定而建月，不是以每個月的初一為「月」的開始。

正月建寅，由立春經雨水至驚蟄前止。

二月建卯，由驚蟄經春分至清明前止。

三月建辰，由清明經穀雨至立夏前止。

四月建巳，由立夏經小滿至芒種前止。

五月建午，由芒種經夏至至小暑前止。

六月建未，由小暑經大暑至立秋前止。

七月建申，由立秋經處暑至白露前止。

八月建酉，由白露經秋分至寒露前止。

九月建戌，由寒露經霜降至立冬前止。

十月建亥，由立冬經小雪至大雪前止。

十一月建子，由大雪經冬至至小寒前止。

十二月建丑，由小寒經大寒至立春前止。

排日柱

只須查《萬年曆》上所屬之年份日子所載之干支便是。

排時柱

時支是固定的，推算時干是依據日柱的天干來決定的。可由「五鼠遁日起時訣」詳

推：

甲己還加甲，乙庚丙作初，

丙辛從戊起，丁壬庚子居，

更有戊癸何方覓，壬子是真途。

時干支檢查圖表

出生時辰	日干 / 時柱干支	甲己	乙庚	丙辛	丁壬	戊癸
子	23:00 - 1:00	甲子	丙子	戊子	庚子	壬子
丑	1:00 - 3:00	乙丑	丁丑	己丑	辛丑	癸丑
寅	3:00 - 5:00	丙寅	戊寅	庚寅	壬寅	甲寅
卯	5:00 - 7:00	丁卯	己卯	辛卯	癸卯	乙卯
辰	7:00 - 9:00	戊辰	庚辰	壬辰	甲辰	丙辰
巳	9:00 - 11:00	己巳	辛巳	癸巳	乙巳	丁巳
午	11:00 - 13:00	庚午	壬午	甲午	丙午	戊午
未	13:00 - 15:00	辛未	癸未	乙未	丁未	己未
申	15:00 - 17:00	壬申	甲申	丙申	戊申	庚申
酉	17:00 - 19:00	癸酉	乙酉	丁酉	己酉	辛酉
戌	19:00 - 21:00	甲戌	丙戌	戊戌	庚戌	壬戌
亥	21:00 - 23:00	乙亥	丁亥	己亥	辛亥	癸亥

排時柱要特別注意子時，是有分早子時及夜子時之分，從零時至一時是早子時，晚上的23時至24時為夜子時。

凡夜子時生人，其生日之干支仍屬當日，但時干則取次日之日干推算。

排大運

看年干：甲、丙、戊、庚、壬，屬陽年干。

乙、丁、己、辛、癸，屬陰年干。

陽男陰女順行，陰男陽女逆行，以月柱起排。

例：新曆一九九六年4月1日16時（農曆二月十四日）

丙子	辛卯	戊辰（日元）	庚申

大運（陽男順行）：

1	11	21	31	41	51	61
壬辰	癸巳	甲午	乙未	丙申	丁酉	戊戌

大運（陽女逆行）：

9	19	29	39	49	59	69
庚寅	己丑	戊子	丁亥	丙戌	乙酉	甲申

上運歲數簡易計算法

是依據排大運的順逆行法（陽男陰女順行，陰男陽女逆行）。

陽男陰女：從「出生日」開始計算順數至下一個「節」為止，看看共有幾天。

陰男陽女：從「出生日」逆數至上一個「節」止，看看共有幾天。

然後以三日為一歲來計算。

每三日為一歲，一歲等於三百六十天。

每一日為一百二十天，一百二十天等於四個月。

每一日有十二個時辰，每個時辰為十日。

如計有18日，用3去除，得商是6，即6歲上運。

如計有20日，用3去除，等於6歲多2日，即是6歲零8個月上運。

如計有25日，用3去除，等於8歲多1日，即是8歲零4個月上運。

現大多數採用以整數計算，如上例，是8歲零4個月上運，就取8歲上運。

注：如有不清楚之處，可參考《子平八字命理》第一章，有更詳細的解釋。

萬年曆

一九三〇年

歲次庚午（肖馬）

太歲姓王名清

年星七赤

月別	正月小		二月大		三月大		四月小		五月小		六月大	
干支	戊寅		己卯		庚辰		辛巳		壬午		癸未	
九星	八白		七赤		六白		五黃		四綠		三碧	
節氣	立春	雨水	驚蟄	春分	清明	穀雨	立夏	小滿	芒種	夏至	小暑	大暑
	初六 20時52分 戌時	廿一 17時0分 酉時	初七 15時17分 申時	廿二 16時30分 申時	初七 20時38分 戌時	廿三 4時6分 寅時	初八 14時28分 未時	廿四 3時42分 寅時	初十 18時58分 酉時	廿六 11時53分 午時	十三 5時20分 卯時	廿八 22時42分 亥時
農曆	干支	西曆	干支	西曆	干支	西曆	干支	西曆	干支	西曆	干支	西曆
初一	庚辰	1 30	己酉	2 28	己卯	3 30	己酉	4 29	戊寅	5 28	丁未	6 26
初二	辛巳	1 31	庚戌	3 1	庚辰	3 31	庚戌	4 30	己卯	5 29	戊申	6 27
初三	壬午	2 1	辛亥	3 2	辛巳	4 1	辛亥	5 1	庚辰	5 30	己酉	6 28
初四	癸未	2 2	壬子	3 3	壬午	4 2	壬子	5 2	辛巳	5 31	庚戌	6 29
初五	甲申	2 3	癸丑	3 4	癸未	4 3	癸丑	5 3	壬午	6 1	辛亥	6 30
初六	**乙酉**	2 4	甲寅	3 5	甲申	4 4	甲寅	5 4	癸未	6 2	壬子	7 1
初七	丙戌	2 5	**乙卯**	3 6	**乙酉**	4 5	乙卯	5 5	甲申	6 3	癸丑	7 2
初八	丁亥	2 6	丙辰	3 7	丙戌	4 6	**丙辰**	5 6	乙酉	6 4	甲寅	7 3
初九	戊子	2 7	丁巳	3 8	丁亥	4 7	丁巳	5 7	丙戌	6 5	乙卯	7 4
初十	己丑	2 8	戊午	3 9	戊子	4 8	戊午	5 8	**丁亥**	6 6	丙辰	7 5
十一	庚寅	2 9	己未	3 10	己丑	4 9	己未	5 9	戊子	6 7	丁巳	7 6
十二	辛卯	2 10	庚申	3 11	庚寅	4 10	庚申	5 10	己丑	6 8	戊午	7 7
十三	壬辰	2 11	辛酉	3 12	辛卯	4 11	辛酉	5 11	庚寅	6 9	**己未**	7 8
十四	癸巳	2 12	壬戌	3 13	壬辰	4 12	壬戌	5 12	辛卯	6 10	庚申	7 9
十五	甲午	2 13	癸亥	3 14	癸巳	4 13	癸亥	5 13	壬辰	6 11	辛酉	7 10
十六	乙未	2 14	甲子	3 15	甲午	4 14	甲子	5 14	癸巳	6 12	壬戌	7 11
十七	丙申	2 15	乙丑	3 16	乙未	4 15	乙丑	5 15	甲午	6 13	癸亥	7 12
十八	丁酉	2 16	丙寅	3 17	丙申	4 16	丙寅	5 16	乙未	6 14	甲子	7 13
十九	戊戌	2 17	丁卯	3 18	丁酉	4 17	丁卯	5 17	丙申	6 15	乙丑	7 14
二十	己亥	2 18	戊辰	3 19	戊戌	4 18	戊辰	5 18	丁酉	6 16	丙寅	7 15
廿一	**庚子**	2 19	己巳	3 20	己亥	4 19	己巳	5 19	戊戌	6 17	丁卯	7 16
廿二	辛丑	2 20	**庚午**	3 21	庚子	4 20	庚午	5 20	己亥	6 18	戊辰	7 17
廿三	壬寅	2 21	辛未	3 22	**辛丑**	4 21	辛未	5 21	庚子	6 19	己巳	7 18
廿四	癸卯	2 22	壬申	3 23	壬寅	4 22	**壬申**	5 22	辛丑	6 20	庚午	7 19
廿五	甲辰	2 23	癸酉	3 24	癸卯	4 23	癸酉	5 23	壬寅	6 21	辛未	7 20
廿六	乙巳	2 24	甲戌	3 25	甲辰	4 24	甲戌	5 24	**癸卯**	6 22	壬申	7 21
廿七	丙午	2 25	乙亥	3 26	乙巳	4 25	乙亥	5 25	甲辰	6 23	癸酉	7 22
廿八	丁未	2 26	丙子	3 27	丙午	4 26	丙子	5 26	乙巳	6 24	**甲戌**	7 23
廿九	戊申	2 27	丁丑	3 28	丁未	4 27	丁丑	5 27	丙午	6 25	乙亥	7 24
三十			戊寅	3 29	戊申	4 28					丙子	7 25

十二月小		十一月大		十月大		九月小		八月大		七月小		閏六月小		月別
己丑		戊子		丁亥		丙戌		乙酉		甲申				干支
六白		七赤		八白		九紫		一白		二黑				九星
立春	大寒	小寒	冬至	大雪	小雪	立冬	霜降	寒露	秋分	白露	處暑		立秋	節氣
十八 2時41分 丑時	初三 8時18分 辰時	十八 14時56分 未時	初三 21時40分 亥時	十九 3時51分 寅時	初四 8時35分 辰時	十八 11時21分 午時	初三 11時26分 午時	十八 8時38分 辰時	初三 2時36分 丑時	十六 17時29分 酉時	初一 5時27分 卯時		十四 14時58分 未時	節氣
西曆	干支	西曆	干支	西曆	干支	西曆	干支	西曆	干支	西曆	干支	西曆	干支	農曆
1 19	甲戌	12 20	甲辰	11 20	甲戌	10 22	乙巳	9 22	乙亥	8 24	**丙午**	7 26	丁丑	初一
1 20	乙亥	12 21	乙巳	11 21	乙亥	10 23	丙午	9 23	丙子	8 25	丁未	7 27	戊寅	初二
1 21	**丙子**	12 22	**丙午**	11 22	丙子	10 24	**丁未**	9 24	**丁丑**	8 26	戊申	7 28	己卯	初三
1 22	丁丑	12 23	丁未	11 23	**丁丑**	10 25	戊申	9 25	戊寅	8 27	己酉	7 29	庚辰	初四
1 23	戊寅	12 24	戊申	11 24	戊寅	10 26	己酉	9 26	己卯	8 28	庚戌	7 30	辛巳	初五
1 24	己卯	12 25	己酉	11 25	己卯	10 27	庚戌	9 27	庚辰	8 29	辛亥	7 31	壬午	初六
1 25	庚辰	12 26	庚戌	11 26	庚辰	10 28	辛亥	9 28	辛巳	8 30	壬子	8 1	癸未	初七
1 26	辛巳	12 27	辛亥	11 27	辛巳	10 29	壬子	9 29	壬午	8 31	癸丑	8 2	甲申	初八
1 27	壬午	12 28	壬子	11 28	壬午	10 30	癸丑	9 30	癸未	9 1	甲寅	8 3	乙酉	初九
1 28	癸未	12 29	癸丑	11 29	癸未	10 31	甲寅	10 1	甲申	9 2	乙卯	8 4	丙戌	初十
1 29	甲申	12 30	甲寅	11 30	甲申	11 1	乙卯	10 2	乙酉	9 3	丙辰	8 5	丁亥	十一
1 30	乙酉	12 31	乙卯	12 1	乙酉	11 2	丙辰	10 3	丙戌	9 4	丁巳	8 6	戊子	十二
1 31	丙戌	1 1	丙辰	12 2	丙戌	11 3	丁巳	10 4	丁亥	9 5	戊午	8 7	己丑	十三
2 1	丁亥	1 2	丁巳	12 3	丁亥	11 4	戊午	10 5	戊子	9 6	己未	8 8	**庚寅**	十四
2 2	戊子	1 3	戊午	12 4	戊子	11 5	己未	10 6	己丑	9 7	庚申	8 9	辛卯	十五
2 3	己丑	1 4	己未	12 5	己丑	11 6	庚申	10 7	庚寅	9 8	**辛酉**	8 10	壬辰	十六
2 4	庚寅	1 5	庚申	12 6	庚寅	11 7	辛酉	10 8	辛卯	9 9	壬戌	8 11	癸巳	十七
2 5	**辛卯**	1 6	**辛酉**	12 7	辛卯	11 8	**壬戌**	10 9	**壬辰**	9 10	癸亥	8 12	甲午	十八
2 6	壬辰	1 7	壬戌	12 8	**壬辰**	11 9	癸亥	10 10	癸巳	9 11	甲子	8 13	乙未	十九
2 7	癸巳	1 8	癸亥	12 9	癸巳	11 10	甲子	10 11	甲午	9 12	乙丑	8 14	丙申	二十
2 8	甲午	1 9	甲子	12 10	甲午	11 11	乙丑	10 12	乙未	9 13	丙寅	8 15	丁酉	廿一
2 9	乙未	1 10	乙丑	12 11	乙未	11 12	丙寅	10 13	丙申	9 14	丁卯	8 16	戊戌	廿二
2 10	丙申	1 11	丙寅	12 12	丙申	11 13	丁卯	10 14	丁酉	9 15	戊辰	8 17	己亥	廿三
2 11	丁酉	1 12	丁卯	12 13	丁酉	11 14	戊辰	10 15	戊戌	9 16	己巳	8 18	庚子	廿四
2 12	戊戌	1 13	戊辰	12 14	戊戌	11 15	己巳	10 16	己亥	9 17	庚午	8 19	辛丑	廿五
2 13	己亥	1 14	己巳	12 15	己亥	11 16	庚午	10 17	庚子	9 18	辛未	8 20	壬寅	廿六
2 14	庚子	1 15	庚午	12 16	庚子	11 17	辛未	10 18	辛丑	9 19	壬申	8 21	癸卯	廿七
2 15	辛丑	1 16	辛未	12 17	辛丑	11 18	壬申	10 19	壬寅	9 20	癸酉	8 22	甲辰	廿八
2 16	壬寅	1 17	壬申	12 18	壬寅	11 19	癸酉	10 20	癸卯	9 21	甲戌	8 23	乙巳	廿九
		1 18	癸酉	12 19	癸卯			10 21	甲辰					三十

一九三一年　歲次辛未（肖羊）　太歲姓李名素　年星六白

月別	六月大	五月小	四月大	三月小	二月大	正月大
干支	乙未	甲午	癸巳	壬辰	辛卯	庚寅
九星	九紫	一白	二黑	三碧	四綠	五黃

節氣

節氣	時刻	農曆
立秋	20時45分	廿五戌時
大暑	4時22分	初十寅時
小暑	11時6分	廿三午時
夏至	17時28分	初七酉時
芒種	0時42分	廿二早子時
小滿	9時16分	初六巳時
立夏	20時10分	十九戌時
穀雨	9時40分	初四巳時
清明	2時21分	十八丑時
春分	22時7分	初三亥時
驚蟄	21時3分	十八亥時
雨水	22時41分	初三亥時

日序（西曆／干支）

六月大 西曆	干支	五月小 西曆	干支	四月大 西曆	干支	三月小 西曆	干支	二月大 西曆	干支	正月大 西曆	干支	農曆
7 15	辛未	6 16	壬寅	5 17	壬申	4 18	癸卯	3 19	癸酉	2 17	癸卯	初一
7 16	壬申	6 17	癸卯	5 18	癸酉	4 19	甲辰	3 20	甲戌	2 18	甲辰	初二
7 17	癸酉	6 18	甲辰	5 19	甲戌	4 20	乙巳	3 21	乙亥	2 19	乙巳	初三
7 18	甲戌	6 19	乙巳	5 20	乙亥	4 21	丙午	3 22	丙子	2 20	丙午	初四
7 19	乙亥	6 20	丙午	5 21	丙子	4 22	丁未	3 23	丁丑	2 21	丁未	初五
7 20	丙子	6 21	丁未	5 22	丁丑	4 23	戊申	3 24	戊寅	2 22	戊申	初六
7 21	丁丑	6 22	戊申	5 23	戊寅	4 24	己酉	3 25	己卯	2 23	己酉	初七
7 22	戊寅	6 23	己酉	5 24	己卯	4 25	庚戌	3 26	庚辰	2 24	庚戌	初八
7 23	己卯	6 24	庚戌	5 25	庚辰	4 26	辛亥	3 27	辛巳	2 25	辛亥	初九
7 24	庚辰	6 25	辛亥	5 26	辛巳	4 27	壬子	3 28	壬午	2 26	壬子	初十
7 25	辛巳	6 26	壬子	5 27	壬午	4 28	癸丑	3 29	癸未	2 27	癸丑	十一
7 26	壬午	6 27	癸丑	5 28	癸未	4 29	甲寅	3 30	甲申	2 28	甲寅	十二
7 27	癸未	6 28	甲寅	5 29	甲申	4 30	乙卯	3 31	乙酉	3 1	乙卯	十三
7 28	甲申	6 29	乙卯	5 30	乙酉	5 1	丙辰	4 1	丙戌	3 2	丙辰	十四
7 29	乙酉	6 30	丙辰	5 31	丙戌	5 2	丁巳	4 2	丁亥	3 3	丁巳	十五
7 30	丙戌	7 1	丁巳	6 1	丁亥	5 3	戊午	4 3	戊子	3 4	戊午	十六
7 31	丁亥	7 2	戊午	6 2	戊子	5 4	己未	4 4	己丑	3 5	己未	十七
8 1	戊子	7 3	己未	6 3	己丑	5 5	庚申	4 5	庚寅	3 6	庚申	十八
8 2	己丑	7 4	庚申	6 4	庚寅	5 6	辛酉	4 6	辛卯	3 7	辛酉	十九
8 3	庚寅	7 5	辛酉	6 5	辛卯	5 7	壬戌	4 7	壬辰	3 8	壬戌	二十
8 4	辛卯	7 6	壬戌	6 6	壬辰	5 8	癸亥	4 8	癸巳	3 9	癸亥	廿一
8 5	壬辰	7 7	癸亥	6 7	癸巳	5 9	甲子	4 9	甲午	3 10	甲子	廿二
8 6	癸巳	7 8	甲子	6 8	甲午	5 10	乙丑	4 10	乙未	3 11	乙丑	廿三
8 7	甲午	7 9	乙丑	6 9	乙未	5 11	丙寅	4 11	丙申	3 12	丙寅	廿四
8 8	乙未	7 10	丙寅	6 10	丙申	5 12	丁卯	4 12	丁酉	3 13	丁卯	廿五
8 9	丙申	7 11	丁卯	6 11	丁酉	5 13	戊辰	4 13	戊戌	3 14	戊辰	廿六
8 10	丁酉	7 12	戊辰	6 12	戊戌	5 14	己巳	4 14	己亥	3 15	己巳	廿七
8 11	戊戌	7 13	己巳	6 13	己亥	5 15	庚午	4 15	庚子	3 16	庚午	廿八
8 12	己亥	7 14	庚午	6 14	庚子	5 16	辛未	4 16	辛丑	3 17	辛未	廿九
8 13	庚子			6 15	辛丑			4 17	壬寅	3 18	壬申	三十

十二月小		十一月大		十月小		九月大		八月小		七月小		月別
辛丑		庚子		己亥		戊戌		丁酉		丙申		干支
三碧		四綠		五黃		六白		七赤		八白		九星
立春	大寒	小寒	冬至	大雪	小雪	立冬	霜降	寒露	秋分	白露	處暑	節氣
廿九 8時30分 辰時	十四 14時7分 未時	廿九 20時46分 戌時	十五 3時30分 寅時	廿九 9時41分 巳時	十四 14時25分 未時	廿九 17時10分 酉時	十四 17時16分 酉時	廿八 14時27分 未時	十三 8時24分 辰時	廿六 23時18分 夜子時	十一 11時11分 午時	
西曆	**干支**	**西曆**	**干支**	**西曆**	**干支**	**西曆**	**干支**	**西曆**	**干支**	**西曆**	**干支**	**農曆**
1 8	戊辰	12 9	戊戌	11 10	己巳	10 11	己亥	9 12	庚午	8 14	辛丑	初一
1 9	己巳	12 10	己亥	11 11	庚午	10 12	庚子	9 13	辛未	8 15	壬寅	初二
1 10	庚午	12 11	庚子	11 12	辛未	10 13	辛丑	9 14	壬申	8 16	癸卯	初三
1 11	辛未	12 12	辛丑	11 13	壬申	10 14	壬寅	9 15	癸酉	8 17	甲辰	初四
1 12	壬申	12 13	壬寅	11 14	癸酉	10 15	癸卯	9 16	甲戌	8 18	乙巳	初五
1 13	癸酉	12 14	癸卯	11 15	甲戌	10 16	甲辰	9 17	乙亥	8 19	丙午	初六
1 14	甲戌	12 15	甲辰	11 16	乙亥	10 17	乙巳	9 18	丙子	8 20	丁未	初七
1 15	乙亥	12 16	乙巳	11 17	丙子	10 18	丙午	9 19	丁丑	8 21	戊申	初八
1 16	丙子	12 17	丙午	11 18	丁丑	10 19	丁未	9 20	戊寅	8 22	己酉	初九
1 17	丁丑	12 18	丁未	11 19	戊寅	10 20	戊申	9 21	己卯	8 23	庚戌	初十
1 18	戊寅	12 19	戊申	11 20	己卯	10 21	己酉	9 22	庚辰	8 24	**辛亥**	十一
1 19	己卯	12 20	己酉	11 21	庚辰	10 22	庚戌	9 23	辛巳	8 25	壬子	十二
1 20	庚辰	12 21	庚戌	11 22	辛巳	10 23	辛亥	9 24	**壬午**	8 26	癸丑	十三
1 21	**辛巳**	12 22	辛亥	11 23	**壬午**	10 24	**壬子**	9 25	癸未	8 27	甲寅	十四
1 22	壬午	12 23	**壬子**	11 24	癸未	10 25	癸丑	9 26	甲申	8 28	乙卯	十五
1 23	癸未	12 24	癸丑	11 25	甲申	10 26	甲寅	9 27	乙酉	8 29	丙辰	十六
1 24	甲申	12 25	甲寅	11 26	乙酉	10 27	乙卯	9 28	丙戌	8 30	丁巳	十七
1 25	乙酉	12 26	乙卯	11 27	丙戌	10 28	丙辰	9 29	丁亥	8 31	戊午	十八
1 26	丙戌	12 27	丙辰	11 28	丁亥	10 29	丁巳	9 30	戊子	9 1	己未	十九
1 27	丁亥	12 28	丁巳	11 29	戊子	10 30	戊午	10 1	己丑	9 2	庚申	二十
1 28	戊子	12 29	戊午	11 30	己丑	10 31	己未	10 2	庚寅	9 3	辛酉	廿一
1 29	己丑	12 30	己未	12 1	庚寅	11 1	庚申	10 3	辛卯	9 4	壬戌	廿二
1 30	庚寅	12 31	庚申	12 2	辛卯	11 2	辛酉	10 4	壬辰	9 5	癸亥	廿三
1 31	辛卯	1 1	辛酉	12 3	壬辰	11 3	壬戌	10 5	癸巳	9 6	甲子	廿四
2 1	壬辰	1 2	壬戌	12 4	癸巳	11 4	癸亥	10 6	甲午	9 7	乙丑	廿五
2 2	癸巳	1 3	癸亥	12 5	甲午	11 5	甲子	10 7	乙未	9 8	**丙寅**	廿六
2 3	甲午	1 4	甲子	12 6	乙未	11 6	乙丑	10 8	丙申	9 9	丁卯	廿七
2 4	乙未	1 5	乙丑	12 7	丙申	11 7	丙寅	10 9	**丁酉**	9 10	戊辰	廿八
2 5	**丙申**	1 6	**丙寅**	12 8	**丁酉**	11 8	**丁卯**	10 10	戊戌	9 11	己巳	廿九
		1 7	丁卯			11 9	戊辰					三十

珍本萬年曆

一九三二年

歲次壬申（肖猴）

太歲姓劉名旺

年星五黃

月別	正月大		二月大		三月大		四月小		五月大		六月小	
干支	壬寅		癸卯		甲辰		乙巳		丙午		丁未	
九星	二黑		一白		九紫		八白		七赤		六白	
節氣	雨水 4時29分 十五寅時	驚蟄 2時50分 三十丑時	春分 3時54分 十五寅時	清明 8時7分 三十辰時	穀雨 15時28分 十五申時		立夏 1時55分 初一丑時	小滿 15時7分 十六申時	芒種 6時28分 初三卯時	夏至 23時23分 十八夜子時	小暑 16時53分 初四申時	大暑 […]0時[…]8分 二十巳時
農曆	干支	西曆	干支	西曆	干支	西曆	干支	西曆	干支	西曆	干支	西曆
初一	丁酉	2 6	丁卯	3 7	丁酉	4 6	**丁卯**	5 6	丙申	6 4	丙寅	7 4
初二	戊戌	2 7	戊辰	3 8	戊戌	4 7	戊辰	5 7	丁酉	6 5	丁卯	7 5
初三	己亥	2 8	己巳	3 9	己亥	4 8	己巳	5 8	**戊戌**	6 6	戊辰	7 6
初四	庚子	2 9	庚午	3 10	庚子	4 9	庚午	5 9	己亥	6 7	**己巳**	7 7
初五	辛丑	2 10	辛未	3 11	辛丑	4 10	辛未	5 10	庚子	6 8	庚午	7 8
初六	壬寅	2 11	壬申	3 12	壬寅	4 11	壬申	5 11	辛丑	6 9	辛未	7 9
初七	癸卯	2 12	癸酉	3 13	癸卯	4 12	癸酉	5 12	壬寅	6 10	壬申	7 10
初八	甲辰	2 13	甲戌	3 14	甲辰	4 13	甲戌	5 13	癸卯	6 11	癸酉	7 11
初九	乙巳	2 14	乙亥	3 15	乙巳	4 14	乙亥	5 14	甲辰	6 12	甲戌	7 12
初十	丙午	2 15	丙子	3 16	丙午	4 15	丙子	5 15	乙巳	6 13	乙亥	7 13
十一	丁未	2 16	丁丑	3 17	丁未	4 16	丁丑	5 16	丙午	6 14	丙子	7 14
十二	戊申	2 17	戊寅	3 18	戊申	4 17	戊寅	5 17	丁未	6 15	丁丑	7 15
十三	己酉	2 18	己卯	3 19	己酉	4 18	己卯	5 18	戊申	6 16	戊寅	7 16
十四	庚戌	2 19	庚辰	3 20	庚戌	4 19	庚辰	5 19	己酉	6 17	己卯	7 17
十五	**辛亥**	2 20	**辛巳**	3 21	**辛亥**	4 20	辛巳	5 20	庚戌	6 18	庚辰	7 18
十六	壬子	2 21	壬午	3 22	壬子	4 21	**壬午**	5 21	辛亥	6 19	辛巳	7 19
十七	癸丑	2 22	癸未	3 23	癸丑	4 22	癸未	5 22	壬子	6 20	壬午	7 20
十八	甲寅	2 23	甲申	3 24	甲寅	4 23	甲申	5 23	**癸丑**	6 21	癸未	7 21
十九	乙卯	2 24	乙酉	3 25	乙卯	4 24	乙酉	5 24	甲寅	6 22	甲申	7 22
二十	丙辰	2 25	丙戌	3 26	丙辰	4 25	丙戌	5 25	乙卯	6 23	**乙酉**	7 23
廿一	丁巳	2 26	丁亥	3 27	丁巳	4 26	丁亥	5 26	丙辰	6 24	丙戌	7 24
廿二	戊午	2 27	戊子	3 28	戊午	4 27	戊子	5 27	丁巳	6 25	丁亥	7 25
廿三	己未	2 28	己丑	3 29	己未	4 28	己丑	5 28	戊午	6 26	戊子	7 26
廿四	庚申	2 29	庚寅	3 30	庚申	4 29	庚寅	5 29	己未	6 27	己丑	7 27
廿五	辛酉	3 1	辛卯	3 31	辛酉	4 30	辛卯	5 30	庚申	6 28	庚寅	7 28
廿六	壬戌	3 2	壬辰	4 1	壬戌	5 1	壬辰	5 31	辛酉	6 29	辛卯	7 29
廿七	癸亥	3 3	癸巳	4 2	癸亥	5 2	癸巳	6 1	壬戌	6 30	壬辰	7 30
廿八	甲子	3 4	甲午	4 3	甲子	5 3	甲午	6 2	癸亥	7 1	癸巳	7 31
廿九	乙丑	3 5	乙未	4 4	乙丑	5 4	乙未	6 3	甲子	7 2	甲午	8 1
三十	**丙寅**	3 6	**丙申**	4 5	丙寅	5 5			乙丑	7 3		

十二月大		十一月小		十月大		九月小		八月小		七月大		月別
癸丑		壬子		辛亥		庚戌		己酉		戊申		干支
九紫		一白		二黑		三碧		四綠		五黃		九星
大寒	小寒	冬至	大雪	小雪	立冬	霜降	寒露	秋分	白露	處暑	立秋	節氣
廿五 19時53分 戌時	十一 2時24分 丑時	廿五 9時15分 巳時	初十 15時19分 申時	廿五 20時11分 戌時	初十 22時50分 亥時	廿四 23時4分 夜子	初九 20時10分 戌時	廿三 14時16分 未時	初八 5時3分 卯時	廿二 17時6分 酉時	初七 2時32分 丑時	
西曆	干支	西曆	干支	西曆	干支	西曆	干支	西曆	干支	西曆	干支	農曆
12 27	壬戌	11 28	癸巳	10 29	癸亥	9 30	甲午	9 1	乙丑	8 2	乙未	初一
12 28	癸亥	11 29	甲午	10 30	甲子	10 1	乙未	9 2	丙寅	8 3	丙申	初二
12 29	甲子	11 30	乙未	10 31	乙丑	10 2	丙申	9 3	丁卯	8 4	丁酉	初三
12 30	乙丑	12 1	丙申	11 1	丙寅	10 3	丁酉	9 4	戊辰	8 5	戊戌	初四
12 31	丙寅	12 2	丁酉	11 2	丁卯	10 4	戊戌	9 5	己巳	8 6	己亥	初五
1 1	丁卯	12 3	戊戌	11 3	戊辰	10 5	己亥	9 6	庚午	8 7	庚子	初六
1 2	戊辰	12 4	己亥	11 4	己巳	10 6	庚子	9 7	辛未	8 8	**辛丑**	初七
1 3	己巳	12 5	庚子	11 5	庚午	10 7	辛丑	9 8	**壬申**	8 9	壬寅	初八
1 4	庚午	12 6	辛丑	11 6	辛未	10 8	**壬寅**	9 9	癸酉	8 10	癸卯	初九
1 5	辛未	12 7	**壬寅**	11 7	**壬申**	10 9	癸卯	9 10	甲戌	8 11	甲辰	初十
1 6	**壬申**	12 8	癸卯	11 8	癸酉	10 10	甲辰	9 11	乙亥	8 12	乙巳	十一
1 7	癸酉	12 9	甲辰	11 9	甲戌	10 11	乙巳	9 12	丙子	8 13	丙午	十二
1 8	甲戌	12 10	乙巳	11 10	乙亥	10 12	丙午	9 13	丁丑	8 14	丁未	十三
1 9	乙亥	12 11	丙午	11 11	丙子	10 13	丁未	9 14	戊寅	8 15	戊申	十四
1 10	丙子	12 12	丁未	11 12	丁丑	10 14	戊申	9 15	己卯	8 16	己酉	十五
1 11	丁丑	12 13	戊申	11 13	戊寅	10 15	己酉	9 16	庚辰	8 17	庚戌	十六
1 12	戊寅	12 14	己酉	11 14	己卯	10 16	庚戌	9 17	辛巳	8 18	辛亥	十七
1 13	己卯	12 15	庚戌	11 15	庚辰	10 17	辛亥	9 18	壬午	8 19	壬子	十八
1 14	庚辰	12 16	辛亥	11 16	辛巳	10 18	壬子	9 19	癸未	8 20	癸丑	十九
1 15	辛巳	12 17	壬子	11 17	壬午	10 19	癸丑	9 20	甲申	8 21	甲寅	二十
1 16	壬午	12 18	癸丑	11 18	癸未	10 20	甲寅	9 21	乙酉	8 22	乙卯	廿一
1 17	癸未	12 19	甲寅	11 19	甲申	10 21	乙卯	9 22	丙戌	8 23	**丙辰**	廿二
1 18	甲申	12 20	乙卯	11 20	乙酉	10 22	丙辰	9 23	**丁亥**	8 24	丁巳	廿三
1 19	乙酉	12 21	丙辰	11 21	丙戌	10 23	**丁巳**	9 24	戊子	8 25	戊午	廿四
1 20	**丙戌**	12 22	**丁巳**	11 22	**丁亥**	10 24	戊午	9 25	己丑	8 26	己未	廿五
1 21	丁亥	12 23	戊午	11 23	戊子	10 25	己未	9 26	庚寅	8 27	庚申	廿六
1 22	戊子	12 24	己未	11 24	己丑	10 26	庚申	9 27	辛卯	8 28	辛酉	廿七
1 23	己丑	12 25	庚申	11 25	庚寅	10 27	辛酉	9 28	壬辰	8 29	壬戌	廿八
1 24	庚寅	12 26	辛酉	11 26	辛卯	10 28	壬戌	9 29	癸巳	8 30	癸亥	廿九
1 25	辛卯			11 27	壬辰					8 31	甲子	三十

一九三三年

歲次癸酉（肖雞）

太歲姓康名志

年星四綠

閏五月大		五月大		四月小		三月大		二月大		正月小		月別
		戊午		丁巳		丙辰		乙卯		甲寅		干支
		四綠		五黃		六白		七赤		八白		九星
	小暑	夏至	芒種	小滿	立夏	穀雨	清明	春分	驚蟄	雨水	立春	節氣
	十五亥時 22時45分	三十卯時 5時12分	十四午時 12時18分	廿七戌時 20時57分	十二辰時 7時42分	廿六亥時 21時19分	十一未時 13時51分	廿六巳時 9時44分	十一辰時 8時32分	廿五巳時 10時17分	初十未時 14時10分	
西曆	干支	西曆	干支	西曆	干支	西曆	干支	西曆	干支	西曆	干支	農曆
6 23	庚申	5 24	庚寅	4 25	辛酉	3 26	辛卯	2 24	辛酉	1 26	壬辰	初一
6 24	辛酉	5 25	辛卯	4 26	壬戌	3 27	壬辰	2 25	壬戌	1 27	癸巳	初二
6 25	壬戌	5 26	壬辰	4 27	癸亥	3 28	癸巳	2 26	癸亥	1 28	甲午	初三
6 26	癸亥	5 27	癸巳	4 28	甲子	3 29	甲午	2 27	甲子	1 29	乙未	初四
6 27	甲子	5 28	甲午	4 29	乙丑	3 30	乙未	2 28	乙丑	1 30	丙申	初五
6 28	乙丑	5 29	乙未	4 30	丙寅	3 31	丙申	3 1	丙寅	1 31	丁酉	初六
6 29	丙寅	5 30	丙申	5 1	丁卯	4 1	丁酉	3 2	丁卯	2 1	戊戌	初七
6 30	丁卯	5 31	丁酉	5 2	戊辰	4 2	戊戌	3 3	戊辰	2 2	己亥	初八
7 1	戊辰	6 1	戊戌	5 3	己巳	4 3	己亥	3 4	己巳	2 3	庚子	初九
7 2	己巳	6 2	己亥	5 4	庚午	4 4	庚子	3 5	庚午	2 4	**辛丑**	初十
7 3	庚午	6 3	庚子	5 5	辛未	4 5	**辛丑**	3 6	**辛未**	2 5	壬寅	十一
7 4	辛未	6 4	辛丑	5 6	**壬申**	4 6	壬寅	3 7	壬申	2 6	癸卯	十二
7 5	壬申	6 5	壬寅	5 7	癸酉	4 7	癸卯	3 8	癸酉	2 7	甲辰	十三
7 6	癸酉	6 6	**癸卯**	5 8	甲戌	4 8	甲辰	3 9	甲戌	2 8	乙巳	十四
7 7	**甲戌**	6 7	甲辰	5 9	乙亥	4 9	乙巳	3 10	乙亥	2 9	丙午	十五
7 8	乙亥	6 8	乙巳	5 10	丙子	4 10	丙午	3 11	丙子	2 10	丁未	十六
7 9	丙子	6 9	丙午	5 11	丁丑	4 11	丁未	3 12	丁丑	2 11	戊申	十七
7 10	丁丑	6 10	丁未	5 12	戊寅	4 12	戊申	3 13	戊寅	2 12	己酉	十八
7 11	戊寅	6 11	戊申	5 13	己卯	4 13	己酉	3 14	己卯	2 13	庚戌	十九
7 12	己卯	6 12	己酉	5 14	庚辰	4 14	庚戌	3 15	庚辰	2 14	辛亥	二十
7 13	庚辰	6 13	庚戌	5 15	辛巳	4 15	辛亥	3 16	辛巳	2 15	壬子	廿一
7 14	辛巳	6 14	辛亥	5 16	壬午	4 16	壬子	3 17	壬午	2 16	癸丑	廿二
7 15	壬午	6 15	壬子	5 17	癸未	4 17	癸丑	3 18	癸未	2 17	甲寅	廿三
7 16	癸未	6 16	癸丑	5 18	甲申	4 18	甲寅	3 19	甲申	2 18	乙卯	廿四
7 17	甲申	6 17	甲寅	5 19	乙酉	4 19	乙卯	3 20	乙酉	2 19	**丙辰**	廿五
7 18	乙酉	6 18	乙卯	5 20	丙戌	4 20	**丙辰**	3 21	**丙戌**	2 20	丁巳	廿六
7 19	丙戌	6 19	丙辰	5 21	**丁亥**	4 21	丁巳	3 22	丁亥	2 21	戊午	廿七
7 20	丁亥	6 20	丁巳	5 22	戊子	4 22	戊午	3 23	戊子	2 22	己未	廿八
7 21	戊子	6 21	戊午	5 23	己丑	4 23	己未	3 24	己丑	2 23	庚申	廿九
7 22	己丑	6 22	**己未**			4 24	庚申	3 25	庚寅			三十

十二月大		十一月小		十月小		九月大		八月小		七月大		六月小		月
乙丑		甲子		癸亥		壬戌		辛酉		庚申		己未		干
六白		七赤		八白		九紫		一白		二黑		三碧		九
立春	大寒	小寒	冬至	大雪	小雪	立冬	霜降	寒露	秋分	白露	處暑	立秋	大暑	節氣
20時4分 廿一戌時	1時37分 初七丑時	8時17分 廿一辰時	14時58分 初六未時	21時12分 二十亥時	1時55分 初六丑時	4時44分 廿一寅時	4時49分 初六寅時	2時8分 二十丑時	20時1分 初四戌時	10時58分 十九巳時	22時53分 初三亥時	8時26分 十七辰時	16時6分 初一申時	
西曆	干支	西曆	干支	西曆	干支	西曆	干支	西曆	干支	西曆	干支	西曆	干支	農
1 15	丙戌	12 17	丁巳	11 18	戊子	10 19	戊午	9 20	己丑	8 21	己未	7 23	**庚寅**	初
1 16	丁亥	12 18	戊午	11 19	己丑	10 20	己未	9 21	庚寅	8 22	庚申	7 24	辛卯	初
1 17	戊子	12 19	己未	11 20	庚寅	10 21	庚申	9 22	辛卯	8 23	**辛酉**	7 25	壬辰	初
1 18	己丑	12 20	庚申	11 21	辛卯	10 22	辛酉	9 23	**壬辰**	8 24	壬戌	7 26	癸巳	初
1 19	庚寅	12 21	辛酉	11 22	壬辰	10 23	壬戌	9 24	癸巳	8 25	癸亥	7 27	甲午	初
1 20	辛卯	12 22	**壬戌**	11 23	**癸巳**	10 24	**癸亥**	9 25	甲午	8 26	甲子	7 28	乙未	初
1 21	**壬辰**	12 23	癸亥	11 24	甲午	10 25	甲子	9 26	乙未	8 27	乙丑	7 29	丙申	初
1 22	癸巳	12 24	甲子	11 25	乙未	10 26	乙丑	9 27	丙申	8 28	丙寅	7 30	丁酉	初
1 23	甲午	12 25	乙丑	11 26	丙申	10 27	丙寅	9 28	丁酉	8 29	丁卯	7 31	戊戌	初
1 24	乙未	12 26	丙寅	11 27	丁酉	10 28	丁卯	9 29	戊戌	8 30	戊辰	8 1	己亥	初
1 25	丙申	12 27	丁卯	11 28	戊戌	10 29	戊辰	9 30	己亥	8 31	己巳	8 2	庚子	十
1 26	丁酉	12 28	戊辰	11 29	己亥	10 30	己巳	10 1	庚子	9 1	庚午	8 3	辛丑	十
1 27	戊戌	12 29	己巳	11 30	庚子	10 31	庚午	10 2	辛丑	9 2	辛未	8 4	壬寅	十
1 28	己亥	12 30	庚午	12 1	辛丑	11 1	辛未	10 3	壬寅	9 3	壬申	8 5	癸卯	十
1 29	庚子	12 31	辛未	12 2	壬寅	11 2	壬申	10 4	癸卯	9 4	癸酉	8 6	甲辰	十
1 30	辛丑	1 1	壬申	12 3	癸卯	11 3	癸酉	10 5	甲辰	9 5	甲戌	8 7	乙巳	十
1 31	壬寅	1 2	癸酉	12 4	甲辰	11 4	甲戌	10 6	乙巳	9 6	乙亥	8 8	**丙午**	十
2 1	癸卯	1 3	甲戌	12 5	乙巳	11 5	乙亥	10 7	丙午	9 7	丙子	8 9	丁未	十
2 2	甲辰	1 4	乙亥	12 6	丙午	11 6	丙子	10 8	丁未	9 8	**丁丑**	8 10	戊申	十
2 3	乙巳	1 5	丙子	12 7	**丁未**	11 7	丁丑	10 9	**戊申**	9 9	戊寅	8 11	己酉	二
2 4	**丙午**	1 6	**丁丑**	12 8	戊申	11 8	**戊寅**	10 10	己酉	9 10	己卯	8 12	庚戌	廿
2 5	丁未	1 7	戊寅	12 9	己酉	11 9	己卯	10 11	庚戌	9 11	庚辰	8 13	辛亥	廿
2 6	戊申	1 8	己卯	12 10	庚戌	11 10	庚辰	10 12	辛亥	9 12	辛巳	8 14	壬子	廿
2 7	己酉	1 9	庚辰	12 11	辛亥	11 11	辛巳	10 13	壬子	9 13	壬午	8 15	癸丑	廿
2 8	庚戌	1 10	辛巳	12 12	壬子	11 12	壬午	10 14	癸丑	9 14	癸未	8 16	甲寅	廿
2 9	辛亥	1 11	壬午	12 13	癸丑	11 13	癸未	10 15	甲寅	9 15	甲申	8 17	乙卯	廿
2 10	壬子	1 12	癸未	12 14	甲寅	11 14	甲申	10 16	乙卯	9 16	乙酉	8 18	丙辰	廿
2 11	癸丑	1 13	甲申	12 15	乙卯	11 15	乙酉	10 17	丙辰	9 17	丙戌	8 19	丁巳	廿
2 12	甲寅	1 14	乙酉	12 16	丙辰	11 16	丙戌	10 18	丁巳	9 18	丁亥	8 20	戊午	廿
2 13	乙卯					11 17	丁亥			9 19	戊子			三

一九三四年

歲次甲戌（肖狗）

太歲姓誓名廣

年星三碧

六月小		五月大		四月大		三月小		二月大		正月小		月別
辛未		庚午		己巳		戊辰		丁卯		丙寅		干支
九紫		一白		二黑		三碧		四綠		五黃		九星
秋	大暑	小暑	夏至	芒種	小滿	立夏	穀雨	清明	春分	驚蟄	雨水	節氣
廿八未時	十二 21時44分 亥時	廿七 4時25分 寅時	十一 10時48分 巳時	廿五 18時2分 酉時	初十 2時35分 丑時	廿三 13時31分 未時	初八 3時1分 寅時	廿二 19時44分 戌時	初七 15時28分 申時	廿一 14時27分 未時	初六 16時2分 申時	
曆	干支	西曆	干支	西曆	干支	西曆	干支	西曆	干支	西曆	干支	農曆
12	甲申	6 12	甲寅	5 13	甲申	4 14	乙卯	3 15	乙酉	2 14	丙辰	初一
13	乙酉	6 13	乙卯	5 14	乙酉	4 15	丙辰	3 16	丙戌	2 15	丁巳	初二
14	丙戌	6 14	丙辰	5 15	丙戌	4 16	丁巳	3 17	丁亥	2 16	戊午	初三
15	丁亥	6 15	丁巳	5 16	丁亥	4 17	戊午	3 18	戊子	2 17	己未	初四
16	戊子	6 16	戊午	5 17	戊子	4 18	己未	3 19	己丑	2 18	庚申	初五
17	己丑	6 17	己未	5 18	己丑	4 19	庚申	3 20	庚寅	2 19	**辛酉**	初六
18	庚寅	6 18	庚申	5 19	庚寅	4 20	辛酉	3 21	**辛卯**	2 20	壬戌	初七
19	辛卯	6 19	辛酉	5 20	辛卯	4 21	**壬戌**	3 22	壬辰	2 21	癸亥	初八
20	壬辰	6 20	壬戌	5 21	壬辰	4 22	癸亥	3 23	癸巳	2 22	甲子	初九
21	癸巳	6 21	癸亥	5 22	**癸巳**	4 23	甲子	3 24	甲午	2 23	乙丑	初十
22	甲午	6 22	**甲子**	5 23	甲午	4 24	乙丑	3 25	乙未	2 24	丙寅	十一
23	**乙未**	6 23	乙丑	5 24	乙未	4 25	丙寅	3 26	丙申	2 25	丁卯	十二
24	丙申	6 24	丙寅	5 25	丙申	4 26	丁卯	3 27	丁酉	2 26	戊辰	十三
25	丁酉	6 25	丁卯	5 26	丁酉	4 27	戊辰	3 28	戊戌	2 27	己巳	十四
26	戊戌	6 26	戊辰	5 27	戊戌	4 28	己巳	3 29	己亥	2 28	庚午	十五
27	己亥	6 27	己巳	5 28	己亥	4 29	庚午	3 30	庚子	3 1	辛未	十六
28	庚子	6 28	庚午	5 29	庚子	4 30	辛未	3 31	辛丑	3 2	壬申	十七
29	辛丑	6 29	辛未	5 30	辛丑	5 1	壬申	4 1	壬寅	3 3	癸酉	十八
30	壬寅	6 30	壬申	5 31	壬寅	5 2	癸酉	4 2	癸卯	3 4	甲戌	十九
31	癸卯	7 1	癸酉	6 1	癸卯	5 3	甲戌	4 3	甲辰	3 5	乙亥	二十
1	甲辰	7 2	甲戌	6 2	甲辰	5 4	乙亥	4 4	乙巳	3 6	**丙子**	廿一
2	乙巳	7 3	乙亥	6 3	乙巳	5 5	丙子	4 5	**丙午**	3 7	丁丑	廿二
3	丙午	7 4	丙子	6 4	丙午	5 6	**丁丑**	4 6	丁未	3 8	戊寅	廿三
4	丁未	7 5	丁丑	6 5	丁未	5 7	戊寅	4 7	戊申	3 9	己卯	廿四
5	戊申	7 6	戊寅	6 6	**戊申**	5 8	己卯	4 8	己酉	3 10	庚辰	廿五
6	己酉	7 7	己卯	6 7	己酉	5 9	庚辰	4 9	庚戌	3 11	辛巳	廿六
7	庚戌	7 8	**庚辰**	6 8	庚戌	5 10	辛巳	4 10	辛亥	3 12	壬午	廿七
8	**辛亥**	7 9	辛巳	6 9	辛亥	5 11	壬午	4 11	壬子	3 13	癸未	廿八
9	壬子	7 10	壬午	6 10	壬子	5 12	癸未	4 12	癸丑	3 14	甲申	廿九
		7 11	癸未	6 11	癸丑			4 13	甲寅			三十

十二月大		十一月小		十月大		九月大		八月小		七月大		月
丁丑		丙子		乙亥		甲戌		癸酉		壬申		干
三碧		四綠		五黃		六白		七赤		八白		九
大寒	小寒	冬至	大雪	小雪	立冬	霜降	寒露	秋分		白露	處暑	節氣
十七辰時 7時29分	初二未時 14時3分	十六戌時 20時50分	初二丑時 2時57分	十七辰時 7時45分	初二巳時 10時27分	十七巳時 10時37分	初二辰時 7時45分	十六丑時 1時38分		三十申時 16時37分	十五寅時 4時33分	
西曆	干支	西曆	干支	西曆	干支	西曆	干支	西曆	干支	西曆	干支	農曆
1 5	辛巳	12 7	壬子	11 7	壬午	10 8	壬子	9 9	癸未	8 10	癸丑	初一
1 6	**壬午**	12 8	**癸丑**	11 8	**癸未**	10 9	**癸丑**	9 10	甲申	8 11	甲寅	初二
1 7	癸未	12 9	甲寅	11 9	甲申	10 10	甲寅	9 11	乙酉	8 12	乙卯	初三
1 8	甲申	12 10	乙卯	11 10	乙酉	10 11	乙卯	9 12	丙戌	8 13	丙辰	初四
1 9	乙酉	12 11	丙辰	11 11	丙戌	10 12	丙辰	9 13	丁亥	8 14	丁巳	初五
1 10	丙戌	12 12	丁巳	11 12	丁亥	10 13	丁巳	9 14	戊子	8 15	戊午	初六
1 11	丁亥	12 13	戊午	11 13	戊子	10 14	戊午	9 15	己丑	8 16	己未	初七
1 12	戊子	12 14	己未	11 14	己丑	10 15	己未	9 16	庚寅	8 17	庚申	初八
1 13	己丑	12 15	庚申	11 15	庚寅	10 16	庚申	9 17	辛卯	8 18	辛酉	初九
1 14	庚寅	12 16	辛酉	11 16	辛卯	10 17	辛酉	9 18	壬辰	8 19	壬戌	初十
1 15	辛卯	12 17	壬戌	11 17	壬辰	10 18	壬戌	9 19	癸巳	8 20	癸亥	十一
1 16	壬辰	12 18	癸亥	11 18	癸巳	10 19	癸亥	9 20	甲午	8 21	甲子	十二
1 17	癸巳	12 19	甲子	11 19	甲午	10 20	甲子	9 21	乙未	8 22	乙丑	十三
1 18	甲午	12 20	乙丑	11 20	乙未	10 21	乙丑	9 22	丙申	8 23	丙寅	十四
1 19	乙未	12 21	丙寅	11 21	丙申	10 22	丙寅	9 23	丁酉	8 24	**丁卯**	十五
1 20	丙申	12 22	**丁卯**	11 22	丁酉	10 23	丁卯	9 24	**戊戌**	8 25	戊辰	十六
1 21	**丁酉**	12 23	戊辰	11 23	**戊戌**	10 24	**戊辰**	9 25	己亥	8 26	己巳	十七
1 22	戊戌	12 24	己巳	11 24	己亥	10 25	己巳	9 26	庚子	8 27	庚午	十八
1 23	己亥	12 25	庚午	11 25	庚子	10 26	庚午	9 27	辛丑	8 28	辛未	十九
1 24	庚子	12 26	辛未	11 26	辛丑	10 27	辛未	9 28	壬寅	8 29	壬申	二十
1 25	辛丑	12 27	壬申	11 27	壬寅	10 28	壬申	9 29	癸卯	8 30	癸酉	廿一
1 26	壬寅	12 28	癸酉	11 28	癸卯	10 29	癸酉	9 30	甲辰	8 31	甲戌	廿二
1 27	癸卯	12 29	甲戌	11 29	甲辰	10 30	甲戌	10 1	乙巳	9 1	乙亥	廿三
1 28	甲辰	12 30	乙亥	11 30	乙巳	10 31	乙亥	10 2	丙午	9 2	丙子	廿四
1 29	乙巳	12 31	丙子	12 1	丙午	11 1	丙子	10 3	丁未	9 3	丁丑	廿五
1 30	丙午	1 1	丁丑	12 2	丁未	11 2	丁丑	10 4	戊申	9 4	戊寅	廿六
1 31	丁未	1 2	戊寅	12 3	戊申	11 3	戊寅	10 5	己酉	9 5	己卯	廿七
2 1	戊申	1 3	己卯	12 4	己酉	11 4	己卯	10 6	庚戌	9 6	庚辰	廿八
2 2	己酉	1 4	庚辰	12 5	庚戌	11 5	庚辰	10 7	辛亥	9 7	辛巳	廿九
2 3	庚戌			12 6	辛亥	11 6	辛巳			9 8	**壬午**	三十

一九三五年

歲次乙亥（肖豬）

太歲姓伍名保

年星二黑

月別	正月小		二月小		三月大		四月小		五月大		六月小	
干支	戊寅		己卯		庚辰		辛巳		壬午		癸未	
九星	二黑		一白		九紫		八白		七赤		六白	
節氣	立春	雨水	驚蟄	春分	清明	穀雨	立夏	小滿	芒種	夏至	小暑	大暑
	初二 1時49分 丑時	十六 21時52分 亥時	初二 20時11分 戌時	十七 21時18分 亥時	初四 1時27分 丑時	十九 8時50分 辰時	初四 19時12分 戌時	二十 8時25分 辰時	初六 23時42分 夜子	廿二 16時38分 申時	初八 10時6分 巳時	廿四 [illegible]時[illegible]3分 寅時
農曆	干支	西曆	干支	西曆	干支	西曆	干支	西曆	干支	西曆	干支	西曆
初一	辛亥	2 4	庚辰	3 5	己酉	4 3	己卯	5 3	戊申	6 1	戊寅	1
初二	**壬子**	2 5	**辛巳**	3 6	庚戌	4 4	庚辰	5 4	己酉	6 2	己卯	2
初三	癸丑	2 6	壬午	3 7	辛亥	4 5	辛巳	5 5	庚戌	6 3	庚辰	3
初四	甲寅	2 7	癸未	3 8	**壬子**	4 6	**壬午**	5 6	辛亥	6 4	辛巳	4
初五	乙卯	2 8	甲申	3 9	癸丑	4 7	癸未	5 7	壬子	6 5	壬午	5
初六	丙辰	2 9	乙酉	3 10	甲寅	4 8	甲申	5 8	**癸丑**	6 6	癸未	6
初七	丁巳	2 10	丙戌	3 11	乙卯	4 9	乙酉	5 9	甲寅	6 7	甲申	7
初八	戊午	2 11	丁亥	3 12	丙辰	4 10	丙戌	5 10	乙卯	6 8	**乙酉**	8
初九	己未	2 12	戊子	3 13	丁巳	4 11	丁亥	5 11	丙辰	6 9	丙戌	9
初十	庚申	2 13	己丑	3 14	戊午	4 12	戊子	5 12	丁巳	6 10	丁亥	10
十一	辛酉	2 14	庚寅	3 15	己未	4 13	己丑	5 13	戊午	6 11	戊子	11
十二	壬戌	2 15	辛卯	3 16	庚申	4 14	庚寅	5 14	己未	6 12	己丑	12
十三	癸亥	2 16	壬辰	3 17	辛酉	4 15	辛卯	5 15	庚申	6 13	庚寅	13
十四	甲子	2 17	癸巳	3 18	壬戌	4 16	壬辰	5 16	辛酉	6 14	辛卯	14
十五	乙丑	2 18	甲午	3 19	癸亥	4 17	癸巳	5 17	壬戌	6 15	壬辰	15
十六	**丙寅**	2 19	乙未	3 20	甲子	4 18	甲午	5 18	癸亥	6 16	癸巳	16
十七	丁卯	2 20	**丙申**	3 21	乙丑	4 19	乙未	5 19	甲子	6 17	甲午	17
十八	戊辰	2 21	丁酉	3 22	丙寅	4 20	丙申	5 20	乙丑	6 18	乙未	18
十九	己巳	2 22	戊戌	3 23	**丁卯**	4 21	丁酉	5 21	丙寅	6 19	丙申	19
二十	庚午	2 23	己亥	3 24	戊辰	4 22	**戊戌**	5 22	丁卯	6 20	丁酉	20
廿一	辛未	2 24	庚子	3 25	己巳	4 23	己亥	5 23	戊辰	6 21	戊戌	21
廿二	壬申	2 25	辛丑	3 26	庚午	4 24	庚子	5 24	**己巳**	6 22	己亥	22
廿三	癸酉	2 26	壬寅	3 27	辛未	4 25	辛丑	5 25	庚午	6 23	庚子	23
廿四	甲戌	2 27	癸卯	3 28	壬申	4 26	壬寅	5 26	辛未	6 24	**辛丑**	24
廿五	乙亥	2 28	甲辰	3 29	癸酉	4 27	癸卯	5 27	壬申	6 25	壬寅	25
廿六	丙子	3 1	乙巳	3 30	甲戌	4 28	甲辰	5 28	癸酉	6 26	癸卯	26
廿七	丁丑	3 2	丙午	3 31	乙亥	4 29	乙巳	5 29	甲戌	6 27	甲辰	27
廿八	戊寅	3 3	丁未	4 1	丙子	4 30	丙午	5 30	乙亥	6 28	乙巳	28
廿九	己卯	3 4	戊申	4 2	丁丑	5 1	丁未	5 31	丙子	6 29	丙午	29
三十					戊寅	5 2			丁丑	6 30		

十二月小		十一月大		十月大		九月小		八月大		七月大		月別
己丑		戊子		丁亥		丙戌		乙酉		甲申		干支
九紫		一白		二黑		三碧		四綠		五黃		九星
大寒	小寒	冬至	大雪	小雪	立冬	霜降	寒露	秋分	白露	處暑	立秋	節氣
廿七 13時13分 未時	十二 19時47分 戌時	廿八 2時37分 丑時	十三 8時45分 辰時	廿八 13時36分 未時	十三 16時18分 申時	廿七 16時30分 申時	十二 13時36分 未時	廿七 7時39分 辰時	十一 22時25分 亥時	廿六 10時24分 巳時	初十 19時48分 戌時	
西曆	干支	西曆	干支	西曆	干支	西曆	干支	西曆	干支	西曆	干支	農曆
12 26	丙子	11 26	丙午	10 27	丙子	9 28	丁未	8 29	丁丑	7 30	丁未	初一
12 27	丁丑	11 27	丁未	10 28	丁丑	9 29	戊申	8 30	戊寅	7 31	戊申	初二
12 28	戊寅	11 28	戊申	10 29	戊寅	9 30	己酉	8 31	己卯	8 1	己酉	初三
12 29	己卯	11 29	己酉	10 30	己卯	10 1	庚戌	9 1	庚辰	8 2	庚戌	初四
12 30	庚辰	11 30	庚戌	10 31	庚辰	10 2	辛亥	9 2	辛巳	8 3	辛亥	初五
12 31	辛巳	12 1	辛亥	11 1	辛巳	10 3	壬子	9 3	壬午	8 4	壬子	初六
1 1	壬午	12 2	壬子	11 2	壬午	10 4	癸丑	9 4	癸未	8 5	癸丑	初七
1 2	癸未	12 3	癸丑	11 3	癸未	10 5	甲寅	9 5	甲申	8 6	甲寅	初八
1 3	甲申	12 4	甲寅	11 4	甲申	10 6	乙卯	9 6	乙酉	8 7	乙卯	初九
1 4	乙酉	12 5	乙卯	11 5	乙酉	10 7	丙辰	9 7	丙戌	8 8	**丙辰**	初十
1 5	丙戌	12 6	丙辰	11 6	丙戌	10 8	丁巳	9 8	**丁亥**	8 9	丁巳	十一
1 6	**丁亥**	12 7	丁巳	11 7	丁亥	10 9	**戊午**	9 9	戊子	8 10	戊午	十二
1 7	戊子	12 8	**戊午**	11 8	**戊子**	10 10	己未	9 10	己丑	8 11	己未	十三
1 8	己丑	12 9	己未	11 9	己丑	10 11	庚申	9 11	庚寅	8 12	庚申	十四
1 9	庚寅	12 10	庚申	11 10	庚寅	10 12	辛酉	9 12	辛卯	8 13	辛酉	十五
1 10	辛卯	12 11	辛酉	11 11	辛卯	10 13	壬戌	9 13	壬辰	8 14	壬戌	十六
1 11	壬辰	12 12	壬戌	11 12	壬辰	10 14	癸亥	9 14	癸巳	8 15	癸亥	十七
1 12	癸巳	12 13	癸亥	11 13	癸巳	10 15	甲子	9 15	甲午	8 16	甲子	十八
1 13	甲午	12 14	甲子	11 14	甲午	10 16	乙丑	9 16	乙未	8 17	乙丑	十九
1 14	乙未	12 15	乙丑	11 15	乙未	10 17	丙寅	9 17	丙申	8 18	丙寅	二十
1 15	丙申	12 16	丙寅	11 16	丙申	10 18	丁卯	9 18	丁酉	8 19	丁卯	廿一
1 16	丁酉	12 17	丁卯	11 17	丁酉	10 19	戊辰	9 19	戊戌	8 20	戊辰	廿二
1 17	戊戌	12 18	戊辰	11 18	戊戌	10 20	己巳	9 20	己亥	8 21	己巳	廿三
1 18	己亥	12 19	己巳	11 19	己亥	10 21	庚午	9 21	庚子	8 22	庚午	廿四
1 19	庚子	12 20	庚午	11 20	庚子	10 22	辛未	9 22	辛丑	8 23	辛未	廿五
1 20	辛丑	12 21	辛未	11 21	辛丑	10 23	壬申	9 23	壬寅	8 24	**壬申**	廿六
1 21	**壬寅**	12 22	壬申	11 22	壬寅	10 24	**癸酉**	9 24	**癸卯**	8 25	癸酉	廿七
1 22	癸卯	12 23	**癸酉**	11 23	**癸卯**	10 25	甲戌	9 25	甲辰	8 26	甲戌	廿八
1 23	甲辰	12 24	甲戌	11 24	甲辰	10 26	乙亥	9 26	乙巳	8 27	乙亥	廿九
		12 25	乙亥	11 25	乙巳			9 27	丙午	8 28	丙子	三十

一九三六年

歲次丙子（肖鼠）

太歲姓郭名嘉

年星一白

月別	正月大		二月小		三月小		閏三月大		四月小		五月小	
干支	庚寅		辛卯		壬辰				癸巳		甲午	
九星	八白		七赤		六白				五黃		四綠	
節氣	立春	雨水	驚蟄	春分	清明	穀雨		立夏	小滿	芒種	夏至	小暑
	7時30分 十三辰時	3時34分 廿八寅時	1時50分 十三丑時	2時58分 廿八丑時	7時9分 十四辰時	14時31分 廿九未時		0時14分 十六早子	14時8分 初一未時	5時31分 十七卯時	22時22分 初三亥時	15時59分 十九申時
農曆	干支	西曆	干支	西曆	干支	西曆	干支	西曆	干支	西曆	干支	西曆
初一	乙巳	1 24	乙亥	2 23	甲辰	3 23	癸酉	4 21	**癸卯**	5 21	壬申	6 19
初二	丙午	1 25	丙子	2 24	乙巳	3 24	甲戌	4 22	甲辰	5 22	癸酉	6 20
初三	丁未	1 26	丁丑	2 25	丙午	3 25	乙亥	4 23	乙巳	5 23	**甲戌**	6 21
初四	戊申	1 27	戊寅	2 26	丁未	3 26	丙子	4 24	丙午	5 24	乙亥	6 22
初五	己酉	1 28	己卯	2 27	戊申	3 27	丁丑	4 25	丁未	5 25	丙子	6 23
初六	庚戌	1 29	庚辰	2 28	己酉	3 28	戊寅	4 26	戊申	5 26	丁丑	6 24
初七	辛亥	1 30	辛巳	2 29	庚戌	3 29	己卯	4 27	己酉	5 27	戊寅	6 25
初八	壬子	1 31	壬午	3 1	辛亥	3 30	庚辰	4 28	庚戌	5 28	己卯	6 26
初九	癸丑	2 1	癸未	3 2	壬子	3 31	辛巳	4 29	辛亥	5 29	庚辰	6 27
初十	甲寅	2 2	甲申	3 3	癸丑	4 1	壬午	4 30	壬子	5 30	辛巳	6 28
十一	乙卯	2 3	乙酉	3 4	甲寅	4 2	癸未	5 1	癸丑	5 31	壬午	6 29
十二	丙辰	2 4	丙戌	3 5	乙卯	4 3	甲申	5 2	甲寅	6 1	癸未	6 30
十三	**丁巳**	2 5	**丁亥**	3 6	丙辰	4 4	乙酉	5 3	乙卯	6 2	甲申	7 1
十四	戊午	2 6	戊子	3 7	**丁巳**	4 5	丙戌	5 4	丙辰	6 3	乙酉	7 2
十五	己未	2 7	己丑	3 8	戊午	4 6	丁亥	5 5	丁巳	6 4	丙戌	7 3
十六	庚申	2 8	庚寅	3 9	己未	4 7	**戊子**	5 6	戊午	6 5	丁亥	7 4
十七	辛酉	2 9	辛卯	3 10	庚申	4 8	己丑	5 7	**己未**	6 6	戊子	7 5
十八	壬戌	2 10	壬辰	3 11	辛酉	4 9	庚寅	5 8	庚申	6 7	己丑	7 6
十九	癸亥	2 11	癸巳	3 12	壬戌	4 10	辛卯	5 9	辛酉	6 8	**庚寅**	7 7
二十	甲子	2 12	甲午	3 13	癸亥	4 11	壬辰	5 10	壬戌	6 9	辛卯	7 8
廿一	乙丑	2 13	乙未	3 14	甲子	4 12	癸巳	5 11	癸亥	6 10	壬辰	7 9
廿二	丙寅	2 14	丙申	3 15	乙丑	4 13	甲午	5 12	甲子	6 11	癸巳	7 10
廿三	丁卯	2 15	丁酉	3 16	丙寅	4 14	乙未	5 13	乙丑	6 12	甲午	7 11
廿四	戊辰	2 16	戊戌	3 17	丁卯	4 15	丙申	5 14	丙寅	6 13	乙未	7 12
廿五	己巳	2 17	己亥	3 18	戊辰	4 16	丁酉	5 15	丁卯	6 14	丙申	7 13
廿六	庚午	2 18	庚子	3 19	己巳	4 17	戊戌	5 16	戊辰	6 15	丁酉	7 14
廿七	辛未	2 19	辛丑	3 20	庚午	4 18	己亥	5 17	己巳	6 16	戊戌	7 15
廿八	**壬申**	2 20	**壬寅**	3 21	辛未	4 19	庚子	5 18	庚午	6 17	己亥	7 16
廿九	癸酉	2 21	癸卯	3 22	**壬申**	4 20	辛丑	5 19	辛未	6 18	庚子	7 17
三十	甲戌	2 22					壬寅	5 20				

十二月小		十一月大		十月大		九月大		八月小		七月大		六月大		月別
辛丑		庚子		己亥		戊戌		丁酉		丙申		乙未		干支
六白		七赤		八白		九紫		一白		二黑		三碧		九星
立春	大寒	小寒	冬至	大雪	小雪	立冬	霜降	寒露	秋分	白露	處暑	立秋	大暑	節氣
13時26分 廿三未時	19時1分 初八戌時	1時44分 廿四丑時	8時27分 初九辰時	14時43分 廿四未時	19時24分 初九戌時	22時15分 廿四亥時	22時19分 初九亥時	19時33分 廿三戌時	13時26分 初八未時	4時21分 廿三寅時	16時11分 初七申時	1時43分 廿二丑時	9時18分 初六巳時	
西曆	干支	西曆	干支	西曆	干支	西曆	干支	西曆	干支	西曆	干支	西曆	干支	農曆
1 13	庚子	12 14	庚午	11 14	庚子	10 15	庚午	9 16	辛丑	8 17	辛未	7 18	辛丑	初一
1 14	辛丑	12 15	辛未	11 15	辛丑	10 16	辛未	9 17	壬寅	8 18	壬申	7 19	壬寅	初二
1 15	壬寅	12 16	壬申	11 16	壬寅	10 17	壬申	9 18	癸卯	8 19	癸酉	7 20	癸卯	初三
1 16	癸卯	12 17	癸酉	11 17	癸卯	10 18	癸酉	9 19	甲辰	8 20	甲戌	7 21	甲辰	初四
1 17	甲辰	12 18	甲戌	11 18	甲辰	10 19	甲戌	9 20	乙巳	8 21	乙亥	7 22	乙巳	初五
1 18	乙巳	12 19	乙亥	11 19	乙巳	10 20	乙亥	9 21	丙午	8 22	丙子	7 23	**丙午**	初六
1 19	丙午	12 20	丙子	11 20	丙午	10 21	丙子	9 22	丁未	8 23	**丁丑**	7 24	丁未	初七
1 20	**丁未**	12 21	丁丑	11 21	丁未	10 22	丁丑	9 23	**戊申**	8 24	戊寅	7 25	戊申	初八
1 21	戊申	12 22	**戊寅**	11 22	**戊申**	10 23	**戊寅**	9 24	己酉	8 25	己卯	7 26	己酉	初九
1 22	己酉	12 23	己卯	11 23	己酉	10 24	己卯	9 25	庚戌	8 26	庚辰	7 27	庚戌	初十
1 23	庚戌	12 24	庚辰	11 24	庚戌	10 25	庚辰	9 26	辛亥	8 27	辛巳	7 28	辛亥	十一
1 24	辛亥	12 25	辛巳	11 25	辛亥	10 26	辛巳	9 27	壬子	8 28	壬午	7 29	壬子	十二
1 25	壬子	12 26	壬午	11 26	壬子	10 27	壬午	9 28	癸丑	8 29	癸未	7 30	癸丑	十三
1 26	癸丑	12 27	癸未	11 27	癸丑	10 28	癸未	9 29	甲寅	8 30	甲申	7 31	甲寅	十四
1 27	甲寅	12 28	甲申	11 28	甲寅	10 29	甲申	9 30	乙卯	8 31	乙酉	8 1	乙卯	十五
1 28	乙卯	12 29	乙酉	11 29	乙卯	10 30	乙酉	10 1	丙辰	9 1	丙戌	8 2	丙辰	十六
1 29	丙辰	12 30	丙戌	11 30	丙辰	10 31	丙戌	10 2	丁巳	9 2	丁亥	8 3	丁巳	十七
1 30	丁巳	12 31	丁亥	12 1	丁巳	11 1	丁亥	10 3	戊午	9 3	戊子	8 4	戊午	十八
1 31	戊午	1 1	戊子	12 2	戊午	11 2	戊子	10 4	己未	9 4	己丑	8 5	己未	十九
2 1	己未	1 2	己丑	12 3	己未	11 3	己丑	10 5	庚申	9 5	庚寅	8 6	庚申	二十
2 2	庚申	1 3	庚寅	12 4	庚申	11 4	庚寅	10 6	辛酉	9 6	辛卯	8 7	辛酉	廿一
2 3	辛酉	1 4	辛卯	12 5	辛酉	11 5	辛卯	10 7	壬戌	9 7	壬辰	8 8	**壬戌**	廿二
2 4	**壬戌**	1 5	壬辰	12 6	壬戌	11 6	壬辰	10 8	**癸亥**	9 8	**癸巳**	8 9	癸亥	廿三
2 5	癸亥	1 6	**癸巳**	12 7	**癸亥**	11 7	**癸巳**	10 9	甲子	9 9	甲午	8 10	甲子	廿四
2 6	甲子	1 7	甲午	12 8	甲子	11 8	甲午	10 10	乙丑	9 10	乙未	8 11	乙丑	廿五
2 7	乙丑	1 8	乙未	12 9	乙丑	11 9	乙未	10 11	丙寅	9 11	丙申	8 12	丙寅	廿六
2 8	丙寅	1 9	丙申	12 10	丙寅	11 10	丙申	10 12	丁卯	9 12	丁酉	8 13	丁卯	廿七
2 9	丁卯	1 10	丁酉	12 11	丁卯	11 11	丁酉	10 13	戊辰	9 13	戊戌	8 14	戊辰	廿八
2 10	戊辰	1 11	戊戌	12 12	戊辰	11 12	戊戌	10 14	己巳	9 14	己亥	8 15	己巳	廿九
		1 12	己亥	12 13	己巳	11 13	己亥			9 15	庚子	8 16	庚午	三十

一九三七年　歲次丁丑（肖牛）　太歲姓汪名文　年星九紫

六月小		五月小		四月大		三月小		二月小		正月大		月別
丁未		丙午		乙巳		甲辰		癸卯		壬寅		干支
九紫		一白		二黑		三碧		四綠		五黃		九星

節氣

大暑	小暑	夏至	芒種	小滿	立夏	穀雨	清明	春分	驚蟄	雨水
15時7分 十六申時	21時46分 廿九亥時	4時12分 十四寅時	11時23分 廿八午時	19時57分 十二戌時	6時51分 廿六卯時	20時20分 初十戌時	13時2分 廿四未時	8時46分 初九辰時	7時45分 廿四辰時	9時21分 初九巳時

六月 西曆	干支	五月 西曆	干支	四月 西曆	干支	三月 西曆	干支	二月 西曆	干支	正月 西曆	干支	農曆
7 8	丙申	6 9	丁卯	5 10	丁酉	4 11	戊辰	3 13	己亥	2 11	己巳	初一
7 9	丁酉	6 10	戊辰	5 11	戊戌	4 12	己巳	3 14	庚子	2 12	庚午	初二
7 10	戊戌	6 11	己巳	5 12	己亥	4 13	庚午	3 15	辛丑	2 13	辛未	初三
7 11	己亥	6 12	庚午	5 13	庚子	4 14	辛未	3 16	壬寅	2 14	壬申	初四
7 12	庚子	6 13	辛未	5 14	辛丑	4 15	壬申	3 17	癸卯	2 15	癸酉	初五
7 13	辛丑	6 14	壬申	5 15	壬寅	4 16	癸酉	3 18	甲辰	2 16	甲戌	初六
7 14	壬寅	6 15	癸酉	5 16	癸卯	4 17	甲戌	3 19	乙巳	2 17	乙亥	初七
7 15	癸卯	6 16	甲戌	5 17	甲辰	4 18	乙亥	3 20	丙午	2 18	丙子	初八
7 16	甲辰	6 17	乙亥	5 18	乙巳	4 19	丙子	3 21	**丁未**	2 19	丁丑	初九
7 17	乙巳	6 18	丙子	5 19	丙午	4 20	**丁丑**	3 22	戊申	2 20	戊寅	初十
7 18	丙午	6 19	丁丑	5 20	丁未	4 21	戊寅	3 23	己酉	2 21	己卯	十一
7 19	丁未	6 20	戊寅	5 21	**戊申**	4 22	己卯	3 24	庚戌	2 22	庚辰	十二
7 20	戊申	6 21	己卯	5 22	己酉	4 23	庚辰	3 25	辛亥	2 23	辛巳	十三
7 21	己酉	6 22	**庚辰**	5 23	庚戌	4 24	辛巳	3 26	壬子	2 24	壬午	十四
7 22	庚戌	6 23	辛巳	5 24	辛亥	4 25	壬午	3 27	癸丑	2 25	癸未	十五
7 23	**辛亥**	6 24	壬午	5 25	壬子	4 26	癸未	3 28	甲寅	2 26	甲申	十六
7 24	壬子	6 25	癸未	5 26	癸丑	4 27	甲申	3 29	乙卯	2 27	乙酉	十七
7 25	癸丑	6 26	甲申	5 27	甲寅	4 28	乙酉	3 30	丙辰	2 28	丙戌	十八
7 26	甲寅	6 27	乙酉	5 28	乙卯	4 29	丙戌	3 31	丁巳	3 1	丁亥	十九
7 27	乙卯	6 28	丙戌	5 29	丙辰	4 30	丁亥	4 1	戊午	3 2	戊子	二十
7 28	丙辰	6 29	丁亥	5 30	丁巳	5 1	戊子	4 2	己未	3 3	己丑	廿一
7 29	丁巳	6 30	戊子	5 31	戊午	5 2	己丑	4 3	庚申	3 4	庚寅	廿二
7 30	戊午	7 1	己丑	6 1	己未	5 3	庚寅	4 4	辛酉	3 5	辛卯	廿三
7 31	己未	7 2	庚寅	6 2	庚申	5 4	辛卯	4 5	**壬戌**	3 6	**壬辰**	廿四
8 1	庚申	7 3	辛卯	6 3	辛酉	5 5	壬辰	4 6	癸亥	3 7	癸巳	廿五
8 2	辛酉	7 4	壬辰	6 4	壬戌	5 6	**癸巳**	4 7	甲子	3 8	甲午	廿六
8 3	壬戌	7 5	癸巳	6 5	癸亥	5 7	甲午	4 8	乙丑	3 9	乙未	廿七
8 4	癸亥	7 6	甲午	6 6	**甲子**	5 8	乙未	4 9	丙寅	3 10	丙申	廿八
8 5	甲子	7 7	**乙未**	6 7	乙丑	5 9	丙申	4 10	丁卯	3 11	丁酉	廿九
				6 8	丙寅					3 12	戊戌	三十

十二月小		十一月大		十月大		九月大		八月小		七月大		月別
癸丑		壬子		辛亥		庚戌		己酉		戊申		干支
三碧		四綠		五黃		六白		七赤		八白		九星
大寒	小寒	冬至	大雪	小雪	立冬	霜降	寒露	秋分	白露	處暑	立秋	節氣
二十早子 0時59分	初五辰時 7時32分	二十未時 14時22分	初五戌時 20時27分	廿一丑時 1時17分	初六寅時 3時56分	廿一寅時 4時7分	初六丑時 1時11分	十九戌時 19時13分	初四巳時 10時0分	十八亥時 21時58分	初三辰時 7時26分	
西曆	干支	西曆	干支	西曆	干支	西曆	干支	西曆	干支	西曆	干支	農曆
1 2	甲午	12 3	甲子	11 3	甲午	10 4	甲子	9 5	乙未	8 6	乙丑	初一
1 3	乙未	12 4	乙丑	11 4	乙未	10 5	乙丑	9 6	丙申	8 7	丙寅	初二
1 4	丙申	12 5	丙寅	11 5	丙申	10 6	丙寅	9 7	丁酉	8 8	**丁卯**	初三
1 5	丁酉	12 6	丁卯	11 6	丁酉	10 7	丁卯	9 8	**戊戌**	8 9	戊辰	初四
1 6	**戊戌**	12 7	**戊辰**	11 7	戊戌	10 8	戊辰	9 9	己亥	8 10	己巳	初五
1 7	己亥	12 8	己巳	11 8	**己亥**	10 9	**己巳**	9 10	庚子	8 11	庚午	初六
1 8	庚子	12 9	庚午	11 9	庚子	10 10	庚午	9 11	辛丑	8 12	辛未	初七
1 9	辛丑	12 10	辛未	11 10	辛丑	10 11	辛未	9 12	壬寅	8 13	壬申	初八
1 10	壬寅	12 11	壬申	11 11	壬寅	10 12	壬申	9 13	癸卯	8 14	癸酉	初九
1 11	癸卯	12 12	癸酉	11 12	癸卯	10 13	癸酉	9 14	甲辰	8 15	甲戌	初十
1 12	甲辰	12 13	甲戌	11 13	甲辰	10 14	甲戌	9 15	乙巳	8 16	乙亥	十一
1 13	乙巳	12 14	乙亥	11 14	乙巳	10 15	乙亥	9 16	丙午	8 17	丙子	十二
1 14	丙午	12 15	丙子	11 15	丙午	10 16	丙子	9 17	丁未	8 18	丁丑	十三
1 15	丁未	12 16	丁丑	11 16	丁未	10 17	丁丑	9 18	戊申	8 19	戊寅	十四
1 16	戊申	12 17	戊寅	11 17	戊申	10 18	戊寅	9 19	己酉	8 20	己卯	十五
1 17	己酉	12 18	己卯	11 18	己酉	10 19	己卯	9 20	庚戌	8 21	庚辰	十六
1 18	庚戌	12 19	庚辰	11 19	庚戌	10 20	庚辰	9 21	辛亥	8 22	辛巳	十七
1 19	辛亥	12 20	辛巳	11 20	辛亥	10 21	辛巳	9 22	壬子	8 23	**壬午**	十八
1 20	壬子	12 21	壬午	11 21	壬子	10 22	壬午	9 23	**癸丑**	8 24	癸未	十九
1 21	**癸丑**	12 22	**癸未**	11 22	癸丑	10 23	癸未	9 24	甲寅	8 25	甲申	二十
1 22	甲寅	12 23	甲申	11 23	**甲寅**	10 24	**甲申**	9 25	乙卯	8 26	乙酉	廿一
1 23	乙卯	12 24	乙酉	11 24	乙卯	10 25	乙酉	9 26	丙辰	8 27	丙戌	廿二
1 24	丙辰	12 25	丙戌	11 25	丙辰	10 26	丙戌	9 27	丁巳	8 28	丁亥	廿三
1 25	丁巳	12 26	丁亥	11 26	丁巳	10 27	丁亥	9 28	戊午	8 29	戊子	廿四
1 26	戊午	12 27	戊子	11 27	戊午	10 28	戊子	9 29	己未	8 30	己丑	廿五
1 27	己未	12 28	己丑	11 28	己未	10 29	己丑	9 30	庚申	8 31	庚寅	廿六
1 28	庚申	12 29	庚寅	11 29	庚申	10 30	庚寅	10 1	辛酉	9 1	辛卯	廿七
1 29	辛酉	12 30	辛卯	11 30	辛酉	10 31	辛卯	10 2	壬戌	9 2	壬辰	廿八
1 30	壬戌	12 31	壬辰	12 1	壬戌	11 1	壬辰	10 3	癸亥	9 3	癸巳	廿九
		1 1	癸巳	12 2	癸亥	11 2	癸巳			9 4	甲午	三十

一九三八年

歲次戊寅（肖虎）

太歲姓曾名光

年星八白

月別	正月大		二月大		三月小		四月小		五月大		六月小	
干支	甲寅		乙卯		丙辰		丁巳		戊午		己未	
九星	二黑		一白		九紫		八白		七赤		六白	
節氣	立春	雨水	驚蟄	春分	清明	穀雨	立夏	小滿	芒種	夏至	小暑	大暑
	初五 19時15分 戌時	二十 15時20分 申時	初五 13時34分 未時	二十 14時43分 未時	初五 18時49分 酉時	廿一 2時15分 丑時	初七 12時36分 午時	廿三 1時51分 丑時	初九 17時7分 酉時	廿五 10時4分 巳時	十一 3時32分 寅時	廿六 20時57分 戌時
農曆	干支	西曆	干支	西曆	干支	西曆	干支	西曆	干支	西曆	干支	西曆
初一	癸亥	1 31	癸巳	3 2	癸亥	4 1	壬辰	4 30	辛酉	5 29	辛卯	6 28
初二	甲子	2 1	甲午	3 3	甲子	4 2	癸巳	5 1	壬戌	5 30	壬辰	6 29
初三	乙丑	2 2	乙未	3 4	乙丑	4 3	甲午	5 2	癸亥	5 31	癸巳	6 30
初四	丙寅	2 3	丙申	3 5	丙寅	4 4	乙未	5 3	甲子	6 1	甲午	7 1
初五	**丁卯**	2 4	**丁酉**	3 6	**丁卯**	4 5	丙申	5 4	乙丑	6 2	乙未	7 2
初六	戊辰	2 5	戊戌	3 7	戊辰	4 6	丁酉	5 5	丙寅	6 3	丙申	7 3
初七	己巳	2 6	己亥	3 8	己巳	4 7	**戊戌**	5 6	丁卯	6 4	丁酉	7 4
初八	庚午	2 7	庚子	3 9	庚午	4 8	己亥	5 7	戊辰	6 5	戊戌	7 5
初九	辛未	2 8	辛丑	3 10	辛未	4 9	庚子	5 8	**己巳**	6 6	己亥	7 6
初十	壬申	2 9	壬寅	3 11	壬申	4 10	辛丑	5 9	庚午	6 7	庚子	7 7
十一	癸酉	2 10	癸卯	3 12	癸酉	4 11	壬寅	5 10	辛未	6 8	**辛丑**	7 8
十二	甲戌	2 11	甲辰	3 13	甲戌	4 12	癸卯	5 11	壬申	6 9	壬寅	7 9
十三	乙亥	2 12	乙巳	3 14	乙亥	4 13	甲辰	5 12	癸酉	6 10	癸卯	7 10
十四	丙子	2 13	丙午	3 15	丙子	4 14	乙巳	5 13	甲戌	6 11	甲辰	7 11
十五	丁丑	2 14	丁未	3 16	丁丑	4 15	丙午	5 14	乙亥	6 12	乙巳	7 12
十六	戊寅	2 15	戊申	3 17	戊寅	4 16	丁未	5 15	丙子	6 13	丙午	7 13
十七	己卯	2 16	己酉	3 18	己卯	4 17	戊申	5 16	丁丑	6 14	丁未	7 14
十八	庚辰	2 17	庚戌	3 19	庚辰	4 18	己酉	5 17	戊寅	6 15	戊申	7 15
十九	辛巳	2 18	辛亥	3 20	辛巳	4 19	庚戌	5 18	己卯	6 16	己酉	7 16
二十	**壬午**	2 19	**壬子**	3 21	壬午	4 20	辛亥	5 19	庚辰	6 17	庚戌	7 17
廿一	癸未	2 20	癸丑	3 22	**癸未**	4 21	壬子	5 20	辛巳	6 18	辛亥	7 18
廿二	甲申	2 21	甲寅	3 23	甲申	4 22	癸丑	5 21	壬午	6 19	壬子	7 19
廿三	乙酉	2 22	乙卯	3 24	乙酉	4 23	**甲寅**	5 22	癸未	6 20	癸丑	7 20
廿四	丙戌	2 23	丙辰	3 25	丙戌	4 24	乙卯	5 23	甲申	6 21	甲寅	7 21
廿五	丁亥	2 24	丁巳	3 26	丁亥	4 25	丙辰	5 24	**乙酉**	6 22	乙卯	7 22
廿六	戊子	2 25	戊午	3 27	戊子	4 26	丁巳	5 25	丙戌	6 23	**丙辰**	7 23
廿七	己丑	2 26	己未	3 28	己丑	4 27	戊午	5 26	丁亥	6 24	丁巳	7 24
廿八	庚寅	2 27	庚申	3 29	庚寅	4 28	己未	5 27	戊子	6 25	戊午	7 25
廿九	辛卯	2 28	辛酉	3 30	辛卯	4 29	庚申	5 28	己丑	6 26	己未	7 26
三十	壬辰	3 1	壬戌	3 31					庚寅	6 27		

十二月大		十一月小		十月大		九月大		八月小		閏七月大		七月小		月別
乙丑		甲子		癸亥		壬戌		辛酉				庚申		干支
九紫		一白		二黑		三碧		四綠				五黃		九星
立春	大寒	小寒	冬至	大雪	小雪	立冬	霜降	寒露	秋分		白露	處暑	立秋	節氣
十七丑時 1時17分	初二卯時 6時51分	十六未時 13時28分	初一戌時 20時14分	十七丑時 2時23分	初二辰時 7時7分	十七巳時 9時49分	初二巳時 9時54分	十六辰時 7時2分	初一丑時 1時0分		十五申時 15時49分	廿九寅時 3時46分	十三未時 13時13分	
西曆	干支	西曆	干支	西曆	干支	西曆	干支	西曆	干支	西曆	干支	西曆	干支	農曆
1 20	丁巳	12 22	**戊子**	11 22	戊午	10 23	戊子	9 24	**己未**	8 25	己丑	7 27	庚申	初一
1 21	**戊午**	12 23	己丑	11 23	**己未**	10 24	**己丑**	9 25	庚申	8 26	庚寅	7 28	辛酉	初二
1 22	己未	12 24	庚寅	11 24	庚申	10 25	庚寅	9 26	辛酉	8 27	辛卯	7 29	壬戌	初三
1 23	庚申	12 25	辛卯	11 25	辛酉	10 26	辛卯	9 27	壬戌	8 28	壬辰	7 30	癸亥	初四
1 24	辛酉	12 26	壬辰	11 26	壬戌	10 27	壬辰	9 28	癸亥	8 29	癸巳	7 31	甲子	初五
1 25	壬戌	12 27	癸巳	11 27	癸亥	10 28	癸巳	9 29	甲子	8 30	甲午	8 1	乙丑	初六
1 26	癸亥	12 28	甲午	11 28	甲子	10 29	甲午	9 30	乙丑	8 31	乙未	8 2	丙寅	初七
1 27	甲子	12 29	乙未	11 29	乙丑	10 30	乙未	10 1	丙寅	9 1	丙申	8 3	丁卯	初八
1 28	乙丑	12 30	丙申	11 30	丙寅	10 31	丙申	10 2	丁卯	9 2	丁酉	8 4	戊辰	初九
1 29	丙寅	12 31	丁酉	12 1	丁卯	11 1	丁酉	10 3	戊辰	9 3	戊戌	8 5	己巳	初十
1 30	丁卯	1 1	戊戌	12 2	戊辰	11 2	戊戌	10 4	己巳	9 4	己亥	8 6	庚午	十一
1 31	戊辰	1 2	己亥	12 3	己巳	11 3	己亥	10 5	庚午	9 5	庚子	8 7	辛未	十二
2 1	己巳	1 3	庚子	12 4	庚午	11 4	庚子	10 6	辛未	9 6	辛丑	8 8	**壬申**	十三
2 2	庚午	1 4	辛丑	12 5	辛未	11 5	辛丑	10 7	壬申	9 7	壬寅	8 9	癸酉	十四
2 3	辛未	1 5	壬寅	12 6	壬申	11 6	壬寅	10 8	癸酉	9 8	**癸卯**	8 10	甲戌	十五
2 4	壬申	1 6	**癸卯**	12 7	癸酉	11 7	癸卯	10 9	**甲戌**	9 9	甲辰	8 11	乙亥	十六
2 5	**癸酉**	1 7	甲辰	12 8	**甲戌**	11 8	**甲辰**	10 10	乙亥	9 10	乙巳	8 12	丙子	十七
2 6	甲戌	1 8	乙巳	12 9	乙亥	11 9	乙巳	10 11	丙子	9 11	丙午	8 13	丁丑	十八
2 7	乙亥	1 9	丙午	12 10	丙子	11 10	丙午	10 12	丁丑	9 12	丁未	8 14	戊寅	十九
2 8	丙子	1 10	丁未	12 11	丁丑	11 11	丁未	10 13	戊寅	9 13	戊申	8 15	己卯	二十
2 9	丁丑	1 11	戊申	12 12	戊寅	11 12	戊申	10 14	己卯	9 14	己酉	8 16	庚辰	廿一
2 10	戊寅	1 12	己酉	12 13	己卯	11 13	己酉	10 15	庚辰	9 15	庚戌	8 17	辛巳	廿二
2 11	己卯	1 13	庚戌	12 14	庚辰	11 14	庚戌	10 16	辛巳	9 16	辛亥	8 18	壬午	廿三
2 12	庚辰	1 14	辛亥	12 15	辛巳	11 15	辛亥	10 17	壬午	9 17	壬子	8 19	癸未	廿四
2 13	辛巳	1 15	壬子	12 16	壬午	11 16	壬子	10 18	癸未	9 18	癸丑	8 20	甲申	廿五
2 14	壬午	1 16	癸丑	12 17	癸未	11 17	癸丑	10 19	甲申	9 19	甲寅	8 21	乙酉	廿六
2 15	癸未	1 17	甲寅	12 18	甲申	11 18	甲寅	10 20	乙酉	9 20	乙卯	8 22	丙戌	廿七
2 16	甲申	1 18	乙卯	12 19	乙酉	11 19	乙卯	10 21	丙戌	9 21	丙辰	8 23	丁亥	廿八
2 17	乙酉	1 19	丙辰	12 20	丙戌	11 20	丙辰	10 22	丁亥	9 22	丁巳	8 24	**戊子**	廿九
2 18	丙戌			12 21	丁亥	11 21	丁巳			9 23	戊午			三十

一九三九年

歲次己卯（肖兔）

太歲姓伍名仲

年星七赤

六月小		五月大		四月小		三月小		二月大		正月大		月別
辛未		庚午		己巳		戊辰		丁卯		丙寅		干支
三碧		四綠		五黃		六白		七赤		八白		九星
立秋	大暑	小暑	夏至	芒種	小滿	立夏	穀雨	清明	春分	驚蟄	雨水	節氣
廿三 19時4分 戌時	初八 2時37分 丑時	廿二 9時19分 巳時	初六 15時38分 申時	十九 22時52分 亥時	初四 7時27分 辰時	十七 18時21分 酉時	初二 7時55分 辰時	十七 0時38分 早子時	初一 20時29分 戌時	十六 19時27分 戌時	初一 21時10分 亥時	
西曆	干支	西曆	干支	西曆	干支	西曆	干支	西曆	干支	西曆	干支	農曆
7 17	乙卯	6 17	乙酉	5 19	丙辰	4 20	丁亥	3 21	**丁巳**	2 19	**丁亥**	初一
7 18	丙辰	6 18	丙戌	5 20	丁巳	4 21	**戊子**	3 22	戊午	2 20	戊子	初二
7 19	丁巳	6 19	丁亥	5 21	戊午	4 22	己丑	3 23	己未	2 21	己丑	初三
7 20	戊午	6 20	戊子	5 22	**己未**	4 23	庚寅	3 24	庚申	2 22	庚寅	初四
7 21	己未	6 21	己丑	5 23	庚申	4 24	辛卯	3 25	辛酉	2 23	辛卯	初五
7 22	庚申	6 22	**庚寅**	5 24	辛酉	4 25	壬辰	3 26	壬戌	2 24	壬辰	初六
7 23	辛酉	6 23	辛卯	5 25	壬戌	4 26	癸巳	3 27	癸亥	2 25	癸巳	初七
7 24	**壬戌**	6 24	壬辰	5 26	癸亥	4 27	甲午	3 28	甲子	2 26	甲午	初八
7 25	癸亥	6 25	癸巳	5 27	甲子	4 28	乙未	3 29	乙丑	2 27	乙未	初九
7 26	甲子	6 26	甲午	5 28	乙丑	4 29	丙申	3 30	丙寅	2 28	丙申	初十
7 27	乙丑	6 27	乙未	5 29	丙寅	4 30	丁酉	3 31	丁卯	3 1	丁酉	十一
7 28	丙寅	6 28	丙申	5 30	丁卯	5 1	戊戌	4 1	戊辰	3 2	戊戌	十二
7 29	丁卯	6 29	丁酉	5 31	戊辰	5 2	己亥	4 2	己巳	3 3	己亥	十三
7 30	戊辰	6 30	戊戌	6 1	己巳	5 3	庚子	4 3	庚午	3 4	庚子	十四
7 31	己巳	7 1	己亥	6 2	庚午	5 4	辛丑	4 4	辛未	3 5	辛丑	十五
8 1	庚午	7 2	庚子	6 3	辛未	5 5	壬寅	4 5	壬申	3 6	**壬寅**	十六
8 2	辛未	7 3	辛丑	6 4	壬申	5 6	**癸卯**	4 6	**癸酉**	3 7	癸卯	十七
8 3	壬申	7 4	壬寅	6 5	癸酉	5 7	甲辰	4 7	甲戌	3 8	甲辰	十八
8 4	癸酉	7 5	癸卯	6 6	**甲戌**	5 8	乙巳	4 8	乙亥	3 9	乙巳	十九
8 5	甲戌	7 6	甲辰	6 7	乙亥	5 9	丙午	4 9	丙子	3 10	丙午	二十
8 6	乙亥	7 7	乙巳	6 8	丙子	5 10	丁未	4 10	丁丑	3 11	丁未	廿一
8 7	丙子	7 8	**丙午**	6 9	丁丑	5 11	戊申	4 11	戊寅	3 12	戊申	廿二
8 8	**丁丑**	7 9	丁未	6 10	戊寅	5 12	己酉	4 12	己卯	3 13	己酉	廿三
8 9	戊寅	7 10	戊申	6 11	己卯	5 13	庚戌	4 13	庚辰	3 14	庚戌	廿四
8 10	己卯	7 11	己酉	6 12	庚辰	5 14	辛亥	4 14	辛巳	3 15	辛亥	廿五
8 11	庚辰	7 12	庚戌	6 13	辛巳	5 15	壬子	4 15	壬午	3 16	壬子	廿六
8 12	辛巳	7 13	辛亥	6 14	壬午	5 16	癸丑	4 16	癸未	3 17	癸丑	廿七
8 13	壬午	7 14	壬子	6 15	癸未	5 17	甲寅	4 17	甲申	3 18	甲寅	廿八
8 14	癸未	7 15	癸丑	6 16	甲申	5 18	乙卯	4 18	乙酉	3 19	乙卯	廿九
		7 16	甲寅					4 19	丙戌	3 20	丙辰	三十

月份	十二月大		十一月小		十月大		九月小		八月大		七月小	
干支	丁丑		丙子		乙亥		甲戌		癸酉		壬申	
九星	六白		七赤		八白		九紫		一白		二黑	
節氣	立春	大寒	小寒	冬至	大雪	小雪	立冬	霜降	寒露	秋分	白露	處暑
	7時8分 廿八辰時	12時44分 十三午時	19時24分 廿七戌時	2時6分 十三丑時	8時18分 廿八辰時	12時59分 十三午時	15時40分 廿七申時	15時42分 十二申時	12時57分 廿七午時	6時50分 十二卯時	21時42分 廿五亥時	9時32分 初十巳時
農曆	西曆	干支	西曆	干支	西曆	干支	西曆	干支	西曆	干支	西曆	干支
初一	1 9	辛亥	12 11	壬午	11 11	壬子	10 13	癸未	9 13	癸丑	8 15	甲申
初二	1 10	壬子	12 12	癸未	11 12	癸丑	10 14	甲申	9 14	甲寅	8 16	乙酉
初三	1 11	癸丑	12 13	甲申	11 13	甲寅	10 15	乙酉	9 15	乙卯	8 17	丙戌
初四	1 12	甲寅	12 14	乙酉	11 14	乙卯	10 16	丙戌	9 16	丙辰	8 18	丁亥
初五	1 13	乙卯	12 15	丙戌	11 15	丙辰	10 17	丁亥	9 17	丁巳	8 19	戊子
初六	1 14	丙辰	12 16	丁亥	11 16	丁巳	10 18	戊子	9 18	戊午	8 20	己丑
初七	1 15	丁巳	12 17	戊子	11 17	戊午	10 19	己丑	9 19	己未	8 21	庚寅
初八	1 16	戊午	12 18	己丑	11 18	己未	10 20	庚寅	9 20	庚申	8 22	辛卯
初九	1 17	己未	12 19	庚寅	11 19	庚申	10 21	辛卯	9 21	辛酉	8 23	壬辰
初十	1 18	庚申	12 20	辛卯	11 20	辛酉	10 22	壬辰	9 22	壬戌	8 24	**癸巳**
十一	1 19	辛酉	12 21	壬辰	11 21	壬戌	10 23	癸巳	9 23	癸亥	8 25	甲午
十二	1 20	壬戌	12 22	癸巳	11 22	癸亥	10 24	**甲午**	9 24	**甲子**	8 26	乙未
十三	1 21	**癸亥**	12 23	**甲午**	11 23	**甲子**	10 25	乙未	9 25	乙丑	8 27	丙申
十四	1 22	甲子	12 24	乙未	11 24	乙丑	10 26	丙申	9 26	丙寅	8 28	丁酉
十五	1 23	乙丑	12 25	丙申	11 25	丙寅	10 27	丁酉	9 27	丁卯	8 29	戊戌
十六	1 24	丙寅	12 26	丁酉	11 26	丁卯	10 28	戊戌	9 28	戊辰	8 30	己亥
十七	1 25	丁卯	12 27	戊戌	11 27	戊辰	10 29	己亥	9 29	己巳	8 31	庚子
十八	1 26	戊辰	12 28	己亥	11 28	己巳	10 30	庚子	9 30	庚午	9 1	辛丑
十九	1 27	己巳	12 29	庚子	11 29	庚午	10 31	辛丑	10 1	辛未	9 2	壬寅
二十	1 28	庚午	12 30	辛丑	11 30	辛未	11 1	壬寅	10 2	壬申	9 3	癸卯
廿一	1 29	辛未	12 31	壬寅	12 1	壬申	11 2	癸卯	10 3	癸酉	9 4	甲辰
廿二	1 30	壬申	1 1	癸卯	12 2	癸酉	11 3	甲辰	10 4	甲戌	9 5	乙巳
廿三	1 31	癸酉	1 2	甲辰	12 3	甲戌	11 4	乙巳	10 5	乙亥	9 6	丙午
廿四	2 1	甲戌	1 3	乙巳	12 4	乙亥	11 5	丙午	10 6	丙子	9 7	丁未
廿五	2 2	乙亥	1 4	丙午	12 5	丙子	11 6	丁未	10 7	丁丑	9 8	**戊申**
廿六	2 3	丙子	1 5	丁未	12 6	丁丑	11 7	戊申	10 8	戊寅	9 9	己酉
廿七	2 4	丁丑	1 6	**戊申**	12 7	戊寅	11 8	**己酉**	10 9	**己卯**	9 10	庚戌
廿八	2 5	**戊寅**	1 7	己酉	12 8	**己卯**	11 9	庚戌	10 10	庚辰	9 11	辛亥
廿九	2 6	己卯	1 8	庚戌	12 9	庚辰	11 10	辛亥	10 11	辛巳	9 12	壬子
三十	2 7	庚辰			12 10	辛巳			10 12	壬午		

一九四〇年

歲次庚辰（肖龍）

太歲姓重名德

年星六白

月別	六月大		五月小		四月大		三月小		二月大		正月大	
干支	癸未		壬午		辛巳		庚辰		己卯		戊寅	
九星	九紫		一白		二黑		三碧		四綠		五黃	
節氣	大暑	小暑	夏至	芒種		小滿	立夏	穀雨	清明	春分	驚蟄	雨水
	十九辰時	15時8分 初三申時	21時37分 十六亥時	4時44分 初一寅時		13時23分 十五未時	0時16分 廿九早子	13時50分 十三未時	6時35分 廿八卯時	2時24分 十三丑時	1時24分 廿八丑時	3時4分 十三寅時
農曆	西曆	干支	西曆	干支	西曆	干支	西曆	干支	西曆	干支	西曆	干支
初一	5	己酉	6 6	**庚辰**	5 7	庚戌	4 8	辛巳	3 9	辛亥	2 8	辛巳
初二	6	庚戌	6 7	辛巳	5 8	辛亥	4 9	壬午	3 10	壬子	2 9	壬午
初三	7	**辛亥**	6 8	壬午	5 9	壬子	4 10	癸未	3 11	癸丑	2 10	癸未
初四	8	壬子	6 9	癸未	5 10	癸丑	4 11	甲申	3 12	甲寅	2 11	甲申
初五	9	癸丑	6 10	甲申	5 11	甲寅	4 12	乙酉	3 13	乙卯	2 12	乙酉
初六	10	甲寅	6 11	乙酉	5 12	乙卯	4 13	丙戌	3 14	丙辰	2 13	丙戌
初七	11	乙卯	6 12	丙戌	5 13	丙辰	4 14	丁亥	3 15	丁巳	2 14	丁亥
初八	12	丙辰	6 13	丁亥	5 14	丁巳	4 15	戊子	3 16	戊午	2 15	戊子
初九	13	丁巳	6 14	戊子	5 15	戊午	4 16	己丑	3 17	己未	2 16	己丑
初十	14	戊午	6 15	己丑	5 16	己未	4 17	庚寅	3 18	庚申	2 17	庚寅
十一	15	己未	6 16	庚寅	5 17	庚申	4 18	辛卯	3 19	辛酉	2 18	辛卯
十二	16	庚申	6 17	辛卯	5 18	辛酉	4 19	壬辰	3 20	壬戌	2 19	壬辰
十三	17	辛酉	6 18	壬辰	5 19	壬戌	4 20	**癸巳**	3 21	**癸亥**	2 20	**癸巳**
十四	18	壬戌	6 19	癸巳	5 20	癸亥	4 21	甲午	3 22	甲子	2 21	甲午
十五	19	癸亥	6 20	甲午	5 21	**甲子**	4 22	乙未	3 23	乙丑	2 22	乙未
十六	20	甲子	6 21	**乙未**	5 22	乙丑	4 23	丙申	3 24	丙寅	2 23	丙申
十七	21	乙丑	6 22	丙申	5 23	丙寅	4 24	丁酉	3 25	丁卯	2 24	丁酉
十八	22	丙寅	6 23	丁酉	5 24	丁卯	4 25	戊戌	3 26	戊辰	2 25	戊戌
十九	23	**丁卯**	6 24	戊戌	5 25	戊辰	4 26	己亥	3 27	己巳	2 26	己亥
二十	24	戊辰	6 25	己亥	5 26	己巳	4 27	庚子	3 28	庚午	2 27	庚子
廿一	25	己巳	6 26	庚子	5 27	庚午	4 28	辛丑	3 29	辛未	2 28	辛丑
廿二	26	庚午	6 27	辛丑	5 28	辛未	4 29	壬寅	3 30	壬申	2 29	壬寅
廿三	27	辛未	6 28	壬寅	5 29	壬申	4 30	癸卯	3 31	癸酉	3 1	癸卯
廿四	28	壬申	6 29	癸卯	5 30	癸酉	5 1	甲辰	4 1	甲戌	3 2	甲辰
廿五	29	癸酉	6 30	甲辰	5 31	甲戌	5 2	乙巳	4 2	乙亥	3 3	乙巳
廿六	30	甲戌	7 1	乙巳	6 1	乙亥	5 3	丙午	4 3	丙子	3 4	丙午
廿七	31	乙亥	7 2	丙午	6 2	丙子	5 4	丁未	4 4	丁丑	3 5	丁未
廿八	1	丙子	7 3	丁未	6 3	丁丑	5 5	戊申	4 5	**戊寅**	3 6	**戊申**
廿九	2	丁丑	7 4	戊申	6 4	戊寅	5 6	**己酉**	4 6	己卯	3 7	己酉
三十	3	戊寅			6 5	己卯			4 7	庚辰	3 8	庚戌

十二月小		十一月大		十月小		九月大		八月小		七月小		月別
己丑		戊子		丁亥		丙戌		乙酉		甲申		干支
三碧		四綠		五黃		六白		七赤		八白		九星
大寒	小寒	冬至	大雪	小雪	立冬	霜降	寒露	秋分	白露	處暑	立秋	節氣
18時34分 廿三酉時	1時4分 初九丑時	7時55分 廿四辰時	13時58分 初九未時	18時49分 廿三酉時	21時21分 初八亥時	21時40分 廿三亥時	18時43分 初八酉時	12時46分 廿二午時	3時30分 初七寅時	15時29分 二十申時	0時52分 初五早子時	
西曆	干支	西曆	干支	西曆	干支	西曆	干支	西曆	干支	西曆	干支	農曆
12 29	丙午	11 29	丙子	10 31	丁未	10 1	丁丑	9 2	戊申	8 4	己卯	初一
12 30	丁未	11 30	丁丑	11 1	戊申	10 2	戊寅	9 3	己酉	8 5	庚辰	初二
12 31	戊申	12 1	戊寅	11 2	己酉	10 3	己卯	9 4	庚戌	8 6	辛巳	初三
1 1	己酉	12 2	己卯	11 3	庚戌	10 4	庚辰	9 5	辛亥	8 7	壬午	初四
1 2	庚戌	12 3	庚辰	11 4	辛亥	10 5	辛巳	9 6	壬子	8 8	**癸未**	初五
1 3	辛亥	12 4	辛巳	11 5	壬子	10 6	壬午	9 7	癸丑	8 9	甲申	初六
1 4	壬子	12 5	壬午	11 6	癸丑	10 7	癸未	9 8	**甲寅**	8 10	乙酉	初七
1 5	癸丑	12 6	癸未	11 7	**甲寅**	10 8	**甲申**	9 9	乙卯	8 11	丙戌	初八
1 6	**甲寅**	12 7	**甲申**	11 8	乙卯	10 9	乙酉	9 10	丙辰	8 12	丁亥	初九
1 7	乙卯	12 8	乙酉	11 9	丙辰	10 10	丙戌	9 11	丁巳	8 13	戊子	初十
1 8	丙辰	12 9	丙戌	11 10	丁巳	10 11	丁亥	9 12	戊午	8 14	己丑	十一
1 9	丁巳	12 10	丁亥	11 11	戊午	10 12	戊子	9 13	己未	8 15	庚寅	十二
1 10	戊午	12 11	戊子	11 12	己未	10 13	己丑	9 14	庚申	8 16	辛卯	十三
1 11	己未	12 12	己丑	11 13	庚申	10 14	庚寅	9 15	辛酉	8 17	壬辰	十四
1 12	庚申	12 13	庚寅	11 14	辛酉	10 15	辛卯	9 16	壬戌	8 18	癸巳	十五
1 13	辛酉	12 14	辛卯	11 15	壬戌	10 16	壬辰	9 17	癸亥	8 19	甲午	十六
1 14	壬戌	12 15	壬辰	11 16	癸亥	10 17	癸巳	9 18	甲子	8 20	乙未	十七
1 15	癸亥	12 16	癸巳	11 17	甲子	10 18	甲午	9 19	乙丑	8 21	丙申	十八
1 16	甲子	12 17	甲午	11 18	乙丑	10 19	乙未	9 20	丙寅	8 22	丁酉	十九
1 17	乙丑	12 18	乙未	11 19	丙寅	10 20	丙申	9 21	丁卯	8 23	**戊戌**	二十
1 18	丙寅	12 19	丙申	11 20	丁卯	10 21	丁酉	9 22	戊辰	8 24	己亥	廿一
1 19	丁卯	12 20	丁酉	11 21	戊辰	10 22	戊戌	9 23	**己巳**	8 25	庚子	廿二
1 20	**戊辰**	12 21	戊戌	11 22	**己巳**	10 23	**己亥**	9 24	庚午	8 26	辛丑	廿三
1 21	己巳	12 22	**己亥**	11 23	庚午	10 24	庚子	9 25	辛未	8 27	壬寅	廿四
1 22	庚午	12 23	庚子	11 24	辛未	10 25	辛丑	9 26	壬申	8 28	癸卯	廿五
1 23	辛未	12 24	辛丑	11 25	壬申	10 26	壬寅	9 27	癸酉	8 29	甲辰	廿六
1 24	壬申	12 25	壬寅	11 26	癸酉	10 27	癸卯	9 28	甲戌	8 30	乙巳	廿七
1 25	癸酉	12 26	癸卯	11 27	甲戌	10 28	甲辰	9 29	乙亥	8 31	丙午	廿八
1 26	甲戌	12 27	甲辰	11 28	乙亥	10 29	乙巳	9 30	丙子	9 1	丁未	廿九
		12 28	乙巳			10 30	丙午					三十

一九四一年

歲次辛巳（肖蛇）

太歲姓鄭名祖

年星五黃

月別	正月大		二月大		三月小		四月大		五月大		六月小	
干支	庚寅		辛卯		壬辰		癸巳		甲午		乙未	
九星	二黑		一白		九紫		八白		七赤		六白	
節氣	立春	雨水	驚蟄	春分	清明	穀雨	立夏	小滿	芒種	夏至	小暑	大暑
	初九午時 12時50分	廿四辰時 8時57分	初九辰時 7時10分	廿四辰時 8時21分	初九午時 12時25分	廿四戌時 19時51分	十一卯時 6時9分	廿六戌時 19時23分	十二巳時 10時40分	廿八寅時 3時34分	十三亥時 21時1分	廿九未時 14時27分
農曆	西曆	干支	西曆	干支	西曆	干支	西曆	干支	西曆	干支	西曆	干支
初一	1 27	乙亥	2 26	乙巳	3 28	乙亥	4 26	甲辰	5 26	甲戌	6 25	甲辰
初二	1 28	丙子	2 27	丙午	3 29	丙子	4 27	乙巳	5 27	乙亥	6 26	乙巳
初三	1 29	丁丑	2 28	丁未	3 30	丁丑	4 28	丙午	5 28	丙子	6 27	丙午
初四	1 30	戊寅	3 1	戊申	3 31	戊寅	4 29	丁未	5 29	丁丑	6 28	丁未
初五	1 31	己卯	3 2	己酉	4 1	己卯	4 30	戊申	5 30	戊寅	6 29	戊申
初六	2 1	庚辰	3 3	庚戌	4 2	庚辰	5 1	己酉	5 31	己卯	6 30	己酉
初七	2 2	辛巳	3 4	辛亥	4 3	辛巳	5 2	庚戌	6 1	庚辰	7 1	庚戌
初八	2 3	壬午	3 5	壬子	4 4	壬午	5 3	辛亥	6 2	辛巳	7 2	辛亥
初九	2 4	**癸未**	3 6	**癸丑**	4 5	**癸未**	5 4	壬子	6 3	壬午	7 3	壬子
初十	2 5	甲申	3 7	甲寅	4 6	甲申	5 5	癸丑	6 4	癸未	7 4	癸丑
十一	2 6	乙酉	3 8	乙卯	4 7	乙酉	5 6	**甲寅**	6 5	甲申	7 5	甲寅
十二	2 7	丙戌	3 9	丙辰	4 8	丙戌	5 7	乙卯	6 6	**乙酉**	7 6	乙卯
十三	2 8	丁亥	3 10	丁巳	4 9	丁亥	5 8	丙辰	6 7	丙戌	7 7	**丙辰**
十四	2 9	戊子	3 11	戊午	4 10	戊子	5 9	丁巳	6 8	丁亥	7 8	丁巳
十五	2 10	己丑	3 12	己未	4 11	己丑	5 10	戊午	6 9	戊子	7 9	戊午
十六	2 11	庚寅	3 13	庚申	4 12	庚寅	5 11	己未	6 10	己丑	7 10	己未
十七	2 12	辛卯	3 14	辛酉	4 13	辛卯	5 12	庚申	6 11	庚寅	7 11	庚申
十八	2 13	壬辰	3 15	壬戌	4 14	壬辰	5 13	辛酉	6 12	辛卯	7 12	辛酉
十九	2 14	癸巳	3 16	癸亥	4 15	癸巳	5 14	壬戌	6 13	壬辰	7 13	壬戌
二十	2 15	甲午	3 17	甲子	4 16	甲午	5 15	癸亥	6 14	癸巳	7 14	癸亥
廿一	2 16	乙未	3 18	乙丑	4 17	乙未	5 16	甲子	6 15	甲午	7 15	甲子
廿二	2 17	丙申	3 19	丙寅	4 18	丙申	5 17	乙丑	6 16	乙未	7 16	乙丑
廿三	2 18	丁酉	3 20	丁卯	4 19	丁酉	5 18	丙寅	6 17	丙申	7 17	丙寅
廿四	2 19	**戊戌**	3 21	**戊辰**	4 20	**戊戌**	5 19	丁卯	6 18	丁酉	7 18	丁卯
廿五	2 20	己亥	3 22	己巳	4 21	己亥	5 20	戊辰	6 19	戊戌	7 19	戊辰
廿六	2 21	庚子	3 23	庚午	4 22	庚子	5 21	**己巳**	6 20	己亥	7 20	己巳
廿七	2 22	辛丑	3 24	辛未	4 23	辛丑	5 22	庚午	6 21	庚子	7 21	庚午
廿八	2 23	壬寅	3 25	壬申	4 24	壬寅	5 23	辛未	6 22	**辛丑**	7 22	辛未
廿九	2 24	癸卯	3 26	癸酉	4 25	癸卯	5 24	壬申	6 23	壬寅	7 23	**壬申**
三十	2 25	甲辰	3 27	甲戌			5 25	癸酉	6 24	癸卯		

十二月小		十一月大		十月小		九月大		八月小		七月小		閏六月大		月別
辛丑		庚子		己亥		戊戌		丁酉		丙申				干支
九紫		一白		二黑		三碧		四綠		五黃				九星
立春	大寒	小寒	冬至	大雪	小雪	立冬	霜降	寒露	秋分	白露	處暑	立秋		節氣
十九 酉時 18時49分	初五 早子 0時24分	二十 辰時 7時19分	初五 未時 13時45分	十九 戌時 19時57分	初五 早子 0時38分	二十 寅時 3時25分	初五 寅時 3時28分	十九 早子 0時39分	初三 酉時 18時33分	十七 巳時 9時24分	初一 亥時 21時21分	十六 卯時 6時46分		
西曆	干支	西曆	干支	西曆	干支	西曆	干支	西曆	干支	西曆	干支	西曆	干支	農曆
1 17	庚午	12 18	庚子	11 19	辛未	10 20	辛丑	9 21	壬申	8 23	**癸卯**	7 24	癸酉	初一
1 18	辛未	12 19	辛丑	11 20	壬申	10 21	壬寅	9 22	癸酉	8 24	甲辰	7 25	甲戌	初二
1 19	壬申	12 20	壬寅	11 21	癸酉	10 22	癸卯	9 23	**甲戌**	8 25	乙巳	7 26	乙亥	初三
1 20	癸酉	12 21	癸卯	11 22	甲戌	10 23	甲辰	9 24	乙亥	8 26	丙午	7 27	丙子	初四
1 21	**甲戌**	12 22	**甲辰**	11 23	**乙亥**	10 24	**乙巳**	9 25	丙子	8 27	丁未	7 28	丁丑	初五
1 22	乙亥	12 23	乙巳	11 24	丙子	10 25	丙午	9 26	丁丑	8 28	戊申	7 29	戊寅	初六
1 23	丙子	12 24	丙午	11 25	丁丑	10 26	丁未	9 27	戊寅	8 29	己酉	7 30	己卯	初七
1 24	丁丑	12 25	丁未	11 26	戊寅	10 27	戊申	9 28	己卯	8 30	庚戌	7 31	庚辰	初八
1 25	戊寅	12 26	戊申	11 27	己卯	10 28	己酉	9 29	庚辰	8 31	辛亥	8 1	辛巳	初九
1 26	己卯	12 27	己酉	11 28	庚辰	10 29	庚戌	9 30	辛巳	9 1	壬子	8 2	壬午	初十
1 27	庚辰	12 28	庚戌	11 29	辛巳	10 30	辛亥	10 1	壬午	9 2	癸丑	8 3	癸未	十一
1 28	辛巳	12 29	辛亥	11 30	壬午	10 31	壬子	10 2	癸未	9 3	甲寅	8 4	甲申	十二
1 29	壬午	12 30	壬子	12 1	癸未	11 1	癸丑	10 3	甲申	9 4	乙卯	8 5	乙酉	十三
1 30	癸未	12 31	癸丑	12 2	甲申	11 2	甲寅	10 4	乙酉	9 5	丙辰	8 6	丙戌	十四
1 31	甲申	1 1	甲寅	12 3	乙酉	11 3	乙卯	10 5	丙戌	9 6	丁巳	8 7	丁亥	十五
2 1	乙酉	1 2	乙卯	12 4	丙戌	11 4	丙辰	10 6	丁亥	9 7	戊午	8 8	**戊子**	十六
2 2	丙戌	1 3	丙辰	12 5	丁亥	11 5	丁巳	10 7	戊子	9 8	**己未**	8 9	己丑	十七
2 3	丁亥	1 4	丁巳	12 6	戊子	11 6	戊午	10 8	己丑	9 9	庚申	8 10	庚寅	十八
2 4	**戊子**	1 5	戊午	12 7	**己丑**	11 7	己未	10 9	**庚寅**	9 10	辛酉	8 11	辛卯	十九
2 5	己丑	1 6	**己未**	12 8	庚寅	11 8	**庚申**	10 10	辛卯	9 11	壬戌	8 12	壬辰	二十
2 6	庚寅	1 7	庚申	12 9	辛卯	11 9	辛酉	10 11	壬辰	9 12	癸亥	8 13	癸巳	廿一
2 7	辛卯	1 8	辛酉	12 10	壬辰	11 10	壬戌	10 12	癸巳	9 13	甲子	8 14	甲午	廿二
2 8	壬辰	1 9	壬戌	12 11	癸巳	11 11	癸亥	10 13	甲午	9 14	乙丑	8 15	乙未	廿三
2 9	癸巳	1 10	癸亥	12 12	甲午	11 12	甲子	10 14	乙未	9 15	丙寅	8 16	丙申	廿四
2 10	甲午	1 11	甲子	12 13	乙未	11 13	乙丑	10 15	丙申	9 16	丁卯	8 17	丁酉	廿五
2 11	乙未	1 12	乙丑	12 14	丙申	11 14	丙寅	10 16	丁酉	9 17	戊辰	8 18	戊戌	廿六
2 12	丙申	1 13	丙寅	12 15	丁酉	11 15	丁卯	10 17	戊戌	9 18	己巳	8 19	己亥	廿七
2 13	丁酉	1 14	丁卯	12 16	戊戌	11 16	戊辰	10 18	己亥	9 19	庚午	8 20	庚子	廿八
2 14	戊戌	1 15	戊辰	12 17	己亥	11 17	己巳	10 19	庚子	9 20	辛未	8 21	辛丑	廿九
		1 16	己巳			11 18	庚午					8 22	壬寅	三十

一九四二年

歲次壬午（肖馬）

太歲姓路名明

年星四綠

月別	正月大	二月小	三月大	四月大	五月小	六月大
干支	壬寅	癸卯	甲辰	乙巳	丙午	丁未
九星	八白	七赤	六白	五黃	四綠	三碧
節氣	雨水 14時47分 初五未時	春分 14時11分 初五未時	穀雨 1時38分 初七丑時	小滿 1時9分 初八丑時	夏至 9時17分 初九巳時	大暑 20時8分 十一戌時
節氣	驚蟄 13時10分 二十未時	清明 18時24分 二十酉時	立夏 12時7分 廿二午時	芒種 16時37分 廿三申時	小暑 2時52分 廿五丑時	立秋 12時31分 廿七午時

農曆	正月 西曆	正月 干支	二月 西曆	二月 干支	三月 西曆	三月 干支	四月 西曆	四月 干支	五月 西曆	五月 干支	六月 西曆	六月 干支
初一	2 15	己亥	3 17	己巳	4 15	戊戌	5 15	戊辰	6 14	戊戌	7 13	丁卯
初二	2 16	庚子	3 18	庚午	4 16	己亥	5 16	己巳	6 15	己亥	7 14	戊辰
初三	2 17	辛丑	3 19	辛未	4 17	庚子	5 17	庚午	6 16	庚子	7 15	己巳
初四	2 18	壬寅	3 20	壬申	4 18	辛丑	5 18	辛未	6 17	辛丑	7 16	庚午
初五	2 19	**癸卯**	3 21	**癸酉**	4 19	壬寅	5 19	壬申	6 18	壬寅	7 17	辛未
初六	2 20	甲辰	3 22	甲戌	4 20	癸卯	5 20	癸酉	6 19	癸卯	7 18	壬申
初七	2 21	乙巳	3 23	乙亥	4 21	**甲辰**	5 21	甲戌	6 20	甲辰	7 19	癸酉
初八	2 22	丙午	3 24	丙子	4 22	乙巳	5 22	**乙亥**	6 21	乙巳	7 20	甲戌
初九	2 23	丁未	3 25	丁丑	4 23	丙午	5 23	丙子	6 22	**丙午**	7 21	乙亥
初十	2 24	戊申	3 26	戊寅	4 24	丁未	5 24	丁丑	6 23	丁未	7 22	丙子
十一	2 25	己酉	3 27	己卯	4 25	戊申	5 25	戊寅	6 24	戊申	7 23	**丁丑**
十二	2 26	庚戌	3 28	庚辰	4 26	己酉	5 26	己卯	6 25	己酉	7 24	戊寅
十三	2 27	辛亥	3 29	辛巳	4 27	庚戌	5 27	庚辰	6 26	庚戌	7 25	己卯
十四	2 28	壬子	3 30	壬午	4 28	辛亥	5 28	辛巳	6 27	辛亥	7 26	庚辰
十五	3 1	癸丑	3 31	癸未	4 29	壬子	5 29	壬午	6 28	壬子	7 27	辛巳
十六	3 2	甲寅	4 1	甲申	4 30	癸丑	5 30	癸未	6 29	癸丑	7 28	壬午
十七	3 3	乙卯	4 2	乙酉	5 1	甲寅	5 31	甲申	6 30	甲寅	7 29	癸未
十八	3 4	丙辰	4 3	丙戌	5 2	乙卯	6 1	乙酉	7 1	乙卯	7 30	甲申
十九	3 5	丁巳	4 4	丁亥	5 3	丙辰	6 2	丙戌	7 2	丙辰	7 31	乙酉
二十	3 6	**戊午**	4 5	**戊子**	5 4	丁巳	6 3	丁亥	7 3	丁巳	8 1	丙戌
廿一	3 7	己未	4 6	己丑	5 5	戊午	6 4	戊子	7 4	戊午	8 2	丁亥
廿二	3 8	庚申	4 7	庚寅	5 6	**己未**	6 5	己丑	7 5	己未	8 3	戊子
廿三	3 9	辛酉	4 8	辛卯	5 7	庚申	6 6	**庚寅**	7 6	庚申	8 4	己丑
廿四	3 10	壬戌	4 9	壬辰	5 8	辛酉	6 7	辛卯	7 7	辛酉	8 5	庚寅
廿五	3 11	癸亥	4 10	癸巳	5 9	壬戌	6 8	壬辰	7 8	**壬戌**	8 6	辛卯
廿六	3 12	甲子	4 11	甲午	5 10	癸亥	6 9	癸巳	7 9	癸亥	8 7	壬辰
廿七	3 13	乙丑	4 12	乙未	5 11	甲子	6 10	甲午	7 10	甲子	8 8	**癸巳**
廿八	3 14	丙寅	4 13	丙申	5 12	乙丑	6 11	乙未	7 11	乙丑	8 9	甲午
廿九	3 15	丁卯	4 14	丁酉	5 13	丙寅	6 12	丙申	7 12	丙寅	8 10	乙未
三十	3 16	戊辰			5 14	丁卯	6 13	丁酉			8 11	丙申

十二月大		十一月小		十月大		九月小		八月大		七月小		月別
癸丑		壬子		辛亥		庚戌		己酉		戊申		干支
六白		七赤		八白		九紫		一白		二黑		九星
大寒	小寒	冬至	大雪	小雪	立冬		霜降	寒露	秋分	白露	處暑	節氣
十六 6時19分 卯時	初一 12時55分 午時	十五 19時40分 戌時	初一 1時47分 丑時	十六 6時31分 卯時	初一 9時12分 巳時		十五 9時16分 巳時	三十 6時22分 卯時	十五 0時17分 早子	廿八 15時7分 申時	十三 2時59分 丑時	
西曆	**干支**	**西曆**	**干支**	**西曆**	**干支**	**西曆**	**干支**	**西曆**	**干支**	**西曆**	**干支**	**農曆**
1 6	**甲子**	12 8	**乙未**	11 8	**乙丑**	10 10	丙申	9 10	丙寅	8 12	丁酉	初一
1 7	乙丑	12 9	丙申	11 9	丙寅	10 11	丁酉	9 11	丁卯	8 13	戊戌	初二
1 8	丙寅	12 10	丁酉	11 10	丁卯	10 12	戊戌	9 12	戊辰	8 14	己亥	初三
1 9	丁卯	12 11	戊戌	11 11	戊辰	10 13	己亥	9 13	己巳	8 15	庚子	初四
1 10	戊辰	12 12	己亥	11 12	己巳	10 14	庚子	9 14	庚午	8 16	辛丑	初五
1 11	己巳	12 13	庚子	11 13	庚午	10 15	辛丑	9 15	辛未	8 17	壬寅	初六
1 12	庚午	12 14	辛丑	11 14	辛未	10 16	壬寅	9 16	壬申	8 18	癸卯	初七
1 13	辛未	12 15	壬寅	11 15	壬申	10 17	癸卯	9 17	癸酉	8 19	甲辰	初八
1 14	壬申	12 16	癸卯	11 16	癸酉	10 18	甲辰	9 18	甲戌	8 20	乙巳	初九
1 15	癸酉	12 17	甲辰	11 17	甲戌	10 19	乙巳	9 19	乙亥	8 21	丙午	初十
1 16	甲戌	12 18	乙巳	11 18	乙亥	10 20	丙午	9 20	丙子	8 22	丁未	十一
1 17	乙亥	12 19	丙午	11 19	丙子	10 21	丁未	9 21	丁丑	8 23	戊申	十二
1 18	丙子	12 20	丁未	11 20	丁丑	10 22	戊申	9 22	戊寅	8 24	**己酉**	十三
1 19	丁丑	12 21	戊申	11 21	戊寅	10 23	己酉	9 23	己卯	8 25	庚戌	十四
1 20	戊寅	12 22	**己酉**	11 22	己卯	10 24	**庚戌**	9 24	**庚辰**	8 26	辛亥	十五
1 21	**己卯**	12 23	庚戌	11 23	**庚辰**	10 25	辛亥	9 25	辛巳	8 27	壬子	十六
1 22	庚辰	12 24	辛亥	11 24	辛巳	10 26	壬子	9 26	壬午	8 28	癸丑	十七
1 23	辛巳	12 25	壬子	11 25	壬午	10 27	癸丑	9 27	癸未	8 29	甲寅	十八
1 24	壬午	12 26	癸丑	11 26	癸未	10 28	甲寅	9 28	甲申	8 30	乙卯	十九
1 25	癸未	12 27	甲寅	11 27	甲申	10 29	乙卯	9 29	乙酉	8 31	丙辰	二十
1 26	甲申	12 28	乙卯	11 28	乙酉	10 30	丙辰	9 30	丙戌	9 1	丁巳	廿一
1 27	乙酉	12 29	丙辰	11 29	丙戌	10 31	丁巳	10 1	丁亥	9 2	戊午	廿二
1 28	丙戌	12 30	丁巳	11 30	丁亥	11 1	戊午	10 2	戊子	9 3	己未	廿三
1 29	丁亥	12 31	戊午	12 1	戊子	11 2	己未	10 3	己丑	9 4	庚申	廿四
1 30	戊子	1 1	己未	12 2	己丑	11 3	庚申	10 4	庚寅	9 5	辛酉	廿五
1 31	己丑	1 2	庚申	12 3	庚寅	11 4	辛酉	10 5	辛卯	9 6	壬戌	廿六
2 1	庚寅	1 3	辛酉	12 4	辛卯	11 5	壬戌	10 6	壬辰	9 7	癸亥	廿七
2 2	辛卯	1 4	壬戌	12 5	壬辰	11 6	癸亥	10 7	癸巳	9 8	**甲子**	廿八
2 3	壬辰	1 5	癸亥	12 6	癸巳	11 7	甲子	10 8	甲午	9 9	乙丑	廿九
2 4	癸巳			12 7	甲午			10 9	**乙未**			三十

一九四三年

歲次癸未（肖羊）

太歲姓魏名明

年星三碧

月別	正月小		二月大		三月小		四月大		五月小		六月大	
干支	甲寅		乙卯		丙辰		丁巳		戊午		己未	
九星	五黃		四綠		三碧		二黑		一白		九紫	
節氣	立春	雨水	驚蟄	春分	清明	穀雨	立夏	小滿	芒種	夏至	小暑	大暑
	初一早子 0時41分	十五戌時 20時41分	初一酉時 18時59分	十六戌時 20時3分	初二早子 0時12分	十七辰時 7時32分	初三酉時 17時54分	十九辰時 7時3分	初四亥時 22時19分	二十申時 15時13分	初七辰時 8時39分	廿三丑時 2時5分
農曆	干支	西曆	干支	西曆	干支	西曆	干支	西曆	干支	西曆	干支	西曆
初一	**甲午**	2 5	**癸亥**	3 6	癸巳	4 5	壬戌	5 4	壬辰	6 3	辛酉	7 2
初二	乙未	2 6	甲子	3 7	**甲午**	4 6	癸亥	5 5	癸巳	6 4	壬戌	7 3
初三	丙申	2 7	乙丑	3 8	乙未	4 7	**甲子**	5 6	甲午	6 5	癸亥	7 4
初四	丁酉	2 8	丙寅	3 9	丙申	4 8	乙丑	5 7	**乙未**	6 6	甲子	7 5
初五	戊戌	2 9	丁卯	3 10	丁酉	4 9	丙寅	5 8	丙申	6 7	乙丑	7 6
初六	己亥	2 10	戊辰	3 11	戊戌	4 10	丁卯	5 9	丁酉	6 8	丙寅	7 7
初七	庚子	2 11	己巳	3 12	己亥	4 11	戊辰	5 10	戊戌	6 9	**丁卯**	7 8
初八	辛丑	2 12	庚午	3 13	庚子	4 12	己巳	5 11	己亥	6 10	戊辰	7 9
初九	壬寅	2 13	辛未	3 14	辛丑	4 13	庚午	5 12	庚子	6 11	己巳	7 10
初十	癸卯	2 14	壬申	3 15	壬寅	4 14	辛未	5 13	辛丑	6 12	庚午	7 11
十一	甲辰	2 15	癸酉	3 16	癸卯	4 15	壬申	5 14	壬寅	6 13	辛未	7 12
十二	乙巳	2 16	甲戌	3 17	甲辰	4 16	癸酉	5 15	癸卯	6 14	壬申	7 13
十三	丙午	2 17	乙亥	3 18	乙巳	4 17	甲戌	5 16	甲辰	6 15	癸酉	7 14
十四	丁未	2 18	丙子	3 19	丙午	4 18	乙亥	5 17	乙巳	6 16	甲戌	7 15
十五	**戊申**	2 19	丁丑	3 20	丁未	4 19	丙子	5 18	丙午	6 17	乙亥	7 16
十六	己酉	2 20	**戊寅**	3 21	戊申	4 20	丁丑	5 19	丁未	6 18	丙子	7 17
十七	庚戌	2 21	己卯	3 22	**己酉**	4 21	戊寅	5 20	戊申	6 19	丁丑	7 18
十八	辛亥	2 22	庚辰	3 23	庚戌	4 22	己卯	5 21	己酉	6 20	戊寅	7 19
十九	壬子	2 23	辛巳	3 24	辛亥	4 23	**庚辰**	5 22	庚戌	6 21	己卯	7 20
二十	癸丑	2 24	壬午	3 25	壬子	4 24	辛巳	5 23	**辛亥**	6 22	庚辰	7 21
廿一	甲寅	2 25	癸未	3 26	癸丑	4 25	壬午	5 24	壬子	6 23	辛巳	7 22
廿二	乙卯	2 26	甲申	3 27	甲寅	4 26	癸未	5 25	癸丑	6 24	壬午	7 23
廿三	丙辰	2 27	乙酉	3 28	乙卯	4 27	甲申	5 26	甲寅	6 25	**癸未**	7 24
廿四	丁巳	2 28	丙戌	3 29	丙辰	4 28	乙酉	5 27	乙卯	6 26	甲申	7 25
廿五	戊午	3 1	丁亥	3 30	丁巳	4 29	丙戌	5 28	丙辰	6 27	乙酉	7 26
廿六	己未	3 2	戊子	3 31	戊午	4 30	丁亥	5 29	丁巳	6 28	丙戌	7 27
廿七	庚申	3 3	己丑	4 1	己未	5 1	戊子	5 30	戊午	6 29	丁亥	7 28
廿八	辛酉	3 4	庚寅	4 2	庚申	5 2	己丑	5 31	己未	6 30	戊子	7 29
廿九	壬戌	3 5	辛卯	4 3	辛酉	5 3	庚寅	6 1	庚申	7 1	己丑	7 30
三十			壬辰	4 4			辛卯	6 2			庚寅	7 31

十二月小		十一月大		十月小		九月大		八月小		七月大		月別
乙丑		甲子		癸亥		壬戌		辛酉		庚申		干支
三碧		四綠		五黃		六白		七赤		八白		九星
大寒	小寒	冬至	大雪	小雪	立冬	霜降	寒露	秋分	白露	處暑	立秋	節氣
廿六 午時 12時 8分	十一 酉時 18時 40分	廿七 丑時 1時 30分	十二 辰時 7時 33分	廿六 午時 12時 22分	十一 未時 14時 59分	廿六 申時 15時 9分	十一 午時 12時 11分	廿五 卯時 6時 12分	初九 戌時 20時 56分	廿四 辰時 8時 55分	初八 酉時 18時 19分	
西曆	干支	西曆	干支	西曆	干支	西曆	干支	西曆	干支	西曆	干支	農曆
12 27	己未	11 27	己丑	10 29	庚申	9 29	庚寅	8 31	辛酉	8 1	辛卯	初一
12 28	庚申	11 28	庚寅	10 30	辛酉	9 30	辛卯	9 1	壬戌	8 2	壬辰	初二
12 29	辛酉	11 29	辛卯	10 31	壬戌	10 1	壬辰	9 2	癸亥	8 3	癸巳	初三
12 30	壬戌	11 30	壬辰	11 1	癸亥	10 2	癸巳	9 3	甲子	8 4	甲午	初四
12 31	癸亥	12 1	癸巳	11 2	甲子	10 3	甲午	9 4	乙丑	8 5	乙未	初五
1 1	甲子	12 2	甲午	11 3	乙丑	10 4	乙未	9 5	丙寅	8 6	丙申	初六
1 2	乙丑	12 3	乙未	11 4	丙寅	10 5	丙申	9 6	丁卯	8 7	丁酉	初七
1 3	丙寅	12 4	丙申	11 5	丁卯	10 6	丁酉	9 7	戊辰	8 8	**戊戌**	初八
1 4	丁卯	12 5	丁酉	11 6	戊辰	10 7	戊戌	9 8	**己巳**	8 9	己亥	初九
1 5	戊辰	12 6	戊戌	11 7	己巳	10 8	己亥	9 9	庚午	8 10	庚子	初十
1 6	**己巳**	12 7	己亥	11 8	**庚午**	10 9	**庚子**	9 10	辛未	8 11	辛丑	十一
1 7	庚午	12 8	**庚子**	11 9	辛未	10 10	辛丑	9 11	壬申	8 12	壬寅	十二
1 8	辛未	12 9	辛丑	11 10	壬申	10 11	壬寅	9 12	癸酉	8 13	癸卯	十三
1 9	壬申	12 10	壬寅	11 11	癸酉	10 12	癸卯	9 13	甲戌	8 14	甲辰	十四
1 10	癸酉	12 11	癸卯	11 12	甲戌	10 13	甲辰	9 14	乙亥	8 15	乙巳	十五
1 11	甲戌	12 12	甲辰	11 13	乙亥	10 14	乙巳	9 15	丙子	8 16	丙午	十六
1 12	乙亥	12 13	乙巳	11 14	丙子	10 15	丙午	9 16	丁丑	8 17	丁未	十七
1 13	丙子	12 14	丙午	11 15	丁丑	10 16	丁未	9 17	戊寅	8 18	戊申	十八
1 14	丁丑	12 15	丁未	11 16	戊寅	10 17	戊申	9 18	己卯	8 19	己酉	十九
1 15	戊寅	12 16	戊申	11 17	己卯	10 18	己酉	9 19	庚辰	8 20	庚戌	二十
1 16	己卯	12 17	己酉	11 18	庚辰	10 19	庚戌	9 20	辛巳	8 21	辛亥	廿一
1 17	庚辰	12 18	庚戌	11 19	辛巳	10 20	辛亥	9 21	壬午	8 22	壬子	廿二
1 18	辛巳	12 19	辛亥	11 20	壬午	10 21	壬子	9 22	癸未	8 23	癸丑	廿三
1 19	壬午	12 20	壬子	11 21	癸未	10 22	癸丑	9 23	甲申	8 24	**甲寅**	廿四
1 20	癸未	12 21	癸丑	11 22	甲申	10 23	甲寅	9 24	**乙酉**	8 25	乙卯	廿五
1 21	**甲申**	12 22	甲寅	11 23	**乙酉**	10 24	**乙卯**	9 25	丙戌	8 26	丙辰	廿六
1 22	乙酉	12 23	**乙卯**	11 24	丙戌	10 25	丙辰	9 26	丁亥	8 27	丁巳	廿七
1 23	丙戌	12 24	丙辰	11 25	丁亥	10 26	丁巳	9 27	戊子	8 28	戊午	廿八
1 24	丁亥	12 25	丁巳	11 26	戊子	10 27	戊午	9 28	己丑	8 29	己未	廿九
		12 26	戊午			10 28	己未			8 30	庚申	三十

一九四四年

歲次甲申（肖猴）　太歲姓方名公　年星二黑

月別	正月大		二月小		三月大		四月小		閏四月大		五月小	
干支	丙寅		丁卯		戊辰		己巳				庚午	
九星	二黑		一白		九紫		八白				七赤	
節氣	立春 十二 6時23分 卯時	雨水 廿七 2時28分 丑時	驚蟄 十二 0時41分 早子	春分 廿七 1時49分 丑時	清明 十三 5時54分 卯時	穀雨 廿八 13時18分 未時	立夏 十三 23時40分 夜子	小滿 廿九 12時51分 午時		芒種 十六 4時11分 寅時	夏至 初一 21時3分 亥時	小暑 十七 4時 7分 未時
農曆	干支	西曆	干支	西曆	干支	西曆	干支	西曆	干支	西曆	干支	西曆
初一	戊子	1 25	戊午	2 24	丁亥	3 24	丁巳	4 23	丙戌	5 22	**丙辰**	21
初二	己丑	1 26	己未	2 25	戊子	3 25	戊午	4 24	丁亥	5 23	丁巳	22
初三	庚寅	1 27	庚申	2 26	己丑	3 26	己未	4 25	戊子	5 24	戊午	23
初四	辛卯	1 28	辛酉	2 27	庚寅	3 27	庚申	4 26	己丑	5 25	己未	24
初五	壬辰	1 29	壬戌	2 28	辛卯	3 28	辛酉	4 27	庚寅	5 26	庚申	25
初六	癸巳	1 30	癸亥	2 29	壬辰	3 29	壬戌	4 28	辛卯	5 27	辛酉	26
初七	甲午	1 31	甲子	3 1	癸巳	3 30	癸亥	4 29	壬辰	5 28	壬戌	27
初八	乙未	2 1	乙丑	3 2	甲午	3 31	甲子	4 30	癸巳	5 29	癸亥	28
初九	丙申	2 2	丙寅	3 3	乙未	4 1	乙丑	5 1	甲午	5 30	甲子	29
初十	丁酉	2 3	丁卯	3 4	丙申	4 2	丙寅	5 2	乙未	5 31	乙丑	30
十一	戊戌	2 4	戊辰	3 5	丁酉	4 3	丁卯	5 3	丙申	6 1	丙寅	1
十二	**己亥**	2 5	**己巳**	3 6	戊戌	4 4	戊辰	5 4	丁酉	6 2	丁卯	2
十三	庚子	2 6	庚午	3 7	**己亥**	4 5	**己巳**	5 5	戊戌	6 3	戊辰	3
十四	辛丑	2 7	辛未	3 8	庚子	4 6	庚午	5 6	己亥	6 4	己巳	4
十五	壬寅	2 8	壬申	3 9	辛丑	4 7	辛未	5 7	庚子	6 5	庚午	5
十六	癸卯	2 9	癸酉	3 10	壬寅	4 8	壬申	5 8	**辛丑**	6 6	辛未	6
十七	甲辰	2 10	甲戌	3 11	癸卯	4 9	癸酉	5 9	壬寅	6 7	**壬申**	7
十八	乙巳	2 11	乙亥	3 12	甲辰	4 10	甲戌	5 10	癸卯	6 8	癸酉	8
十九	丙午	2 12	丙子	3 13	乙巳	4 11	乙亥	5 11	甲辰	6 9	甲戌	9
二十	丁未	2 13	丁丑	3 14	丙午	4 12	丙子	5 12	乙巳	6 10	乙亥	10
廿一	戊申	2 14	戊寅	3 15	丁未	4 13	丁丑	5 13	丙午	6 11	丙子	11
廿二	己酉	2 15	己卯	3 16	戊申	4 14	戊寅	5 14	丁未	6 12	丁丑	12
廿三	庚戌	2 16	庚辰	3 17	己酉	4 15	己卯	5 15	戊申	6 13	戊寅	13
廿四	辛亥	2 17	辛巳	3 18	庚戌	4 16	庚辰	5 16	己酉	6 14	己卯	14
廿五	壬子	2 18	壬午	3 19	辛亥	4 17	辛巳	5 17	庚戌	6 15	庚辰	15
廿六	癸丑	2 19	癸未	3 20	壬子	4 18	壬午	5 18	辛亥	6 16	辛巳	16
廿七	**甲寅**	2 20	**甲申**	3 21	癸丑	4 29	癸未	5 19	壬子	6 17	壬午	17
廿八	乙卯	2 21	乙酉	3 22	**甲寅**	4 20	甲申	5 20	癸丑	6 18	癸未	18
廿九	丙辰	2 22	丙戌	3 23	乙卯	4 21	**乙酉**	5 21	甲寅	6 19	甲申	19
三十	丁巳	2 23			丙辰	4 22			乙卯	6 20		

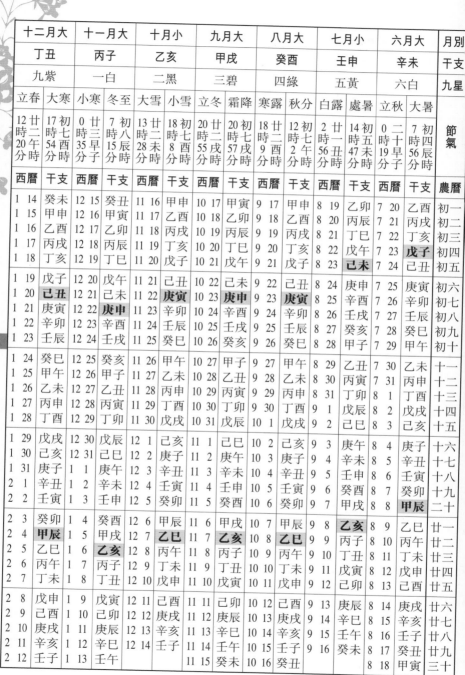

十二月大		十一月大		十月小		九月大		八月大		七月小		六月大		月別
丁丑		丙子		乙亥		甲戌		癸酉		壬申		辛未		干支
九紫		一白		二黑		三碧		四綠		五黃		六白		九星
立春	大寒	小寒	冬至	大雪	小雪	立冬	霜降	寒露	秋分	白露	處暑	立秋	大暑	節氣
廿二午時 12時20分	初七酉時 17時54分	廿三早子 0時35分	初八辰時 7時15分	廿二未時 13時28分	初七酉時 18時8分	廿二戌時 20時55分	初七戌時 20時57分	廿二酉時 18時9分	初七午時 12時2分	廿一丑時 2時56分	初五未時 14時47分	二十早子 0時19分	初四辰時 7時56分	
西曆	干支	西曆	干支	西曆	干支	西曆	干支	西曆	干支	西曆	干支	西曆	干支	農曆
1 14	癸未	12 15	癸丑	11 16	甲申	10 17	甲寅	9 17	甲申	8 19	乙卯	7 20	乙酉	初一
1 15	甲申	12 16	甲寅	11 17	乙酉	10 18	乙卯	9 18	乙酉	8 20	丙辰	7 21	丙戌	初二
1 16	乙酉	12 17	乙卯	11 18	丙戌	10 19	丙辰	9 19	丙戌	8 21	丁巳	7 22	丁亥	初三
1 17	丙戌	12 18	丙辰	11 19	丁亥	10 20	丁巳	9 20	丁亥	8 22	戊午	7 23	**戊子**	初四
1 18	丁亥	12 19	丁巳	11 20	戊子	10 21	戊午	9 21	戊子	8 23	**己未**	7 24	己丑	初五
1 19	戊子	12 20	戊午	11 21	己丑	10 22	己未	9 22	己丑	8 24	庚申	7 25	庚寅	初六
1 20	**己丑**	12 21	己未	11 22	**庚寅**	10 23	**庚申**	9 23	**庚寅**	8 25	辛酉	7 26	辛卯	初七
1 21	庚寅	12 22	**庚申**	11 23	辛卯	10 24	辛酉	9 24	辛卯	8 26	壬戌	7 27	壬辰	初八
1 22	辛卯	12 23	辛酉	11 24	壬辰	10 25	壬戌	9 25	壬辰	8 27	癸亥	7 28	癸巳	初九
1 23	壬辰	12 24	壬戌	11 25	癸巳	10 26	癸亥	9 26	癸巳	8 28	甲子	7 29	甲午	初十
1 24	癸巳	12 25	癸亥	11 26	甲午	10 27	甲子	9 27	甲午	8 29	乙丑	7 30	乙未	十一
1 25	甲午	12 26	甲子	11 27	乙未	10 28	乙丑	9 28	乙未	8 30	丙寅	7 31	丙申	十二
1 26	乙未	12 27	乙丑	11 28	丙申	10 29	丙寅	9 29	丙申	8 31	丁卯	8 1	丁酉	十三
1 27	丙申	12 28	丙寅	11 29	丁酉	10 30	丁卯	9 30	丁酉	9 1	戊辰	8 2	戊戌	十四
1 28	丁酉	12 29	丁卯	11 30	戊戌	10 31	戊辰	10 1	戊戌	9 2	己巳	8 3	己亥	十五
1 29	戊戌	12 30	戊辰	12 1	己亥	11 1	己巳	10 2	己亥	9 3	庚午	8 4	庚子	十六
1 30	己亥	12 31	己巳	12 2	庚子	11 2	庚午	10 3	庚子	9 4	辛未	8 5	辛丑	十七
1 31	庚子	1 1	庚午	12 3	辛丑	11 3	辛未	10 4	辛丑	9 5	壬申	8 6	壬寅	十八
2 1	辛丑	1 2	辛未	12 4	壬寅	11 4	壬申	10 5	壬寅	9 6	癸酉	8 7	癸卯	十九
2 2	壬寅	1 3	壬申	12 5	癸卯	11 5	癸酉	10 6	癸卯	9 7	甲戌	8 8	**甲辰**	二十
2 3	癸卯	1 4	癸酉	12 6	甲辰	11 6	甲戌	10 7	甲辰	9 8	**乙亥**	8 9	乙巳	廿一
2 4	**甲辰**	1 5	甲戌	12 7	**乙巳**	11 7	**乙亥**	10 8	**乙巳**	9 9	丙子	8 10	丙午	廿二
2 5	乙巳	1 6	**乙亥**	12 8	丙午	11 8	丙子	10 9	丙午	9 10	丁丑	8 11	丁未	廿三
2 6	丙午	1 7	丙子	12 9	丁未	11 9	丁丑	10 10	丁未	9 11	戊寅	8 12	戊申	廿四
2 7	丁未	1 8	丁丑	12 10	戊申	11 10	戊寅	10 11	戊申	9 12	己卯	8 13	己酉	廿五
2 8	戊申	1 9	戊寅	12 11	己酉	11 11	己卯	10 12	己酉	9 13	庚辰	8 14	庚戌	廿六
2 9	己酉	1 10	己卯	12 12	庚戌	11 12	庚辰	10 13	庚戌	9 14	辛巳	8 15	辛亥	廿七
2 10	庚戌	1 11	庚辰	12 13	辛亥	11 13	辛巳	10 14	辛亥	9 15	壬午	8 16	壬子	廿八
2 11	辛亥	1 12	辛巳	12 14	壬子	11 14	壬午	10 15	壬子	9 16	癸未	8 17	癸丑	廿九
2 12	壬子	1 13	壬午			11 15	癸未	10 16	癸丑			8 18	甲寅	三十

一九四五年　歲次乙酉（肖雞）　太歲姓蔣名崇　年星一白

六月大		五月小		四月小		三月大		二月小		正月小		月別
癸未		壬午		辛巳		庚辰		己卯		戊寅		干支
三碧		四綠		五黃		六白		七赤		八白		九星
大暑		小暑　夏至		芒種　小滿		立夏　穀雨		清明　春分		驚蟄　雨水		節氣
13時46分 十五未時		20時27分 廿八戌時　2時52分 十三丑時		10時06分 廿六巳時　18時41分 初十酉時		5時37分 廿五卯時　19時9分 初九戌時		11時52分 廿三午時　7時38分 初八辰時		6時38分 廿二卯時　8時15分 初七辰時		
西曆	干支	西曆	干支	西曆	干支	西曆	干支	西曆	干支	西曆	干支	農曆
7 9	己卯	6 10	庚戌	5 12	辛巳	4 12	辛亥	3 14	壬午	2 13	癸丑	初一
7 10	庚辰	6 11	辛亥	5 13	壬午	4 13	壬子	3 15	癸未	2 14	甲寅	初二
7 11	辛巳	6 12	壬子	5 14	癸未	4 14	癸丑	3 16	甲申	2 15	乙卯	初三
7 12	壬午	6 13	癸丑	5 15	甲申	4 15	甲寅	3 17	乙酉	2 16	丙辰	初四
7 13	癸未	6 14	甲寅	5 16	乙酉	4 16	乙卯	3 18	丙戌	2 17	丁巳	初五
7 14	甲申	6 15	乙卯	5 17	丙戌	4 17	丙辰	3 19	丁亥	2 18	戊午	初六
7 15	乙酉	6 16	丙辰	5 18	丁亥	4 18	丁巳	3 20	戊子	2 19	己未	初七
7 16	丙戌	6 17	丁巳	5 19	戊子	4 19	戊午	3 21	己丑	2 20	庚申	初八
7 17	丁亥	6 18	戊午	5 20	己丑	4 20	己未	3 22	庚寅	2 21	辛酉	初九
7 18	戊子	6 19	己未	5 21	庚寅	4 21	庚申	3 23	辛卯	2 22	壬戌	初十
7 19	己丑	6 20	庚申	5 22	辛卯	4 22	辛酉	3 24	壬辰	2 23	癸亥	十一
7 20	庚寅	6 21	辛酉	5 23	壬辰	4 23	壬戌	3 25	癸巳	2 24	甲子	十二
7 21	辛卯	6 22	壬戌	5 24	癸巳	4 24	癸亥	3 26	甲午	2 25	乙丑	十三
7 22	壬辰	6 23	癸亥	5 25	甲午	4 25	甲子	3 27	乙未	2 26	丙寅	十四
7 23	癸巳	6 24	甲子	5 26	乙未	4 26	乙丑	3 28	丙申	2 27	丁卯	十五
7 24	甲午	6 25	乙丑	5 27	丙申	4 27	丙寅	3 29	丁酉	2 28	戊辰	十六
7 25	乙未	6 26	丙寅	5 28	丁酉	4 28	丁卯	3 30	戊戌	3 1	己巳	十七
7 26	丙申	6 27	丁卯	5 29	戊戌	4 29	戊辰	3 31	己亥	3 2	庚午	十八
7 27	丁酉	6 28	戊辰	5 30	己亥	4 30	己巳	4 1	庚子	3 3	辛未	十九
7 28	戊戌	6 29	己巳	5 31	庚子	5 1	庚午	4 2	辛丑	3 4	壬申	二十
7 29	己亥	6 30	庚午	6 1	辛丑	5 2	辛未	4 3	壬寅	3 5	癸酉	廿一
7 30	庚子	7 1	辛未	6 2	壬寅	5 3	壬申	4 4	癸卯	3 6	甲戌	廿二
7 31	辛丑	7 2	壬申	6 3	癸卯	5 4	癸酉	4 5	甲辰	3 7	乙亥	廿三
8 1	壬寅	7 3	癸酉	6 4	甲辰	5 5	甲戌	4 6	乙巳	3 8	丙子	廿四
8 2	癸卯	7 4	甲戌	6 5	乙巳	5 6	乙亥	4 7	丙午	3 9	丁丑	廿五
8 3	甲辰	7 5	乙亥	6 6	丙午	5 7	丙子	4 8	丁未	3 10	戊寅	廿六
8 4	乙巳	7 6	丙子	6 7	丁未	5 8	丁丑	4 9	戊申	3 11	己卯	廿七
8 5	丙午	7 7	丁丑	6 8	戊申	5 9	戊寅	4 10	己酉	3 12	庚辰	廿八
8 6	丁未	7 8	戊寅	6 9	己酉	5 10	己卯	4 11	庚戌	3 13	辛巳	廿九
8 7	戊申					5 11	庚辰					三十

十二月大		十一月小		十月大		九月大		八月大		七月小		月別
己丑		戊子		丁亥		丙戌		乙酉		甲申		干支
六白		七赤		八白		九紫		一白		二黑		九星
大寒	小寒	冬至	大雪	小雪	立冬	霜降	寒露	秋分	白露	處暑	立秋	節氣
十八 23時45分 夜子	初四 6時17分 卯時	十八 13時4分 未時	初三 19時8分 戌時	十八 23時56分 夜子	初四 2時35分 丑時	十九 2時44分 丑時	初三 23時50分 夜子	十八 17時50分 酉時	初三 8時39分 辰時	十六 20時36分 戌時	初一 6時6分 卯時	
西曆	干支	西曆	干支	西曆	干支	西曆	干支	西曆	干支	西曆	干支	農曆
1 3	丁丑	12 5	戊申	11 5	戊寅	10 6	戊申	9 6	戊寅	8 8	**己酉**	初一
1 4	戊寅	12 6	己酉	11 6	己卯	10 7	己酉	9 7	己卯	8 9	庚戌	初二
1 5	己卯	12 7	**庚戌**	11 7	庚辰	10 8	**庚戌**	9 8	**庚辰**	8 10	辛亥	初三
1 6	**庚辰**	12 8	辛亥	11 8	**辛巳**	10 9	辛亥	9 9	辛巳	8 11	壬子	初四
1 7	辛巳	12 9	壬子	11 9	壬午	10 10	壬子	9 10	壬午	8 12	癸丑	初五
1 8	壬午	12 10	癸丑	11 10	癸未	10 11	癸丑	9 11	癸未	8 13	甲寅	初六
1 9	癸未	12 11	甲寅	11 11	甲申	10 12	甲寅	9 12	甲申	8 14	乙卯	初七
1 10	甲申	12 12	乙卯	11 12	乙酉	10 13	乙卯	9 13	乙酉	8 15	丙辰	初八
1 11	乙酉	12 13	丙辰	11 13	丙戌	10 14	丙辰	9 14	丙戌	8 16	丁巳	初九
1 12	丙戌	12 14	丁巳	11 14	丁亥	10 15	丁巳	9 15	丁亥	8 17	戊午	初十
1 13	丁亥	12 15	戊午	11 15	戊子	10 16	戊午	9 16	戊子	8 18	己未	十一
1 14	戊子	12 16	己未	11 16	己丑	10 17	己未	9 17	己丑	8 19	庚申	十二
1 15	己丑	12 17	庚申	11 17	庚寅	10 18	庚申	9 18	庚寅	8 20	辛酉	十三
1 16	庚寅	12 18	辛酉	11 18	辛卯	10 19	辛酉	9 19	辛卯	8 21	壬戌	十四
1 17	辛卯	12 19	壬戌	11 19	壬辰	10 20	壬戌	9 20	壬辰	8 22	癸亥	十五
1 18	壬辰	12 20	癸亥	11 20	癸巳	10 21	癸亥	9 21	癸巳	8 23	**甲子**	十六
1 19	癸巳	12 21	甲子	11 21	甲午	10 22	甲子	9 22	甲午	8 24	乙丑	十七
1 20	**甲午**	12 22	**乙丑**	11 22	**乙未**	10 23	乙丑	9 23	**乙未**	8 25	丙寅	十八
1 21	乙未	12 23	丙寅	11 23	丙申	10 24	**丙寅**	9 24	丙申	8 26	丁卯	十九
1 22	丙申	12 24	丁卯	11 24	丁酉	10 25	丁卯	9 25	丁酉	8 27	戊辰	二十
1 23	丁酉	12 25	戊辰	11 25	戊戌	10 26	戊辰	9 26	戊戌	8 28	己巳	廿一
1 24	戊戌	12 26	己巳	11 26	己亥	10 27	己巳	9 27	己亥	8 39	庚午	廿二
1 25	己亥	12 27	庚午	11 27	庚子	10 28	庚午	9 28	庚子	8 30	辛未	廿三
1 26	庚子	12 28	辛未	11 28	辛丑	10 29	辛未	9 29	辛丑	8 31	壬申	廿四
1 27	辛丑	12 29	壬申	11 29	壬寅	10 30	壬申	9 30	壬寅	9 1	癸酉	廿五
1 28	壬寅	12 30	癸酉	11 30	癸卯	10 31	癸酉	10 1	癸卯	9 2	甲戌	廿六
1 29	癸卯	12 31	甲戌	12 1	甲辰	11 1	甲戌	10 2	甲辰	9 3	乙亥	廿七
1 30	甲辰	1 1	乙亥	12 2	乙巳	11 2	乙亥	10 3	乙巳	9 4	丙子	廿八
1 31	乙巳	1 2	丙子	12 3	丙午	11 3	丙子	10 4	丙午	9 5	丁丑	廿九
2 1	丙午			12 4	丁未	11 4	丁丑	10 5	丁未			三十

一九四六年

歲次丙戌（肖狗）

太歲姓向名般

年星九紫

月別	正月大		二月小		三月小		四月大		五月小		六月小	
干支	庚寅		辛卯		壬辰		癸巳		甲午		乙未	
九星	五黃		四綠		三碧		二黑		一白		九紫	
節氣	立春	雨水	驚蟄	春分	清明	穀雨	立夏	小滿	芒種	夏至	小暑	大暑
	初三 18時5分酉時	十八 14時9分未時	初三 12時25分午時	十八 13時33分未時	初四 17時39分酉時	二十 1時2分丑時	初六 11時22分午時	廿二 0時34分早子	初七 15時49分申時	廿三 8時45分辰時	初十 2時11分丑時	廿五 19時37分戌時
農曆	干支	西曆	干支	西曆	干支	西曆	干支	西曆	干支	西曆	干支	西曆
初一	丁未	2 2	丁丑	3 4	丙午	4 2	乙亥	5 1	乙巳	5 31	甲戌	6 29
初二	戊申	2 3	戊寅	3 5	丁未	4 3	丙子	5 2	丙午	6 1	乙亥	6 30
初三	**己酉**	2 4	**己卯**	3 6	戊申	4 4	丁丑	5 3	丁未	6 2	丙子	7 1
初四	庚戌	2 5	庚辰	3 7	**己酉**	4 5	戊寅	5 4	戊申	6 3	丁丑	7 2
初五	辛亥	2 6	辛巳	3 8	庚戌	4 6	己卯	5 5	己酉	6 4	戊寅	7 3
初六	壬子	2 7	壬午	3 9	辛亥	4 7	**庚辰**	5 6	庚戌	6 5	己卯	7 4
初七	癸丑	2 8	癸未	3 10	壬子	4 8	辛巳	5 7	**辛亥**	6 6	庚辰	7 5
初八	甲寅	2 9	甲申	3 11	癸丑	4 9	壬午	5 8	壬子	6 7	辛巳	7 6
初九	乙卯	2 10	乙酉	3 12	甲寅	4 10	癸未	5 9	癸丑	6 8	壬午	7 7
初十	丙辰	2 11	丙戌	3 13	乙卯	4 11	甲申	5 10	甲寅	6 9	**癸未**	7 8
十一	丁巳	2 12	丁亥	3 14	丙辰	4 12	乙酉	5 11	乙卯	6 10	甲申	7 9
十二	戊午	2 13	戊子	3 15	丁巳	4 13	丙戌	5 12	丙辰	6 11	乙酉	7 10
十三	己未	2 14	己丑	3 16	戊午	4 14	丁亥	5 13	丁巳	6 12	丙戌	7 11
十四	庚申	2 15	庚寅	3 17	己未	4 15	戊子	5 14	戊午	6 13	丁亥	7 12
十五	辛酉	2 16	辛卯	3 18	庚申	4 16	己丑	5 15	己未	6 14	戊子	7 13
十六	壬戌	2 17	壬辰	3 19	辛酉	4 17	庚寅	5 16	庚申	6 15	己丑	7 14
十七	癸亥	2 18	癸巳	3 20	壬戌	4 18	辛卯	5 17	辛酉	6 16	庚寅	7 15
十八	**甲子**	2 19	**甲午**	3 21	癸亥	4 19	壬辰	5 18	壬戌	6 17	辛卯	7 16
十九	乙丑	2 20	乙未	3 22	甲子	4 20	癸巳	5 19	癸亥	6 18	壬辰	7 17
二十	丙寅	2 21	丙申	3 23	**乙丑**	4 21	甲午	5 20	甲子	6 19	癸巳	7 18
廿一	丁卯	2 22	丁酉	3 24	丙寅	4 22	乙未	5 21	乙丑	6 20	甲午	7 19
廿二	戊辰	2 23	戊戌	3 25	丁卯	4 23	**丙申**	5 22	丙寅	6 21	乙未	7 20
廿三	己巳	2 24	己亥	3 26	戊辰	4 24	丁酉	5 23	**丁卯**	6 22	丙申	7 21
廿四	庚午	2 25	庚子	3 27	己巳	4 25	戊戌	5 24	戊辰	6 23	丁酉	7 22
廿五	辛未	2 26	辛丑	3 28	庚午	4 26	己亥	5 25	己巳	6 24	**戊戌**	7 23
廿六	壬申	2 27	壬寅	3 29	辛未	4 27	庚子	5 26	庚午	6 25	己亥	7 24
廿七	癸酉	2 28	癸卯	3 30	壬申	4 28	辛丑	5 27	辛未	6 26	庚子	7 25
廿八	甲戌	3 1	甲辰	3 31	癸酉	4 29	壬寅	5 28	壬申	6 27	辛丑	7 26
廿九	乙亥	3 2	乙巳	4 1	甲戌	4 30	癸卯	5 29	癸酉	6 28	壬寅	7 27
三十	丙子	3 3					甲辰	5 30				

十二月大		十一月小		十月大		九月大		八月小		七月大		月別
辛丑		庚子		己亥		戊戌		丁酉		丙申		干支
三碧		四綠		五黃		六白		七赤		八白		九星
大寒	小寒	冬至	大雪	小雪	立冬	霜降	寒露	秋分	白露	處暑	立秋	節氣
5時35分 三十卯時	12時11分 十五午時	18時54分 廿九酉時	1時1分 十五丑時	5時47分 三十卯時	8時28分 十五辰時	8時35分 三十辰時	5時42分 十五卯時	23時41分 廿八夜子	14時28分 十三未時	2時27分 廿八丑時	11時52分 十二午時	
西曆	**干支**	**西曆**	**干支**	**西曆**	**干支**	**西曆**	**干支**	**西曆**	**干支**	**西曆**	**干支**	**農曆**
12 23	辛未	11 24	壬寅	10 25	壬申	9 25	壬寅	8 27	癸酉	7 28	癸卯	初一
12 24	壬申	11 25	癸卯	10 26	癸酉	9 26	癸卯	8 28	甲戌	7 29	甲辰	初二
12 25	癸酉	11 26	甲辰	10 27	甲戌	9 27	甲辰	8 29	乙亥	7 30	乙巳	初三
12 26	甲戌	11 27	乙巳	10 28	乙亥	9 28	乙巳	8 30	丙子	7 31	丙午	初四
12 27	乙亥	11 28	丙午	10 29	丙子	9 29	丙午	8 31	丁丑	8 1	丁未	初五
12 28	丙子	11 29	丁未	10 30	丁丑	9 30	丁未	9 1	戊寅	8 2	戊申	初六
12 29	丁丑	11 30	戊申	10 31	戊寅	10 1	戊申	9 2	己卯	8 3	己酉	初七
12 30	戊寅	12 1	己酉	11 1	己卯	10 2	己酉	9 3	庚辰	8 4	庚戌	初八
12 31	己卯	12 2	庚戌	11 2	庚辰	10 3	庚戌	9 4	辛巳	8 5	辛亥	初九
1 1	庚辰	12 3	辛亥	11 3	辛巳	10 4	辛亥	9 5	壬午	8 6	壬子	初十
1 2	辛巳	12 4	壬子	11 4	壬午	10 5	壬子	9 6	癸未	8 7	癸丑	十一
1 3	壬午	12 5	癸丑	11 5	癸未	10 6	癸丑	9 7	甲申	8 8	**甲寅**	十二
1 4	癸未	12 6	甲寅	11 6	甲申	10 7	甲寅	9 8	**乙酉**	8 9	乙卯	十三
1 5	甲申	12 7	乙卯	11 7	乙酉	10 8	乙卯	9 9	丙戌	8 10	丙辰	十四
1 6	**乙酉**	12 8	**丙辰**	11 8	**丙戌**	10 9	**丙辰**	9 10	丁亥	8 11	丁巳	十五
1 7	丙戌	12 9	丁巳	11 9	丁亥	10 10	丁巳	9 11	戊子	8 12	戊午	十六
1 8	丁亥	12 10	戊午	11 10	戊子	10 11	戊午	9 12	己丑	8 13	己未	十七
1 9	戊子	12 11	己未	11 11	己丑	10 12	己未	9 13	庚寅	8 14	庚申	十八
1 10	己丑	12 12	庚申	11 12	庚寅	10 13	庚申	9 14	辛卯	8 15	辛酉	十九
1 11	庚寅	12 13	辛酉	11 13	辛卯	10 14	辛酉	9 15	壬辰	8 16	壬戌	二十
1 12	辛卯	12 14	壬戌	11 14	壬辰	10 15	壬戌	9 16	癸巳	8 17	癸亥	廿一
1 13	壬辰	12 15	癸亥	11 15	癸巳	10 16	癸亥	9 17	甲午	8 18	甲子	廿二
1 14	癸巳	12 16	甲子	11 16	甲午	10 17	甲子	9 18	乙未	8 19	乙丑	廿三
1 15	甲午	12 17	乙丑	11 17	乙未	10 18	乙丑	9 19	丙申	8 20	丙寅	廿四
1 16	乙未	12 18	丙寅	11 18	丙申	10 19	丙寅	9 20	丁酉	8 21	丁卯	廿五
1 17	丙申	12 19	丁卯	11 19	丁酉	10 20	丁卯	9 21	戊戌	8 22	戊辰	廿六
1 18	丁酉	12 20	戊辰	11 20	戊戌	10 21	戊辰	9 22	己亥	8 23	己巳	廿七
1 19	戊戌	12 21	己巳	11 21	己亥	10 22	己巳	9 23	**庚子**	8 24	**庚午**	廿八
1 20	己亥	12 22	**庚午**	11 22	庚子	10 23	庚午	9 24	辛丑	8 25	辛未	廿九
1 21	**庚子**			11 23	**辛丑**	10 24	**辛未**			8 26	壬申	三十

一九四七年

歲次丁亥（肖豬）

太歲姓封名齊

年星八白

西曆	干支	西曆	干支	西曆	干支	西曆	干支	西曆	干支	西曆	干支	月別
五月小		四月大		三月小		閏二月小		二月大		正月大		月別
丙午		乙巳		甲辰				癸卯		壬寅		干支
七赤		八白		九紫				一白		二黑		九星
小暑	夏至	芒種	小滿	立夏	穀雨		清明	春分	驚蟄	雨水	立春	節氣
二十 7時56分 辰時	初四 14時24分 未時	十八 21時33分 亥時	初三 6時13分 卯時	十六 17時5分 酉時	初一 6時42分 卯時		十四 23時19分 夜子	廿九 19時15分 戌時	十四 18時12分 酉時	廿九 19時55分 戌時	十四 23時27分 夜子	節氣
西曆	干支	西曆	干支	西曆	干支	西曆	干支	西曆	干支	西曆	干支	農曆
6 19	己巳	5 20	己亥	4 21	**庚午**	3 23	辛丑	2 21	辛未	1 22	辛丑	初一
6 20	庚午	5 21	庚子	4 22	辛未	3 24	壬寅	2 22	壬申	1 23	壬寅	初二
6 21	辛未	5 22	**辛丑**	4 23	壬申	3 25	癸卯	2 23	癸酉	1 24	癸卯	初三
6 22	**壬申**	5 23	壬寅	4 24	癸酉	3 26	甲辰	2 24	甲戌	1 25	甲辰	初四
6 23	癸酉	5 24	癸卯	4 25	甲戌	3 27	乙巳	2 25	乙亥	1 26	乙巳	初五
6 24	甲戌	5 25	甲辰	4 26	乙亥	3 28	丙午	2 26	丙子	1 27	丙午	初六
6 25	乙亥	5 26	乙巳	4 27	丙子	3 29	丁未	2 27	丁丑	1 28	丁未	初七
6 26	丙子	5 27	丙午	4 28	丁丑	3 30	戊申	2 28	戊寅	1 29	戊申	初八
6 27	丁丑	5 28	丁未	4 29	戊寅	3 31	己酉	3 1	己卯	1 30	己酉	初九
6 28	戊寅	5 29	戊申	4 30	己卯	4 1	庚戌	3 2	庚辰	1 31	庚戌	初十
6 29	己卯	5 30	己酉	5 1	庚辰	4 2	辛亥	3 3	辛巳	2 1	辛亥	十一
6 30	庚辰	5 31	庚戌	5 2	辛巳	4 3	壬子	3 4	壬午	2 2	壬子	十二
7 1	辛巳	6 1	辛亥	5 3	壬午	4 4	癸丑	3 5	癸未	2 3	癸丑	十三
7 2	壬午	6 2	壬子	5 4	癸未	4 5	**甲寅**	3 6	**甲申**	2 4	**甲寅**	十四
7 3	癸未	6 3	癸丑	5 5	甲申	4 6	乙卯	3 7	乙酉	2 5	乙卯	十五
7 4	甲申	6 4	甲寅	5 6	**乙酉**	4 7	丙辰	3 8	丙戌	2 6	丙辰	十六
7 5	乙酉	6 5	乙卯	5 7	丙戌	4 8	丁巳	3 9	丁亥	2 7	丁巳	十七
7 6	丙戌	6 6	**丙辰**	5 8	丁亥	4 9	戊午	3 10	戊子	2 8	戊午	十八
7 7	丁亥	6 7	丁巳	5 9	戊子	4 10	己未	3 11	己丑	2 9	己未	十九
7 8	**戊子**	6 8	戊午	5 10	己丑	4 11	庚申	3 12	庚寅	2 10	庚申	二十
7 9	己丑	6 9	己未	5 11	庚寅	4 12	辛酉	3 13	辛卯	2 11	辛酉	廿一
7 10	庚寅	6 10	庚申	5 12	辛卯	4 13	壬戌	3 14	壬辰	2 12	壬戌	廿二
7 11	辛卯	6 11	辛酉	5 13	壬辰	4 14	癸亥	3 15	癸巳	2 13	癸亥	廿三
7 12	壬辰	6 12	壬戌	5 14	癸巳	4 15	甲子	3 16	甲午	2 14	甲子	廿四
7 13	癸巳	6 13	癸亥	5 15	甲午	4 16	乙丑	3 17	乙未	2 15	乙丑	廿五
7 14	甲午	6 14	甲子	5 16	乙未	4 17	丙寅	3 18	丙申	2 16	丙寅	廿六
7 15	乙未	6 15	乙丑	5 17	丙申	4 18	丁卯	3 19	丁酉	2 17	丁卯	廿七
7 16	丙申	6 16	丙寅	5 18	丁酉	4 19	戊辰	3 20	戊戌	2 18	戊辰	廿八
7 17	丁酉	6 17	丁卯	5 19	戊戌	4 20	己巳	3 21	**己亥**	2 19	**己巳**	廿九
		6 18	戊辰					3 22	庚子	2 20	庚午	三十

十二月大		十一月大		十月小		九月大		八月小		七月大		六月小		月別
癸丑		壬子		辛亥		庚戌		己酉		戊申		丁未		干支
九紫		一白		二黑		三碧		四綠		五黃		六白		九星
立春	大寒	小寒	冬至	大雪	小雪	立冬	霜降	寒露	秋分	白露	處暑	立秋	大暑	節氣
廿六 5時43分 卯時	十一 11時19分 午時	廿六 18時6分 酉時	十二 0時45分 早子	廿六 6時53分 卯時	十一 11時37分 午時	廿六 14時19分 未時	十一 14時24分 未時	廿五 11時32分 午時	初十 5時28分 卯時	廿四 20時17分 戌時	初九 8時11分 辰時	廿二 17時39分 酉時	初七 1時19分 丑時	
西曆	干支	西曆	干支	西曆	干支	西曆	干支	西曆	干支	西曆	干支	西曆	干支	農曆
1 11	乙未	12 12	乙丑	11 13	丙申	10 14	丙寅	9 15	丁酉	8 16	丁卯	7 18	戊戌	初一
1 12	丙申	12 13	丙寅	11 14	丁酉	10 15	丁卯	9 16	戊戌	8 17	戊辰	7 19	己亥	初二
1 13	丁酉	12 14	丁卯	11 15	戊戌	10 16	戊辰	9 17	己亥	8 18	己巳	7 20	庚子	初三
1 14	戊戌	12 15	戊辰	11 16	己亥	10 17	己巳	9 18	庚子	8 19	庚午	7 21	辛丑	初四
1 15	己亥	12 16	己巳	11 17	庚子	10 18	庚午	9 19	辛丑	8 20	辛未	7 22	壬寅	初五
1 16	庚子	12 17	庚午	11 18	辛丑	10 19	辛未	9 20	壬寅	8 21	壬申	7 23	癸卯	初六
1 17	辛丑	12 18	辛未	11 19	壬寅	10 20	壬申	9 21	癸卯	8 22	癸酉	7 24	**甲辰**	初七
1 18	壬寅	12 19	壬申	11 20	癸卯	10 21	癸酉	9 22	甲辰	8 23	甲戌	7 25	乙巳	初八
1 19	癸卯	12 20	癸酉	11 21	甲辰	10 22	甲戌	9 23	乙巳	8 24	**乙亥**	7 26	丙午	初九
1 20	甲辰	12 21	甲戌	11 22	乙巳	10 23	乙亥	9 24	**丙午**	8 25	丙子	7 27	丁未	初十
1 21	**乙巳**	12 22	乙亥	11 23	**丙午**	10 24	**丙子**	9 25	丁未	8 26	丁丑	7 28	戊申	十一
1 22	丙午	12 23	**丙子**	11 24	丁未	10 25	丁丑	9 26	戊申	8 27	戊寅	7 29	己酉	十二
1 23	丁未	12 24	丁丑	11 25	戊申	10 26	戊寅	9 27	己酉	8 28	己卯	7 30	庚戌	十三
1 24	戊申	12 25	戊寅	11 26	己酉	10 27	己卯	9 28	庚戌	8 29	庚辰	7 31	辛亥	十四
1 25	己酉	12 26	己卯	11 27	庚戌	10 28	庚辰	9 29	辛亥	8 30	辛巳	8 1	壬子	十五
1 26	庚戌	12 27	庚辰	11 28	辛亥	10 29	辛巳	9 30	壬子	8 31	壬午	8 2	癸丑	十六
1 27	辛亥	12 28	辛巳	11 29	壬子	10 30	壬午	10 1	癸丑	9 1	癸未	8 3	甲寅	十七
1 28	壬子	12 29	壬午	11 30	癸丑	10 31	癸未	10 2	甲寅	9 2	甲申	8 4	乙卯	十八
1 29	癸丑	12 30	癸未	12 1	甲寅	11 1	甲申	10 3	乙卯	9 3	乙酉	8 5	丙辰	十九
1 30	甲寅	12 31	甲申	12 2	乙卯	11 2	乙酉	10 4	丙辰	9 4	丙戌	8 6	丁巳	二十
1 31	乙卯	1 1	乙酉	12 3	丙辰	11 3	丙戌	10 5	丁巳	9 5	丁亥	8 7	戊午	廿一
2 1	丙辰	1 2	丙戌	12 4	丁巳	11 4	丁亥	10 6	戊午	9 6	戊子	8 8	**己未**	廿二
2 2	丁巳	1 3	丁亥	12 5	戊午	11 5	戊子	10 7	己未	9 7	己丑	8 9	庚申	廿三
2 3	戊午	1 4	戊子	12 6	己未	11 6	己丑	10 8	庚申	9 8	**庚寅**	8 10	辛酉	廿四
2 4	己未	1 5	己丑	12 7	庚申	11 7	庚寅	10 9	**辛酉**	9 9	辛卯	8 11	壬戌	廿五
2 5	**庚申**	1 6	**庚寅**	12 8	**辛酉**	11 8	**辛卯**	10 10	壬戌	9 10	壬辰	8 12	癸亥	廿六
2 6	辛酉	1 7	辛卯	12 9	壬戌	11 9	壬辰	10 11	癸亥	9 11	癸巳	8 13	甲子	廿七
2 7	壬戌	1 8	壬辰	12 10	癸亥	11 10	癸巳	10 12	甲子	9 12	甲午	8 14	乙丑	廿八
2 8	癸亥	1 9	癸巳	12 11	甲子	11 11	甲午	10 13	乙丑	9 13	乙未	8 15	丙寅	廿九
2 9	甲子	1 10	甲午			11 12	乙未			9 14	丙申			三十

一九四八年

歲次戊子（肖鼠）

太歲姓郢名班

年星七赤

月別	正月大		二月小		三月大		四月小		五月大		六月小	
干支	甲寅		乙卯		丙辰		丁巳		戊午		己未	
九星	八白		七赤		六白		五黃		四綠		三碧	
節氣	雨水	驚蟄	春分	清明	穀雨	立夏	小滿	芒種	夏至		小暑	大暑
	十一 1時37分 丑時	廿五 23時58分 夜子	十一 0時57分 早子	廿六 5時10分 卯時	十二 12時25分 午時	廿七 22時53分 亥時	十三 11時58分 午時	廿九 3時21分 寅時	十五 20時11分 戌時		初一 13時44分 未時	十七 7時8分 辰時
農曆	干支	西曆	干支	西曆	干支	西曆	干支	西曆	干支	西曆	干支	西曆
初一	乙丑	2 10	乙未	3 11	甲子	4 9	甲午	5 9	癸亥	6 7	**癸巳**	7 7
初二	丙寅	2 11	丙申	3 12	乙丑	4 10	乙未	5 10	甲子	6 8	甲午	7 8
初三	丁卯	2 12	丁酉	3 13	丙寅	4 11	丙申	5 11	乙丑	6 9	乙未	7 9
初四	戊辰	2 13	戊戌	3 14	丁卯	4 12	丁酉	5 12	丙寅	6 10	丙申	7 10
初五	己巳	2 14	己亥	3 15	戊辰	4 13	戊戌	5 13	丁卯	6 11	丁酉	7 11
初六	庚午	2 15	庚子	3 16	己巳	4 14	己亥	5 14	戊辰	6 12	戊戌	7 12
初七	辛未	2 16	辛丑	3 17	庚午	4 15	庚子	5 15	己巳	6 13	己亥	7 13
初八	壬申	2 17	壬寅	3 18	辛未	4 16	辛丑	5 16	庚午	6 14	庚子	7 14
初九	癸酉	2 18	癸卯	3 19	壬申	4 17	壬寅	5 17	辛未	6 15	辛丑	7 15
初十	甲戌	2 19	甲辰	3 20	癸酉	4 18	癸卯	5 18	壬申	6 16	壬寅	7 16
十一	**乙亥**	2 20	**乙巳**	3 21	甲戌	4 19	甲辰	5 19	癸酉	6 17	癸卯	7 17
十二	丙子	2 21	丙午	3 22	**乙亥**	4 20	乙巳	5 20	甲戌	6 18	甲辰	7 18
十三	丁丑	2 22	丁未	3 23	丙子	4 21	**丙午**	5 21	乙亥	6 19	乙巳	7 19
十四	戊寅	2 23	戊申	3 24	丁丑	4 22	丁未	5 22	丙子	6 20	丙午	7 20
十五	己卯	2 24	己酉	3 25	戊寅	4 23	戊申	5 23	**丁丑**	6 21	丁未	7 21
十六	庚辰	2 25	庚戌	3 26	己卯	4 24	己酉	5 24	戊寅	6 22	戊申	7 22
十七	辛巳	2 26	辛亥	3 27	庚辰	4 25	庚戌	5 25	己卯	6 23	**己酉**	7 23
十八	壬午	2 27	壬子	3 28	辛巳	4 26	辛亥	5 26	庚辰	6 24	庚戌	7 24
十九	癸未	2 28	癸丑	3 29	壬午	4 27	壬子	5 27	辛巳	6 25	辛亥	7 25
二十	甲申	2 29	甲寅	3 30	癸未	4 28	癸丑	5 28	壬午	6 26	壬子	7 26
廿一	乙酉	3 1	乙卯	3 31	甲申	4 29	甲寅	5 29	癸未	6 27	癸丑	7 27
廿二	丙戌	3 2	丙辰	4 1	乙酉	4 30	乙卯	5 30	甲申	6 28	甲寅	7 28
廿三	丁亥	3 3	丁巳	4 2	丙戌	5 1	丙辰	5 31	乙酉	6 29	乙卯	7 29
廿四	戊子	3 4	戊午	4 3	丁亥	5 2	丁巳	6 1	丙戌	6 30	丙辰	7 30
廿五	**己丑**	3 5	己未	4 4	戊子	5 3	戊午	6 2	丁亥	7 1	丁巳	7 31
廿六	庚寅	3 6	**庚申**	4 5	己丑	5 4	己未	6 3	戊子	7 2	戊午	8 1
廿七	辛卯	3 7	辛酉	4 6	**庚寅**	5 5	庚申	6 4	己丑	7 3	己未	8 2
廿八	壬辰	3 8	壬戌	4 7	辛卯	5 6	辛酉	6 5	庚寅	7 4	庚申	8 3
廿九	癸巳	3 9	癸亥	4 8	壬辰	5 7	**壬戌**	6 6	辛卯	7 5	辛酉	8 4
三十	甲午	3 10			癸巳	5 8			壬辰	7 6		

十二月大		十一月小		十月大		九月小		八月大		七月小		月別
乙丑		甲子		癸亥		壬戌		辛酉		庚申		干支
六白		七赤		八白		九紫		一白		二黑		九星
大寒	小寒	冬至	大雪	小雪	立冬	霜降	寒露	秋分	白露	處暑	立秋	節氣
17時9分 廿二酉時	23時42分 初七夜子	6時34分 廿二卯時	12時38分 初七午時	17時30分 廿二酉時	20時7分 初七戌時	20時19分 廿一戌時	17時21分 初六酉時	11時22分 廿一午時	2時6分 初六丑時	14時3分 十九未時	23時27分 初三夜子	
西曆	干支	西曆	干支	西曆	干支	西曆	干支	西曆	干支	西曆	干支	農曆
12 30	己丑	12 1	庚申	11 1	庚寅	10 3	辛酉	9 3	辛卯	8 5	壬戌	初一
12 31	庚寅	12 2	辛酉	11 2	辛卯	10 4	壬戌	9 4	壬辰	8 6	癸亥	初二
1 1	辛卯	12 3	壬戌	11 3	壬辰	10 5	癸亥	9 5	癸巳	8 7	**甲子**	初三
1 2	壬辰	12 4	癸亥	11 4	癸巳	10 6	甲子	9 6	甲午	8 8	乙丑	初四
1 3	癸巳	12 5	甲子	11 5	甲午	10 7	乙丑	9 7	乙未	8 9	丙寅	初五
1 4	甲午	12 6	乙丑	11 6	乙未	10 8	**丙寅**	9 8	**丙申**	8 10	丁卯	初六
1 5	**乙未**	12 7	**丙寅**	11 7	**丙申**	10 9	丁卯	9 9	丁酉	8 11	戊辰	初七
1 6	丙申	12 8	丁卯	11 8	丁酉	10 10	戊辰	9 10	戊戌	8 12	己巳	初八
1 7	丁酉	12 9	戊辰	11 9	戊戌	10 11	己巳	9 11	己亥	8 13	庚午	初九
1 8	戊戌	12 10	己巳	11 10	己亥	10 12	庚午	9 12	庚子	8 14	辛未	初十
1 9	己亥	12 11	庚午	11 11	庚子	10 13	辛未	9 13	辛丑	8 15	壬申	十一
1 10	庚子	12 12	辛未	11 12	辛丑	10 14	壬申	9 14	壬寅	8 16	癸酉	十二
1 11	辛丑	12 13	壬申	11 13	壬寅	10 15	癸酉	9 15	癸卯	8 17	甲戌	十三
1 12	壬寅	12 14	癸酉	11 14	癸卯	10 16	甲戌	9 16	甲辰	8 18	乙亥	十四
1 13	癸卯	12 15	甲戌	11 15	甲辰	10 17	乙亥	9 17	乙巳	8 19	丙子	十五
1 14	甲辰	12 16	乙亥	11 16	乙巳	10 18	丙子	9 18	丙午	8 20	丁丑	十六
1 15	乙巳	12 17	丙子	11 17	丙午	10 19	丁丑	9 19	丁未	8 21	戊寅	十七
1 16	丙午	12 18	丁丑	11 18	丁未	10 20	戊寅	9 20	戊申	8 22	己卯	十八
1 17	丁未	12 19	戊寅	11 19	戊申	10 21	己卯	9 21	己酉	8 23	**庚辰**	十九
1 18	戊申	12 20	己卯	11 20	己酉	10 22	庚辰	9 22	庚戌	8 24	辛巳	二十
1 19	己酉	12 21	庚辰	11 21	庚戌	10 23	**辛巳**	9 23	**辛亥**	8 25	壬午	廿一
1 20	**庚戌**	12 22	**辛巳**	11 22	**辛亥**	10 24	壬午	9 24	壬子	8 26	癸未	廿二
1 21	辛亥	12 23	壬午	11 23	壬子	10 25	癸未	9 25	癸丑	8 27	甲申	廿三
1 22	壬子	12 24	癸未	11 24	癸丑	10 26	甲申	9 26	甲寅	8 28	乙酉	廿四
1 23	癸丑	12 25	甲申	11 25	甲寅	10 27	乙酉	9 27	乙卯	8 29	丙戌	廿五
1 24	甲寅	12 26	乙酉	11 26	乙卯	10 28	丙戌	9 28	丙辰	8 30	丁亥	廿六
1 25	乙卯	12 27	丙戌	11 27	丙辰	10 29	丁亥	9 29	丁巳	8 31	戊子	廿七
1 26	丙辰	12 28	丁亥	11 28	丁巳	10 30	戊子	9 30	戊午	9 1	己丑	廿八
1 27	丁巳	12 29	戊子	11 29	戊午	10 31	己丑	10 1	己未	9 2	庚寅	廿九
1 28	戊午			11 30	己未			10 2	庚申			三十

一九四九年

歲次己丑（肖牛）

太歲姓潘名蓋

年星六白

月別	正月大		二月小		三月大		四月大		五月小		六月大	
干支	丙寅		丁卯		戊辰		己巳		庚午		辛未	
九星	五黃		四綠		三碧		二黑		一白		九紫	
節氣	立春	雨水	驚蟄	春分	清明	穀雨	立夏	小滿	芒種	夏至	小暑	大暑
	初七 11時23分 午時	廿二 7時27分 辰時	初七 5時40分 卯時	廿二 6時49分 卯時	初八 10時52分 巳時	廿三 18時18分 酉時	初九 4時37分 寅時	廿四 17時52分 酉時	初十 9時7分 巳時	廿六 2時3分 丑時	十二 19時32分 戌時	廿八 …2時…7分 午時
農曆	西曆	干支	西曆	干支	西曆	干支	西曆	干支	西曆	干支	西曆	干支
初一	1 29	己未	2 28	己丑	3 29	戊午	4 28	戊子	5 28	戊午	6 26	丁亥
初二	1 30	庚申	3 1	庚寅	3 30	己未	4 29	己丑	5 29	己未	6 27	戊子
初三	1 31	辛酉	3 2	辛卯	3 31	庚申	4 30	庚寅	5 30	庚申	6 28	己丑
初四	2 1	壬戌	3 3	壬辰	4 1	辛酉	5 1	辛卯	5 31	辛酉	6 29	庚寅
初五	2 2	癸亥	3 4	癸巳	4 2	壬戌	5 2	壬辰	6 1	壬戌	6 30	辛卯
初六	2 3	甲子	3 5	甲午	4 3	癸亥	5 3	癸巳	6 2	癸亥	7 1	壬辰
初七	2 4	**乙丑**	3 6	**乙未**	4 4	甲子	5 4	甲午	6 3	甲子	7 2	癸巳
初八	2 5	丙寅	3 7	丙申	4 5	**乙丑**	5 5	乙未	6 4	乙丑	7 3	甲午
初九	2 6	丁卯	3 8	丁酉	4 6	丙寅	5 6	**丙申**	6 5	丙寅	7 4	乙未
初十	2 7	戊辰	3 9	戊戌	4 7	丁卯	5 7	丁酉	6 6	**丁卯**	7 5	丙申
十一	2 8	己巳	3 10	己亥	4 8	戊辰	5 8	戊戌	6 7	戊辰	7 6	丁酉
十二	2 9	庚午	3 11	庚子	4 9	己巳	5 9	己亥	6 8	己巳	7 7	**戊戌**
十三	2 10	辛未	3 12	辛丑	4 10	庚午	5 10	庚子	6 9	庚午	7 8	己亥
十四	2 11	壬申	3 13	壬寅	4 11	辛未	5 11	辛丑	6 10	辛未	7 9	庚子
十五	2 12	癸酉	3 14	癸卯	4 12	壬申	5 12	壬寅	6 11	壬申	7 10	辛丑
十六	2 13	甲戌	3 15	甲辰	4 13	癸酉	5 13	癸卯	6 12	癸酉	7 11	壬寅
十七	2 14	乙亥	3 16	乙巳	4 14	甲戌	5 14	甲辰	6 13	甲戌	7 12	癸卯
十八	2 15	丙子	3 17	丙午	4 15	乙亥	5 15	乙巳	6 14	乙亥	7 13	甲辰
十九	2 16	丁丑	3 18	丁未	4 16	丙子	5 16	丙午	6 15	丙子	7 14	乙巳
二十	2 17	戊寅	3 19	戊申	4 17	丁丑	5 17	丁未	6 16	丁丑	7 15	丙午
廿一	2 18	己卯	3 20	己酉	4 18	戊寅	5 18	戊申	6 17	戊寅	7 16	丁未
廿二	2 19	**庚辰**	3 21	**庚戌**	4 19	己卯	5 19	己酉	6 18	己卯	7 17	戊申
廿三	2 20	辛巳	3 22	辛亥	4 20	**庚辰**	5 20	庚戌	6 19	庚辰	7 18	己酉
廿四	2 21	壬午	3 23	壬子	4 21	辛巳	5 21	**辛亥**	6 20	辛巳	7 19	庚戌
廿五	2 22	癸未	3 24	癸丑	4 22	壬午	5 22	壬子	6 21	壬午	7 20	辛亥
廿六	2 23	甲申	3 25	甲寅	4 23	癸未	5 23	癸丑	6 22	**癸未**	7 21	壬子
廿七	2 24	乙酉	3 26	乙卯	4 24	甲申	5 24	甲寅	6 23	甲申	7 22	癸丑
廿八	2 25	丙戌	3 27	丙辰	4 25	乙酉	5 25	乙卯	6 24	乙酉	7 23	**甲寅**
廿九	2 26	丁亥	3 28	丁巳	4 26	丙戌	5 26	丙辰	6 25	丙戌	7 24	乙卯
三十	2 27	戊子			4 27	丁亥	5 27	丁巳			7 25	丙辰

月別	七月小		閏七月小		八月大		九月小		十月大		十一月小		十二月大	
干支	壬申				癸酉		甲戌		乙亥		丙子		丁丑	
九星	八白				七赤		六白		五黃		四綠		三碧	
節氣	處暑	立秋	白露		寒露	秋分	立冬	霜降	大雪	小雪	小寒	冬至	立春	大寒
	廿九戌時 19時49分	十四卯時 5時16分	十六辰時 7時55分		十七夜子 23時12分	初二酉時 17時6分	十八丑時 2時0分	初三丑時 2時4分	十八酉時 18時34分	初三夜子 23時17分	十八卯時 5時39分	初三午時 12時24分	十八酉時 17時21分	初三夜子 23時0分
農曆	西曆	干支	西曆	干支	西曆	干支	西曆	干支	西曆	干支	西曆	干支	西曆	干支
初一	7 26	丁巳	8 24	丙戌	9 22	乙卯	10 22	乙酉	11 20	甲寅	12 20	甲申	1 18	癸丑
初二	7 27	戊午	8 25	丁亥	9 23	**丙辰**	10 23	丙戌	11 21	乙卯	12 21	乙酉	1 19	甲寅
初三	7 28	己未	8 26	戊子	9 24	丁巳	10 24	**丁亥**	11 22	**丙辰**	12 22	**丙戌**	1 20	**乙卯**
初四	7 29	庚申	8 27	己丑	9 25	戊午	10 25	戊子	11 23	丁巳	12 23	丁亥	1 21	丙辰
初五	7 30	辛酉	8 28	庚寅	9 26	己未	10 26	己丑	11 24	戊午	12 24	戊子	1 22	丁巳
初六	7 31	壬戌	8 29	辛卯	9 27	庚申	10 27	庚寅	11 25	己未	12 25	己丑	1 23	戊午
初七	8 1	癸亥	8 30	壬辰	9 28	辛酉	10 28	辛卯	11 26	庚申	12 26	庚寅	1 24	己未
初八	8 2	甲子	8 31	癸巳	9 29	壬戌	10 29	壬辰	11 27	辛酉	12 27	辛卯	1 25	庚申
初九	8 3	乙丑	9 1	甲午	9 30	癸亥	10 30	癸巳	11 28	壬戌	12 28	壬辰	1 26	辛酉
初十	8 4	丙寅	9 2	乙未	10 1	甲子	10 31	甲午	11 29	癸亥	12 29	癸巳	1 27	壬戌
十一	8 5	丁卯	9 3	丙申	10 2	乙丑	11 1	乙未	11 30	甲子	12 30	甲午	1 28	癸亥
十二	8 6	戊辰	9 4	丁酉	10 3	丙寅	11 2	丙申	12 1	乙丑	12 31	乙未	1 29	甲子
十三	8 7	己巳	9 5	戊戌	10 4	丁卯	11 3	丁酉	12 2	丙寅	1 1	丙申	1 30	乙丑
十四	8 8	**庚午**	9 6	己亥	10 5	戊辰	11 4	戊戌	12 3	丁卯	1 2	丁酉	1 31	丙寅
十五	8 9	辛未	9 7	庚子	10 6	己巳	11 5	己亥	12 4	戊辰	1 3	戊戌	2 1	丁卯
十六	8 10	壬申	9 8	**辛丑**	10 7	庚午	11 6	庚子	12 5	己巳	1 4	己亥	2 2	戊辰
十七	8 11	癸酉	9 9	壬寅	10 8	**辛未**	11 7	辛丑	12 6	庚午	1 5	庚子	2 3	己巳
十八	8 12	甲戌	9 10	癸卯	10 9	壬申	11 8	**壬寅**	12 7	**辛未**	1 6	**辛丑**	2 4	**庚午**
十九	8 13	乙亥	9 11	甲辰	10 10	癸酉	11 9	癸卯	12 8	壬申	1 7	壬寅	2 5	辛未
二十	8 14	丙子	9 12	乙巳	10 11	甲戌	11 10	甲辰	12 9	癸酉	1 8	癸卯	2 6	壬申
廿一	8 15	丁丑	9 13	丙午	10 12	乙亥	11 11	乙巳	12 10	甲戌	1 9	甲辰	2 7	癸酉
廿二	8 16	戊寅	9 14	丁未	10 13	丙子	11 12	丙午	12 11	乙亥	1 10	乙巳	2 8	甲戌
廿三	8 17	己卯	9 15	戊申	10 14	丁丑	11 13	丁未	12 12	丙子	1 11	丙午	2 9	乙亥
廿四	8 18	庚辰	9 16	己酉	10 15	戊寅	11 14	戊申	12 13	丁丑	1 12	丁未	2 10	丙子
廿五	8 19	辛巳	9 17	庚戌	10 16	己卯	11 15	己酉	12 14	戊寅	1 13	戊申	2 11	丁丑
廿六	8 20	壬午	9 18	辛亥	10 17	庚辰	11 16	庚戌	12 15	己卯	1 14	己酉	2 12	戊寅
廿七	8 21	癸未	9 19	壬子	10 18	辛巳	11 17	辛亥	12 16	庚辰	1 15	庚戌	2 13	己卯
廿八	8 22	甲申	9 20	癸丑	10 19	壬午	11 18	壬子	12 17	辛巳	1 16	辛亥	2 14	庚辰
廿九	8 23	**乙酉**	9 21	甲寅	10 20	癸未	11 19	癸丑	12 18	壬午	1 17	壬子	2 15	辛巳
三十					10 21	甲申			12 19	癸未			2 16	壬午

珍本萬年曆

一九五〇年

歲次庚寅（肖虎）

太歲姓鄔名桓

年星五黃

月別	正月小		二月大		三月大		四月小		五月大		六月大	
干支	戊寅		己卯		庚辰		辛巳		壬午		癸未	
九星	二黑		一白		九紫		八白		七赤		六白	
節氣	雨水	驚蟄	春分	清明	穀雨	立夏	小滿	芒種	夏至	小暑	大暑	立秋
	初三 13時 18分 未時	十八 11時 36分 午時	初四 12時 36分 午時	十九 16時 45分 申時	初五 0時 0分 早子	二十 10時 25分 巳時	初五 23時 28分 夜子	廿一 14時 52分 未時	初八 7時 37分 辰時	廿四 1時 14分 丑時	初九 18時 30分 酉時	廿五 10時 56分 巳時
農曆	干支	西曆	干支	西曆	干支	西曆	干支	西曆	干支	西曆	干支	西曆
初一	癸未	2 17	壬子	3 18	壬午	4 17	壬子	5 17	辛巳	6 15	辛亥	7 15
初二	甲申	2 18	癸丑	3 19	癸未	4 18	癸丑	5 18	壬午	6 16	壬子	7 16
初三	**乙酉**	2 19	甲寅	3 20	甲申	4 19	甲寅	5 19	癸未	6 17	癸丑	7 17
初四	丙戌	2 20	**乙卯**	3 21	乙酉	4 20	乙卯	5 20	甲申	6 18	甲寅	7 18
初五	丁亥	2 21	丙辰	3 22	**丙戌**	4 21	**丙辰**	5 21	乙酉	6 19	乙卯	7 19
初六	戊子	2 22	丁巳	3 23	丁亥	4 22	丁巳	5 22	丙戌	6 20	丙辰	7 20
初七	己丑	2 23	戊午	3 24	戊子	4 23	戊午	5 23	丁亥	6 21	丁巳	7 21
初八	庚寅	2 24	己未	3 25	己丑	4 24	己未	5 24	**戊子**	6 22	戊午	7 22
初九	辛卯	2 25	庚申	3 26	庚寅	4 25	庚申	5 25	己丑	6 23	**己未**	7 23
初十	壬辰	2 26	辛酉	3 27	辛卯	4 26	辛酉	5 26	庚寅	6 24	庚申	7 24
十一	癸巳	2 27	壬戌	3 28	壬辰	4 27	壬戌	5 27	辛卯	6 25	辛酉	7 25
十二	甲午	2 28	癸亥	3 29	癸巳	4 28	癸亥	5 28	壬辰	6 26	壬戌	7 26
十三	乙未	3 1	甲子	3 30	甲午	4 29	甲子	5 29	癸巳	6 27	癸亥	7 27
十四	丙申	3 2	乙丑	3 31	乙未	4 30	乙丑	5 30	甲午	6 28	甲子	7 28
十五	丁酉	3 3	丙寅	4 1	丙申	5 1	丙寅	5 31	乙未	6 29	乙丑	7 29
十六	戊戌	3 4	丁卯	4 2	丁酉	5 2	丁卯	6 1	丙申	6 30	丙寅	7 30
十七	己亥	3 5	戊辰	4 3	戊戌	5 3	戊辰	6 2	丁酉	7 1	丁卯	7 31
十八	**庚子**	3 6	己巳	4 4	己亥	5 4	己巳	6 3	戊戌	7 2	戊辰	8 1
十九	辛丑	3 7	**庚午**	4 5	庚子	5 5	庚午	6 4	己亥	7 3	己巳	8 2
二十	壬寅	3 8	辛未	4 6	**辛丑**	5 6	辛未	6 5	庚子	7 4	庚午	8 3
廿一	癸卯	3 9	壬申	4 7	壬寅	5 7	**壬申**	6 6	辛丑	7 5	辛未	8 4
廿二	甲辰	3 10	癸酉	4 8	癸卯	5 8	癸酉	6 7	壬寅	7 6	壬申	8 5
廿三	乙巳	3 11	甲戌	4 9	甲辰	5 9	甲戌	6 8	癸卯	7 7	癸酉	8 6
廿四	丙午	3 12	乙亥	4 10	乙巳	5 10	乙亥	6 9	**甲辰**	7 8	甲戌	8 7
廿五	丁未	3 13	丙子	4 11	丙午	5 11	丙子	6 10	乙巳	7 9	**乙亥**	8 8
廿六	戊申	3 14	丁丑	4 12	丁未	5 12	丁丑	6 11	丙午	7 10	丙子	8 9
廿七	己酉	3 15	戊寅	4 13	戊申	5 13	戊寅	6 12	丁未	7 11	丁丑	8 10
廿八	庚戌	3 16	己卯	4 14	己酉	5 14	己卯	6 13	戊申	7 12	戊寅	8 11
廿九	辛亥	3 17	庚辰	4 15	庚戌	5 15	庚辰	6 14	己酉	7 13	己卯	8 12
三十			辛巳	4 16	辛亥	5 16			庚戌	7 14	庚辰	8 13

十二月小		十一月大		十月小		九月大		八月小		七月小		月別
己丑		戊子		丁亥		丙戌		乙酉		甲申		干支
九紫		一白		二黑		三碧		四綠		五黃		九星
立春	大寒	小寒	冬至	大雪	小雪	立冬	霜降	寒露	秋分	白露	處暑	節氣
廿八夜子 23時14分	十四寅時 4時53分	廿九午時 11時31分	十四酉時 18時14分	廿九早子 0時22分	十四卯時 5時3分	廿九辰時 7時44分	十四辰時 7時45分	廿八寅時 4時52分	十二亥時 22時44分	廿六未時 13時34分	十一丑時 1時24分	
西曆	干支	西曆	干支	西曆	干支	西曆	干支	西曆	干支	西曆	干支	農曆
1 8	戊申	12 9	戊寅	11 10	己酉	10 11	己卯	9 12	庚戌	8 14	辛巳	初一
1 9	己酉	12 10	己卯	11 11	庚戌	10 12	庚辰	9 13	辛亥	8 15	壬午	初二
1 10	庚戌	12 11	庚辰	11 12	辛亥	10 13	辛巳	9 14	壬子	8 16	癸未	初三
1 11	辛亥	12 12	辛巳	11 13	壬子	10 14	壬午	9 15	癸丑	8 17	甲申	初四
1 12	壬子	12 13	壬午	11 14	癸丑	10 15	癸未	9 16	甲寅	8 18	乙酉	初五
1 13	癸丑	12 14	癸未	11 15	甲寅	10 16	甲申	9 17	乙卯	8 19	丙戌	初六
1 14	甲寅	12 15	甲申	11 16	乙卯	10 17	乙酉	9 18	丙辰	8 20	丁亥	初七
1 15	乙卯	12 16	乙酉	11 17	丙辰	10 18	丙戌	9 19	丁巳	8 21	戊子	初八
1 16	丙辰	12 17	丙戌	11 18	丁巳	10 19	丁亥	9 20	戊午	8 22	己丑	初九
1 17	丁巳	12 18	丁亥	11 19	戊午	10 20	戊子	9 21	己未	8 23	庚寅	初十
1 18	戊午	12 19	戊子	11 20	己未	10 21	己丑	9 22	庚申	8 24	**辛卯**	十一
1 19	己未	12 20	己丑	11 21	庚申	10 22	庚寅	9 23	**辛酉**	8 25	壬辰	十二
1 20	庚申	12 21	庚寅	11 22	辛酉	10 23	辛卯	9 24	壬戌	8 26	癸巳	十三
1 21	**辛酉**	12 22	**辛卯**	11 23	**壬戌**	10 24	**壬辰**	9 25	癸亥	8 27	甲午	十四
1 22	壬戌	12 23	壬辰	11 24	癸亥	10 25	癸巳	9 26	甲子	8 28	乙未	十五
1 23	癸亥	12 24	癸巳	11 25	甲子	10 26	甲午	9 27	乙丑	8 29	丙申	十六
1 24	甲子	12 25	甲午	11 26	乙丑	10 27	乙未	9 28	丙寅	8 30	丁酉	十七
1 25	乙丑	12 26	乙未	11 27	丙寅	10 28	丙申	9 29	丁卯	8 31	戊戌	十八
1 26	丙寅	12 27	丙申	11 28	丁卯	10 29	丁酉	9 30	戊辰	9 1	己亥	十九
1 27	丁卯	12 28	丁酉	11 29	戊辰	10 30	戊戌	10 1	己巳	9 2	庚子	二十
1 28	戊辰	12 29	戊戌	11 30	己巳	10 31	己亥	10 2	庚午	9 3	辛丑	廿一
1 29	己巳	12 30	己亥	12 1	庚午	11 1	庚子	10 3	辛未	9 4	壬寅	廿二
1 30	庚午	12 31	庚子	12 2	辛未	11 2	辛丑	10 4	壬申	9 5	癸卯	廿三
1 31	辛未	1 1	辛丑	12 3	壬申	11 3	壬寅	10 5	癸酉	9 6	甲辰	廿四
2 1	壬申	1 2	壬寅	12 4	癸酉	11 4	癸卯	10 6	甲戌	9 7	乙巳	廿五
2 2	癸酉	1 3	癸卯	12 5	甲戌	11 5	甲辰	10 7	乙亥	9 8	**丙午**	廿六
2 3	甲戌	1 4	甲辰	12 6	乙亥	11 6	乙巳	10 8	丙子	9 9	丁未	廿七
2 4	**乙亥**	1 5	乙巳	12 7	丙子	11 7	丙午	10 9	**丁丑**	9 10	戊申	廿八
2 5	丙子	1 6	**丙午**	12 8	**丁丑**	11 8	**丁未**	10 10	戊寅	9 11	己酉	廿九
		1 7	丁未			11 9	戊申					三十

一九五一年

歲次辛卯（肖兔）

太歲姓范名寧

年星四綠

月別	正月大	二月小	三月大	四月大	五月小	六月大
干支	庚寅	辛卯	壬辰	癸巳	甲午	乙未
九星	八白	七赤	六白	五黃	四綠	三碧
節氣	雨水 十四 19時10分 戌時	春分 十四 18時26分 酉時	穀雨 十六 5時49分 卯時	立夏 初一 16時10分 申時	芒種 初二 20時33分 戌時	小暑 初五 6時54分 卯時
節氣	驚蟄 廿九 17時27分 酉時	清明 廿九 22時33分 亥時		小滿 十七 5時16分 卯時	夏至 十八 13時25分 未時	大暑 廿一 0時21分 早子

農曆	正月 西曆	正月 干支	二月 西曆	二月 干支	三月 西曆	三月 干支	四月 西曆	四月 干支	五月 西曆	五月 干支	六月 西曆	六月 干支
初一	2 6	丁丑	3 8	丁未	4 6	丙子	5 6	**丙午**	6 5	丙子	7 4	乙巳
初二	2 7	戊寅	3 9	戊申	4 7	丁丑	5 7	丁未	6 6	**丁丑**	7 5	丙午
初三	2 8	己卯	3 10	己酉	4 8	戊寅	5 8	戊申	6 7	戊寅	7 6	丁未
初四	2 9	庚辰	3 11	庚戌	4 9	己卯	5 9	己酉	6 8	己卯	7 7	戊申
初五	2 10	辛巳	3 12	辛亥	4 10	庚辰	5 10	庚戌	6 9	庚辰	7 8	**己酉**
初六	2 11	壬午	3 13	壬子	4 11	辛巳	5 11	辛亥	6 10	辛巳	7 9	庚戌
初七	2 12	癸未	3 14	癸丑	4 12	壬午	5 12	壬子	6 11	壬午	7 10	辛亥
初八	2 13	甲申	3 15	甲寅	4 13	癸未	5 13	癸丑	6 12	癸未	7 11	壬子
初九	2 14	乙酉	3 16	乙卯	4 14	甲申	5 14	甲寅	6 13	甲申	7 12	癸丑
初十	2 15	丙戌	3 17	丙辰	4 15	乙酉	5 15	乙卯	6 14	乙酉	7 13	甲寅
十一	2 16	丁亥	3 18	丁巳	4 16	丙戌	5 16	丙辰	6 15	丙戌	7 14	乙卯
十二	2 17	戊子	3 19	戊午	4 17	丁亥	5 17	丁巳	6 16	丁亥	7 15	丙辰
十三	2 18	己丑	3 20	己未	4 18	戊子	5 18	戊午	6 17	戊子	7 16	丁巳
十四	2 19	**庚寅**	3 21	**庚申**	4 19	己丑	5 19	己未	6 18	己丑	7 17	戊午
十五	2 20	辛卯	3 22	辛酉	4 20	庚寅	5 20	庚申	6 19	庚寅	7 18	己未
十六	2 21	壬辰	3 23	壬戌	4 21	**辛卯**	5 21	辛酉	6 20	辛卯	7 19	庚申
十七	2 22	癸巳	3 24	癸亥	4 22	壬辰	5 22	**壬戌**	6 21	壬辰	7 20	辛酉
十八	2 23	甲午	3 25	甲子	4 23	癸巳	5 23	癸亥	6 22	**癸巳**	7 21	壬戌
十九	2 24	乙未	3 26	乙丑	4 24	甲午	5 24	甲子	6 23	甲午	7 22	癸亥
二十	2 25	丙申	3 27	丙寅	4 25	乙未	5 25	乙丑	6 24	乙未	7 23	甲子
廿一	2 26	丁酉	3 28	丁卯	4 26	丙申	5 26	丙寅	6 25	丙申	7 24	**乙丑**
廿二	2 27	戊戌	3 29	戊辰	4 27	丁酉	5 27	丁卯	6 26	丁酉	7 25	丙寅
廿三	2 28	己亥	3 30	己巳	4 28	戊戌	5 28	戊辰	6 27	戊戌	7 26	丁卯
廿四	3 1	庚子	3 31	庚午	4 29	己亥	5 29	己巳	6 28	己亥	7 27	戊辰
廿五	3 2	辛丑	4 1	辛未	4 30	庚子	5 30	庚午	6 29	庚子	7 28	己巳
廿六	3 3	壬寅	4 2	壬申	5 1	辛丑	5 31	辛未	6 30	辛丑	7 29	庚午
廿七	3 4	癸卯	4 3	癸酉	5 2	壬寅	6 1	壬申	7 1	壬寅	7 30	辛未
廿八	3 5	甲辰	4 4	甲戌	5 3	癸卯	6 2	癸酉	7 2	癸卯	7 31	壬申
廿九	3 6	**乙巳**	4 5	**乙亥**	5 4	甲辰	6 3	甲戌	7 3	甲辰	8 1	癸酉
三十	3 7	丙午			5 5	乙巳	6 4	乙亥			8 2	甲戌

十二月大		十一月小		十月大		九月小		八月大		七月小		月別
辛丑		庚子		己亥		戊戌		丁酉		丙申		干支
六白		七赤		八白		九紫		一白		二黑		九星
大寒	小寒	冬至	大雪	小雪	立冬	霜降	寒露	秋分	白露	處暑	立秋	節氣
10時39分 廿五巳時	17時10分 初十酉時	0時1分 廿五早子	6時3分 初十卯時	10時52分 廿五巳時	13時27分 初十未時	13時37分 廿四未時	10時37分 初九巳時	4時38分 廿四寅時	19時19分 初八戌時	7時17分 廿二辰時	16時38分 初六申時	
西曆	干支	西曆	干支	西曆	干支	西曆	干支	西曆	干支	西曆	干支	農曆
12 28	壬寅	11 29	癸酉	10 30	癸卯	10 1	甲戌	9 1	甲辰	8 3	乙亥	初一
12 29	癸卯	11 30	甲戌	10 31	甲辰	10 2	乙亥	9 2	乙巳	8 4	丙子	初二
12 30	甲辰	12 1	乙亥	11 1	乙巳	10 3	丙子	9 3	丙午	8 5	丁丑	初三
12 31	乙巳	12 2	丙子	11 2	丙午	10 4	丁丑	9 4	丁未	8 6	戊寅	初四
1 1	丙午	12 3	丁丑	11 3	丁未	10 5	戊寅	9 5	戊申	8 7	己卯	初五
1 2	丁未	12 4	戊寅	11 4	戊申	10 6	己卯	9 6	己酉	8 8	**庚辰**	初六
1 3	戊申	12 5	己卯	11 5	己酉	10 7	庚辰	9 7	庚戌	8 9	辛巳	初七
1 4	己酉	12 6	庚辰	11 6	庚戌	10 8	辛巳	9 8	**辛亥**	8 10	壬午	初八
1 5	庚戌	12 7	辛巳	11 7	辛亥	10 9	**壬午**	9 9	壬子	8 11	癸未	初九
1 6	**辛亥**	12 8	**壬午**	11 8	**壬子**	10 10	癸未	9 10	癸丑	8 12	甲申	初十
1 7	壬子	12 9	癸未	11 9	癸丑	10 11	甲申	9 11	甲寅	8 13	乙酉	十一
1 8	癸丑	12 10	甲申	11 10	甲寅	10 12	乙酉	9 12	乙卯	8 14	丙戌	十二
1 9	甲寅	12 11	乙酉	11 11	乙卯	10 13	丙戌	9 13	丙辰	8 15	丁亥	十三
1 10	乙卯	12 12	丙戌	11 12	丙辰	10 14	丁亥	9 14	丁巳	8 16	戊子	十四
1 11	丙辰	12 13	丁亥	11 13	丁巳	10 15	戊子	9 15	戊午	8 17	己丑	十五
1 12	丁巳	12 14	戊子	11 14	戊午	10 16	己丑	9 16	己未	8 18	庚寅	十六
1 13	戊午	12 15	己丑	11 15	己未	10 17	庚寅	9 17	庚申	8 19	辛卯	十七
1 14	己未	12 16	庚寅	11 16	庚申	10 18	辛卯	9 18	辛酉	8 20	壬辰	十八
1 15	庚申	12 17	辛卯	11 17	辛酉	10 19	壬辰	9 19	壬戌	8 21	癸巳	十九
1 16	辛酉	12 18	壬辰	11 18	壬戌	10 20	癸巳	9 20	癸亥	8 22	甲午	二十
1 17	壬戌	12 19	癸巳	11 19	癸亥	10 21	甲午	9 21	甲子	8 23	乙未	廿一
1 18	癸亥	12 20	甲午	11 20	甲子	10 22	乙未	9 22	乙丑	8 24	**丙申**	廿二
1 19	甲子	12 21	乙未	11 21	乙丑	10 23	丙申	9 23	丙寅	8 25	丁酉	廿三
1 20	乙丑	12 22	丙申	11 22	丙寅	10 24	**丁酉**	9 24	**丁卯**	8 26	戊戌	廿四
1 21	**丙寅**	12 23	**丁酉**	11 23	**丁卯**	10 25	戊戌	9 25	戊辰	8 27	己亥	廿五
1 22	丁卯	12 24	戊戌	11 24	戊辰	10 26	己亥	9 26	己巳	8 28	庚子	廿六
1 23	戊辰	12 25	己亥	11 25	己巳	10 27	庚子	9 27	庚午	8 29	辛丑	廿七
1 24	己巳	12 26	庚子	11 26	庚午	10 28	辛丑	9 28	辛未	8 30	壬寅	廿八
1 25	庚午	12 27	辛丑	11 27	辛未	10 29	壬寅	9 29	壬申	8 31	癸卯	廿九
1 26	辛未			11 28	壬申			9 30	癸酉			三十

一九五二年

歲次壬辰（肖龍）

太歲姓彭名泰

年星三碧

閏五月大		五月小		四月大		三月小		二月大		正月小		月別
		丙午		乙巳		甲辰		癸卯		壬寅		干支
		一白		二黑		三碧		四綠		五黃		九星
小暑		夏至	芒種	小滿	立夏	穀雨	清明	春分	驚蟄	雨水	立春	
十六午時 2時5分		廿九戌時 19時13分	十四丑時 2時21分	廿八午時 11時4分	十二亥時 21時54分	廿六午時 11時37分	十一寅時 4時16分	廿六早子 0時14分	初十夜子 23時8分	廿五早子 0時57分	初十寅時 4時54分	節氣
西曆	干支	西曆	干支	西曆	干支	西曆	干支	西曆	干支	西曆	干支	農曆
22	己亥	5 24	庚午	4 24	庚子	3 26	辛未	2 25	辛丑	1 27	壬申	初一
23	庚子	5 25	辛未	4 25	辛丑	3 27	壬申	2 26	壬寅	1 28	癸酉	初二
24	辛丑	5 26	壬申	4 26	壬寅	3 28	癸酉	2 27	癸卯	1 29	甲戌	初三
25	壬寅	5 27	癸酉	4 27	癸卯	3 29	甲戌	2 28	甲辰	1 30	乙亥	初四
26	癸卯	5 28	甲戌	4 28	甲辰	3 30	乙亥	2 29	乙巳	1 31	丙子	初五
27	甲辰	5 29	乙亥	4 29	乙巳	3 31	丙子	3 1	丙午	2 1	丁丑	初六
28	乙巳	5 30	丙子	4 30	丙午	4 1	丁丑	3 2	丁未	2 2	戊寅	初七
29	丙午	5 31	丁丑	5 1	丁未	4 2	戊寅	3 3	戊申	2 3	己卯	初八
30	丁未	6 1	戊寅	5 2	戊申	4 3	己卯	3 4	己酉	2 4	庚辰	初九
1	戊申	6 2	己卯	5 3	己酉	4 4	庚辰	3 5	**庚戌**	2 5	**辛巳**	初十
2	己酉	6 3	庚辰	5 4	庚戌	4 5	**辛巳**	3 6	辛亥	2 6	壬午	十一
3	庚戌	6 4	辛巳	5 5	**辛亥**	4 6	壬午	3 7	壬子	2 7	癸未	十二
4	辛亥	6 5	壬午	5 6	壬子	4 7	癸未	3 8	癸丑	2 8	甲申	十三
5	壬子	6 6	**癸未**	5 7	癸丑	4 8	甲申	3 9	甲寅	2 9	乙酉	十四
6	癸丑	6 7	甲申	5 8	甲寅	4 9	乙酉	3 10	乙卯	2 10	丙戌	十五
7	**甲寅**	6 8	乙酉	5 9	乙卯	4 10	丙戌	3 11	丙辰	2 11	丁亥	十六
8	乙卯	6 9	丙戌	5 10	丙辰	4 11	丁亥	3 12	丁巳	2 12	戊子	十七
9	丙辰	6 10	丁亥	5 11	丁巳	4 12	戊子	3 13	戊午	2 13	己丑	十八
10	丁巳	6 11	戊子	5 12	戊午	4 13	己丑	3 14	己未	2 14	庚寅	十九
11	戊午	6 12	己丑	5 13	己未	4 14	庚寅	3 15	庚申	2 15	辛卯	二十
12	己未	6 13	庚寅	5 14	庚申	4 15	辛卯	3 16	辛酉	2 16	壬辰	廿一
13	庚申	6 14	辛卯	5 15	辛酉	4 16	壬辰	3 17	壬戌	2 17	癸巳	廿二
14	辛酉	6 15	壬辰	5 16	壬戌	4 17	癸巳	3 18	癸亥	2 18	甲午	廿三
15	壬戌	6 16	癸巳	5 17	癸亥	4 18	甲午	3 19	甲子	2 19	乙未	廿四
16	癸亥	6 17	甲午	5 18	甲子	4 19	乙未	3 20	乙丑	2 20	**丙申**	廿五
17	甲子	6 18	乙未	5 19	乙丑	4 20	**丙申**	3 21	**丙寅**	2 21	丁酉	廿六
18	乙丑	6 19	丙申	5 20	丙寅	4 21	丁酉	3 22	丁卯	2 22	戊戌	廿七
19	丙寅	6 20	丁酉	5 21	**丁卯**	4 22	戊戌	3 23	戊辰	2 23	己亥	廿八
20	丁卯	6 21	**戊戌**	5 22	戊辰	4 23	己亥	3 24	己巳	2 24	庚子	廿九
21	戊辰			5 23	己巳			3 25	庚午			三十

十二月大		十一月小		十月大		九月小		八月大		七月大		六月小		月別
癸丑		壬子		辛亥		庚戌		己酉		戊申		丁未		干支
三碧		四綠		五黃		六白		七赤		八白		九紫		九星
立春	大寒	小寒	冬至	大雪	小雪	立冬	霜降	寒露	秋分	白露	處暑	立秋	大暑	節氣
廿一 10時46分 巳時	初六 16時22分 申時	二十 23時3分 夜子	初六 5時44分 卯時	廿一 11時56分 午時	初六 16時36分 申時	二十 19時22分 戌時	初五 19時23分 戌時	二十 16時33分 申時	初五 10時24分 巳時	二十 1時14分 丑時	初四 13時3分 未時	十七 22時32分 亥時	初二 6時8分 卯時	
西曆	干支	西曆	干支	西曆	干支	西曆	干支	西曆	干支	西曆	干支	西曆	干支	農曆
1 15	丙寅	12 17	丁酉	11 17	丁卯	10 19	戊戌	9 19	戊辰	8 20	戊戌	7 22	己巳	初一
1 16	丁卯	12 18	戊戌	11 18	戊辰	10 20	己亥	9 20	己巳	8 21	己亥	7 23	**庚午**	初二
1 17	戊辰	12 19	己亥	11 19	己巳	10 21	庚子	9 21	庚午	8 22	庚子	7 24	辛未	初三
1 18	己巳	12 20	庚子	11 20	庚午	10 22	辛丑	9 22	辛未	8 23	**辛丑**	7 25	壬申	初四
1 19	庚午	12 21	辛丑	11 21	辛未	10 23	**壬寅**	9 23	**壬申**	8 24	壬寅	7 26	癸酉	初五
1 20	**辛未**	12 22	**壬寅**	11 22	**壬申**	10 24	癸卯	9 24	癸酉	8 25	癸卯	7 27	甲戌	初六
1 21	壬申	12 23	癸卯	11 23	癸酉	10 25	甲辰	9 25	甲戌	8 26	甲辰	7 28	乙亥	初七
1 22	癸酉	12 24	甲辰	11 24	甲戌	10 26	乙巳	9 26	乙亥	8 27	乙巳	7 29	丙子	初八
1 23	甲戌	12 25	乙巳	11 25	乙亥	10 27	丙午	9 27	丙子	8 28	丙午	7 30	丁丑	初九
1 24	乙亥	12 26	丙午	11 26	丙子	10 28	丁未	9 28	丁丑	8 29	丁未	7 31	戊寅	初十
1 25	丙子	12 27	丁未	11 27	丁丑	10 29	戊申	9 29	戊寅	8 30	戊申	8 1	己卯	十一
1 26	丁丑	12 28	戊申	11 28	戊寅	10 30	己酉	9 30	己卯	8 31	己酉	8 2	庚辰	十二
1 27	戊寅	12 29	己酉	11 29	己卯	10 31	庚戌	10 1	庚辰	9 1	庚戌	8 3	辛巳	十三
1 28	己卯	12 30	庚戌	11 30	庚辰	11 1	辛亥	10 2	辛巳	9 2	辛亥	8 4	壬午	十四
1 29	庚辰	12 31	辛亥	12 1	辛巳	11 2	壬子	10 3	壬午	9 3	壬子	8 5	癸未	十五
1 30	辛巳	1 1	壬子	12 2	壬午	11 3	癸丑	10 4	癸未	9 4	癸丑	8 6	甲申	十六
1 31	壬午	1 2	癸丑	12 3	癸未	11 4	甲寅	10 5	甲申	9 5	甲寅	8 7	**乙酉**	十七
2 1	癸未	1 3	甲寅	12 4	甲申	11 5	乙卯	10 6	乙酉	9 6	乙卯	8 8	丙戌	十八
2 2	甲申	1 4	乙卯	12 5	乙酉	11 6	丙辰	10 7	丙戌	9 7	丙辰	8 9	丁亥	十九
2 3	乙酉	1 5	**丙辰**	12 6	丙戌	11 7	**丁巳**	10 8	**丁亥**	9 8	**丁巳**	8 10	戊子	二十
2 4	**丙戌**	1 6	丁巳	12 7	**丁亥**	11 8	戊午	10 9	戊子	9 9	戊午	8 11	己丑	廿一
2 5	丁亥	1 7	戊午	12 8	戊子	11 9	己未	10 10	己丑	9 10	己未	8 12	庚寅	廿二
2 6	戊子	1 8	己未	12 9	己丑	11 10	庚申	10 11	庚寅	9 11	庚申	8 13	辛卯	廿三
2 7	己丑	1 9	庚申	12 10	庚寅	11 11	辛酉	10 12	辛卯	9 12	辛酉	8 14	壬辰	廿四
2 8	庚寅	1 10	辛酉	12 11	辛卯	11 12	壬戌	10 13	壬辰	9 13	壬戌	8 15	癸巳	廿五
2 9	辛卯	1 11	壬戌	12 12	壬辰	11 13	癸亥	10 14	癸巳	9 14	癸亥	8 16	甲午	廿六
2 10	壬辰	1 12	癸亥	12 13	癸巳	11 14	甲子	10 15	甲午	9 15	甲子	8 17	乙未	廿七
2 11	癸巳	1 13	甲子	12 14	甲午	11 15	乙丑	10 16	乙未	9 16	乙丑	8 18	丙申	廿八
2 12	甲午	1 14	乙丑	12 15	乙未	11 16	丙寅	10 17	丙申	9 17	丙寅	8 19	丁酉	廿九
2 13	乙未			12 16	丙申			10 18	丁酉	9 18	丁卯			三十

一九五三年

歲次癸巳（肖蛇）

太歲姓徐名舜

年星二黑

六月大		五月大		四月小		三月小		二月大		正月小		月別
己未		戊午		丁巳		丙辰		乙卯		甲寅		干支
六白		七赤		八白		九紫		一白		二黑		九星
立秋	大暑	小暑	夏至	芒種	小滿	立夏	穀雨	清明	春分	驚蟄	雨水	節氣
廿九 4時15分 寅時	十三 11時53分 午時	廿七 18時36分 酉時	十二 1時0分 丑時	廿五 8時17分 辰時	初九 16時54分 申時	廿三 3時53分 寅時	初七 17時26分 酉時	廿二 10時13分 巳時	初七 6時9分 卯時	廿一 5時3分 卯時	初六 6時42分 卯時	
西曆	干支	西曆	干支	西曆	干支	西曆	干支	西曆	干支	西曆	干支	農曆
7 11	癸亥	6 11	癸巳	5 13	甲子	4 14	乙未	3 15	乙丑	2 14	丙申	初一
7 12	甲子	6 12	甲午	5 14	乙丑	4 15	丙申	3 16	丙寅	2 15	丁酉	初二
7 13	乙丑	6 13	乙未	5 15	丙寅	4 16	丁酉	3 17	丁卯	2 16	戊戌	初三
7 14	丙寅	6 14	丙申	5 16	丁卯	4 17	戊戌	3 18	戊辰	2 17	己亥	初四
7 15	丁卯	6 15	丁酉	5 17	戊辰	4 18	己亥	3 19	己巳	2 18	庚子	初五
7 16	戊辰	6 16	戊戌	5 18	己巳	4 19	庚子	3 20	庚午	2 19	**辛丑**	初六
7 17	己巳	6 17	己亥	5 19	庚午	4 20	**辛丑**	3 21	**辛未**	2 20	壬寅	初七
7 18	庚午	6 18	庚子	5 20	辛未	4 21	壬寅	3 22	壬申	2 21	癸卯	初八
7 19	辛未	6 19	辛丑	5 21	**壬申**	4 22	癸卯	3 23	癸酉	2 22	甲辰	初九
7 20	壬申	6 20	壬寅	5 22	癸酉	4 23	甲辰	3 24	甲戌	2 23	乙巳	初十
7 21	癸酉	6 21	癸卯	5 23	甲戌	4 24	乙巳	3 25	乙亥	2 24	丙午	十一
7 22	甲戌	6 22	**甲辰**	5 24	乙亥	4 25	丙午	3 26	丙子	2 25	丁未	十二
7 23	**乙亥**	6 23	乙巳	5 25	丙子	4 26	丁未	3 27	丁丑	2 26	戊申	十三
7 24	丙子	6 24	丙午	5 26	丁丑	4 27	戊申	3 28	戊寅	2 27	己酉	十四
7 25	丁丑	6 25	丁未	5 27	戊寅	4 28	己酉	3 29	己卯	2 28	庚戌	十五
7 26	戊寅	6 26	戊申	5 28	己卯	4 29	庚戌	3 30	庚辰	3 1	辛亥	十六
7 27	己卯	6 27	己酉	5 29	庚辰	4 30	辛亥	3 31	辛巳	3 2	壬子	十七
7 28	庚辰	6 28	庚戌	5 30	辛巳	5 1	壬子	4 1	壬午	3 3	癸丑	十八
7 29	辛巳	6 29	辛亥	5 31	壬午	5 2	癸丑	4 2	癸未	3 4	甲寅	十九
7 30	壬午	6 30	壬子	6 1	癸未	5 3	甲寅	4 3	甲申	3 5	乙卯	二十
7 31	癸未	7 1	癸丑	6 2	甲申	5 4	乙卯	4 4	乙酉	3 6	**丙辰**	廿一
8 1	甲申	7 2	甲寅	6 3	乙酉	5 5	丙辰	4 5	**丙戌**	3 7	丁巳	廿二
8 2	乙酉	7 3	乙卯	6 4	丙戌	5 6	**丁巳**	4 6	丁亥	3 8	戊午	廿三
8 3	丙戌	7 4	丙辰	6 5	丁亥	5 7	戊午	4 7	戊子	3 9	己未	廿四
8 4	丁亥	7 5	丁巳	6 6	**戊子**	5 8	己未	4 8	己丑	3 10	庚申	廿五
8 5	戊子	7 6	戊午	6 7	己丑	5 9	庚申	4 9	庚寅	3 11	辛酉	廿六
8 6	己丑	7 7	**己未**	6 8	庚寅	5 10	辛酉	4 10	辛卯	3 12	壬戌	廿七
8 7	庚寅	7 8	庚申	6 9	辛卯	5 11	壬戌	4 11	壬辰	3 13	癸亥	廿八
8 8	**辛卯**	7 9	辛酉	6 10	壬辰	5 12	癸亥	4 12	癸巳	3 14	甲子	廿九
8 9	壬辰	7 10	壬戌					4 13	甲午			三十

十二月小		十一月大		十月小		九月大		八月大		七月小		月別
乙丑		甲子		癸亥		壬戌		辛酉		庚申		干支
九紫		一白		二黑		三碧		四綠		五黃		九星
大寒 十六 22時12分 亥時	小寒 初二 4時46分 寅時	冬至 十七 11時32分 午時	大雪 初二 17時38分 酉時	小雪 十六 22時23分 亥時	立冬 初二 1時2分 丑時	霜降 十七 1時7分 丑時	寒露 初一 22時11分 亥時	秋分 十六 16時7分 申時	白露 初一 6時54分 卯時		處暑 十四 18時46分 酉時	節氣
西曆	干支	西曆	干支	西曆	干支	西曆	干支	西曆	干支	西曆	干支	農曆
1 5	辛酉	12 6	辛卯	11 7	壬戌	10 8	**壬辰**	9 8	**壬戌**	8 10	癸巳	初一
1 6	**壬戌**	12 7	**壬辰**	11 8	**癸亥**	10 9	癸巳	9 9	癸亥	8 11	甲午	初二
1 7	癸亥	12 8	癸巳	11 9	甲子	10 10	甲午	9 10	甲子	8 12	乙未	初三
1 8	甲子	12 9	甲午	11 10	乙丑	10 11	乙未	9 11	乙丑	8 13	丙申	初四
1 9	乙丑	12 10	乙未	11 11	丙寅	10 12	丙申	9 12	丙寅	8 14	丁酉	初五
1 10	丙寅	12 11	丙申	11 12	丁卯	10 13	丁酉	9 13	丁卯	8 15	戊戌	初六
1 11	丁卯	12 12	丁酉	11 13	戊辰	10 14	戊戌	9 14	戊辰	8 16	己亥	初七
1 12	戊辰	12 13	戊戌	11 14	己巳	10 15	己亥	9 15	己巳	8 17	庚子	初八
1 13	己巳	12 14	己亥	11 15	庚午	10 16	庚子	9 16	庚午	8 18	辛丑	初九
1 14	庚午	12 15	庚子	11 16	辛未	10 17	辛丑	9 17	辛未	8 19	壬寅	初十
1 15	辛未	12 16	辛丑	11 17	壬申	10 18	壬寅	9 18	壬申	8 20	癸卯	十一
1 16	壬申	12 17	壬寅	11 18	癸酉	10 19	癸卯	9 19	癸酉	8 21	甲辰	十二
1 17	癸酉	12 18	癸卯	11 19	甲戌	10 20	甲辰	9 20	甲戌	8 22	乙巳	十三
1 18	甲戌	12 19	甲辰	11 20	乙亥	10 21	乙巳	9 21	乙亥	8 23	**丙午**	十四
1 19	乙亥	12 20	乙巳	11 21	丙子	10 22	丙午	9 22	丙子	8 24	丁未	十五
1 20	**丙子**	12 21	丙午	11 22	**丁丑**	10 23	丁未	9 23	**丁丑**	8 25	戊申	十六
1 21	丁丑	12 22	**丁未**	11 23	戊寅	10 24	**戊申**	9 24	戊寅	8 26	己酉	十七
1 22	戊寅	12 23	戊申	11 24	己卯	10 25	己酉	9 25	己卯	8 27	庚戌	十八
1 23	己卯	12 24	己酉	11 25	庚辰	10 26	庚戌	9 26	庚辰	8 28	辛亥	十九
1 24	庚辰	12 25	庚戌	11 26	辛巳	10 27	辛亥	9 27	辛巳	8 29	壬子	二十
1 25	辛巳	12 26	辛亥	11 27	壬午	10 28	壬子	9 28	壬午	8 30	癸丑	廿一
1 26	壬午	12 27	壬子	11 28	癸未	10 29	癸丑	9 29	癸未	8 31	甲寅	廿二
1 27	癸未	12 28	癸丑	11 29	甲申	10 30	甲寅	9 30	甲申	9 1	乙卯	廿三
1 28	甲申	12 29	甲寅	11 30	乙酉	10 31	乙卯	10 1	乙酉	9 2	丙辰	廿四
1 29	乙酉	12 30	乙卯	12 1	丙戌	11 1	丙辰	10 2	丙戌	9 3	丁巳	廿五
1 30	丙戌	12 31	丙辰	12 2	丁亥	11 2	丁巳	10 3	丁亥	9 4	戊午	廿六
1 31	丁亥	1 1	丁巳	12 3	戊子	11 3	戊午	10 4	戊子	9 5	己未	廿七
2 1	戊子	1 2	戊午	12 4	己丑	11 4	己未	10 5	己丑	9 6	庚申	廿八
2 2	己丑	1 3	己未	12 5	庚寅	11 5	庚申	10 6	庚寅	9 7	辛酉	廿九
		1 4	庚申			11 6	辛酉	10 7	辛卯			三十

一九五四年

歲次甲午（肖馬）

太歲姓張名詞

年星一白

月別	正月大		二月小		三月大		四月小		五月小		六月大	
干支	丙寅		丁卯		戊辰		己巳		庚午		辛未	
九星	八白		七赤		六白		五黃		四綠		三碧	
節氣	立春	雨水	驚蟄	春分	清明	穀雨	立夏	小滿	芒種	夏至	小暑	大暑
	16時31分 初二申時	12時33分 十七午時	10時49分 初二巳時	11時54分 十七午時	16時0分 初三申時	23時20分 十八夜子	9時34分 初四巳時	22時48分 十九亥時	14時2分 初六未時	6時55分 廿二卯時	0時20分 初九早子	17時45分 廿四酉時
農曆	西曆	干支	西曆	干支	西曆	干支	西曆	干支	西曆	干支	西曆	干支
初一	2 3	庚寅	3 5	庚申	4 3	己丑	5 3	己未	6 1	戊子	6 30	丁巳
初二	2 4	**辛卯**	3 6	**辛酉**	4 4	庚寅	5 4	庚申	6 2	己丑	7 1	戊午
初三	2 5	壬辰	3 7	壬戌	4 5	**辛卯**	5 5	辛酉	6 3	庚寅	7 2	己未
初四	2 6	癸巳	3 8	癸亥	4 6	壬辰	5 6	**壬戌**	6 4	辛卯	7 3	庚申
初五	2 7	甲午	3 9	甲子	4 7	癸巳	5 7	癸亥	6 5	壬辰	7 4	辛酉
初六	2 8	乙未	3 10	乙丑	4 8	甲午	5 8	甲子	6 6	**癸巳**	7 5	壬戌
初七	2 9	丙申	3 11	丙寅	4 9	乙未	5 9	乙丑	6 7	甲午	7 6	癸亥
初八	2 10	丁酉	3 12	丁卯	4 10	丙申	5 10	丙寅	6 8	乙未	7 7	甲子
初九	2 11	戊戌	3 13	戊辰	4 11	丁酉	5 11	丁卯	6 9	丙申	7 8	**乙丑**
初十	2 12	己亥	3 14	己巳	4 12	戊戌	5 12	戊辰	6 10	丁酉	7 9	丙寅
十一	2 13	庚子	3 15	庚午	4 13	己亥	5 13	己巳	6 11	戊戌	7 10	丁卯
十二	2 14	辛丑	3 16	辛未	4 14	庚子	5 14	庚午	6 12	己亥	7 11	戊辰
十三	2 15	壬寅	3 17	壬申	4 15	辛丑	5 15	辛未	6 13	庚子	7 12	己巳
十四	2 16	癸卯	3 18	癸酉	4 16	壬寅	5 16	壬申	6 14	辛丑	7 13	庚午
十五	2 17	甲辰	3 19	甲戌	4 17	癸卯	5 17	癸酉	6 15	壬寅	7 14	辛未
十六	2 18	乙巳	3 20	乙亥	4 18	甲辰	5 18	甲戌	6 16	癸卯	7 15	壬申
十七	2 19	**丙午**	3 21	**丙子**	4 19	乙巳	5 19	乙亥	6 17	甲辰	7 16	癸酉
十八	2 20	丁未	3 22	丁丑	4 20	**丙午**	5 20	丙子	6 18	乙巳	7 17	甲戌
十九	2 21	戊申	3 23	戊寅	4 21	丁未	5 21	**丁丑**	6 19	丙午	7 18	乙亥
二十	2 22	己酉	3 24	己卯	4 22	戊申	5 22	戊寅	6 20	丁未	7 19	丙子
廿一	2 23	庚戌	3 25	庚辰	4 23	己酉	5 23	己卯	6 21	戊申	7 20	丁丑
廿二	2 24	辛亥	3 26	辛巳	4 24	庚戌	5 24	庚辰	6 22	**己酉**	7 21	戊寅
廿三	2 25	壬子	3 27	壬午	4 25	辛亥	5 25	辛巳	6 23	庚戌	7 22	己卯
廿四	2 26	癸丑	3 28	癸未	4 26	壬子	5 26	壬午	6 24	辛亥	7 23	**庚辰**
廿五	2 27	甲寅	3 29	甲申	4 27	癸丑	5 27	癸未	6 25	壬子	7 24	辛巳
廿六	2 28	乙卯	3 30	乙酉	4 28	甲寅	5 28	甲申	6 26	癸丑	7 25	壬午
廿七	3 1	丙辰	3 31	丙戌	4 29	乙卯	5 29	乙酉	6 27	甲寅	7 26	癸未
廿八	3 2	丁巳	4 1	丁亥	4 30	丙辰	5 30	丙戌	6 28	乙卯	7 27	甲申
廿九	3 3	戊午	4 2	戊子	5 1	丁巳	5 31	丁亥	6 29	丙辰	7 28	乙酉
三十	3 4	己未			5 2	戊午					7 29	丙戌

十二月大		十一月大		十月小		九月大		八月大		七月小		月別
丁丑		丙子		乙亥		甲戌		癸酉		壬申		干支
六白		七赤		八白		九紫		一白		二黑		九星
大寒	小寒	冬至	大雪	小雪	立冬	霜降	寒露	秋分	白露	處暑	立秋	節氣
廿八 4時2分 寅時	十三 10時36分 巳時	廿八 17時25分 酉時	十三 23時29分 夜子	廿八 4時15分 寅時	十三 6時51分 卯時	廿八 6時57分 卯時	十三 3時58分 寅時	廿七 21時56分 亥時	十二 12時39分 午時	廿六 0時37分 早子	初十 10時0分 巳時	
西曆	干支	西曆	干支	西曆	干支	西曆	干支	西曆	干支	西曆	干支	農曆
12 25	乙卯	11 25	乙酉	10 27	丙辰	9 27	丙戌	8 28	丙辰	7 30	丁亥	初一
12 26	丙辰	11 26	丙戌	10 28	丁巳	9 28	丁亥	8 29	丁巳	7 31	戊子	初二
12 27	丁巳	11 27	丁亥	10 29	戊午	9 29	戊子	8 30	戊午	8 1	己丑	初三
12 28	戊午	11 28	戊子	10 30	己未	9 30	己丑	8 31	己未	8 2	庚寅	初四
12 29	己未	11 29	己丑	10 31	庚申	10 1	庚寅	9 1	庚申	8 3	辛卯	初五
12 30	庚申	11 30	庚寅	11 1	辛酉	10 2	辛卯	9 2	辛酉	8 4	壬辰	初六
12 31	辛酉	12 1	辛卯	11 2	壬戌	10 3	壬辰	9 3	壬戌	8 5	癸巳	初七
1 1	壬戌	12 2	壬辰	11 3	癸亥	10 4	癸巳	9 4	癸亥	8 6	甲午	初八
1 2	癸亥	12 3	癸巳	11 4	甲子	10 5	甲午	9 5	甲子	8 7	乙未	初九
1 3	甲子	12 4	甲午	11 5	乙丑	10 6	乙未	9 6	乙丑	8 8	**丙申**	初十
1 4	乙丑	12 5	乙未	11 6	丙寅	10 7	丙申	9 7	丙寅	8 9	丁酉	十一
1 5	丙寅	12 6	丙申	11 7	丁卯	10 8	丁酉	9 8	**丁卯**	8 10	戊戌	十二
1 6	**丁卯**	12 7	**丁酉**	11 8	**戊辰**	10 9	**戊戌**	9 9	戊辰	8 11	己亥	十三
1 7	戊辰	12 8	戊戌	11 9	己巳	10 10	己亥	9 10	己巳	8 12	庚子	十四
1 8	己巳	12 9	己亥	11 10	庚午	10 11	庚子	9 11	庚午	8 13	辛丑	十五
1 9	庚午	12 10	庚子	11 11	辛未	10 12	辛丑	9 12	辛未	8 14	壬寅	十六
1 10	辛未	12 11	辛丑	11 12	壬申	10 13	壬寅	9 13	壬申	8 15	癸卯	十七
1 11	壬申	12 12	壬寅	11 13	癸酉	10 14	癸卯	9 14	癸酉	8 16	甲辰	十八
1 12	癸酉	12 13	癸卯	11 14	甲戌	10 15	甲辰	9 15	甲戌	8 17	乙巳	十九
1 13	甲戌	12 14	甲辰	11 15	乙亥	10 16	乙巳	9 16	乙亥	8 18	丙午	二十
1 14	乙亥	12 15	乙巳	11 16	丙子	10 17	丙午	9 17	丙子	8 19	丁未	廿一
1 15	丙子	12 16	丙午	11 17	丁丑	10 18	丁未	9 18	丁丑	8 20	戊申	廿二
1 16	丁丑	12 17	丁未	11 18	戊寅	10 19	戊申	9 19	戊寅	8 21	己酉	廿三
1 17	戊寅	12 18	戊申	11 19	己卯	10 20	己酉	9 20	己卯	8 22	庚戌	廿四
1 18	己卯	12 19	己酉	11 20	庚辰	10 21	庚戌	9 21	庚辰	8 23	辛亥	廿五
1 19	庚辰	12 20	庚戌	11 21	辛巳	10 22	辛亥	9 22	辛巳	8 24	**壬子**	廿六
1 20	辛巳	12 21	辛亥	11 22	壬午	10 23	壬子	9 23	**壬午**	8 25	癸丑	廿七
1 21	**壬午**	12 22	**壬子**	11 23	**癸未**	10 24	**癸丑**	9 24	癸未	8 26	甲寅	廿八
1 22	癸未	12 23	癸丑	11 24	甲申	10 25	甲寅	9 25	甲申	8 27	乙卯	廿九
1 23	甲申	12 24	甲寅			10 26	乙卯	9 26	乙酉			三十

一九五五年

歲次乙未（肖羊）

太歲姓楊名賢

年星九紫

月別	正月小		二月大		三月小		閏三月大		四月小		五月小	
干支	戊寅		己卯		庚辰				辛巳		壬午	
九星	五黃		四綠		三碧				二黑		一白	
節氣	立春	雨水	驚蟄	春分	清明	穀雨	立夏		小滿	芒種	夏至	小暑
	22時18分 十二亥時	18時19分 廿七酉時	16時32分 十三申時	17時36分 廿八酉時	21時39分 十三亥時	4時58分 廿九寅時	15時18分 十五申時		4時25分 初一寅時	19時44分 十六戌時	12時32分 初三午時	6時7分 十九卯時
農曆	西曆	干支	西曆	干支	西曆	干支	西曆	干支	西曆	干支	西曆	干支
初一	1 24	乙酉	2 22	甲寅	3 24	甲申	4 22	癸丑	5 22	**癸未**	6 20	壬子
初二	1 25	丙戌	2 23	乙卯	3 25	乙酉	4 23	甲寅	5 23	甲申	6 21	癸丑
初三	1 26	丁亥	2 24	丙辰	3 26	丙戌	4 24	乙卯	5 24	乙酉	6 22	**甲寅**
初四	1 27	戊子	2 25	丁巳	3 27	丁亥	4 25	丙辰	5 25	丙戌	6 23	乙卯
初五	1 28	己丑	2 26	戊午	3 28	戊子	4 26	丁巳	5 26	丁亥	6 24	丙辰
初六	1 29	庚寅	2 27	己未	3 29	己丑	4 27	戊午	5 27	戊子	6 25	丁巳
初七	1 30	辛卯	2 28	庚申	3 30	庚寅	4 28	己未	5 28	己丑	6 26	戊午
初八	1 31	壬辰	3 1	辛酉	3 31	辛卯	4 29	庚申	5 29	庚寅	6 27	己未
初九	2 1	癸巳	3 2	壬戌	4 1	壬辰	4 30	辛酉	5 30	辛卯	6 28	庚申
初十	2 2	甲午	3 3	癸亥	4 2	癸巳	5 1	壬戌	5 31	壬辰	6 29	辛酉
十一	2 3	乙未	3 4	甲子	4 3	甲午	5 2	癸亥	6 1	癸巳	6 30	壬戌
十二	2 4	**丙申**	3 5	乙丑	4 4	乙未	5 3	甲子	6 2	甲午	7 1	癸亥
十三	2 5	丁酉	3 6	**丙寅**	4 5	**丙申**	5 4	乙丑	6 3	乙未	7 2	甲子
十四	2 6	戊戌	3 7	丁卯	4 6	丁酉	5 5	丙寅	6 4	丙申	7 3	乙丑
十五	2 7	己亥	3 8	戊辰	4 7	戊戌	5 6	**丁卯**	6 5	丁酉	7 4	丙寅
十六	2 8	庚子	3 9	己巳	4 8	己亥	5 7	戊辰	6 6	**戊戌**	7 5	丁卯
十七	2 9	辛丑	3 10	庚午	4 9	庚子	5 8	己巳	6 7	己亥	7 6	戊辰
十八	2 10	壬寅	3 11	辛未	4 10	辛丑	5 9	庚午	6 8	庚子	7 7	己巳
十九	2 11	癸卯	3 12	壬申	4 11	壬寅	5 10	辛未	6 9	辛丑	7 8	**庚午**
二十	2 12	甲辰	3 13	癸酉	4 12	癸卯	5 11	壬申	6 10	壬寅	7 9	辛未
廿一	2 13	乙巳	3 14	甲戌	4 13	甲辰	5 12	癸酉	6 11	癸卯	7 10	壬申
廿二	2 14	丙午	3 15	乙亥	4 14	乙巳	5 13	甲戌	6 12	甲辰	7 11	癸酉
廿三	2 15	丁未	3 16	丙子	4 15	丙午	5 14	乙亥	6 13	乙巳	7 12	甲戌
廿四	2 16	戊申	3 17	丁丑	4 16	丁未	5 15	丙子	6 14	丙午	7 13	乙亥
廿五	2 17	己酉	3 18	戊寅	4 17	戊申	5 16	丁丑	6 15	丁未	7 14	丙子
廿六	2 18	庚戌	3 19	己卯	4 18	己酉	5 17	戊寅	6 16	戊申	7 15	丁丑
廿七	2 19	**辛亥**	3 20	庚辰	4 19	庚戌	5 18	己卯	6 17	己酉	7 16	戊寅
廿八	2 20	壬子	3 21	**辛巳**	4 20	辛亥	5 19	庚辰	6 18	庚戌	7 17	己卯
廿九	2 21	癸丑	3 22	壬午	4 21	**壬子**	5 20	辛巳	6 19	辛亥	7 18	庚辰
三十			3 23	癸未			5 21	壬午				

月別	六月大		七月小		八月大		九月小		十月大		十一月大		十二月大	
干支	癸未		甲申		乙酉		丙戌		丁亥		戊子		己丑	
九星	九紫		八白		七赤		六白		五黃		四綠		三碧	
節氣	立秋	大暑	白露	處暑	寒露	秋分	立冬	霜降	大雪	小雪	小寒	冬至	立春	大寒
	15時50分 廿一申時	23時25分 初五夜子	18時32分 廿二酉時	6時20分 初七卯時	9時53分 廿四巳時	3時42分 初九寅時	12時46分 廿四午時	12時44分 初九午時	5時23分 廿五卯時	10時2分 初十巳時	16時31分 廿四申時	23時12分 初九夜子	4時13分 廿四寅時	9時19分 初九巳時
農曆	西曆	干支	西曆	干支	西曆	干支	西曆	干支	西曆	干支	西曆	干支	西曆	干支
初一	7 19	辛巳	8 18	辛亥	9 16	庚辰	10 16	庚戌	11 14	己卯	12 14	己酉	1 13	己卯
初二	7 20	壬午	8 19	壬子	9 17	辛巳	10 17	辛亥	11 15	庚辰	12 15	庚戌	1 14	庚辰
初三	7 21	癸未	8 20	癸丑	9 18	壬午	10 18	壬子	11 16	辛巳	12 16	辛亥	1 15	辛巳
初四	7 22	甲申	8 21	甲寅	9 19	癸未	10 19	癸丑	11 17	壬午	12 17	壬子	1 16	壬午
初五	7 23	**乙酉**	8 22	乙卯	9 20	甲申	10 20	甲寅	11 18	癸未	12 18	癸丑	1 17	癸未
初六	7 24	丙戌	8 23	丙辰	9 21	乙酉	10 21	乙卯	11 19	甲申	12 19	甲寅	1 18	甲申
初七	7 25	丁亥	8 24	**丁巳**	9 22	丙戌	10 22	丙辰	11 20	乙酉	12 20	乙卯	1 19	乙酉
初八	7 26	戊子	8 25	戊午	9 23	丁亥	10 23	丁巳	11 21	丙戌	12 21	丙辰	1 20	丙戌
初九	7 27	己丑	8 26	己未	9 24	**戊子**	10 24	**戊午**	11 22	丁亥	12 22	**丁巳**	1 21	**丁亥**
初十	7 28	庚寅	8 27	庚申	9 25	己丑	10 25	己未	11 23	**戊子**	12 23	戊午	1 22	戊子
十一	7 29	辛卯	8 28	辛酉	9 26	庚寅	10 26	庚申	11 24	己丑	12 24	己未	1 23	己丑
十二	7 30	壬辰	8 29	壬戌	9 27	辛卯	10 27	辛酉	11 25	庚寅	12 25	庚申	1 24	庚寅
十三	7 31	癸巳	8 30	癸亥	9 28	壬辰	10 28	壬戌	11 26	辛卯	12 26	辛酉	1 25	辛卯
十四	8 1	甲午	8 31	甲子	9 29	癸巳	10 29	癸亥	11 27	壬辰	12 27	壬戌	1 26	壬辰
十五	8 2	乙未	9 1	乙丑	9 30	甲午	10 30	甲子	11 28	癸巳	12 28	癸亥	1 27	癸巳
十六	8 3	丙申	9 2	丙寅	10 1	乙未	10 31	乙丑	11 29	甲午	12 29	甲子	1 28	甲午
十七	8 4	丁酉	9 3	丁卯	10 2	丙申	11 1	丙寅	11 30	乙未	12 30	乙丑	1 29	乙未
十八	8 5	戊戌	9 4	戊辰	10 3	丁酉	11 2	丁卯	12 1	丙申	12 31	丙寅	1 30	丙申
十九	8 6	己亥	9 5	己巳	10 4	戊戌	11 3	戊辰	12 2	丁酉	1 1	丁卯	1 31	丁酉
二十	8 7	庚子	9 6	庚午	10 5	己亥	11 4	己巳	12 3	戊戌	1 2	戊辰	2 1	戊戌
廿一	8 8	**辛丑**	9 7	辛未	10 6	庚子	11 5	庚午	12 4	己亥	1 3	己巳	2 2	己亥
廿二	8 9	壬寅	9 8	**壬申**	10 7	辛丑	11 6	辛未	12 5	庚子	1 4	庚午	2 3	庚子
廿三	8 10	癸卯	9 9	癸酉	10 8	壬寅	11 7	壬申	12 6	辛丑	1 5	辛未	2 4	辛丑
廿四	8 11	甲辰	9 10	甲戌	10 9	**癸卯**	11 8	**癸酉**	12 7	壬寅	1 6	**壬申**	2 5	**壬寅**
廿五	8 12	乙巳	9 11	乙亥	10 10	甲辰	11 9	甲戌	12 8	**癸卯**	1 7	癸酉	2 6	癸卯
廿六	8 13	丙午	9 12	丙子	10 11	乙巳	11 10	乙亥	12 9	甲辰	1 8	甲戌	2 7	甲辰
廿七	8 14	丁未	9 13	丁丑	10 12	丙午	11 11	丙子	12 10	乙巳	1 9	乙亥	2 8	乙巳
廿八	8 15	戊申	9 14	戊寅	10 13	丁未	11 12	丁丑	12 11	丙午	1 10	丙子	2 9	丙午
廿九	8 16	己酉	9 15	己卯	10 14	戊申	11 13	戊寅	12 12	丁未	1 11	丁丑	2 10	丁未
三十	8 17	庚戌			10 15	己酉			12 13	戊申	1 12	戊寅	2 11	戊申

一九五六年

歲次丙申（肖猴）

太歲姓管名仲

年星八白

月別	正月小		二月大		三月小		四月大		五月小		六月小	
干支	庚寅		辛卯		壬辰		癸巳		甲午		乙未	
九星	二黑		一白		九紫		八白		七赤		六白	
節氣	雨水	驚蟄	春分	清明	穀雨	立夏	小滿	芒種	夏至	小暑		大暑
	初九早子時 0時5分	廿三亥時 22時25分	初九夜子 23時21分	廿五寅時 3時32分	初十巳時 10時44分	廿五亥時 21時11分	十二巳時 10時13分	廿八丑時 1時36分	十三酉時 18時24分	廿九午時 11時59分		十六卯時 5時21分
農曆	干支	西曆	干支	西曆	干支	西曆	干支	西曆	干支	西曆	干支	西曆
初一	己酉	2 12	戊寅	3 12	戊申	4 11	丁丑	5 10	丁未	6 9	丙子	7 8
初二	庚戌	2 13	己卯	3 13	己酉	4 12	戊寅	5 11	戊申	6 10	丁丑	7 9
初三	辛亥	2 14	庚辰	3 14	庚戌	4 13	己卯	5 12	己酉	6 11	戊寅	7 10
初四	壬子	2 15	辛巳	3 15	辛亥	4 14	庚辰	5 13	庚戌	6 12	己卯	7 11
初五	癸丑	2 16	壬午	3 16	壬子	4 15	辛巳	5 14	辛亥	6 13	庚辰	7 12
初六	甲寅	2 17	癸未	3 17	癸丑	4 16	壬午	5 15	壬子	6 14	辛巳	7 13
初七	乙卯	2 18	甲申	3 18	甲寅	4 17	癸未	5 16	癸丑	6 15	壬午	7 14
初八	丙辰	2 19	乙酉	3 19	乙卯	4 18	甲申	5 17	甲寅	6 16	癸未	7 15
初九	**丁巳**	2 20	**丙戌**	3 20	丙辰	4 19	乙酉	5 18	乙卯	6 17	甲申	7 16
初十	戊午	2 21	丁亥	3 21	**丁巳**	4 20	丙戌	5 19	丙辰	6 18	乙酉	7 17
十一	己未	2 22	戊子	3 22	戊午	4 21	丁亥	5 20	丁巳	6 19	丙戌	7 18
十二	庚申	2 23	己丑	3 23	己未	4 22	**戊子**	5 21	戊午	6 20	丁亥	7 19
十三	辛酉	2 24	庚寅	3 24	庚申	4 23	己丑	5 22	**己未**	6 21	戊子	7 20
十四	壬戌	2 25	辛卯	3 25	辛酉	4 24	庚寅	5 23	庚申	6 22	己丑	7 21
十五	癸亥	2 26	壬辰	3 26	壬戌	4 25	辛卯	5 24	辛酉	6 23	庚寅	7 22
十六	甲子	2 27	癸巳	3 27	癸亥	4 26	壬辰	5 25	壬戌	6 24	**辛卯**	7 23
十七	乙丑	2 28	甲午	3 28	甲子	4 27	癸巳	5 26	癸亥	6 25	壬辰	7 24
十八	丙寅	2 29	乙未	3 29	乙丑	4 28	甲午	5 27	甲子	6 26	癸巳	7 25
十九	丁卯	3 1	丙申	3 30	丙寅	4 29	乙未	5 28	乙丑	6 27	甲午	7 26
二十	戊辰	3 2	丁酉	3 31	丁卯	4 30	丙申	5 29	丙寅	6 28	乙未	7 27
廿一	己巳	3 3	戊戌	4 1	戊辰	5 1	丁酉	5 30	丁卯	6 29	丙申	7 28
廿二	庚午	3 4	己亥	4 2	己巳	5 2	戊戌	5 31	戊辰	6 30	丁酉	7 29
廿三	**辛未**	3 5	庚子	4 3	庚午	5 3	己亥	6 1	己巳	7 1	戊戌	7 30
廿四	壬申	3 6	辛丑	4 4	辛未	5 4	庚子	6 2	庚午	7 2	己亥	7 31
廿五	癸酉	3 7	**壬寅**	4 5	**壬申**	5 5	辛丑	6 3	辛未	7 3	庚子	8 1
廿六	甲戌	3 8	癸卯	4 6	癸酉	5 6	壬寅	6 4	壬申	7 4	辛丑	8 2
廿七	乙亥	3 9	甲辰	4 7	甲戌	5 7	癸卯	6 5	癸酉	7 5	壬寅	8 3
廿八	丙子	3 10	乙巳	4 8	乙亥	5 8	**甲辰**	6 6	甲戌	7 6	癸卯	8 4
廿九	丁丑	3 11	丙午	4 9	丙子	5 9	乙巳	6 7	**乙亥**	7 7	甲辰	8 5
三十			丁未	4 10			丙午	6 8				

十二月大		十一月大		十月小		九月大		八月小		七月大		月別
辛丑		庚子		己亥		戊戌		丁酉		丙申		干支
九紫		一白		二黑		三碧		四綠		五黃		九星
大寒	小寒	冬至	大雪	小雪	立冬	霜降	寒露	秋分	白露	處暑	立秋	節氣
15時39分 二十申時	22時11分 初五亥時	5時0分 廿一卯時	11時3分 初六午時	15時51分 二十申時	18時27分 初五酉時	18時35分 二十酉時	15時37分 初五申時	9時36分 十九巳時	0時20分 初四早子	12時15分 十八午時	21時41分 初二亥時	
西曆	干支	西曆	干支	西曆	干支	西曆	干支	西曆	干支	西曆	干支	農曆
1 1	癸酉	12 2	癸卯	11 3	甲戌	10 4	甲辰	9 5	乙亥	8 6	乙巳	初一
1 2	甲戌	12 3	甲辰	11 4	乙亥	10 5	乙巳	9 6	丙子	8 7	**丙午**	初二
1 3	乙亥	12 4	乙巳	11 5	丙子	10 6	丙午	9 7	丁丑	8 8	丁未	初三
1 4	丙子	12 5	丙午	11 6	丁丑	10 7	丁未	9 8	**戊寅**	8 9	戊申	初四
1 5	**丁丑**	12 6	丁未	11 7	**戊寅**	10 8	**戊申**	9 9	己卯	8 10	己酉	初五
1 6	戊寅	12 7	**戊申**	11 8	己卯	10 9	己酉	9 10	庚辰	8 11	庚戌	初六
1 7	己卯	12 8	己酉	11 9	庚辰	10 10	庚戌	9 11	辛巳	8 12	辛亥	初七
1 8	庚辰	12 9	庚戌	11 10	辛巳	10 11	辛亥	9 12	壬午	8 13	壬子	初八
1 9	辛巳	12 10	辛亥	11 11	壬午	10 12	壬子	9 13	癸未	8 14	癸丑	初九
1 10	壬午	12 11	壬子	11 12	癸未	10 13	癸丑	9 14	甲申	8 15	甲寅	初十
1 11	癸未	12 12	癸丑	11 13	甲申	10 14	甲寅	9 15	乙酉	8 16	乙卯	十一
1 12	甲申	12 13	甲寅	11 14	乙酉	10 15	乙卯	9 16	丙戌	8 17	丙辰	十二
1 13	乙酉	12 14	乙卯	11 15	丙戌	10 16	丙辰	9 17	丁亥	8 18	丁巳	十三
1 14	丙戌	12 15	丙辰	11 16	丁亥	10 17	丁巳	9 18	戊子	8 19	戊午	十四
1 15	丁亥	12 16	丁巳	11 17	戊子	10 18	戊午	9 19	己丑	8 20	己未	十五
1 16	戊子	12 17	戊午	11 18	己丑	10 19	己未	9 20	庚寅	8 21	庚申	十六
1 17	己丑	12 18	己未	11 19	庚寅	10 20	庚申	9 21	辛卯	8 22	辛酉	十七
1 18	庚寅	12 19	庚申	11 20	辛卯	10 21	辛酉	9 22	壬辰	8 23	**壬戌**	十八
1 19	辛卯	12 20	辛酉	11 21	壬辰	10 22	壬戌	9 23	**癸巳**	8 24	癸亥	十九
1 20	**壬辰**	12 21	壬戌	11 22	**癸巳**	10 23	**癸亥**	9 24	甲午	8 25	甲子	二十
1 21	癸巳	12 22	**癸亥**	11 23	甲午	10 24	甲子	9 25	乙未	8 26	乙丑	廿一
1 22	甲午	12 23	甲子	11 24	乙未	10 25	乙丑	9 26	丙申	8 27	丙寅	廿二
1 23	乙未	12 24	乙丑	11 25	丙申	10 26	丙寅	9 27	丁酉	8 28	丁卯	廿三
1 24	丙申	12 25	丙寅	11 26	丁酉	10 27	丁卯	9 28	戊戌	8 29	戊辰	廿四
1 25	丁酉	12 26	丁卯	11 27	戊戌	10 28	戊辰	9 29	己亥	8 30	己巳	廿五
1 26	戊戌	12 27	戊辰	11 28	己亥	10 29	己巳	9 30	庚子	8 31	庚午	廿六
1 27	己亥	12 28	己巳	11 29	庚子	10 30	庚午	10 1	辛丑	9 1	辛未	廿七
1 28	庚子	12 29	庚午	11 30	辛丑	10 31	辛未	10 2	壬寅	9 2	壬申	廿八
1 29	辛丑	12 30	辛未	12 1	壬寅	11 1	壬申	10 3	癸卯	9 3	癸酉	廿九
1 30	壬寅	12 31	壬申			11 2	癸酉			9 4	甲戌	三十

一九五七年

歲次丁酉（肖雞）

太歲姓康名傑

年星七赤

月別	正月大		二月小		三月大		四月小		五月大		六月小	
干支	壬寅		癸卯		甲辰		乙巳		丙午		丁未	
九星	八白		七赤		六白		五黃		四綠		三碧	
節氣	立春	雨水	驚蟄	春分	清明	穀雨	立夏	小滿	芒種	夏至	小暑	大暑
	9時55分 初五 巳時	5時58分 二十 卯時	4時11分 初五 寅時	5時17分 二十 卯時	9時19分 初六 巳時	16時42分 廿一 申時	2時59分 初七 丑時	16時11分 廿二 申時	7時25分 初九 辰時	0時21分 廿五 早子	17時49分 初十 酉時	11時15分 廿六 午時
農曆	干支	西曆	干支	西曆	干支	西曆	干支	西曆	干支	西曆	干支	西曆
初一	癸卯	1 31	癸酉	3 2	壬寅	3 31	壬申	4 30	辛丑	5 29	辛未	6 28
初二	甲辰	2 1	甲戌	3 3	癸卯	4 1	癸酉	5 1	壬寅	5 30	壬申	6 29
初三	乙巳	2 2	乙亥	3 4	甲辰	4 2	甲戌	5 2	癸卯	5 31	癸酉	6 30
初四	丙午	2 3	丙子	3 5	乙巳	4 3	乙亥	5 3	甲辰	6 1	甲戌	7 1
初五	**丁未**	2 4	**丁丑**	3 6	丙午	4 4	丙子	5 4	乙巳	6 2	乙亥	7 2
初六	戊申	2 5	戊寅	3 7	**丁未**	4 5	丁丑	5 5	丙午	6 3	丙子	7 3
初七	己酉	2 6	己卯	3 8	戊申	4 6	**戊寅**	5 6	丁未	6 4	丁丑	7 4
初八	庚戌	2 7	庚辰	3 9	己酉	4 7	己卯	5 7	戊申	6 5	戊寅	7 5
初九	辛亥	2 8	辛巳	3 10	庚戌	4 8	庚辰	5 8	**己酉**	6 6	己卯	7 6
初十	壬子	2 9	壬午	3 11	辛亥	4 9	辛巳	5 9	庚戌	6 7	**庚辰**	7 7
十一	癸丑	2 10	癸未	3 12	壬子	4 10	壬午	5 10	辛亥	6 8	辛巳	7 8
十二	甲寅	2 11	甲申	3 13	癸丑	4 11	癸未	5 11	壬子	6 9	壬午	7 9
十三	乙卯	2 12	乙酉	3 14	甲寅	4 12	甲申	5 12	癸丑	6 10	癸未	7 10
十四	丙辰	2 13	丙戌	3 15	乙卯	4 13	乙酉	5 13	甲寅	6 11	甲申	7 11
十五	丁巳	2 14	丁亥	3 16	丙辰	4 14	丙戌	5 14	乙卯	6 12	乙酉	7 12
十六	戊午	2 15	戊子	3 17	丁巳	4 15	丁亥	5 15	丙辰	6 13	丙戌	7 13
十七	己未	2 16	己丑	3 18	戊午	4 16	戊子	5 16	丁巳	6 14	丁亥	7 14
十八	庚申	2 17	庚寅	3 19	己未	4 17	己丑	5 17	戊午	6 15	戊子	7 15
十九	辛酉	2 18	辛卯	3 20	庚申	4 18	庚寅	5 18	己未	6 16	己丑	7 16
二十	**壬戌**	2 19	**壬辰**	3 21	辛酉	4 19	辛卯	5 19	庚申	6 17	庚寅	7 17
廿一	癸亥	2 20	癸巳	3 22	**壬戌**	4 20	壬辰	5 20	辛酉	6 18	辛卯	7 18
廿二	甲子	2 21	甲午	3 23	癸亥	4 21	**癸巳**	5 21	壬戌	6 19	壬辰	7 19
廿三	乙丑	2 22	乙未	3 24	甲子	4 22	甲午	5 22	癸亥	6 20	癸巳	7 20
廿四	丙寅	2 23	丙申	3 25	乙丑	4 23	乙未	5 23	甲子	6 21	甲午	7 21
廿五	丁卯	2 24	丁酉	3 26	丙寅	4 24	丙申	5 24	**乙丑**	6 22	乙未	7 22
廿六	戊辰	2 25	戊戌	3 27	丁卯	4 25	丁酉	5 25	丙寅	6 23	**丙申**	7 23
廿七	己巳	2 26	己亥	3 28	戊辰	4 26	戊戌	5 26	丁卯	6 24	丁酉	7 24
廿八	庚午	2 27	庚子	3 29	己巳	4 27	己亥	5 27	戊辰	6 25	戊戌	7 25
廿九	辛未	2 28	辛丑	3 30	庚午	4 28	庚子	5 28	己巳	6 26	己亥	7 26
三十	壬申	3 1			辛未	4 29			庚午	6 27		

十二月小		十一月大		十月小		九月大		閏八月小		八月大		七月小		月別
癸丑		壬子		辛亥		庚戌				己酉		戊申		干支
六白		七赤		八白		九紫				一白		二黑		九星
立春	大寒	小寒	冬至	大雪	小雪	立冬	霜降		寒露	秋分	白露	處暑	立秋	節氣
15時50分 十六申時	21時29分 初一亥時	4時5分 十七寅時	10時49分 初二巳時	16時57分 十六申時	21時40分 初一亥時	0時21分 十七早子	0時25分 初二早子		21時31分 十五亥時	15時27分 三十申時	6時13分 十五卯時	18時8分 廿八酉時	3時33分 十三寅時	
西曆	**干支**	**西曆**	**干支**	**西曆**	**干支**	**西曆**	**干支**	**西曆**	**干支**	**西曆**	**干支**	**西曆**	**干支**	**農曆**
1 20	**丁酉**	12 21	丁卯	11 22	**戊戌**	10 23	戊辰	9 24	己亥	8 25	己巳	7 27	庚子	初一
1 21	戊戌	12 22	**戊辰**	11 23	己亥	10 24	**己巳**	9 25	庚子	8 26	庚午	7 28	辛丑	初二
1 22	己亥	12 23	己巳	11 24	庚子	10 25	庚午	9 26	辛丑	8 27	辛未	7 29	壬寅	初三
1 23	庚子	12 24	庚午	11 25	辛丑	10 26	辛未	9 27	壬寅	8 28	壬申	7 30	癸卯	初四
1 24	辛丑	12 25	辛未	11 26	壬寅	10 27	壬申	9 28	癸卯	8 29	癸酉	7 31	甲辰	初五
1 25	壬寅	12 26	壬申	11 27	癸卯	10 28	癸酉	9 29	甲辰	8 30	甲戌	8 1	乙巳	初六
1 26	癸卯	12 27	癸酉	11 28	甲辰	10 29	甲戌	9 30	乙巳	8 31	乙亥	8 2	丙午	初七
1 27	甲辰	12 28	甲戌	11 29	乙巳	10 30	乙亥	10 1	丙午	9 1	丙子	8 3	丁未	初八
1 28	乙巳	12 29	乙亥	11 30	丙午	10 31	丙子	10 2	丁未	9 2	丁丑	8 4	戊申	初九
1 29	丙午	12 30	丙子	12 1	丁未	11 1	丁丑	10 3	戊申	9 3	戊寅	8 5	己酉	初十
1 30	丁未	12 31	丁丑	12 2	戊申	11 2	戊寅	10 4	己酉	9 4	己卯	8 6	庚戌	十一
1 31	戊申	1 1	戊寅	12 3	己酉	11 3	己卯	10 5	庚戌	9 5	庚辰	8 7	辛亥	十二
2 1	己酉	1 2	己卯	12 4	庚戌	11 4	庚辰	10 6	辛亥	9 6	辛巳	8 8	**壬子**	十三
2 2	庚戌	1 3	庚辰	12 5	辛亥	11 5	辛巳	10 7	壬子	9 7	壬午	8 9	癸丑	十四
2 3	辛亥	1 4	辛巳	12 6	壬子	11 6	壬午	10 8	**癸丑**	9 8	**癸未**	8 10	甲寅	十五
2 4	**壬子**	1 5	壬午	12 7	**癸丑**	11 7	癸未	10 9	甲寅	9 9	甲申	8 11	乙卯	十六
2 5	癸丑	1 6	**癸未**	12 8	甲寅	11 8	**甲申**	10 10	乙卯	9 10	乙酉	8 12	丙辰	十七
2 6	甲寅	1 7	甲申	12 9	乙卯	11 9	乙酉	10 11	丙辰	9 11	丙戌	8 13	丁巳	十八
2 7	乙卯	1 8	乙酉	12 10	丙辰	11 10	丙戌	10 12	丁巳	9 12	丁亥	8 14	戊午	十九
2 8	丙辰	1 9	丙戌	12 11	丁巳	11 11	丁亥	10 13	戊午	9 13	戊子	8 15	己未	二十
2 9	丁巳	1 10	丁亥	12 12	戊午	11 12	戊子	10 14	己未	9 14	己丑	8 16	庚申	廿一
2 10	戊午	1 11	戊子	12 13	己未	11 13	己丑	10 15	庚申	9 15	庚寅	8 17	辛酉	廿二
2 11	己未	1 12	己丑	12 14	庚申	11 14	庚寅	10 16	辛酉	9 16	辛卯	8 18	壬戌	廿三
2 12	庚申	1 13	庚寅	12 15	辛酉	11 15	辛卯	10 17	壬戌	9 17	壬辰	8 19	癸亥	廿四
2 13	辛酉	1 14	辛卯	12 16	壬戌	11 16	壬辰	10 18	癸亥	9 18	癸巳	8 20	甲子	廿五
2 14	壬戌	1 15	壬辰	12 17	癸亥	11 17	癸巳	10 19	甲子	9 19	甲午	8 21	乙丑	廿六
2 15	癸亥	1 16	癸巳	12 18	甲子	11 18	甲午	10 20	乙丑	9 20	乙未	8 22	丙寅	廿七
2 16	甲子	1 17	甲午	12 19	乙丑	11 19	乙未	10 21	丙寅	9 21	丙申	8 23	**丁卯**	廿八
2 17	乙丑	1 18	乙未	12 20	丙寅	11 20	丙申	10 22	丁卯	9 22	丁酉	8 24	戊辰	廿九
		1 19	丙申			11 21	丁酉			9 23	**戊戌**			三十

一九五八年

歲次戊戌（肖狗）

太歲姓姜名武

年星六白

月別	正月大		二月大		三月大		四月小		五月大		六月小	
干支	甲寅		乙卯		丙辰		丁巳		戊午		己未	
九星	五黃		四綠		三碧		二黑		一白		九紫	
節氣	雨水	驚蟄	春分	清明	穀雨	立夏	小滿	芒種	夏至	小暑	大暑	立秋
	初二 11時49分 午時	十七 10時6分 巳時	初二 11時6分 午時	十七 15時13分 申時	初二 22時28分 亥時	十八 8時50分 辰時	初三 21時52分 亥時	十九 13時13分 未時	初六 5時58分 卯時	廿一 23時34分 夜子	初七 16時51分 申時	廿三 9時8分 巳時
農曆	干支	西曆	干支	西曆	干支	西曆	干支	西曆	干支	西曆	干支	西曆
初一	丙寅	2 18	丙申	3 20	丙寅	4 19	丙申	5 19	乙丑	6 17	乙未	7 17
初二	**丁卯**	2 19	**丁酉**	3 21	**丁卯**	4 20	丁酉	5 20	丙寅	6 18	丙申	7 18
初三	戊辰	2 20	戊戌	3 22	戊辰	4 21	**戊戌**	5 21	丁卯	6 19	丁酉	7 19
初四	己巳	2 21	己亥	3 23	己巳	4 22	己亥	5 22	戊辰	6 20	戊戌	7 20
初五	庚午	2 22	庚子	3 24	庚午	4 23	庚子	5 23	己巳	6 21	己亥	7 21
初六	辛未	2 23	辛丑	3 25	辛未	4 24	辛丑	5 24	**庚午**	6 22	庚子	7 22
初七	壬申	2 24	壬寅	3 26	壬申	4 25	壬寅	5 25	辛未	6 23	**辛丑**	7 23
初八	癸酉	2 25	癸卯	3 27	癸酉	4 26	癸卯	5 26	壬申	6 24	壬寅	7 24
初九	甲戌	2 26	甲辰	3 28	甲戌	4 27	甲辰	5 27	癸酉	6 25	癸卯	7 25
初十	乙亥	2 27	乙巳	3 29	乙亥	4 28	乙巳	5 28	甲戌	6 26	甲辰	7 26
十一	丙子	2 28	丙午	3 30	丙子	4 29	丙午	5 29	乙亥	6 27	乙巳	7 27
十二	丁丑	3 1	丁未	3 31	丁丑	4 30	丁未	5 30	丙子	6 28	丙午	7 28
十三	戊寅	3 2	戊申	4 1	戊寅	5 1	戊申	5 31	丁丑	6 29	丁未	7 29
十四	己卯	3 3	己酉	4 2	己卯	5 2	己酉	6 1	戊寅	6 30	戊申	7 30
十五	庚辰	3 4	庚戌	4 3	庚辰	5 3	庚戌	6 2	己卯	7 1	己酉	7 31
十六	辛巳	3 5	辛亥	4 4	辛巳	5 4	辛亥	6 3	庚辰	7 2	庚戌	8 1
十七	**壬午**	3 6	**壬子**	4 5	壬午	5 5	壬子	6 4	辛巳	7 3	辛亥	8 2
十八	癸未	3 7	癸丑	4 6	**癸未**	5 6	癸丑	6 5	壬午	7 4	壬子	8 3
十九	甲申	3 8	甲寅	4 7	甲申	5 7	**甲寅**	6 6	癸未	7 5	癸丑	8 4
二十	乙酉	3 9	乙卯	4 8	乙酉	5 8	乙卯	6 7	甲申	7 6	甲寅	8 5
廿一	丙戌	3 10	丙辰	4 9	丙戌	5 9	丙辰	6 8	**乙酉**	7 7	乙卯	8 6
廿二	丁亥	3 11	丁巳	4 10	丁亥	5 10	丁巳	6 9	丙戌	7 8	丙辰	8 7
廿三	戊子	3 12	戊午	4 11	戊子	5 11	戊午	6 10	丁亥	7 9	**丁巳**	8 8
廿四	己丑	3 13	己未	4 12	己丑	5 12	己未	6 11	戊子	7 10	戊午	8 9
廿五	庚寅	3 14	庚申	4 13	庚寅	5 13	庚申	6 12	己丑	7 11	己未	8 10
廿六	辛卯	3 15	辛酉	4 14	辛卯	5 14	辛酉	6 13	庚寅	7 12	庚申	8 11
廿七	壬辰	3 16	壬戌	4 15	壬辰	5 15	壬戌	6 14	辛卯	7 13	辛酉	8 12
廿八	癸巳	3 17	癸亥	4 16	癸巳	5 16	癸亥	6 15	壬辰	7 14	壬戌	8 13
廿九	甲午	3 18	甲子	4 17	甲午	5 17	甲子	6 16	癸巳	7 15	癸亥	8 14
三十	乙未	3 19	乙丑	4 18	乙未	5 18			甲午	7 16		

十二月大		十一月小		十月大		九月小		八月大		七月小		月別
乙丑		甲子		癸亥		壬戌		辛酉		庚申		干支
三碧		四綠		五黃		六白		七赤		八白		九星
立春	大寒	小寒	冬至	大雪	小雪	立冬	霜降	寒露	秋分	白露	處暑	節氣
21時43分 廿七亥時	3時20分 十三寅時	9時59分 廿七巳時	16時40分 十二申時	22時50分 廿七亥時	3時30分 十三寅時	6時13分 廿七卯時	6時12分 十二卯時	3時20分 廿七寅時	21時10分 十一亥時	12時0分 廿五午時	23時47分 初九夜子時	
西曆	干支	西曆	干支	西曆	干支	西曆	干支	西曆	干支	西曆	干支	農曆
1 9	辛卯	12 11	壬戌	11 11	壬辰	10 13	癸亥	9 13	癸巳	8 15	甲子	初一
1 10	壬辰	12 12	癸亥	11 12	癸巳	10 14	甲子	9 14	甲午	8 16	乙丑	初二
1 11	癸巳	12 13	甲子	11 13	甲午	10 15	乙丑	9 15	乙未	8 17	丙寅	初三
1 12	甲午	12 14	乙丑	11 14	乙未	10 16	丙寅	9 16	丙申	8 18	丁卯	初四
1 13	乙未	12 15	丙寅	11 15	丙申	10 17	丁卯	9 17	丁酉	8 19	戊辰	初五
1 14	丙申	12 16	丁卯	11 16	丁酉	10 18	戊辰	9 18	戊戌	8 20	己巳	初六
1 15	丁酉	12 17	戊辰	11 17	戊戌	10 19	己巳	9 19	己亥	8 21	庚午	初七
1 16	戊戌	12 18	己巳	11 18	己亥	10 20	庚午	9 20	庚子	8 22	辛未	初八
1 17	己亥	12 19	庚午	11 19	庚子	10 21	辛未	9 21	辛丑	8 23	壬申	初九
1 18	庚子	12 20	辛未	11 20	辛丑	10 22	壬申	9 22	壬寅	8 24	癸酉	初十
1 19	辛丑	12 21	壬申	11 21	壬寅	10 23	癸酉	9 23	癸卯	8 25	甲戌	十一
1 20	壬寅	12 22	癸酉	11 22	癸卯	10 24	甲戌	9 24	甲辰	8 26	乙亥	十二
1 21	癸卯	12 23	甲戌	11 23	甲辰	10 25	乙亥	9 25	乙巳	8 27	丙子	十三
1 22	甲辰	12 24	乙亥	11 24	乙巳	10 26	丙子	9 26	丙午	8 28	丁丑	十四
1 23	乙巳	12 25	丙子	11 25	丙午	10 27	丁丑	9 27	丁未	8 29	戊寅	十五
1 24	丙午	12 26	丁丑	11 26	丁未	10 28	戊寅	9 28	戊申	8 30	己卯	十六
1 25	丁未	12 27	戊寅	11 27	戊申	10 29	己卯	9 29	己酉	8 31	庚辰	十七
1 26	戊申	12 28	己卯	11 28	己酉	10 30	庚辰	9 30	庚戌	9 1	辛巳	十八
1 27	己酉	12 29	庚辰	11 29	庚戌	10 31	辛巳	10 1	辛亥	9 2	壬午	十九
1 28	庚戌	12 30	辛巳	11 30	辛亥	11 1	壬午	10 2	壬子	9 3	癸未	二十
1 29	辛亥	12 31	壬午	12 1	壬子	11 2	癸未	10 3	癸丑	9 4	甲申	廿一
1 30	壬子	1 1	癸未	12 2	癸丑	11 3	甲申	10 4	甲寅	9 5	乙酉	廿二
1 31	癸丑	1 2	甲申	12 3	甲寅	11 4	乙酉	10 5	乙卯	9 6	丙戌	廿三
2 1	甲寅	1 3	乙酉	12 4	乙卯	11 5	丙戌	10 6	丙辰	9 7	丁亥	廿四
2 2	乙卯	1 4	丙戌	12 5	丙辰	11 6	丁亥	10 7	丁巳	9 8	戊子	廿五
2 3	丙辰	1 5	丁亥	12 6	丁巳	11 7	戊子	10 8	戊午	9 9	己丑	廿六
2 4	丁巳	1 6	戊子	12 7	戊午	11 8	己丑	10 9	己未	9 10	庚寅	廿七
2 5	戊午	1 7	己丑	12 8	己未	11 9	庚寅	10 10	庚申	9 11	辛卯	廿八
2 6	己未	1 8	庚寅	12 9	庚申	11 10	辛卯	10 11	辛酉	9 12	壬辰	廿九
2 7	庚申			12 10	辛酉			10 12	壬戌			三十

一九五九年　歲次己亥（肖豬）　太歲姓謝名壽　年星五黃

六月小		五月大		四月小		三月大		二月大		正月小		月別
辛未		庚午		己巳		戊辰		丁卯		丙寅		干支
六白		七赤		八白		九紫		一白		二黑		九星

節氣：
- 大暑 22時46分 十八亥時
- 小暑 5時21分 初三卯時
- 夏至 11時51分 十七午時
- 芒種 19時1分 初一戌時
- 小滿 3時43分 十五寅時
- 立夏 14時39分 廿九未時
- 穀雨 4時17分 十四寅時
- 清明 21時4分 廿八亥時
- 春分 16時55分 十三申時
- 驚蟄 15時57分 廿七申時
- 雨水 17時38分 十二酉時

西曆	干支	西曆	干支	西曆	干支	西曆	干支	西曆	干支	西曆	干支	農曆
7 6	己丑	6 6	己未	5 8	庚寅	4 8	庚申	3 9	庚寅	2 8	辛酉	初一
7 7	庚寅	6 7	庚申	5 9	辛卯	4 9	辛酉	3 10	辛卯	2 9	壬戌	初二
7 8	辛卯	6 8	辛酉	5 10	壬辰	4 10	壬戌	3 11	壬辰	2 10	癸亥	初三
7 9	壬辰	6 9	壬戌	5 11	癸巳	4 11	癸亥	3 12	癸巳	2 11	甲子	初四
7 10	癸巳	6 10	癸亥	5 12	甲午	4 12	甲子	3 13	甲午	2 12	乙丑	初五
7 11	甲午	6 11	甲子	5 13	乙未	4 13	乙丑	3 14	乙未	2 13	丙寅	初六
7 12	乙未	6 12	乙丑	5 14	丙申	4 14	丙寅	3 15	丙申	2 14	丁卯	初七
7 13	丙申	6 13	丙寅	5 15	丁酉	4 15	丁卯	3 16	丁酉	2 15	戊辰	初八
7 14	丁酉	6 14	丁卯	5 16	戊戌	4 16	戊辰	3 17	戊戌	2 16	己巳	初九
7 15	戊戌	6 15	戊辰	5 17	己亥	4 17	己巳	3 18	己亥	2 17	庚午	初十
7 16	己亥	6 16	己巳	5 18	庚子	4 18	庚午	3 19	庚子	2 18	辛未	十一
7 17	庚子	6 17	庚午	5 19	辛丑	4 19	辛未	3 20	辛丑	2 19	壬申	十二
7 18	辛丑	6 18	辛未	5 20	壬寅	4 20	壬申	3 21	壬寅	2 20	癸酉	十三
7 19	壬寅	6 19	壬申	5 21	癸卯	4 21	癸酉	3 22	癸卯	2 21	甲戌	十四
7 20	癸卯	6 20	癸酉	5 22	甲辰	4 22	甲戌	3 23	甲辰	2 22	乙亥	十五
7 21	甲辰	6 21	甲戌	5 23	乙巳	4 23	乙亥	3 24	乙巳	2 23	丙子	十六
7 22	乙巳	6 22	乙亥	5 24	丙午	4 24	丙子	3 25	丙午	2 24	丁丑	十七
7 23	丙午	6 23	丙子	5 25	丁未	4 25	丁丑	3 26	丁未	2 25	戊寅	十八
7 24	丁未	6 24	丁丑	5 26	戊申	4 26	戊寅	3 27	戊申	2 26	己卯	十九
7 25	戊申	6 25	戊寅	5 27	己酉	4 27	己卯	3 28	己酉	2 27	庚辰	二十
7 26	己酉	6 26	己卯	5 28	庚戌	4 28	庚辰	3 29	庚戌	2 28	辛巳	廿一
7 27	庚戌	6 27	庚辰	5 29	辛亥	4 29	辛巳	3 30	辛亥	3 1	壬午	廿二
7 28	辛亥	6 28	辛巳	5 30	壬子	4 30	壬午	3 31	壬子	3 2	癸未	廿三
7 29	壬子	6 29	壬午	5 31	癸丑	5 1	癸未	4 1	癸丑	3 3	甲申	廿四
7 30	癸丑	6 30	癸未	6 1	甲寅	5 2	甲申	4 2	甲寅	3 4	乙酉	廿五
7 31	甲寅	7 1	甲申	6 2	乙卯	5 3	乙酉	4 3	乙卯	3 5	丙戌	廿六
8 1	乙卯	7 2	乙酉	6 3	丙辰	5 4	丙戌	4 4	丙辰	3 6	丁亥	廿七
8 2	丙辰	7 3	丙戌	6 4	丁巳	5 5	丁亥	4 5	丁巳	3 7	戊子	廿八
8 3	丁巳	7 4	丁亥	6 5	戊午	5 6	戊子	4 6	戊午	3 8	己丑	廿九
		7 5	戊子			5 7	己丑	4 7	己未			三十

070

十二月小		十一月大		十月小		九月大		八月小		七月大		月別
丁丑		丙子		乙亥		甲戌		癸酉		壬申		干支
九紫		一白		二黑		三碧		四綠		五黃		九星
大寒	小寒	冬至	大雪	小雪	立冬	霜降	寒露	秋分	白露	處暑	立秋	
9時10分 廿三巳時	15時43分 初八申時	22時35分 廿三亥時	4時38分 初九寅時	9時28分 廿三巳時	12時3分 初八午時	12時12分 廿三午時	9時11分 初八巳時	3時9分 廿二寅時	17時49分 初六酉時	5時44分 廿一卯時	15時5分 初五申時	節氣
西曆	**干支**	**西曆**	**干支**	**西曆**	**干支**	**西曆**	**干支**	**西曆**	**干支**	**西曆**	**干支**	**農曆**
12 30	丙戌	11 30	丙辰	11 1	丁亥	10 2	丁巳	9 3	戊子	8 4	戊午	初一
12 31	丁亥	12 1	丁巳	11 2	戊子	10 3	戊午	9 4	己丑	8 5	己未	初二
1 1	戊子	12 2	戊午	11 3	己丑	10 4	己未	9 5	庚寅	8 6	庚申	初三
1 2	己丑	12 3	己未	11 4	庚寅	10 5	庚申	9 6	辛卯	8 7	辛酉	初四
1 3	庚寅	12 4	庚申	11 5	辛卯	10 6	辛酉	9 7	壬辰	8 8	**壬戌**	初五
1 4	辛卯	12 5	辛酉	11 6	壬辰	10 7	壬戌	9 8	**癸巳**	8 9	癸亥	初六
1 5	壬辰	12 6	壬戌	11 7	癸巳	10 8	癸亥	9 9	甲午	8 10	甲子	初七
1 6	**癸巳**	12 7	癸亥	11 8	**甲午**	10 9	**甲子**	9 10	乙未	8 11	乙丑	初八
1 7	甲午	12 8	**甲子**	11 9	乙未	10 10	乙丑	9 11	丙申	8 12	丙寅	初九
1 8	乙未	12 9	乙丑	11 10	丙申	10 11	丙寅	9 12	丁酉	8 13	丁卯	初十
1 9	丙申	12 10	丙寅	11 11	丁酉	10 12	丁卯	9 13	戊戌	8 14	戊辰	十一
1 10	丁酉	12 11	丁卯	11 12	戊戌	10 13	戊辰	9 14	己亥	8 15	己巳	十二
1 11	戊戌	12 12	戊辰	11 13	己亥	10 14	己巳	9 15	庚子	8 16	庚午	十三
1 12	己亥	12 13	己巳	11 14	庚子	10 15	庚午	9 16	辛丑	8 17	辛未	十四
1 13	庚子	12 14	庚午	11 15	辛丑	10 16	辛未	9 17	壬寅	8 18	壬申	十五
1 14	辛丑	12 15	辛未	11 16	壬寅	10 17	壬申	9 18	癸卯	8 19	癸酉	十六
1 15	壬寅	12 16	壬申	11 17	癸卯	10 18	癸酉	9 19	甲辰	8 20	甲戌	十七
1 16	癸卯	12 17	癸酉	11 18	甲辰	10 19	甲戌	9 20	乙巳	8 21	乙亥	十八
1 17	甲辰	12 18	甲戌	11 19	乙巳	10 20	乙亥	9 21	丙午	8 22	丙子	十九
1 18	乙巳	12 19	乙亥	11 20	丙午	10 21	丙子	9 22	丁未	8 23	丁丑	二十
1 19	丙午	12 20	丙子	11 21	丁未	10 22	丁丑	9 23	戊申	8 24	**戊寅**	廿一
1 20	丁未	12 21	丁丑	11 22	戊申	10 23	戊寅	9 24	**己酉**	8 25	己卯	廿二
1 21	**戊申**	12 22	**戊寅**	11 23	**己酉**	10 24	**己卯**	9 25	庚戌	8 26	庚辰	廿三
1 22	己酉	12 23	己卯	11 24	庚戌	10 25	庚辰	9 26	辛亥	8 27	辛巳	廿四
1 23	庚戌	12 24	庚辰	11 25	辛亥	10 26	辛巳	9 27	壬子	8 28	壬午	廿五
1 24	辛亥	12 25	辛巳	11 26	壬子	10 27	壬午	9 28	癸丑	8 29	癸未	廿六
1 25	壬子	12 26	壬午	11 27	癸丑	10 28	癸未	9 29	甲寅	8 30	甲申	廿七
1 26	癸丑	12 27	癸未	11 28	甲寅	10 29	甲申	9 30	乙卯	8 31	乙酉	廿八
1 27	甲寅	12 28	甲申	11 29	乙卯	10 30	乙酉	10 1	丙辰	9 1	丙戌	廿九
		12 29	乙酉			10 31	丙戌			9 2	丁亥	三十

一九六〇年

歲次庚子（肖鼠）

太歲姓虞名起

年星四綠

六月大		五月大		四月小		三月大		二月小		正月大		月別
癸未		壬午		辛巳		庚辰		己卯		戊寅		干支
三碧		四綠		五黃		六白		七赤		八白		九星
大暑	小暑	夏至	芒種	小滿	立夏	穀雨	清明	春分	驚蟄	雨水	立春	節氣
三十寅時 4時38分	十四午時 11時13分	廿八酉時 17時42分	十三早子 0時49分	廿六巳時 9時34分	初十戌時 20時23分	廿五巳時 10時6分	初十丑時 2時44分	廿三亥時 22時43分	初八亥時 21時36分	廿三夜子 23時26分	初九寅時 3時23分	
西曆	干支	西曆	干支	西曆	干支	西曆	干支	西曆	干支	西曆	干支	農曆
6 24	癸未	5 25	癸丑	4 26	甲申	3 27	甲寅	2 27	乙酉	1 28	乙卯	初一
6 25	甲申	5 26	甲寅	4 27	乙酉	3 28	乙卯	2 28	丙戌	1 29	丙辰	初二
6 26	乙酉	5 27	乙卯	4 28	丙戌	3 29	丙辰	2 29	丁亥	1 30	丁巳	初三
6 27	丙戌	5 28	丙辰	4 29	丁亥	3 30	丁巳	3 1	戊子	1 31	戊午	初四
6 28	丁亥	5 29	丁巳	4 30	戊子	3 31	戊午	3 2	己丑	2 1	己未	初五
6 29	戊子	5 30	戊午	5 1	己丑	4 1	己未	3 3	庚寅	2 2	庚申	初六
6 30	己丑	5 31	己未	5 2	庚寅	4 2	庚申	3 4	辛卯	2 3	辛酉	初七
7 1	庚寅	6 1	庚申	5 3	辛卯	4 3	辛酉	3 5	**壬辰**	2 4	壬戌	初八
7 2	辛卯	6 2	辛酉	5 4	壬辰	4 4	壬戌	3 6	癸巳	2 5	**癸亥**	初九
7 3	壬辰	6 3	壬戌	5 5	**癸巳**	4 5	**癸亥**	3 7	甲午	2 6	甲子	初十
7 4	癸巳	6 4	癸亥	5 6	甲午	4 6	甲子	3 8	乙未	2 7	乙丑	十一
7 5	甲午	6 5	甲子	5 7	乙未	4 7	乙丑	3 9	丙申	2 8	丙寅	十二
7 6	乙未	6 6	**乙丑**	5 8	丙申	4 8	丙寅	3 10	丁酉	2 9	丁卯	十三
7 7	**丙申**	6 7	丙寅	5 9	丁酉	4 9	丁卯	3 11	戊戌	2 10	戊辰	十四
7 8	丁酉	6 8	丁卯	5 10	戊戌	4 10	戊辰	3 12	己亥	2 11	己巳	十五
7 9	戊戌	6 9	戊辰	5 11	己亥	4 11	己巳	3 13	庚子	2 12	庚午	十六
7 10	己亥	6 10	己巳	5 12	庚子	4 12	庚午	3 14	辛丑	2 13	辛未	十七
7 11	庚子	6 11	庚午	5 13	辛丑	4 13	辛未	3 15	壬寅	2 14	壬申	十八
7 12	辛丑	6 12	辛未	5 14	壬寅	4 14	壬申	3 16	癸卯	2 15	癸酉	十九
7 13	壬寅	6 13	壬申	5 15	癸卯	4 15	癸酉	3 17	甲辰	2 16	甲戌	二十
7 14	癸卯	6 14	癸酉	5 16	甲辰	4 16	甲戌	3 18	乙巳	2 17	乙亥	廿一
7 15	甲辰	6 15	甲戌	5 17	乙巳	4 17	乙亥	3 19	丙午	2 18	丙子	廿二
7 16	乙巳	6 16	乙亥	5 18	丙午	4 18	丙子	3 20	**丁未**	2 19	**丁丑**	廿三
7 17	丙午	6 17	丙子	5 19	丁未	4 19	丁丑	3 21	戊申	2 20	戊寅	廿四
7 18	丁未	6 18	丁丑	5 20	戊申	4 20	**戊寅**	3 22	己酉	2 21	己卯	廿五
7 19	戊申	6 19	戊寅	5 21	**己酉**	4 21	己卯	3 23	庚戌	2 22	庚辰	廿六
7 20	己酉	6 20	己卯	5 22	庚戌	4 22	庚辰	3 24	辛亥	2 23	辛巳	廿七
7 21	庚戌	6 21	**庚辰**	5 23	辛亥	4 23	辛巳	3 25	壬子	2 24	壬午	廿八
7 22	辛亥	6 22	辛巳	5 24	壬子	4 24	壬午	3 26	癸丑	2 25	癸未	廿九
7 23	**壬子**	6 23	壬午			4 25	癸未			2 26	甲申	三十

十二月小		十一月大		十月小		九月大		八月小		七月大		閏六月小		月別
己丑		戊子		丁亥		丙戌		乙酉		甲申				干支
六白		七赤		八白		九紫		一白		二黑				九星
立春	大寒	小寒	冬至	大雪	小雪	立冬	霜降	寒露	秋分	白露	處暑		立秋	
十九巳時 9時23分	初四申時 15時1分	十九亥時 21時43分	初五寅時 4時26分	十九巳時 10時38分	初四申時 15時18分	十九酉時 18時2分	初四酉時 18時2分	十八申時 15時9分	初三辰時 8時59分	十七夜子 23時46分	初二午時 11時35分		十五亥時 21時0分	節氣
西曆	干支	西曆	干支	西曆	干支	西曆	干支	西曆	干支	西曆	干支	西曆	干支	農曆
1 17	庚戌	12 18	庚辰	11 19	辛亥	10 20	辛巳	9 21	壬子	8 22	壬午	7 24	癸丑	初一
1 18	辛亥	12 19	辛巳	11 20	壬子	10 21	壬午	9 22	癸丑	8 23	**癸未**	7 25	甲寅	初二
1 19	壬子	12 20	壬午	11 21	癸丑	10 22	癸未	9 23	**甲寅**	8 24	甲申	7 26	乙卯	初三
1 20	**癸丑**	12 21	癸未	11 22	**甲寅**	10 23	**甲申**	9 24	乙卯	8 25	乙酉	7 27	丙辰	初四
1 21	甲寅	12 22	**甲申**	11 23	乙卯	10 24	乙酉	9 25	丙辰	8 26	丙戌	7 28	丁巳	初五
1 22	乙卯	12 23	乙酉	11 24	丙辰	10 25	丙戌	9 26	丁巳	8 27	丁亥	7 29	戊午	初六
1 23	丙辰	12 24	丙戌	11 25	丁巳	10 26	丁亥	9 27	戊午	8 28	戊子	7 30	己未	初七
1 24	丁巳	12 25	丁亥	11 26	戊午	10 27	戊子	9 28	己未	8 29	己丑	7 31	庚申	初八
1 25	戊午	12 26	戊子	11 27	己未	10 28	己丑	9 29	庚申	8 30	庚寅	8 1	辛酉	初九
1 26	己未	12 27	己丑	11 28	庚申	10 29	庚寅	9 30	辛酉	8 31	辛卯	8 2	壬戌	初十
1 27	庚申	12 28	庚寅	11 29	辛酉	10 30	辛卯	10 1	壬戌	9 1	壬辰	8 3	癸亥	十一
1 28	辛酉	12 29	辛卯	11 30	壬戌	10 31	壬辰	10 2	癸亥	9 2	癸巳	8 4	甲子	十二
1 29	壬戌	12 30	壬辰	12 1	癸亥	11 1	癸巳	10 3	甲子	9 3	甲午	8 5	乙丑	十三
1 30	癸亥	12 31	癸巳	12 2	甲子	11 2	甲午	10 4	乙丑	9 4	乙未	8 6	丙寅	十四
1 31	甲子	1 1	甲午	12 3	乙丑	11 3	乙未	10 5	丙寅	9 5	丙申	8 7	**丁卯**	十五
2 1	乙丑	1 2	乙未	12 4	丙寅	11 4	丙申	10 6	丁卯	9 6	丁酉	8 8	戊辰	十六
2 2	丙寅	1 3	丙申	12 5	丁卯	11 5	丁酉	10 7	戊辰	9 7	**戊戌**	8 9	己巳	十七
2 3	丁卯	1 4	丁酉	12 6	戊辰	11 6	戊戌	10 8	**己巳**	9 8	己亥	8 10	庚午	十八
2 4	**戊辰**	1 5	**戊戌**	12 7	**己巳**	11 7	**己亥**	10 9	庚午	9 9	庚子	8 11	辛未	十九
2 5	己巳	1 6	己亥	12 8	庚午	11 8	庚子	10 10	辛未	9 10	辛丑	8 12	壬申	二十
2 6	庚午	1 7	庚子	12 9	辛未	11 9	辛丑	10 11	壬申	9 11	壬寅	8 13	癸酉	廿一
2 7	辛未	1 8	辛丑	12 10	壬申	11 10	壬寅	10 12	癸酉	9 12	癸卯	8 14	甲戌	廿二
2 8	壬申	1 9	壬寅	12 11	癸酉	11 11	癸卯	10 13	甲戌	9 13	甲辰	8 15	乙亥	廿三
2 9	癸酉	1 10	癸卯	12 12	甲戌	11 12	甲辰	10 14	乙亥	9 14	乙巳	8 16	丙子	廿四
2 10	甲戌	1 11	甲辰	12 13	乙亥	11 13	乙巳	10 15	丙子	9 15	丙午	8 17	丁丑	廿五
2 11	乙亥	1 12	乙巳	12 14	丙子	11 14	丙午	10 16	丁丑	9 16	丁未	8 18	戊寅	廿六
2 12	丙子	1 13	丙午	12 15	丁丑	11 15	丁未	10 17	戊寅	9 17	戊申	8 19	己卯	廿七
2 13	丁丑	1 14	丁未	12 16	戊寅	11 16	戊申	10 18	己卯	9 18	己酉	8 20	庚辰	廿八
2 14	戊寅	1 15	戊申	12 17	己卯	11 17	己酉	10 19	庚辰	9 19	庚戌	8 21	辛巳	廿九
		1 16	己酉			11 18	庚戌			9 20	辛亥			三十

一九六一年

歲次辛丑（肖牛）

太歲姓湯名信

年星三碧

六月小		五月大		四月小		三月大		二月小		正月大		月別
乙未		甲午		癸巳		壬辰		辛卯		庚寅		干支
九紫		一白		二黑		三碧		四綠		五黃		九星
立秋	大暑	小暑	夏至	芒種	小滿	立夏	穀雨	清明	春分	驚蟄	雨水	節氣
廿七丑時 2時49分	十一巳時 10時24分	廿五酉時 17時7分	初九夜子 23時30分	廿三卯時 6時46分	初七申時 15時22分	廿二丑時 2時21分	初六申時 15時55分	二十辰時 8時42分	初五寅時 4時32分	二十寅時 3時35分	初五卯時 5時17分	
西曆	干支	西曆	干支	西曆	干支	西曆	干支	西曆	干支	西曆	干支	農曆
7 13	丁未	6 13	丁丑	5 15	戊申	4 15	戊寅	3 17	己酉	2 15	己卯	初一
7 14	戊申	6 14	戊寅	5 16	己酉	4 16	己卯	3 18	庚戌	2 16	庚辰	初二
7 15	己酉	6 15	己卯	5 17	庚戌	4 17	庚辰	3 19	辛亥	2 17	辛巳	初三
7 16	庚戌	6 16	庚辰	5 18	辛亥	4 18	辛巳	3 20	壬子	2 18	壬午	初四
7 17	辛亥	6 17	辛巳	5 19	壬子	4 19	壬午	3 21	**癸丑**	2 19	**癸未**	初五
7 18	壬子	6 18	壬午	5 20	癸丑	4 20	**癸未**	3 22	甲寅	2 20	甲申	初六
7 19	癸丑	6 19	癸未	5 21	**甲寅**	4 21	甲申	3 23	乙卯	2 21	乙酉	初七
7 20	甲寅	6 20	甲申	5 22	乙卯	4 22	乙酉	3 24	丙辰	2 22	丙戌	初八
7 21	乙卯	6 21	**乙酉**	5 23	丙辰	4 23	丙戌	3 25	丁巳	2 23	丁亥	初九
7 22	丙辰	6 22	丙戌	5 24	丁巳	4 24	丁亥	3 26	戊午	2 24	戊子	初十
7 23	**丁巳**	6 23	丁亥	5 25	戊午	4 25	戊子	3 27	己未	2 25	己丑	十一
7 24	戊午	6 24	戊子	5 26	己未	4 26	己丑	3 28	庚申	2 26	庚寅	十二
7 25	己未	6 25	己丑	5 27	庚申	4 27	庚寅	3 29	辛酉	2 27	辛卯	十三
7 26	庚申	6 26	庚寅	5 28	辛酉	4 28	辛卯	3 30	壬戌	2 28	壬辰	十四
7 27	辛酉	6 27	辛卯	5 29	壬戌	4 29	壬辰	3 31	癸亥	3 1	癸巳	十五
7 28	壬戌	6 28	壬辰	5 30	癸亥	4 30	癸巳	4 1	甲子	3 2	甲午	十六
7 29	癸亥	6 29	癸巳	5 31	甲子	5 1	甲午	4 2	乙丑	3 3	乙未	十七
7 30	甲子	6 30	甲午	6 1	乙丑	5 2	乙未	4 3	丙寅	3 4	丙申	十八
7 31	乙丑	7 1	乙未	6 2	丙寅	5 3	丙申	4 4	丁卯	3 5	丁酉	十九
8 1	丙寅	7 2	丙申	6 3	丁卯	5 4	丁酉	4 5	**戊辰**	3 6	**戊戌**	二十
8 2	丁卯	7 3	丁酉	6 4	戊辰	5 5	戊戌	4 6	己巳	3 7	己亥	廿一
8 3	戊辰	7 4	戊戌	6 5	己巳	5 6	**己亥**	4 7	庚午	3 8	庚子	廿二
8 4	己巳	7 5	己亥	6 6	**庚午**	5 7	庚子	4 8	辛未	3 9	辛丑	廿三
8 5	庚午	7 6	庚子	6 7	辛未	5 8	辛丑	4 9	壬申	3 10	壬寅	廿四
8 6	辛未	7 7	**辛丑**	6 8	壬申	5 9	壬寅	4 10	癸酉	3 11	癸卯	廿五
8 7	壬申	7 8	壬寅	6 9	癸酉	5 10	癸卯	4 11	甲戌	3 12	甲辰	廿六
8 8	**癸酉**	7 9	癸卯	6 10	甲戌	5 11	甲辰	4 12	乙亥	3 13	乙巳	廿七
8 9	甲戌	7 10	甲辰	6 11	乙亥	5 12	乙巳	4 13	丙子	3 14	丙午	廿八
8 10	乙亥	7 11	乙巳	6 12	丙子	5 13	丙午	4 14	丁丑	3 15	丁未	廿九
		7 12	丙午			5 14	丁未			3 16	戊申	三十

074

十二月大		十一月小		十月大		九月小		八月大		七月大		月別
辛丑		庚子		己亥		戊戌		丁酉		丙申		干支
三碧		四綠		五黃		六白		七赤		八白		九星
立春	大寒	小寒	冬至	大雪	小雪	立冬	霜降	寒露	秋分	白露	處暑	節氣
15時18分 三十申時	20時58分 十五戌時	3時35分 十二月初一寅時	10時20分 十五巳時	16時26分 三十申時	21時8分 十五亥時	23時46分 廿九夜子	23時47分 十四夜子	20時51分 廿九戌時	14時43分 十四未時	5時29分 廿九卯時	17時19分 十三酉時	
西曆	**干支**	**西曆**	**干支**	**西曆**	**干支**	**西曆**	**干支**	**西曆**	**干支**	**西曆**	**干支**	**農曆**
1 6	**甲辰**	12 8	乙亥	11 8	乙巳	10 10	丙子	9 10	丙午	8 11	丙子	初一
1 7	乙巳	12 9	丙子	11 9	丙午	10 11	丁丑	9 11	丁未	8 12	丁丑	初二
1 8	丙午	12 10	丁丑	11 10	丁未	10 12	戊寅	9 12	戊申	8 13	戊寅	初三
1 9	丁未	12 11	戊寅	11 11	戊申	10 13	己卯	9 13	己酉	8 14	己卯	初四
1 10	戊申	12 12	己卯	11 12	己酉	10 14	庚辰	9 14	庚戌	8 15	庚辰	初五
1 11	己酉	12 13	庚辰	11 13	庚戌	10 15	辛巳	9 15	辛亥	8 16	辛巳	初六
1 12	庚戌	12 14	辛巳	11 14	辛亥	10 16	壬午	9 16	壬子	8 17	壬午	初七
1 13	辛亥	12 15	壬午	11 15	壬子	10 17	癸未	9 17	癸丑	8 18	癸未	初八
1 14	壬子	12 16	癸未	11 16	癸丑	10 18	甲申	9 18	甲寅	8 19	甲申	初九
1 15	癸丑	12 17	甲申	11 17	甲寅	10 19	乙酉	9 19	乙卯	8 20	乙酉	初十
1 16	甲寅	12 18	乙酉	11 18	乙卯	10 20	丙戌	9 20	丙辰	8 21	丙戌	十一
1 17	乙卯	12 19	丙戌	11 19	丙辰	10 21	丁亥	9 21	丁巳	8 22	丁亥	十二
1 18	丙辰	12 20	丁亥	11 20	丁巳	10 22	戊子	9 22	戊午	8 23	**戊子**	十三
1 19	丁巳	12 21	戊子	11 21	戊午	10 23	**己丑**	9 23	**己未**	8 24	己丑	十四
1 20	**戊午**	12 22	**己丑**	11 22	**己未**	10 24	庚寅	9 24	庚申	8 25	庚寅	十五
1 21	己未	12 23	庚寅	11 23	庚申	10 25	辛卯	9 25	辛酉	8 26	辛卯	十六
1 22	庚申	12 24	辛卯	11 24	辛酉	10 26	壬辰	9 26	壬戌	8 27	壬辰	十七
1 23	辛酉	12 25	壬辰	11 25	壬戌	10 27	癸巳	9 27	癸亥	8 28	癸巳	十八
1 24	壬戌	12 26	癸巳	11 26	癸亥	10 28	甲午	9 28	甲子	8 29	甲午	十九
1 25	癸亥	12 27	甲午	11 27	甲子	10 29	乙未	9 29	乙丑	8 30	乙未	二十
1 26	甲子	12 28	乙未	11 28	乙丑	10 30	丙申	9 30	丙寅	8 31	丙申	廿一
1 27	乙丑	12 29	丙申	11 29	丙寅	10 31	丁酉	10 1	丁卯	9 1	丁酉	廿二
1 28	丙寅	12 30	丁酉	11 30	丁卯	11 1	戊戌	10 2	戊辰	9 2	戊戌	廿三
1 29	丁卯	12 31	戊戌	12 1	戊辰	11 2	己亥	10 3	己巳	9 3	己亥	廿四
1 30	戊辰	1 1	己亥	12 2	己巳	11 3	庚子	10 4	庚午	9 4	庚子	廿五
1 31	己巳	1 2	庚子	12 3	庚午	11 4	辛丑	10 5	辛未	9 5	辛丑	廿六
2 1	庚午	1 3	辛丑	12 4	辛未	11 5	壬寅	10 6	壬申	9 6	壬寅	廿七
2 2	辛未	1 4	壬寅	12 5	壬申	11 6	癸卯	10 7	癸酉	9 7	癸卯	廿八
2 3	壬申	1 5	癸卯	12 6	癸酉	11 7	**甲辰**	10 8	**甲戌**	9 8	**甲辰**	廿九
2 4	**癸酉**			12 7	**甲戌**			10 9	乙亥	9 9	乙巳	三十

六月小		五月大		四月小		三月小		二月大		正月小		月別
丁未		丙午		乙巳		甲辰		癸卯		壬寅		干支
六白		七赤		八白		九紫		一白		二黑		九星
大暑 16時18分 廿二申	小暑 22時51分 初六亥	夏至 5時24分 廿一卯	芒種 12時31分 初五午	小滿 21時17分 十八亥	立夏 8時10分 初三辰	穀雨 21時51分 十六亥	清明 14時34分 初一未	春分 10時30分 十六巳	驚蟄 9時30分 初一巳		雨水 11時15分 十五午	節氣
西曆	干支	西曆	干支	西曆	干支	西曆	干支	西曆	干支	西曆	干支	農曆
7 2	辛丑	6 2	辛未	5 4	壬寅	4 5	癸酉	3 6	癸卯	2 5	甲戌	初一
7 3	壬寅	6 3	壬申	5 5	癸卯	4 6	甲戌	3 7	甲辰	2 6	乙亥	初二
7 4	癸卯	6 4	癸酉	5 6	甲辰	4 7	乙亥	3 8	乙巳	2 7	丙子	初三
7 5	甲辰	6 5	甲戌	5 7	乙巳	4 8	丙子	3 9	丙午	2 8	丁丑	初四
7 6	乙巳	6 6	乙亥	5 8	丙午	4 9	丁丑	3 10	丁未	2 9	戊寅	初五
7 7	丙午	6 7	丙子	5 9	丁未	4 10	戊寅	3 11	戊申	2 10	己卯	初六
7 8	丁未	6 8	丁丑	5 10	戊申	4 11	己卯	3 12	己酉	2 11	庚辰	初七
7 9	戊申	6 9	戊寅	5 11	己酉	4 12	庚辰	3 13	庚戌	2 12	辛巳	初八
7 10	己酉	6 10	己卯	5 12	庚戌	4 13	辛巳	3 14	辛亥	2 13	壬午	初九
7 11	庚戌	6 11	庚辰	5 13	辛亥	4 14	壬午	3 15	壬子	2 14	癸未	初十
7 12	辛亥	6 12	辛巳	5 14	壬子	4 15	癸未	3 16	癸丑	2 15	甲申	十一
7 13	壬子	6 13	壬午	5 15	癸丑	4 16	甲申	3 17	甲寅	2 16	乙酉	十二
7 14	癸丑	6 14	癸未	5 16	甲寅	4 17	乙酉	3 18	乙卯	2 17	丙戌	十三
7 15	甲寅	6 15	甲申	5 17	乙卯	4 18	丙戌	3 19	丙辰	2 18	丁亥	十四
7 16	乙卯	6 16	乙酉	5 18	丙辰	4 19	丁亥	3 20	丁巳	2 19	戊子	十五
7 17	丙辰	6 17	丙戌	5 19	丁巳	4 20	戊子	3 21	戊午	2 20	己丑	十六
7 18	丁巳	6 18	丁亥	5 20	戊午	4 21	己丑	3 22	己未	2 21	庚寅	十七
7 19	戊午	6 19	戊子	5 21	己未	4 22	庚寅	3 23	庚申	2 22	辛卯	十八
7 20	己未	6 20	己丑	5 22	庚申	4 23	辛卯	3 24	辛酉	2 23	壬辰	十九
7 21	庚申	6 21	庚寅	5 23	辛酉	4 24	壬辰	3 25	壬戌	2 24	癸巳	二十
7 22	辛酉	6 22	辛卯	5 24	壬戌	4 25	癸巳	3 26	癸亥	2 25	甲午	廿一
7 23	壬戌	6 23	壬辰	5 25	癸亥	4 26	甲午	3 27	甲子	2 26	乙未	廿二
7 24	癸亥	6 24	癸巳	5 26	甲子	4 27	乙未	3 28	乙丑	2 27	丙申	廿三
7 25	甲子	6 25	甲午	5 27	乙丑	4 28	丙申	3 29	丙寅	2 28	丁酉	廿四
7 26	乙丑	6 26	乙未	5 28	丙寅	4 29	丁酉	3 30	丁卯	3 1	戊戌	廿五
7 27	丙寅	6 27	丙申	5 29	丁卯	4 30	戊戌	3 31	戊辰	3 2	己亥	廿六
7 28	丁卯	6 28	丁酉	5 30	戊辰	5 1	己亥	4 1	己巳	3 3	庚子	廿七
7 29	戊辰	6 29	戊戌	5 31	己巳	5 2	庚子	4 2	庚午	3 4	辛丑	廿八
7 30	己巳	6 30	己亥	6 1	庚午	5 3	辛丑	4 3	辛未	3 5	壬寅	廿九
		7 1	庚子					4 4	壬申			三十

一九六二年

歲次壬寅（肖虎）

太歲姓賀名諤

年星二黑

十二月小		十一月大		十月大		九月小		八月大		七月大		月別
癸丑		壬子		辛亥		庚戌		己酉		戊申		干支
九紫		一白		二黑		三碧		四綠		五黃		九星
大寒	小寒	冬至	大雪	小雪	立冬	霜降	寒露	秋分	白露	處暑	立秋	節氣
廿六 2時54分 丑時	十一 9時27分 巳時	廿六 16時15分 申時	十一 22時17分 亥時	廿七 3時3分 寅時	十二 5時35分 卯時	廿六 5時40分 卯時	十一 2時38分 丑時	廿五 20時35分 戌時	初十 11時16分 午時	廿四 23時13分 夜子	初九 8時34分 辰時	
西曆	**干支**	**西曆**	**干支**	**西曆**	**干支**	**西曆**	**干支**	**西曆**	**干支**	**西曆**	**干支**	**農曆**
12 27	己亥	11 27	己巳	10 28	己亥	9 29	庚午	8 30	庚子	7 31	庚午	初一
12 28	庚子	11 28	庚午	10 29	庚子	9 30	辛未	8 31	辛丑	8 1	辛未	初二
12 29	辛丑	11 29	辛未	10 30	辛丑	10 1	壬申	9 1	壬寅	8 2	壬申	初三
12 30	壬寅	11 30	壬申	10 31	壬寅	10 2	癸酉	9 2	癸卯	8 3	癸酉	初四
12 31	癸卯	12 1	癸酉	11 1	癸卯	10 3	甲戌	9 3	甲辰	8 4	甲戌	初五
1 1	甲辰	12 2	甲戌	11 2	甲辰	10 4	乙亥	9 4	乙巳	8 5	乙亥	初六
1 2	乙巳	12 3	乙亥	11 3	乙巳	10 5	丙子	9 5	丙午	8 6	丙子	初七
1 3	丙午	12 4	丙子	11 4	丙午	10 6	丁丑	9 6	丁未	8 7	丁丑	初八
1 4	丁未	12 5	丁丑	11 5	丁未	10 7	戊寅	9 7	戊申	8 8	**戊寅**	初九
1 5	戊申	12 6	戊寅	11 6	戊申	10 8	己卯	9 8	**己酉**	8 9	己卯	初十
1 6	**己酉**	12 7	**己卯**	11 7	己酉	10 9	**庚辰**	9 9	庚戌	8 10	庚辰	十一
1 7	庚戌	12 8	庚辰	11 8	**庚戌**	10 10	辛巳	9 10	辛亥	8 11	辛巳	十二
1 8	辛亥	12 9	辛巳	11 9	辛亥	10 11	壬午	9 11	壬子	8 12	壬午	十三
1 9	壬子	12 10	壬午	11 10	壬子	10 12	癸未	9 12	癸丑	8 13	癸未	十四
1 10	癸丑	12 11	癸未	11 11	癸丑	10 13	甲申	9 13	甲寅	8 14	甲申	十五
1 11	甲寅	12 12	甲申	11 12	甲寅	10 14	乙酉	9 14	乙卯	8 15	乙酉	十六
1 12	乙卯	12 13	乙酉	11 13	乙卯	10 15	丙戌	9 15	丙辰	8 16	丙戌	十七
1 13	丙辰	12 14	丙戌	11 14	丙辰	10 16	丁亥	9 16	丁巳	8 17	丁亥	十八
1 14	丁巳	12 15	丁亥	11 15	丁巳	10 17	戊子	9 17	戊午	8 18	戊子	十九
1 15	戊午	12 16	戊子	11 16	戊午	10 18	己丑	9 18	己未	8 19	己丑	二十
1 16	己未	12 17	己丑	11 17	己未	10 19	庚寅	9 19	庚申	8 20	庚寅	廿一
1 17	庚申	12 18	庚寅	11 18	庚申	10 20	辛卯	9 20	辛酉	8 21	辛卯	廿二
1 18	辛酉	12 19	辛卯	11 19	辛酉	10 21	壬辰	9 21	壬戌	8 22	壬辰	廿三
1 19	壬戌	12 20	壬辰	11 20	壬戌	10 22	癸巳	9 22	癸亥	8 23	**癸巳**	廿四
1 20	癸亥	12 21	癸巳	11 21	癸亥	10 23	甲午	9 23	**甲子**	8 24	甲午	廿五
1 21	**甲子**	12 22	**甲午**	11 22	甲子	10 24	**乙未**	9 24	乙丑	8 25	乙未	廿六
1 22	乙丑	12 23	乙未	11 23	**乙丑**	10 25	丙申	9 25	丙寅	8 26	丙申	廿七
1 23	丙寅	12 24	丙申	11 24	丙寅	10 26	丁酉	9 26	丁卯	8 27	丁酉	廿八
1 24	丁卯	12 25	丁酉	11 25	丁卯	10 27	戊戌	9 27	戊辰	8 28	戊戌	廿九
		12 26	戊戌	11 26	戊辰			9 28	己巳	8 29	己亥	三十

一九六三年

歲次癸卯（肖兔）

太歲姓皮名時

年星一白

五月大		閏四月小		四月小		三月大		二月小		正月大		月別
戊午				丁巳		丙辰		乙卯		甲寅		干支
四綠				五黃		六白		七赤		八白		九星
小暑	夏至		芒種	小滿	立夏	穀雨	清明	春分	驚蟄	雨水	立春	
4時38分 十八寅時	11時4分 初二午時		18時15分 十五酉時	2時58分 廿九丑時	13時52分 十三未時	3時36分 廿八寅時	20時19分 十二戌時	16時20分 廿六申時	15時17分 十一申時	17時9分 廿六酉時	21時8分 十一亥時	節氣
西曆	干支	西曆	干支	西曆	干支	西曆	干支	西曆	干支	西曆	干支	農曆
6 21	乙未	5 23	丙寅	4 24	丁酉	3 25	丁卯	2 24	戊戌	1 25	戊辰	初一
6 22	**丙申**	5 24	丁卯	4 25	戊戌	3 26	戊辰	2 25	己亥	1 26	己巳	初二
6 23	丁酉	5 25	戊辰	4 26	己亥	3 27	己巳	2 26	庚子	1 27	庚午	初三
6 24	戊戌	5 26	己巳	4 27	庚子	3 28	庚午	2 27	辛丑	1 28	辛未	初四
6 25	己亥	5 27	庚午	4 28	辛丑	3 29	辛未	2 28	壬寅	1 29	壬申	初五
6 26	庚子	5 28	辛未	4 29	壬寅	3 30	壬申	3 1	癸卯	1 30	癸酉	初六
6 27	辛丑	5 29	壬申	4 30	癸卯	3 31	癸酉	3 2	甲辰	1 31	甲戌	初七
6 28	壬寅	5 30	癸酉	5 1	甲辰	4 1	甲戌	3 3	乙巳	2 1	乙亥	初八
6 29	癸卯	5 31	甲戌	5 2	乙巳	4 2	乙亥	3 4	丙午	2 2	丙子	初九
6 30	甲辰	6 1	乙亥	5 3	丙午	4 3	丙子	3 5	丁未	2 3	丁丑	初十
7 1	乙巳	6 2	丙子	5 4	丁未	4 4	丁丑	3 6	**戊申**	2 4	**戊寅**	十一
7 2	丙午	6 3	丁丑	5 5	戊申	4 5	**戊寅**	3 7	己酉	2 5	己卯	十二
7 3	丁未	6 4	戊寅	5 6	**己酉**	4 6	己卯	3 8	庚戌	2 6	庚辰	十三
7 4	戊申	6 5	己卯	5 7	庚戌	4 7	庚辰	3 9	辛亥	2 7	辛巳	十四
7 5	己酉	6 6	**庚辰**	5 8	辛亥	4 8	辛巳	3 10	壬子	2 8	壬午	十五
7 6	庚戌	6 7	辛巳	5 9	壬子	4 9	壬午	3 11	癸丑	2 9	癸未	十六
7 7	辛亥	6 8	壬午	5 10	癸丑	4 10	癸未	3 12	甲寅	2 10	甲申	十七
7 8	**壬子**	6 9	癸未	5 11	甲寅	4 11	甲申	3 13	乙卯	2 11	乙酉	十八
7 9	癸丑	6 10	甲申	5 12	乙卯	4 12	乙酉	3 14	丙辰	2 12	丙戌	十九
7 10	甲寅	6 11	乙酉	5 13	丙辰	4 13	丙戌	3 15	丁巳	2 13	丁亥	二十
7 11	乙卯	6 12	丙戌	5 14	丁巳	4 14	丁亥	3 16	戊午	2 14	戊子	廿一
7 12	丙辰	6 13	丁亥	5 15	戊午	4 15	戊子	3 17	己未	2 15	己丑	廿二
7 13	丁巳	6 14	戊子	5 16	己未	4 16	己丑	3 18	庚申	2 16	庚寅	廿三
7 14	戊午	6 15	己丑	5 17	庚申	4 17	庚寅	3 19	辛酉	2 17	辛卯	廿四
7 15	己未	6 16	庚寅	5 18	辛酉	4 18	辛卯	3 20	壬戌	2 18	壬辰	廿五
7 16	庚申	6 17	辛卯	5 19	壬戌	4 19	壬辰	3 21	**癸亥**	2 19	**癸巳**	廿六
7 17	辛酉	6 18	壬辰	5 20	癸亥	4 20	癸巳	3 22	甲子	2 20	甲午	廿七
7 18	壬戌	6 19	癸巳	5 21	甲子	4 21	**甲午**	3 23	乙丑	2 21	乙未	廿八
7 19	癸亥	6 20	甲午	5 22	**乙丑**	4 22	乙未	3 24	丙寅	2 22	丙申	廿九
7 20	甲子					4 23	丙申			2 23	丁酉	三十

十二月小		十一月大		十月大		九月大		八月小		七月大		六月小		月別
乙丑		甲子		癸亥		壬戌		辛酉		庚申		己未		干支
六白		七赤		八白		九紫		一白		二黑		三碧		九星
立春	大寒	小寒	冬至	大雪	小雪	立冬	霜降	寒露	秋分	白露	處暑	立秋	大暑	節氣
3時5分 廿二寅時	8時41分 初七辰時	15時22分 廿二申時	22時2分 初七亥時	4時13分 廿三寅時	8時50分 初八辰時	11時32分 廿三午時	11時29分 初八午時	8時36分 廿二辰時	2時24分 初七丑時	17時12分 廿一酉時	4時58分 初六寅時	14時26分 十九未時	21時59分 初三亥時	

西曆	干支	西曆	干支	西曆	干支	西曆	干支	西曆	干支	西曆	干支	西曆	干支	農曆
1 15	癸亥	12 16	癸巳	11 16	癸亥	10 17	癸巳	9 18	甲子	8 19	甲午	7 21	乙丑	初一
1 16	甲子	12 17	甲午	11 17	甲子	10 18	甲午	9 19	乙丑	8 20	乙未	7 22	丙寅	初二
1 17	乙丑	12 18	乙未	11 18	乙丑	10 19	乙未	9 20	丙寅	8 21	丙申	7 23	**丁卯**	初三
1 18	丙寅	12 19	丙申	11 19	丙寅	10 20	丙申	9 21	丁卯	8 22	丁酉	7 24	戊辰	初四
1 19	丁卯	12 20	丁酉	11 20	丁卯	10 21	丁酉	9 22	戊辰	8 23	戊戌	7 25	己巳	初五
1 20	戊辰	12 21	戊戌	11 21	戊辰	10 22	戊戌	9 23	己巳	8 24	**己亥**	7 26	庚午	初六
1 21	**己巳**	12 22	**己亥**	11 22	己巳	10 23	己亥	9 24	**庚午**	8 25	庚子	7 27	辛未	初七
1 22	庚午	12 23	庚子	11 23	**庚午**	10 24	**庚子**	9 25	辛未	8 26	辛丑	7 28	壬申	初八
1 23	辛未	12 24	辛丑	11 24	辛未	10 25	辛丑	9 26	壬申	8 27	壬寅	7 29	癸酉	初九
1 24	壬申	12 25	壬寅	11 25	壬申	10 26	壬寅	9 27	癸酉	8 28	癸卯	7 30	甲戌	初十
1 25	癸酉	12 26	癸卯	11 26	癸酉	10 27	癸卯	9 28	甲戌	8 29	甲辰	7 31	乙亥	十一
1 26	甲戌	12 27	甲辰	11 27	甲戌	10 28	甲辰	9 29	乙亥	8 30	乙巳	8 1	丙子	十二
1 27	乙亥	12 28	乙巳	11 28	乙亥	10 29	乙巳	9 30	丙子	8 31	丙午	8 2	丁丑	十三
1 28	丙子	12 29	丙午	11 29	丙子	10 30	丙午	10 1	丁丑	9 1	丁未	8 3	戊寅	十四
1 29	丁丑	12 30	丁未	11 30	丁丑	10 31	丁未	10 2	戊寅	9 2	戊申	8 4	己卯	十五
1 30	戊寅	12 31	戊申	12 1	戊寅	11 1	戊申	10 3	己卯	9 3	己酉	8 5	庚辰	十六
1 31	己卯	1 1	己酉	12 2	己卯	11 2	己酉	10 4	庚辰	9 4	庚戌	8 6	辛巳	十七
2 1	庚辰	1 2	庚戌	12 3	庚辰	11 3	庚戌	10 5	辛巳	9 5	辛亥	8 7	壬午	十八
2 2	辛巳	1 3	辛亥	12 4	辛巳	11 4	辛亥	10 6	壬午	9 6	壬子	8 8	**癸未**	十九
2 3	壬午	1 4	壬子	12 5	壬午	11 5	壬子	10 7	癸未	9 7	癸丑	8 9	甲申	二十
2 4	癸未	1 5	癸丑	12 6	癸未	11 6	癸丑	10 8	甲申	9 8	**甲寅**	8 10	乙酉	廿一
2 5	**甲申**	1 6	**甲寅**	12 7	甲申	11 7	甲寅	10 9	**乙酉**	9 9	乙卯	8 11	丙戌	廿二
2 6	乙酉	1 7	乙卯	12 8	**乙酉**	11 8	**乙卯**	10 10	丙戌	9 10	丙辰	8 12	丁亥	廿三
2 7	丙戌	1 8	丙辰	12 9	丙戌	11 9	丙辰	10 11	丁亥	9 11	丁巳	8 13	戊子	廿四
2 8	丁亥	1 9	丁巳	12 10	丁亥	11 10	丁巳	10 12	戊子	9 12	戊午	8 14	己丑	廿五
2 9	戊子	1 10	戊午	12 11	戊子	11 11	戊午	10 13	己丑	9 13	己未	8 15	庚寅	廿六
2 10	己丑	1 11	己未	12 12	己丑	11 12	己未	10 14	庚寅	9 14	庚申	8 16	辛卯	廿七
2 11	庚寅	1 12	庚申	12 13	庚寅	11 13	庚申	10 15	辛卯	9 15	辛酉	8 17	壬辰	廿八
2 12	辛卯	1 13	辛酉	12 14	辛卯	11 14	辛酉	10 16	壬辰	9 16	壬戌	8 18	癸巳	廿九
		1 14	壬戌	12 15	壬辰	11 15	壬戌			9 17	癸亥			三十

珍本萬年曆

一九六四年

歲次甲辰（肖龍）

太歲姓李名成

年星九紫

月別	正月大		二月小		三月大		四月小		五月小		六月大	
干支	丙寅		丁卯		戊辰		己巳		庚午		辛未	
九星	五黃		四綠		三碧		二黑		一白		九紫	
節氣	雨水	驚蟄	春分	清明	穀雨	立夏	小滿	芒種	夏至	小暑	大暑	立秋
	初七 22時57分 亥時	廿二 21時16分 亥時	初七 22時10分 亥時	廿三 2時18分 丑時	初九 9時27分 巳時	廿四 19時51分 戌時	初十 8時50分 辰時	廿六 0時12分 早子	十二 16時57分 申時	廿八 10時32分 巳時	十五 3時53分 寅時	三十 20時?6分 戌時
農曆	干支	西曆	干支	西曆	干支	西曆	干支	西曆	干支	西曆	干支	西曆
初一	壬辰	2 13	壬戌	3 14	辛卯	4 12	辛酉	5 12	庚寅	6 10	己未	7 9
初二	癸巳	2 14	癸亥	3 15	壬辰	4 13	壬戌	5 13	辛卯	6 11	庚申	7 10
初三	甲午	2 15	甲子	3 16	癸巳	4 14	癸亥	5 14	壬辰	6 12	辛酉	7 11
初四	乙未	2 16	乙丑	3 17	甲午	4 15	甲子	5 15	癸巳	6 13	壬戌	7 12
初五	丙申	2 17	丙寅	3 18	乙未	4 16	乙丑	5 16	甲午	6 14	癸亥	7 13
初六	丁酉	2 18	丁卯	3 19	丙申	4 17	丙寅	5 17	乙未	6 15	甲子	7 14
初七	**戊戌**	2 19	**戊辰**	3 20	丁酉	4 18	丁卯	5 18	丙申	6 16	乙丑	7 15
初八	己亥	2 20	己巳	3 21	戊戌	4 19	戊辰	5 19	丁酉	6 17	丙寅	7 16
初九	庚子	2 21	庚午	3 22	**己亥**	4 20	己巳	5 20	戊戌	6 18	丁卯	7 17
初十	辛丑	2 22	辛未	3 23	庚子	4 21	**庚午**	5 21	己亥	6 19	戊辰	7 18
十一	壬寅	2 23	壬申	3 24	辛丑	4 22	辛未	5 22	庚子	6 20	己巳	7 19
十二	癸卯	2 24	癸酉	3 25	壬寅	4 23	壬申	5 23	**辛丑**	6 21	庚午	7 20
十三	甲辰	2 25	甲戌	3 26	癸卯	4 24	癸酉	5 24	壬寅	6 22	辛未	7 21
十四	乙巳	2 26	乙亥	3 27	甲辰	4 25	甲戌	5 25	癸卯	6 23	壬申	7 22
十五	丙午	2 27	丙子	3 28	乙巳	4 26	乙亥	5 26	甲辰	6 24	**癸酉**	7 23
十六	丁未	2 28	丁丑	3 29	丙午	4 27	丙子	5 27	乙巳	6 25	甲戌	7 24
十七	戊申	2 29	戊寅	3 30	丁未	4 28	丁丑	5 28	丙午	6 26	乙亥	7 25
十八	己酉	3 1	己卯	3 31	戊申	4 29	戊寅	5 29	丁未	6 27	丙子	7 26
十九	庚戌	3 2	庚辰	4 1	己酉	4 30	己卯	5 30	戊申	6 28	丁丑	7 27
二十	辛亥	3 3	辛巳	4 2	庚戌	5 1	庚辰	5 31	己酉	6 29	戊寅	7 28
廿一	壬子	3 4	壬午	4 3	辛亥	5 2	辛巳	6 1	庚戌	6 30	己卯	7 29
廿二	**癸丑**	3 5	癸未	4 4	壬子	5 3	壬午	6 2	辛亥	7 1	庚辰	7 30
廿三	甲寅	3 6	**甲申**	4 5	癸丑	5 4	癸未	6 3	壬子	7 2	辛巳	7 31
廿四	乙卯	3 7	乙酉	4 6	**甲寅**	5 5	甲申	6 4	癸丑	7 3	壬午	8 1
廿五	丙辰	3 8	丙戌	4 7	乙卯	5 6	乙酉	6 5	甲寅	7 4	癸未	8 2
廿六	丁巳	3 9	丁亥	4 8	丙辰	5 7	**丙戌**	6 6	乙卯	7 5	甲申	8 3
廿七	戊午	3 10	戊子	4 9	丁巳	5 8	丁亥	6 7	丙辰	7 6	乙酉	8 4
廿八	己未	3 11	己丑	4 10	戊午	5 9	戊子	6 8	**丁巳**	7 7	丙戌	8 5
廿九	庚申	3 12	庚寅	4 11	己未	5 10	己丑	6 9	戊午	7 8	丁亥	8 6
三十	辛酉	3 13			庚申	5 11					**戊子**	8 7

十二月大		十一月大		十月大		九月小		八月大		七月小		月別
丁丑		丙子		乙亥		甲戌		癸酉		壬申		干支
三碧		四綠		五黃		六白		七赤		八白		九星
大寒	小寒	冬至	大雪	小雪	立冬	霜降	寒露	秋分	白露	處暑		節氣
十八 14時29分 未時	初三 21時2分 亥時	十九 3時50分 寅時	初四 9時53分 巳時	十九 14時39分 未時	初四 17時15分 酉時	十八 17時21分 酉時	初三 14時22分 未時	十八 8時17分 辰時	初二 23時0分 亥時	十六 10時51分 巳時		
西曆	干支	西曆	干支	西曆	干支	西曆	干支	西曆	干支	西曆	干支	農曆
1 3	丁巳	12 4	丁亥	11 4	丁巳	10 6	戊子	9 6	戊午	8 8	己丑	初一
1 4	戊午	12 5	戊子	11 5	戊午	10 7	己丑	9 7	**己未**	8 9	庚寅	初二
1 5	**己未**	12 6	己丑	11 6	己未	10 8	**庚寅**	9 8	庚申	8 10	辛卯	初三
1 6	庚申	12 7	**庚寅**	11 7	**庚申**	10 9	辛卯	9 9	辛酉	8 11	壬辰	初四
1 7	辛酉	12 8	辛卯	11 8	辛酉	10 10	壬辰	9 10	壬戌	8 12	癸巳	初五
1 8	壬戌	12 9	壬辰	11 9	壬戌	10 11	癸巳	9 11	癸亥	8 13	甲午	初六
1 9	癸亥	12 10	癸巳	11 10	癸亥	10 12	甲午	9 12	甲子	8 14	乙未	初七
1 10	甲子	12 11	甲午	11 11	甲子	10 13	乙未	9 13	乙丑	8 15	丙申	初八
1 11	乙丑	12 12	乙未	11 12	乙丑	10 14	丙申	9 14	丙寅	8 16	丁酉	初九
1 12	丙寅	12 13	丙申	11 13	丙寅	10 15	丁酉	9 15	丁卯	8 17	戊戌	初十
1 13	丁卯	12 14	丁酉	11 14	丁卯	10 16	戊戌	9 16	戊辰	8 18	己亥	十一
1 14	戊辰	12 15	戊戌	11 15	戊辰	10 17	己亥	9 17	己巳	8 19	庚子	十二
1 15	己巳	12 16	己亥	11 16	己巳	10 18	庚子	9 18	庚午	8 20	辛丑	十三
1 16	庚午	12 17	庚子	11 17	庚午	10 19	辛丑	9 19	辛未	8 21	壬寅	十四
1 17	辛未	12 18	辛丑	11 18	辛未	10 20	壬寅	9 20	壬申	8 22	癸卯	十五
1 18	壬申	12 19	壬寅	11 19	壬申	10 21	癸卯	9 21	癸酉	8 23	**甲辰**	十六
1 19	癸酉	12 20	癸卯	11 20	癸酉	10 22	甲辰	9 22	甲戌	8 24	乙巳	十七
1 20	**甲戌**	12 21	甲辰	11 21	甲戌	10 23	**乙巳**	9 23	**乙亥**	8 25	丙午	十八
1 21	乙亥	12 22	**乙巳**	11 22	**乙亥**	10 24	丙午	9 24	丙子	8 26	丁未	十九
1 22	丙子	12 23	丙午	11 23	丙子	10 25	丁未	9 25	丁丑	8 27	戊申	二十
1 23	丁丑	12 24	丁未	11 24	丁丑	10 26	戊申	9 26	戊寅	8 28	己酉	廿一
1 24	戊寅	12 25	戊申	11 25	戊寅	10 27	己酉	9 27	己卯	8 29	庚戌	廿二
1 25	己卯	12 26	己酉	11 26	己卯	10 28	庚戌	9 28	庚辰	8 30	辛亥	廿三
1 26	庚辰	12 27	庚戌	11 27	庚辰	10 29	辛亥	9 29	辛巳	8 31	壬子	廿四
1 27	辛巳	12 28	辛亥	11 28	辛巳	10 30	壬子	9 30	壬午	9 1	癸丑	廿五
1 28	壬午	12 29	壬子	11 29	壬午	10 31	癸丑	10 1	癸未	9 2	甲寅	廿六
1 29	癸未	12 30	癸丑	11 30	癸未	11 1	甲寅	10 2	甲申	9 3	乙卯	廿七
1 30	甲申	12 31	甲寅	12 1	甲申	11 2	乙卯	10 3	乙酉	9 4	丙辰	廿八
1 31	乙酉	1 1	乙卯	12 2	乙酉	11 3	丙辰	10 4	丙戌	9 5	丁巳	廿九
2 1	丙戌	1 2	丙辰	12 3	丙戌			10 5	丁亥			三十

一九六五年

歲次乙巳（肖蛇）

太歲姓吳名遂

年星八白

六月小		五月小		四月大		三月小		二月大		正月小		月別
癸未		壬午		辛巳		庚辰		己卯		戊寅		干支
六白		七赤		八白		九紫		一白		二黑		九星
大暑	小暑	夏至	芒種	小滿	立夏	穀雨	清明	春分	驚蟄	雨水	立春	節氣
廿五 [illegible]時[illegible]8分 巳時	初九 16時22分 申時	廿二 22時56分 亥時	初七 6時2分 卯時	廿一 14時50分 未時	初六 1時42分 丑時	十九 15時26分 申時	初四 8時7分 辰時	十九 4時5分 寅時	初四 3時1分 寅時	十八 4時48分 寅時	初三 8時46分 辰時	
西曆	干支	西曆	干支	西曆	干支	西曆	干支	西曆	干支	西曆	干支	農曆
29	甲寅	5 31	乙酉	5 1	乙卯	4 2	丙戌	3 3	丙辰	2 2	丁亥	初一
30	乙卯	6 1	丙戌	5 2	丙辰	4 3	丁亥	3 4	丁巳	2 3	戊子	初二
1	丙辰	6 2	丁亥	5 3	丁巳	4 4	戊子	3 5	戊午	2 4	**己丑**	初三
2	丁巳	6 3	戊子	5 4	戊午	4 5	**己丑**	3 6	**己未**	2 5	庚寅	初四
3	戊午	6 4	己丑	5 5	己未	4 6	庚寅	3 7	庚申	2 6	辛卯	初五
4	己未	6 5	庚寅	5 6	**庚申**	4 7	辛卯	3 8	辛酉	2 7	壬辰	初六
5	庚申	6 6	**辛卯**	5 7	辛酉	4 8	壬辰	3 9	壬戌	2 8	癸巳	初七
6	辛酉	6 7	壬辰	5 8	壬戌	4 9	癸巳	3 10	癸亥	2 9	甲午	初八
7	**壬戌**	6 8	癸巳	5 9	癸亥	4 10	甲午	3 11	甲子	2 10	乙未	初九
8	癸亥	6 9	甲午	5 10	甲子	4 11	乙未	3 12	乙丑	2 11	丙申	初十
9	甲子	6 10	乙未	5 11	乙丑	4 12	丙申	3 13	丙寅	2 12	丁酉	十一
10	乙丑	6 11	丙申	5 12	丙寅	4 13	丁酉	3 14	丁卯	2 13	戊戌	十二
11	丙寅	6 12	丁酉	5 13	丁卯	4 14	戊戌	3 15	戊辰	2 14	己亥	十三
12	丁卯	6 13	戊戌	5 14	戊辰	4 15	己亥	3 16	己巳	2 15	庚子	十四
13	戊辰	6 14	己亥	5 15	己巳	4 16	庚子	3 17	庚午	2 16	辛丑	十五
14	己巳	6 15	庚子	5 16	庚午	4 17	辛丑	3 18	辛未	2 17	壬寅	十六
15	庚午	6 16	辛丑	5 17	辛未	4 18	壬寅	3 19	壬申	2 18	癸卯	十七
16	辛未	6 17	壬寅	5 18	壬申	4 19	癸卯	3 20	癸酉	2 19	**甲辰**	十八
17	壬申	6 18	癸卯	5 19	癸酉	4 20	**甲辰**	3 21	**甲戌**	2 20	乙巳	十九
18	癸酉	6 19	甲辰	5 20	甲戌	4 21	乙巳	3 22	乙亥	2 21	丙午	二十
19	甲戌	6 20	乙巳	5 21	**乙亥**	4 22	丙午	3 23	丙子	2 22	丁未	廿一
20	乙亥	6 21	**丙午**	5 22	丙子	4 23	丁未	3 24	丁丑	2 23	戊申	廿二
21	丙子	6 22	丁未	5 23	丁丑	4 24	戊申	3 25	戊寅	2 24	己酉	廿三
22	丁丑	6 23	戊申	5 24	戊寅	4 25	己酉	3 26	己卯	2 25	庚戌	廿四
23	**戊寅**	6 24	己酉	5 25	己卯	4 26	庚戌	3 27	庚辰	2 26	辛亥	廿五
24	己卯	6 25	庚戌	5 26	庚辰	4 27	辛亥	3 28	辛巳	2 27	壬子	廿六
25	庚辰	6 26	辛亥	5 27	辛巳	4 28	壬子	3 29	壬午	2 28	癸丑	廿七
26	辛巳	6 27	壬子	5 28	壬午	4 29	癸丑	3 30	癸未	3 1	甲寅	廿八
27	壬午	6 28	癸丑	5 29	癸未	4 30	甲寅	3 31	甲申	3 2	乙卯	廿九
				5 30	甲申			4 1	乙酉			三十

十二月小		十一月大		十月大		九月小		八月小		七月大		月別
己丑		戊子		丁亥		丙戌		乙酉		甲申		干支
九紫		一白		二黑		三碧		四綠		五黃		九星
大寒	小寒	冬至	大雪	小雪	立冬	霜降	寒露	秋分	白露	處暑	立秋	節氣
廿九 20時20分 戌時	十五 2時55分 丑時	三十 9時41分 巳時	十五 15時46分 申時	三十 20時29分 戌時	十五 23時7分 夜子	廿九 23時10分 夜子	十四 20時11分 戌時	廿八 14時6分 未時	十三 4時48分 寅時	廿七 16時43分 申時	十二 2時5分 丑時	
西曆	干支	西曆	干支	西曆	干支	西曆	干支	西曆	干支	西曆	干支	農曆
12 23	辛亥	11 23	辛巳	10 24	辛亥	9 25	壬午	8 27	癸丑	7 28	癸未	初一
12 24	壬子	11 24	壬午	10 25	壬子	9 26	癸未	8 28	甲寅	7 29	甲申	初二
12 25	癸丑	11 25	癸未	10 26	癸丑	9 27	甲申	8 29	乙卯	7 30	乙酉	初三
12 26	甲寅	11 26	甲申	10 27	甲寅	9 28	乙酉	8 30	丙辰	7 31	丙戌	初四
12 27	乙卯	11 27	乙酉	10 28	乙卯	9 29	丙戌	8 31	丁巳	8 1	丁亥	初五
12 28	丙辰	11 28	丙戌	10 29	丙辰	9 30	丁亥	9 1	戊午	8 2	戊子	初六
12 29	丁巳	11 29	丁亥	10 30	丁巳	10 1	戊子	9 2	己未	8 3	己丑	初七
12 30	戊午	11 30	戊子	10 31	戊午	10 2	己丑	9 3	庚申	8 4	庚寅	初八
12 31	己未	12 1	己丑	11 1	己未	10 3	庚寅	9 4	辛酉	8 5	辛卯	初九
1 1	庚申	12 2	庚寅	11 2	庚申	10 4	辛卯	9 5	壬戌	8 6	壬辰	初十
1 2	辛酉	12 3	辛卯	11 3	辛酉	10 5	壬辰	9 6	癸亥	8 7	癸巳	十一
1 3	壬戌	12 4	壬辰	11 4	壬戌	10 6	癸巳	9 7	甲子	8 8	**甲午**	十二
1 4	癸亥	12 5	癸巳	11 5	癸亥	10 7	甲午	9 8	**乙丑**	8 9	乙未	十三
1 5	甲子	12 6	甲午	11 6	甲子	10 8	**乙未**	9 9	丙寅	8 10	丙申	十四
1 6	**乙丑**	12 7	**乙未**	11 7	**乙丑**	10 9	丙申	9 10	丁卯	8 11	丁酉	十五
1 7	丙寅	12 8	丙申	11 8	丙寅	10 10	丁酉	9 11	戊辰	8 12	戊戌	十六
1 8	丁卯	12 9	丁酉	11 9	丁卯	10 11	戊戌	9 12	己巳	8 13	己亥	十七
1 9	戊辰	12 10	戊戌	11 10	戊辰	10 12	己亥	9 13	庚午	8 14	庚子	十八
1 10	己巳	12 11	己亥	11 11	己巳	10 13	庚子	9 14	辛未	8 15	辛丑	十九
1 11	庚午	12 12	庚子	11 12	庚午	10 14	辛丑	9 15	壬申	8 16	壬寅	二十
1 12	辛未	12 13	辛丑	11 13	辛未	10 15	壬寅	9 16	癸酉	8 17	癸卯	廿一
1 13	壬申	12 14	壬寅	11 14	壬申	10 16	癸卯	9 17	甲戌	8 18	甲辰	廿二
1 14	癸酉	12 15	癸卯	11 15	癸酉	10 17	甲辰	9 18	乙亥	8 19	乙巳	廿三
1 15	甲戌	12 16	甲辰	11 16	甲戌	10 18	乙巳	9 19	丙子	8 20	丙午	廿四
1 16	乙亥	12 17	乙巳	11 17	乙亥	10 19	丙午	9 20	丁丑	8 21	丁未	廿五
1 17	丙子	12 18	丙午	11 18	丙子	10 20	丁未	9 21	戊寅	8 22	戊申	廿六
1 18	丁丑	12 19	丁未	11 19	丁丑	10 21	戊申	9 22	己卯	8 23	**己酉**	廿七
1 19	戊寅	12 20	戊申	11 20	戊寅	10 22	己酉	9 23	**庚辰**	8 24	庚戌	廿八
1 20	**己卯**	12 21	己酉	11 21	己卯	10 23	**庚戌**	9 24	辛巳	8 25	辛亥	廿九
		12 22	**庚戌**	11 22	**庚辰**					8 26	壬子	三十

一九六六年

歲次丙午（肖馬）

太歲姓文名折

年星七赤

月別	正月大		二月大		三月大		閏三月小		四月大		五月小	
干支	庚寅		辛卯		壬辰				癸巳		甲午	
九星	八白		七赤		六白				五黃		四綠	
節氣	立春	雨水	驚蟄	春分	清明	穀雨		立夏	小滿	芒種	夏至	小暑
	十五 14時38分 未時	三十 10時38分 巳時	十五 8時51分 辰時	三十 9時53分 巳時	十五 13時57分 未時	三十 21時12分 亥時		十六 7時31分 辰時	初二 20時32分 戌時	十八 11時50分 午時	初四 4時34分 寅時	十九 22時7分 亥時
農曆	干支	西曆	干支	西曆	干支	西曆	干支	西曆	干支	西曆	干支	西曆
初一	庚辰	1 21	庚戌	2 20	庚辰	3 22	庚戌	4 21	己卯	5 20	己酉	6 19
初二	辛巳	1 22	辛亥	2 21	辛巳	3 23	辛亥	4 22	**庚辰**	5 21	庚戌	6 20
初三	壬午	1 23	壬子	2 22	壬午	3 24	壬子	4 23	辛巳	5 22	辛亥	6 21
初四	癸未	1 24	癸丑	2 23	癸未	3 25	癸丑	4 24	壬午	5 23	**壬子**	6 22
初五	甲申	1 25	甲寅	2 24	甲申	3 26	甲寅	4 25	癸未	5 24	癸丑	6 23
初六	乙酉	1 26	乙卯	2 25	乙酉	3 27	乙卯	4 26	甲申	5 25	甲寅	6 24
初七	丙戌	1 27	丙辰	2 26	丙戌	3 28	丙辰	4 27	乙酉	5 26	乙卯	6 25
初八	丁亥	1 28	丁巳	2 27	丁亥	3 29	丁巳	4 28	丙戌	5 27	丙辰	6 26
初九	戊子	1 29	戊午	2 28	戊子	3 30	戊午	4 29	丁亥	5 28	丁巳	6 27
初十	己丑	1 30	己未	3 1	己丑	3 31	己未	4 30	戊子	5 29	戊午	6 28
十一	庚寅	1 31	庚申	3 2	庚寅	4 1	庚申	5 1	己丑	5 30	己未	6 29
十二	辛卯	2 1	辛酉	3 3	辛卯	4 2	辛酉	5 2	庚寅	5 31	庚申	6 30
十三	壬辰	2 2	壬戌	3 4	壬辰	4 3	壬戌	5 3	辛卯	6 1	辛酉	7 1
十四	癸巳	2 3	癸亥	3 5	癸巳	4 4	癸亥	5 4	壬辰	6 2	壬戌	7 2
十五	**甲午**	2 4	**甲子**	3 6	**甲午**	4 5	甲子	5 5	癸巳	6 3	癸亥	7 3
十六	乙未	2 5	乙丑	3 7	乙未	4 6	**乙丑**	5 6	甲午	6 4	甲子	7 4
十七	丙申	2 6	丙寅	3 8	丙申	4 7	丙寅	5 7	乙未	6 5	乙丑	7 5
十八	丁酉	2 7	丁卯	3 9	丁酉	4 8	丁卯	5 8	**丙申**	6 6	丙寅	7 6
十九	戊戌	2 8	戊辰	3 10	戊戌	4 9	戊辰	5 9	丁酉	6 7	**丁卯**	7 7
二十	己亥	2 9	己巳	3 11	己亥	4 10	己巳	5 10	戊戌	6 8	戊辰	7 8
廿一	庚子	2 10	庚午	3 12	庚子	4 11	庚午	5 11	己亥	6 9	己巳	7 9
廿二	辛丑	2 11	辛未	3 13	辛丑	4 12	辛未	5 12	庚子	6 10	庚午	7 10
廿三	壬寅	2 12	壬申	3 14	壬寅	4 13	壬申	5 13	辛丑	6 11	辛未	7 11
廿四	癸卯	2 13	癸酉	3 15	癸卯	4 14	癸酉	5 14	壬寅	6 12	壬申	7 12
廿五	甲辰	2 14	甲戌	3 16	甲辰	4 15	甲戌	5 15	癸卯	6 13	癸酉	7 13
廿六	乙巳	2 15	乙亥	3 17	乙巳	4 16	乙亥	5 16	甲辰	6 14	甲戌	7 14
廿七	丙午	2 16	丙子	3 18	丙午	4 17	丙子	5 17	乙巳	6 15	乙亥	7 15
廿八	丁未	2 17	丁丑	3 19	丁未	4 18	丁丑	5 18	丙午	6 16	丙子	7 16
廿九	戊申	2 18	戊寅	3 20	戊申	4 19	戊寅	5 19	丁未	6 17	丁丑	7 17
三十	**己酉**	2 19	**己卯**	3 21	**己酉**	4 20			戊申	6 18		

月別	六月小		七月大		八月小		九月小		十月大		十一月大		十二月小	
干支	乙未		丙申		丁酉		戊戌		己亥		庚子		辛丑	
九星	三碧		二黑		一白		九紫		八白		七赤		六白	
節氣	立秋	大暑	白露	處暑	寒露	秋分	立冬	霜降	大雪	小雪	小寒	冬至	立春	大寒
	廿二辰時 7時49分	初六申時 15時23分	廿四巳時 10時32分	初八亥時 22時18分	廿五丑時 1時57分	初九戌時 19時43分	廿六寅時 4時56分	十一寅時 4時51分	廿六亥時 21時38分	十二丑時 2時14分	廿六辰時 8時48分	十一申時 15時28分	廿五戌時 20時31分	十一丑時 2時8分
農曆	西曆	干支	西曆	干支	西曆	干支	西曆	干支	西曆	干支	西曆	干支	西曆	干支
初一	7 18	戊寅	8 16	丁未	9 15	丁丑	10 14	丙午	11 12	乙亥	12 12	乙巳	1 11	乙亥
初二	7 19	己卯	8 17	戊申	9 16	戊寅	10 15	丁未	11 13	丙子	12 13	丙午	1 12	丙子
初三	7 20	庚辰	8 18	己酉	9 17	己卯	10 16	戊申	11 14	丁丑	12 14	丁未	1 13	丁丑
初四	7 21	辛巳	8 19	庚戌	9 18	庚辰	10 17	己酉	11 15	戊寅	12 15	戊申	1 14	戊寅
初五	7 22	壬午	8 20	辛亥	9 19	辛巳	10 18	庚戌	11 16	己卯	12 16	己酉	1 15	己卯
初六	7 23	**癸未**	8 21	壬子	9 20	壬午	10 19	辛亥	11 17	庚辰	12 17	庚戌	1 16	庚辰
初七	7 24	甲申	8 22	癸丑	9 21	癸未	10 20	壬子	11 18	辛巳	12 18	辛亥	1 17	辛巳
初八	7 25	乙酉	8 23	**甲寅**	9 22	甲申	10 21	癸丑	11 19	壬午	12 19	壬子	1 18	壬午
初九	7 26	丙戌	8 24	乙卯	9 23	**乙酉**	10 22	甲寅	11 20	癸未	12 20	癸丑	1 19	癸未
初十	7 27	丁亥	8 25	丙辰	9 24	丙戌	10 23	乙卯	11 21	甲申	12 21	甲寅	1 20	甲申
十一	7 28	戊子	8 26	丁巳	9 25	丁亥	10 24	**丙辰**	11 22	乙酉	12 22	**乙卯**	1 21	**乙酉**
十二	7 29	己丑	8 27	戊午	9 26	戊子	10 25	丁巳	11 23	**丙戌**	12 23	丙辰	1 22	丙戌
十三	7 30	庚寅	8 28	己未	9 27	己丑	10 26	戊午	11 24	丁亥	12 24	丁巳	1 23	丁亥
十四	7 31	辛卯	8 29	庚申	9 28	庚寅	10 27	己未	11 25	戊子	12 25	戊午	1 24	戊子
十五	8 1	壬辰	8 30	辛酉	9 29	辛卯	10 28	庚申	11 26	己丑	12 26	己未	1 25	己丑
十六	8 2	癸巳	8 31	壬戌	9 30	壬辰	10 29	辛酉	11 27	庚寅	12 27	庚申	1 26	庚寅
十七	8 3	甲午	9 1	癸亥	10 1	癸巳	10 30	壬戌	11 28	辛卯	12 28	辛酉	1 27	辛卯
十八	8 4	乙未	9 2	甲子	10 2	甲午	10 31	癸亥	11 29	壬辰	12 29	壬戌	1 28	壬辰
十九	8 5	丙申	9 3	乙丑	10 3	乙未	11 1	甲子	11 30	癸巳	12 30	癸亥	1 29	癸巳
二十	8 6	丁酉	9 4	丙寅	10 4	丙申	11 2	乙丑	12 1	甲午	12 31	甲子	1 30	甲午
廿一	8 7	戊戌	9 5	丁卯	10 5	丁酉	11 3	丙寅	12 2	乙未	1 1	乙丑	1 31	乙未
廿二	8 8	**己亥**	9 6	戊辰	10 6	戊戌	11 4	丁卯	12 3	丙申	1 2	丙寅	2 1	丙申
廿三	8 9	庚子	9 7	己巳	10 7	己亥	11 5	戊辰	12 4	丁酉	1 3	丁卯	2 2	丁酉
廿四	8 10	辛丑	9 8	**庚午**	10 8	庚子	11 6	己巳	12 5	戊戌	1 4	戊辰	2 3	戊戌
廿五	8 11	壬寅	9 9	辛未	10 9	**辛丑**	11 7	庚午	12 6	己亥	1 5	己巳	2 4	**己亥**
廿六	8 12	癸卯	9 10	壬申	10 10	壬寅	11 8	**辛未**	12 7	**庚子**	1 6	**庚午**	2 5	庚子
廿七	8 13	甲辰	9 11	癸酉	10 11	癸卯	11 9	壬申	12 8	辛丑	1 7	辛未	2 6	辛丑
廿八	8 14	乙巳	9 12	甲戌	10 12	甲辰	11 10	癸酉	12 9	壬寅	1 8	壬申	2 7	壬寅
廿九	8 15	丙午	9 13	乙亥	10 13	乙巳	11 11	甲戌	12 10	癸卯	1 9	癸酉	2 8	癸卯
三十			9 14	丙子					12 11	甲辰	1 10	甲戌		

一九六七年

歲次丁未（肖羊）

太歲姓僇名丙

年星六白

六月小		五月大		四月大		三月小		二月大		正月大		月別
丁未		丙午		乙巳		甲辰		癸卯		壬寅		干支
九紫		一白		二黑		三碧		四綠		五黃		九星
大暑	小暑		夏至	芒種	小滿	立夏	穀雨	清明	春分	驚蟄	雨水	
十六亥時 21時16分	初一寅時 3時54分		十五巳時 10時23分	廿九酉時 17時36分	十四丑時 2時18分	廿七未時 13時18分	十二丑時 2時55分	廿六戌時 19時45分	十一申時 15時37分	廿六未時 14時42分	十一申時 16時24分	節氣
西曆	干支	西曆	干支	西曆	干支	西曆	干支	西曆	干支	西曆	干支	農曆
7 8	**癸酉**	6 8	癸卯	5 9	癸酉	4 10	甲辰	3 11	甲戌	2 9	甲辰	初一
7 9	甲戌	6 9	甲辰	5 10	甲戌	4 11	乙巳	3 12	乙亥	2 10	乙巳	初二
7 10	乙亥	6 10	乙巳	5 11	乙亥	4 12	丙午	3 13	丙子	2 11	丙午	初三
7 11	丙子	6 11	丙午	5 12	丙子	4 13	丁未	3 14	丁丑	2 12	丁未	初四
7 12	丁丑	6 12	丁未	5 13	丁丑	4 14	戊申	3 15	戊寅	2 13	戊申	初五
7 13	戊寅	6 13	戊申	5 14	戊寅	4 15	己酉	3 16	己卯	2 14	己酉	初六
7 14	己卯	6 14	己酉	5 15	己卯	4 16	庚戌	3 17	庚辰	2 15	庚戌	初七
7 15	庚辰	6 15	庚戌	5 16	庚辰	4 17	辛亥	3 18	辛巳	2 16	辛亥	初八
7 16	辛巳	6 16	辛亥	5 17	辛巳	4 18	壬子	3 19	壬午	2 17	壬子	初九
7 17	壬午	6 17	壬子	5 18	壬午	4 19	癸丑	3 20	癸未	2 18	癸丑	初十
7 18	癸未	6 18	癸丑	5 19	癸未	4 20	甲寅	3 21	**甲申**	2 19	**甲寅**	十一
7 19	甲申	6 19	甲寅	5 20	甲申	4 21	**乙卯**	3 22	乙酉	2 20	乙卯	十二
7 20	乙酉	6 20	乙卯	5 21	乙酉	4 22	丙辰	3 23	丙戌	2 21	丙辰	十三
7 21	丙戌	6 21	丙辰	5 22	**丙戌**	4 23	丁巳	3 24	丁亥	2 22	丁巳	十四
7 22	丁亥	6 22	**丁巳**	5 23	丁亥	4 24	戊午	3 25	戊子	2 23	戊午	十五
7 23	**戊子**	6 23	戊午	5 24	戊子	4 25	己未	3 26	己丑	2 24	己未	十六
7 24	己丑	6 24	己未	5 25	己丑	4 26	庚申	3 27	庚寅	2 25	庚申	十七
7 25	庚寅	6 25	庚申	5 26	庚寅	4 27	辛酉	3 28	辛卯	2 26	辛酉	十八
7 26	辛卯	6 26	辛酉	5 27	辛卯	4 28	壬戌	3 29	壬辰	2 27	壬戌	十九
7 27	壬辰	6 27	壬戌	5 28	壬辰	4 29	癸亥	3 30	癸巳	2 28	癸亥	二十
7 28	癸巳	6 28	癸亥	5 29	癸巳	4 30	甲子	3 31	甲午	3 1	甲子	廿一
7 29	甲午	6 29	甲子	5 30	甲午	5 1	乙丑	4 1	乙未	3 2	乙丑	廿二
7 30	乙未	6 30	乙丑	5 31	乙未	5 2	丙寅	4 2	丙申	3 3	丙寅	廿三
7 31	丙申	7 1	丙寅	6 1	丙申	5 3	丁卯	4 3	丁酉	3 4	丁卯	廿四
8 1	丁酉	7 2	丁卯	6 2	丁酉	5 4	戊辰	4 4	戊戌	3 5	戊辰	廿五
8 2	戊戌	7 3	戊辰	6 3	戊戌	5 5	己巳	4 5	**己亥**	3 6	**己巳**	廿六
8 3	己亥	7 4	己巳	6 4	己亥	5 6	**庚午**	4 6	庚子	3 7	庚午	廿七
8 4	庚子	7 5	庚午	6 5	庚子	5 7	辛未	4 7	辛丑	3 8	辛未	廿八
8 5	辛丑	7 6	辛未	6 6	**辛丑**	5 8	壬申	4 8	壬寅	3 9	壬申	廿九
		7 7	壬申	6 7	壬寅			4 9	癸卯	3 10	癸酉	三十

十二月大		十一月小		十月大		九月小		八月大		七月小		月別
癸丑		壬子		辛亥		庚戌		己酉		戊申		干支
三碧		四綠		五黃		六白		七赤		八白		九星
大寒	小寒	冬至	大雪	小雪	立冬	霜降	寒露	秋分	白露	處暑	立秋	節氣
7時54分 廿二辰時	14時26分 初七未時	21時17分 廿一亥時	3時18分 初七寅時	8時5分 廿二辰時	10時38分 初七巳時	10時44分 廿一巳時	7時42分 初六辰時	1時38分 廿一丑時	16時18分 初五申時	4時13分 十九寅時	13時35分 初三未時	
西曆	干支	西曆	干支	西曆	干支	西曆	干支	西曆	干支	西曆	干支	農曆
12 31	己巳	12 2	庚子	11 2	庚午	10 4	辛丑	9 4	辛未	8 6	壬寅	初一
1 1	庚午	12 3	辛丑	11 3	辛未	10 5	壬寅	9 5	壬申	8 7	癸卯	初二
1 2	辛未	12 4	壬寅	11 4	壬申	10 6	癸卯	9 6	癸酉	8 8	甲辰	初三
1 3	壬申	12 5	癸卯	11 5	癸酉	10 7	甲辰	9 7	甲戌	8 9	乙巳	初四
1 4	癸酉	12 6	甲辰	11 6	甲戌	10 8	乙巳	9 8	乙亥	8 10	丙午	初五
1 5	甲戌	12 7	乙巳	11 7	乙亥	10 9	丙午	9 9	丙子	8 11	丁未	初六
1 6	乙亥	12 8	丙午	11 8	丙子	10 10	丁未	9 10	丁丑	8 12	戊申	初七
1 7	丙子	12 9	丁未	11 9	丁丑	10 11	戊申	9 11	戊寅	8 13	己酉	初八
1 8	丁丑	12 10	戊申	11 10	戊寅	10 12	己酉	9 12	己卯	8 14	庚戌	初九
1 9	戊寅	12 11	己酉	11 11	己卯	10 13	庚戌	9 13	庚辰	8 15	辛亥	初十
1 10	己卯	12 12	庚戌	11 12	庚辰	10 14	辛亥	9 14	辛巳	8 16	壬子	十一
1 11	庚辰	12 13	辛亥	11 13	辛巳	10 15	壬子	9 15	壬午	8 17	癸丑	十二
1 12	辛巳	12 14	壬子	11 14	壬午	10 16	癸丑	9 16	癸未	8 18	甲寅	十三
1 13	壬午	12 15	癸丑	11 15	癸未	10 17	甲寅	9 17	甲申	8 19	乙卯	十四
1 14	癸未	12 16	甲寅	11 16	甲申	10 18	乙卯	9 18	乙酉	8 20	丙辰	十五
1 15	甲申	12 17	乙卯	11 17	乙酉	10 19	丙辰	9 19	丙戌	8 21	丁巳	十六
1 16	乙酉	12 18	丙辰	11 18	丙戌	10 20	丁巳	9 20	丁亥	8 22	戊午	十七
1 17	丙戌	12 19	丁巳	11 19	丁亥	10 21	戊午	9 21	戊子	8 23	己未	十八
1 18	丁亥	12 20	戊午	11 20	戊子	10 22	己未	9 22	己丑	8 24	庚申	十九
1 19	戊子	12 21	己未	11 21	己丑	10 23	庚申	9 23	庚寅	8 25	辛酉	二十
1 20	己丑	12 22	庚申	11 22	庚寅	10 24	辛酉	9 24	辛卯	8 26	壬戌	廿一
1 21	庚寅	12 23	辛酉	11 23	辛卯	10 25	壬戌	9 25	壬辰	8 27	癸亥	廿二
1 22	辛卯	12 24	壬戌	11 24	壬辰	10 26	癸亥	9 26	癸巳	8 28	甲子	廿三
1 23	壬辰	12 25	癸亥	11 25	癸巳	10 27	甲子	9 27	甲午	8 29	乙丑	廿四
1 24	癸巳	12 26	甲子	11 26	甲午	10 28	乙丑	9 28	乙未	8 30	丙寅	廿五
1 25	甲午	12 27	乙丑	11 27	乙未	10 29	丙寅	9 29	丙申	8 31	丁卯	廿六
1 26	乙未	12 28	丙寅	11 28	丙申	10 30	丁卯	9 30	丁酉	9 1	戊辰	廿七
1 27	丙申	12 29	丁卯	11 29	丁酉	10 31	戊辰	10 1	戊戌	9 2	己巳	廿八
1 28	丁酉	12 30	戊辰	11 30	戊戌	11 1	己巳	10 2	己亥	9 3	庚午	廿九
1 29	戊戌			12 1	己亥			10 3	庚子			三十

087

一九六八年

歲次戊申（肖猴）

太歲姓俞名志

年星五黃

月別	正月小		二月大		三月小		四月大		五月大		六月小	
干支	甲寅		乙卯		丙辰		丁巳		戊午		己未	
九星	二黑		一白		九紫		八白		七赤		六白	
節氣	立春	雨水	驚蟄	春分	清明	穀雨	立夏	小滿	芒種	夏至	小暑	大暑
	初七丑時 2時8分	廿一亥時 22時9分	初七戌時 20時18分	廿二亥時 21時22分	初八丑時 1時21分	廿三辰時 8時41分	初九酉時 18時56分	廿五辰時 8時6分	初十夜子 23時19分	廿六申時 16時13分	十二巳時 9時42分	廿八寅時 3時8分
農曆	干支	西曆	干支	西曆	干支	西曆	干支	西曆	干支	西曆	干支	西曆
初一	己亥	1 30	戊辰	2 28	戊戌	3 29	丁卯	4 27	丁酉	5 27	丁卯	6 26
初二	庚子	1 31	己巳	2 29	己亥	3 30	戊辰	4 28	戊戌	5 28	戊辰	6 27
初三	辛丑	2 1	庚午	3 1	庚子	3 31	己巳	4 29	己亥	5 29	己巳	6 28
初四	壬寅	2 2	辛未	3 2	辛丑	4 1	庚午	4 30	庚子	5 30	庚午	6 29
初五	癸卯	2 3	壬申	3 3	壬寅	4 2	辛未	5 1	辛丑	5 31	辛未	6 30
初六	甲辰	2 4	癸酉	3 4	癸卯	4 3	壬申	5 2	壬寅	6 1	壬申	7 1
初七	**乙巳**	2 5	**甲戌**	3 5	甲辰	4 4	癸酉	5 3	癸卯	6 2	癸酉	7 2
初八	丙午	2 6	乙亥	3 6	**乙巳**	4 5	甲戌	5 4	甲辰	6 3	甲戌	7 3
初九	丁未	2 7	丙子	3 7	丙午	4 6	**乙亥**	5 5	乙巳	6 4	乙亥	7 4
初十	戊申	2 8	丁丑	3 8	丁未	4 7	丙子	5 6	**丙午**	6 5	丙子	7 5
十一	己酉	2 9	戊寅	3 9	戊申	4 8	丁丑	5 7	丁未	6 6	丁丑	7 6
十二	庚戌	2 10	己卯	3 10	己酉	4 9	戊寅	5 8	戊申	6 7	**戊寅**	7 7
十三	辛亥	2 11	庚辰	3 11	庚戌	4 10	己卯	5 9	己酉	6 8	己卯	7 8
十四	壬子	2 12	辛巳	3 12	辛亥	4 11	庚辰	5 10	庚戌	6 9	庚辰	7 9
十五	癸丑	2 13	壬午	3 13	壬子	4 12	辛巳	5 11	辛亥	6 10	辛巳	7 10
十六	甲寅	2 14	癸未	3 14	癸丑	4 13	壬午	5 12	壬子	6 11	壬午	7 11
十七	乙卯	2 15	甲申	3 15	甲寅	4 14	癸未	5 13	癸丑	6 12	癸未	7 12
十八	丙辰	2 16	乙酉	3 16	乙卯	4 15	甲申	5 14	甲寅	6 13	甲申	7 13
十九	丁巳	2 17	丙戌	3 17	丙辰	4 16	乙酉	5 15	乙卯	6 14	乙酉	7 14
二十	戊午	2 18	丁亥	3 18	丁巳	4 17	丙戌	5 16	丙辰	6 15	丙戌	7 15
廿一	**己未**	2 19	戊子	3 19	戊午	4 18	丁亥	5 17	丁巳	6 16	丁亥	7 16
廿二	庚申	2 20	**己丑**	3 20	己未	4 19	戊子	5 18	戊午	6 17	戊子	7 17
廿三	辛酉	2 21	庚寅	3 21	**庚申**	4 20	己丑	5 19	己未	6 18	己丑	7 18
廿四	壬戌	2 22	辛卯	3 22	辛酉	4 21	庚寅	5 20	庚申	6 19	庚寅	7 19
廿五	癸亥	2 23	壬辰	3 23	壬戌	4 22	**辛卯**	5 21	辛酉	6 20	辛卯	7 20
廿六	甲子	2 24	癸巳	3 24	癸亥	4 23	壬辰	5 22	**壬戌**	6 21	壬辰	7 21
廿七	乙丑	2 25	甲午	3 25	甲子	4 24	癸巳	5 23	癸亥	6 22	癸巳	7 22
廿八	丙寅	2 26	乙未	3 26	乙丑	4 25	甲午	5 24	甲子	6 23	**甲午**	7 23
廿九	丁卯	2 27	丙申	3 27	丙寅	4 26	乙未	5 25	乙丑	6 24	乙未	7 24
三十			丁酉	3 28			丙申	5 26	丙寅	6 25		

十二月大		十一月小		十月大		九月小		八月大		閏七月小		七月大		月別
乙丑		甲子		癸亥		壬戌		辛酉				庚申		干支
九紫		一白		二黑		三碧		四綠				五黃		九星
立春	大寒	小寒	冬至	大雪	小雪	立冬	霜降	寒露	秋分		白露	處暑	立秋	節氣
十八辰時 7時59分	初三未時 13時38分	十七戌時 20時17分	初三寅時 3時0分	十八巳時 9時9分	初三未時 13時49分	十七申時 16時29分	初二申時 16時30分	十七未時 13時35分	初二辰時 7時26分		十五亥時 22時12分	三十巳時 10時3分	十四戌時 19時27分	
西曆	干支	西曆	干支	西曆	干支	西曆	干支	西曆	干支	西曆	干支	西曆	干支	農曆
1 18	癸巳	12 20	甲子	11 20	甲午	10 22	乙丑	9 22	乙未	8 24	丙寅	7 25	丙申	初一
1 19	甲午	12 21	乙丑	11 21	乙未	10 23	**丙寅**	9 23	**丙申**	8 25	丁卯	7 26	丁酉	初二
1 20	**乙未**	12 22	**丙寅**	11 22	**丙申**	10 24	丁卯	9 24	丁酉	8 26	戊辰	7 27	戊戌	初三
1 21	丙申	12 23	丁卯	11 23	丁酉	10 25	戊辰	9 25	戊戌	8 27	己巳	7 28	己亥	初四
1 22	丁酉	12 24	戊辰	11 24	戊戌	10 26	己巳	9 26	己亥	8 28	庚午	7 29	庚子	初五
1 23	戊戌	12 25	己巳	11 25	己亥	10 27	庚午	9 27	庚子	8 29	辛未	7 30	辛丑	初六
1 24	己亥	12 26	庚午	11 26	庚子	10 28	辛未	9 28	辛丑	8 30	壬申	7 31	壬寅	初七
1 25	庚子	12 27	辛未	11 27	辛丑	10 29	壬申	9 29	壬寅	8 31	癸酉	8 1	癸卯	初八
1 26	辛丑	12 28	壬申	11 28	壬寅	10 30	癸酉	9 30	癸卯	9 1	甲戌	8 2	甲辰	初九
1 27	壬寅	12 29	癸酉	11 29	癸卯	10 31	甲戌	10 1	甲辰	9 2	乙亥	8 3	乙巳	初十
1 28	癸卯	12 30	甲戌	11 30	甲辰	11 1	乙亥	10 2	乙巳	9 3	丙子	8 4	丙午	十一
1 29	甲辰	12 31	乙亥	12 1	乙巳	11 2	丙子	10 3	丙午	9 4	丁丑	8 5	丁未	十二
1 30	乙巳	1 1	丙子	12 2	丙午	11 3	丁丑	10 4	丁未	9 5	戊寅	8 6	戊申	十三
1 31	丙午	1 2	丁丑	12 3	丁未	11 4	戊寅	10 5	戊申	9 6	己卯	8 7	**己酉**	十四
2 1	丁未	1 3	戊寅	12 4	戊申	11 5	己卯	10 6	己酉	9 7	**庚辰**	8 8	庚戌	十五
2 2	戊申	1 4	己卯	12 5	己酉	11 6	庚辰	10 7	庚戌	9 8	辛巳	8 9	辛亥	十六
2 3	己酉	1 5	**庚辰**	12 6	庚戌	11 7	**辛巳**	10 8	**辛亥**	9 9	壬午	8 10	壬子	十七
2 4	**庚戌**	1 6	辛巳	12 7	**辛亥**	11 8	壬午	10 9	壬子	9 10	癸未	8 11	癸丑	十八
2 5	辛亥	1 7	壬午	12 8	壬子	11 9	癸未	10 10	癸丑	9 11	甲申	8 12	甲寅	十九
2 6	壬子	1 8	癸未	12 9	癸丑	11 10	甲申	10 11	甲寅	9 12	乙酉	8 13	乙卯	二十
2 7	癸丑	1 9	甲申	12 10	甲寅	11 11	乙酉	10 12	乙卯	9 13	丙戌	8 14	丙辰	廿一
2 8	甲寅	1 10	乙酉	12 11	乙卯	11 12	丙戌	10 13	丙辰	9 14	丁亥	8 15	丁巳	廿二
2 9	乙卯	1 11	丙戌	12 12	丙辰	11 13	丁亥	10 14	丁巳	9 15	戊子	8 16	戊午	廿三
2 10	丙辰	1 12	丁亥	12 13	丁巳	11 14	戊子	10 15	戊午	9 16	己丑	8 17	己未	廿四
2 11	丁巳	1 13	戊子	12 14	戊午	11 15	己丑	10 16	己未	9 17	庚寅	8 18	庚申	廿五
2 12	戊午	1 14	己丑	12 15	己未	11 16	庚寅	10 17	庚申	9 18	辛卯	8 19	辛酉	廿六
2 13	己未	1 15	庚寅	12 16	庚申	11 17	辛卯	10 18	辛酉	9 19	壬辰	8 20	壬戌	廿七
2 14	庚申	1 16	辛卯	12 17	辛酉	11 18	壬辰	10 19	壬戌	9 20	癸巳	8 21	癸亥	廿八
2 15	辛酉	1 17	壬辰	12 18	壬戌	11 19	癸巳	10 20	癸亥	9 21	甲午	8 22	甲子	廿九
2 16	壬戌			12 19	癸亥			10 21	甲子			8 23	**乙丑**	三十

一九六九年

歲次己酉（肖雞）

太歲姓程名寅

年星四綠

月別	正月小	二月大	三月小	四月大	五月小	六月大
干支	丙寅	丁卯	戊辰	己巳	庚午	辛未
九星	八白	七赤	六白	五黃	四綠	三碧
節氣	雨水：初三 3時55分 寅時 驚蟄：十八 2時11分 丑時	春分：初四 3時8分 寅時 清明：十九 7時15分 辰時	穀雨：初四 14時27分 未時 立夏：二十 0時50分 早子	小滿：初六 13時50分 未時 芒種：廿二 5時12分 卯時	夏至：初七 21時55分 亥時 小暑：廿三 15時32分 申時	大暑：初十 8時48分 辰時 立秋：廿六 1時14分 丑時

農曆	正月 干支	正月 西曆	二月 干支	二月 西曆	三月 干支	三月 西曆	四月 干支	四月 西曆	五月 干支	五月 西曆	六月 干支	六月 西曆
初一	癸亥	2 17	壬辰	3 18	壬戌	4 17	辛卯	5 16	辛酉	6 15	庚寅	7 14
初二	甲子	2 18	癸巳	3 19	癸亥	4 18	壬辰	5 17	壬戌	6 16	辛卯	7 15
初三	**乙丑**	2 19	甲午	3 20	甲子	4 19	癸巳	5 18	癸亥	6 17	壬辰	7 16
初四	丙寅	2 20	**乙未**	3 21	**乙丑**	4 20	甲午	5 19	甲子	6 18	癸巳	7 17
初五	丁卯	2 21	丙申	3 22	丙寅	4 21	乙未	5 20	乙丑	6 19	甲午	7 18
初六	戊辰	2 22	丁酉	3 23	丁卯	4 22	**丙申**	5 21	丙寅	6 20	乙未	7 19
初七	己巳	2 23	戊戌	3 24	戊辰	4 23	丁酉	5 22	**丁卯**	6 21	丙申	7 20
初八	庚午	2 24	己亥	3 25	己巳	4 24	戊戌	5 23	戊辰	6 22	丁酉	7 21
初九	辛未	2 25	庚子	3 26	庚午	4 25	己亥	5 24	己巳	6 23	戊戌	7 22
初十	壬申	2 26	辛丑	3 27	辛未	4 26	庚子	5 25	庚午	6 24	**己亥**	7 23
十一	癸酉	2 27	壬寅	3 28	壬申	4 27	辛丑	5 26	辛未	6 25	庚子	7 24
十二	甲戌	2 28	癸卯	3 29	癸酉	4 28	壬寅	5 27	壬申	6 26	辛丑	7 25
十三	乙亥	3 1	甲辰	3 30	甲戌	4 29	癸卯	5 28	癸酉	6 27	壬寅	7 26
十四	丙子	3 2	乙巳	3 31	乙亥	4 30	甲辰	5 29	甲戌	6 28	癸卯	7 27
十五	丁丑	3 3	丙午	4 1	丙子	5 1	乙巳	5 30	乙亥	6 29	甲辰	7 28
十六	戊寅	3 4	丁未	4 2	丁丑	5 2	丙午	5 31	丙子	6 30	乙巳	7 29
十七	己卯	3 5	戊申	4 3	戊寅	5 3	丁未	6 1	丁丑	7 1	丙午	7 30
十八	**庚辰**	3 6	己酉	4 4	己卯	5 4	戊申	6 2	戊寅	7 2	丁未	7 31
十九	辛巳	3 7	**庚戌**	4 5	庚辰	5 5	己酉	6 3	己卯	7 3	戊申	8 1
二十	壬午	3 8	辛亥	4 6	**辛巳**	5 6	庚戌	6 4	庚辰	7 4	己酉	8 2
廿一	癸未	3 9	壬子	4 7	壬午	5 7	辛亥	6 5	辛巳	7 5	庚戌	8 3
廿二	甲申	3 10	癸丑	4 8	癸未	5 8	**壬子**	6 6	壬午	7 6	辛亥	8 4
廿三	乙酉	3 11	甲寅	4 9	甲申	5 9	癸丑	6 7	**癸未**	7 7	壬子	8 5
廿四	丙戌	3 12	乙卯	4 10	乙酉	5 10	甲寅	6 8	甲申	7 8	癸丑	8 6
廿五	丁亥	3 13	丙辰	4 11	丙戌	5 11	乙卯	6 9	乙酉	7 9	甲寅	8 7
廿六	戊子	3 14	丁巳	4 12	丁亥	5 12	丙辰	6 10	丙戌	7 10	**乙卯**	8 8
廿七	己丑	3 15	戊午	4 13	戊子	5 13	丁巳	6 11	丁亥	7 11	丙辰	8 9
廿八	庚寅	3 16	己未	4 14	己丑	5 14	戊午	6 12	戊子	7 12	丁巳	8 10
廿九	辛卯	3 17	庚申	4 15	庚寅	5 15	己未	6 13	己丑	7 13	戊午	8 11
三十			辛酉	4 16			庚申	6 14			己未	8 12

十二月小		十一月大		十月小		九月大		八月小		七月大		月別
丁丑		丙子		乙亥		甲戌		癸酉		壬申		干支
六白		七赤		八白		九紫		一白		二黑		九星
立春	大寒	小寒	冬至	大雪	小雪	立冬	霜降	寒露	秋分	白露	處暑	節氣
13時46分 廿八未時	19時24分 十三戌時	2時2分 廿九丑時	8時44分 十四辰時	14時51分 廿八未時	19時31分 十三戌時	22時12分 廿八亥時	22時11分 十三亥時	19時17分 廿七戌時	13時7分 十二未時	3時56分 廿七寅時	15時43分 十一申時	
西曆	干支	西曆	干支	西曆	干支	西曆	干支	西曆	干支	西曆	干支	農曆
1 8	戊子	12 9	戊午	11 10	己丑	10 11	己未	9 12	庚寅	8 13	庚申	初一
1 9	己丑	12 10	己未	11 11	庚寅	10 12	庚申	9 13	辛卯	8 14	辛酉	初二
1 10	庚寅	12 11	庚申	11 12	辛卯	10 13	辛酉	9 14	壬辰	8 15	壬戌	初三
1 11	辛卯	12 12	辛酉	11 13	壬辰	10 14	壬戌	9 15	癸巳	8 16	癸亥	初四
1 12	壬辰	12 13	壬戌	11 14	癸巳	10 15	癸亥	9 16	甲午	8 17	甲子	初五
1 13	癸巳	12 14	癸亥	11 15	甲午	10 16	甲子	9 17	乙未	8 18	乙丑	初六
1 14	甲午	12 15	甲子	11 16	乙未	10 17	乙丑	9 18	丙申	8 19	丙寅	初七
1 15	乙未	12 16	乙丑	11 17	丙申	10 18	丙寅	9 19	丁酉	8 20	丁卯	初八
1 16	丙申	12 17	丙寅	11 18	丁酉	10 19	丁卯	9 20	戊戌	8 21	戊辰	初九
1 17	丁酉	12 18	丁卯	11 19	戊戌	10 20	戊辰	9 21	己亥	8 22	己巳	初十
1 18	戊戌	12 19	戊辰	11 20	己亥	10 21	己巳	9 22	庚子	8 23	**庚午**	十一
1 19	己亥	12 20	己巳	11 21	庚子	10 22	庚午	9 23	**辛丑**	8 24	辛未	十二
1 20	**庚子**	12 21	庚午	11 22	**辛丑**	10 23	**辛未**	9 24	壬寅	8 25	壬申	十三
1 21	辛丑	12 22	**辛未**	11 23	壬寅	10 24	壬申	9 25	癸卯	8 26	癸酉	十四
1 22	壬寅	12 23	壬申	11 24	癸卯	10 25	癸酉	9 26	甲辰	8 27	甲戌	十五
1 23	癸卯	12 24	癸酉	11 25	甲辰	10 26	甲戌	9 27	乙巳	8 28	乙亥	十六
1 24	甲辰	12 25	甲戌	11 26	乙巳	10 27	乙亥	9 28	丙午	8 29	丙子	十七
1 25	乙巳	12 26	乙亥	11 27	丙午	10 28	丙子	9 29	丁未	8 30	丁丑	十八
1 26	丙午	12 27	丙子	11 28	丁未	10 29	丁丑	9 30	戊申	8 31	戊寅	十九
1 27	丁未	12 28	丁丑	11 29	戊申	10 30	戊寅	10 1	己酉	9 1	己卯	二十
1 28	戊申	12 29	戊寅	11 30	己酉	10 31	己卯	10 2	庚戌	9 2	庚辰	廿一
1 29	己酉	12 30	己卯	12 1	庚戌	11 1	庚辰	10 3	辛亥	9 3	辛巳	廿二
1 30	庚戌	12 31	庚辰	12 2	辛亥	11 2	辛巳	10 4	壬子	9 4	壬午	廿三
1 31	辛亥	1 1	辛巳	12 3	壬子	11 3	壬午	10 5	癸丑	9 5	癸未	廿四
2 1	壬子	1 2	壬午	12 4	癸丑	11 4	癸未	10 6	甲寅	9 6	甲申	廿五
2 2	癸丑	1 3	癸未	12 5	甲寅	11 5	甲申	10 7	乙卯	9 7	乙酉	廿六
2 3	甲寅	1 4	甲申	12 6	乙卯	11 6	乙酉	10 8	**丙辰**	9 8	**丙戌**	廿七
2 4	**乙卯**	1 5	乙酉	12 7	**丙辰**	11 7	**丙戌**	10 9	丁巳	9 9	丁亥	廿八
2 5	丙辰	1 6	**丙戌**	12 8	丁巳	11 8	丁亥	10 10	戊午	9 10	戊子	廿九
		1 7	丁亥			11 9	戊子			9 11	己丑	三十

一九七〇年

歲次庚戌（肖狗）

太歲姓化名秋

年星三碧

六月大		五月小		四月大		三月小		二月小		正月大		月別
癸未		壬午		辛巳		庚辰		己卯		戊寅		干支
九紫		一白		二黑		三碧		四綠		五黃		九星
大暑	小暑	夏至	芒種	小滿	立夏		穀雨	清明	春分	驚蟄	雨水	節氣
廿一 14時37分 未時	初五 21時11分 亥時	十九 3時43分 寅時	初三 10時52分 巳時	十七 19時38分 戌時	初二 6時34分 卯時		十五 20時15分 戌時	廿九 13時2分 未時	十四 8時56分 辰時	廿九 7時59分 辰時	十四 9時42分 巳時	
西曆	干支	西曆	干支	西曆	干支	西曆	干支	西曆	干支	西曆	干支	農曆
7 3	甲申	6 4	乙卯	5 5	乙酉	4 6	丙辰	3 8	丁亥	2 6	丁巳	初一
7 4	乙酉	6 5	丙辰	5 6	**丙戌**	4 7	丁巳	3 9	戊子	2 7	戊午	初二
7 5	丙戌	6 6	**丁巳**	5 7	丁亥	4 8	戊午	3 10	己丑	2 8	己未	初三
7 6	丁亥	6 7	戊午	5 8	戊子	4 9	己未	3 11	庚寅	2 9	庚申	初四
7 7	**戊子**	6 8	己未	5 9	己丑	4 10	庚申	3 12	辛卯	2 10	辛酉	初五
7 8	己丑	6 9	庚申	5 10	庚寅	4 11	辛酉	3 13	壬辰	2 11	壬戌	初六
7 9	庚寅	6 10	辛酉	5 11	辛卯	4 12	壬戌	3 14	癸巳	2 12	癸亥	初七
7 10	辛卯	6 11	壬戌	5 12	壬辰	4 13	癸亥	3 15	甲午	2 13	甲子	初八
7 11	壬辰	6 12	癸亥	5 13	癸巳	4 14	甲子	3 16	乙未	2 14	乙丑	初九
7 12	癸巳	6 13	甲子	5 14	甲午	4 15	乙丑	3 17	丙申	2 15	丙寅	初十
7 13	甲午	6 14	乙丑	5 15	乙未	4 16	丙寅	3 18	丁酉	2 16	丁卯	十一
7 14	乙未	6 15	丙寅	5 16	丙申	4 17	丁卯	3 19	戊戌	2 17	戊辰	十二
7 15	丙申	6 16	丁卯	5 17	丁酉	4 18	戊辰	3 20	己亥	2 18	己巳	十三
7 16	丁酉	6 17	戊辰	5 18	戊戌	4 19	己巳	3 21	**庚子**	2 19	**庚午**	十四
7 17	戊戌	6 18	己巳	5 19	己亥	4 20	**庚午**	3 22	辛丑	2 20	辛未	十五
7 18	己亥	6 19	庚午	5 20	庚子	4 21	辛未	3 23	壬寅	2 21	壬申	十六
7 19	庚子	6 20	辛未	5 21	**辛丑**	4 22	壬申	3 24	癸卯	2 22	癸酉	十七
7 20	辛丑	6 21	壬申	5 22	壬寅	4 23	癸酉	3 25	甲辰	2 23	甲戌	十八
7 21	壬寅	6 22	**癸酉**	5 23	癸卯	4 24	甲戌	3 26	乙巳	2 24	乙亥	十九
7 22	癸卯	6 23	甲戌	5 24	甲辰	4 25	乙亥	3 27	丙午	2 25	丙子	二十
7 23	**甲辰**	6 24	乙亥	5 25	乙巳	4 26	丙子	3 28	丁未	2 26	丁丑	廿一
7 24	乙巳	6 25	丙子	5 26	丙午	4 27	丁丑	3 29	戊申	2 27	戊寅	廿二
7 25	丙午	6 26	丁丑	5 27	丁未	4 28	戊寅	3 30	己酉	2 28	己卯	廿三
7 26	丁未	6 27	戊寅	5 28	戊申	4 29	己卯	3 31	庚戌	3 1	庚辰	廿四
7 27	戊申	6 28	己卯	5 29	己酉	4 30	庚辰	4 1	辛亥	3 2	辛巳	廿五
7 28	己酉	6 29	庚辰	5 30	庚戌	5 1	辛巳	4 2	壬子	3 3	壬午	廿六
7 29	庚戌	6 30	辛巳	5 31	辛亥	5 2	壬午	4 3	癸丑	3 4	癸未	廿七
7 30	辛亥	7 1	壬午	6 1	壬子	5 3	癸未	4 4	甲寅	3 5	甲申	廿八
7 31	壬子	7 2	癸未	6 2	癸丑	5 4	甲申	4 5	**乙卯**	3 6	**乙酉**	廿九
8 1	癸丑			6 3	甲寅					3 7	丙戌	三十

十二月大		十一月小		十月大		九月大		八月小		七月大		月別
己丑		戊子		丁亥		丙戌		乙酉		甲申		干支
三碧		四綠		五黃		六白		七赤		八白		九星
大寒	小寒	冬至	大雪	小雪	立冬	霜降	寒露	秋分	白露	處暑	立秋	節氣
廿五 1時13分 丑時	初十 7時45分 辰時	廿四 14時36分 未時	初九 20時38分 戌時	廿五 1時25分 丑時	初十 3時58分 寅時	廿五 4時4分 寅時	初十 1時2分 丑時	廿三 18時59分 酉時	初八 9時38分 巳時	廿二 21時34分 亥時	初七 6時54分 卯時	
西曆	干支	西曆	干支	西曆	干支	西曆	干支	西曆	干支	西曆	干支	農曆
12 28	壬午	11 29	癸丑	10 30	癸未	9 30	癸丑	9 1	甲申	8 2	甲寅	初一
12 29	癸未	11 30	甲寅	10 31	甲申	10 1	甲寅	9 2	乙酉	8 3	乙卯	初二
12 30	甲申	12 1	乙卯	11 1	乙酉	10 2	乙卯	9 3	丙戌	8 4	丙辰	初三
12 31	乙酉	12 2	丙辰	11 2	丙戌	10 3	丙辰	9 4	丁亥	8 5	丁巳	初四
1 1	丙戌	12 3	丁巳	11 3	丁亥	10 4	丁巳	9 5	戊子	8 6	戊午	初五
1 2	丁亥	12 4	戊午	11 4	戊子	10 5	戊午	9 6	己丑	8 7	己未	初六
1 3	戊子	12 5	己未	11 5	己丑	10 6	己未	9 7	庚寅	8 8	**庚申**	初七
1 4	己丑	12 6	庚申	11 6	庚寅	10 7	庚申	9 8	**辛卯**	8 9	辛酉	初八
1 5	庚寅	12 7	**辛酉**	11 7	辛卯	10 8	辛酉	9 9	壬辰	8 10	壬戌	初九
1 6	**辛卯**	12 8	壬戌	11 8	**壬辰**	10 9	**壬戌**	9 10	癸巳	8 11	癸亥	初十
1 7	壬辰	12 9	癸亥	11 9	癸巳	10 10	癸亥	9 11	甲午	8 12	甲子	十一
1 8	癸巳	12 10	甲子	11 10	甲午	10 11	甲子	9 12	乙未	8 13	乙丑	十二
1 9	甲午	12 11	乙丑	11 11	乙未	10 12	乙丑	9 13	丙申	8 14	丙寅	十三
1 10	乙未	12 12	丙寅	11 12	丙申	10 13	丙寅	9 14	丁酉	8 15	丁卯	十四
1 11	丙申	12 13	丁卯	11 13	丁酉	10 14	丁卯	9 15	戊戌	8 16	戊辰	十五
1 12	丁酉	12 14	戊辰	11 14	戊戌	10 15	戊辰	9 16	己亥	8 17	己巳	十六
1 13	戊戌	12 15	己巳	11 15	己亥	10 16	己巳	9 17	庚子	8 18	庚午	十七
1 14	己亥	12 16	庚午	11 16	庚子	10 17	庚午	9 18	辛丑	8 19	辛未	十八
1 15	庚子	12 17	辛未	11 17	辛丑	10 18	辛未	9 19	壬寅	8 20	壬申	十九
1 16	辛丑	12 18	壬申	11 18	壬寅	10 19	壬申	9 20	癸卯	8 21	癸酉	二十
1 17	壬寅	12 19	癸酉	11 19	癸卯	10 20	癸酉	9 21	甲辰	8 22	甲戌	廿一
1 18	癸卯	12 20	甲戌	11 20	甲辰	10 21	甲戌	9 22	乙巳	8 23	**乙亥**	廿二
1 19	甲辰	12 21	乙亥	11 21	乙巳	10 22	乙亥	9 23	**丙午**	8 24	丙子	廿三
1 20	乙巳	12 22	**丙子**	11 22	丙午	10 23	丙子	9 24	丁未	8 25	丁丑	廿四
1 21	**丙午**	12 23	丁丑	11 23	**丁未**	10 24	**丁丑**	9 25	戊申	8 26	戊寅	廿五
1 22	丁未	12 24	戊寅	11 24	戊申	10 25	戊寅	9 26	己酉	8 27	己卯	廿六
1 23	戊申	12 25	己卯	11 25	己酉	10 26	己卯	9 27	庚戌	8 28	庚辰	廿七
1 24	己酉	12 26	庚辰	11 26	庚戌	10 27	庚辰	9 28	辛亥	8 29	辛巳	廿八
1 25	庚戌	12 27	辛巳	11 27	辛亥	10 28	辛巳	9 29	壬子	8 30	壬午	廿九
1 26	辛亥			11 28	壬子	10 29	壬午			8 31	癸未	三十

一九七一年

歲次辛亥（肖豬）

太歲姓葉名堅

年星二黑

閏五月小		五月大		四月小		三月小		二月大		正月小		月別
		甲午		癸巳		壬辰		辛卯		庚寅		干支
		七赤		八白		九紫		一白		二黑		九星
小暑		夏至	芒種	小滿	立夏	穀雨	清明	春分	驚蟄	雨水	立春	節氣
十六丑時 2時51分		三十巳時 9時20分	十四申時 16時29分	廿八丑時 1時15分	十二午時 12時8分	廿六丑時 1時54分	初十酉時 18時36分	廿五未時 14時38分	初十未時 13時35分	廿四申時 15時27分	初九戌時 19時26分	
西曆	干支	西曆	干支	西曆	干支	西曆	干支	西曆	干支	西曆	干支	農曆
6 23	己卯	5 24	己酉	4 25	庚辰	3 27	辛亥	2 25	辛巳	1 27	壬子	初一
6 24	庚辰	5 25	庚戌	4 26	辛巳	3 28	壬子	2 26	壬午	1 28	癸丑	初二
6 25	辛巳	5 26	辛亥	4 27	壬午	3 29	癸丑	2 27	癸未	1 29	甲寅	初三
6 26	壬午	5 27	壬子	4 28	癸未	3 30	甲寅	2 28	甲申	1 30	乙卯	初四
6 27	癸未	5 28	癸丑	4 29	甲申	3 31	乙卯	3 1	乙酉	1 31	丙辰	初五
6 28	甲申	5 29	甲寅	4 30	乙酉	4 1	丙辰	3 2	丙戌	2 1	丁巳	初六
6 29	乙酉	5 30	乙卯	5 1	丙戌	4 2	丁巳	3 3	丁亥	2 2	戊午	初七
6 30	丙戌	5 31	丙辰	5 2	丁亥	4 3	戊午	3 4	戊子	2 3	己未	初八
7 1	丁亥	6 1	丁巳	5 3	戊子	4 4	己未	3 5	己丑	2 4	**庚申**	初九
7 2	戊子	6 2	戊午	5 4	己丑	4 5	**庚申**	3 6	**庚寅**	2 5	辛酉	初十
7 3	己丑	6 3	己未	5 5	庚寅	4 6	辛酉	3 7	辛卯	2 6	壬戌	十一
7 4	庚寅	6 4	庚申	5 6	**辛卯**	4 7	壬戌	3 8	壬辰	2 7	癸亥	十二
7 5	辛卯	6 5	辛酉	5 7	壬辰	4 8	癸亥	3 9	癸巳	2 8	甲子	十三
7 6	壬辰	6 6	**壬戌**	5 8	癸巳	4 9	甲子	3 10	甲午	2 9	乙丑	十四
7 7	癸巳	6 7	癸亥	5 9	甲午	4 10	乙丑	3 11	乙未	2 10	丙寅	十五
7 8	**甲午**	6 8	甲子	5 10	乙未	4 11	丙寅	3 12	丙申	2 11	丁卯	十六
7 9	乙未	6 9	乙丑	5 11	丙申	4 12	丁卯	3 13	丁酉	2 12	戊辰	十七
7 10	丙申	6 10	丙寅	5 12	丁酉	4 13	戊辰	3 14	戊戌	2 13	己巳	十八
7 11	丁酉	6 11	丁卯	5 13	戊戌	4 14	己巳	3 15	己亥	2 14	庚午	十九
7 12	戊戌	6 12	戊辰	5 14	己亥	4 15	庚午	3 16	庚子	2 15	辛未	二十
7 13	己亥	6 13	己巳	5 15	庚子	4 16	辛未	3 17	辛丑	2 16	壬申	廿一
7 14	庚子	6 14	庚午	5 16	辛丑	4 17	壬申	3 18	壬寅	2 17	癸酉	廿二
7 15	辛丑	6 15	辛未	5 17	壬寅	4 18	癸酉	3 19	癸卯	2 18	甲戌	廿三
7 16	壬寅	6 16	壬申	5 18	癸卯	4 19	甲戌	3 20	甲辰	2 19	**乙亥**	廿四
7 17	癸卯	6 17	癸酉	5 19	甲辰	4 20	乙亥	3 21	**乙巳**	2 20	丙子	廿五
7 18	甲辰	6 18	甲戌	5 20	乙巳	4 21	**丙子**	3 22	丙午	2 21	丁丑	廿六
7 19	乙巳	6 19	乙亥	5 21	丙午	4 22	丁丑	3 23	丁未	2 22	戊寅	廿七
7 20	丙午	6 20	丙子	5 22	**丁未**	4 23	戊寅	3 24	戊申	2 23	己卯	廿八
7 21	丁未	6 21	丁丑	5 23	戊申	4 24	己卯	3 25	己酉	2 24	庚辰	廿九
		6 22	**戊寅**					3 26	庚戌			三十

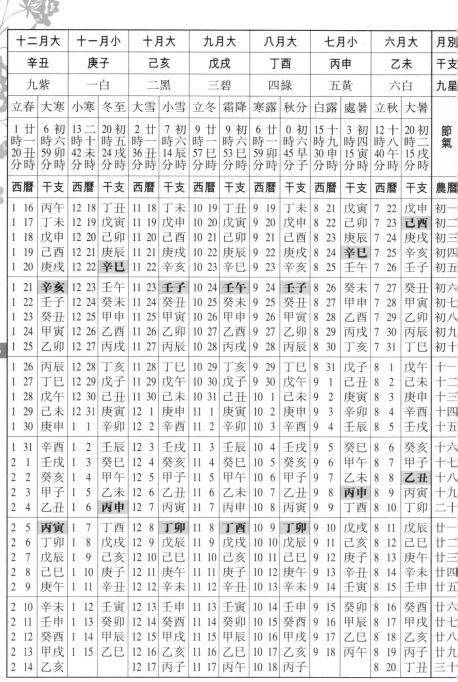

十二月大		十一月小		十月大		九月大		八月大		七月小		六月大		月別
辛丑		庚子		己亥		戊戌		丁酉		丙申		乙未		干支
九紫		一白		二黑		三碧		四綠		五黃		六白		九星
立春	大寒	小寒	冬至	大雪	小雪	立冬	霜降	寒露	秋分	白露	處暑	立秋	大暑	節氣
1時20分 廿一丑時	6時59分 初六卯時	13時42分 二十未時	20時24分 初五戌時	2時36分 廿一丑時	7時14分 初六辰時	9時57分 廿一巳時	9時53分 初六巳時	6時59分 廿一卯時	0時45分 初六早子	15時30分 十九申時	3時15分 初四寅時	12時40分 十八午時	20時15分 初二戌時	節氣
西曆	干支	西曆	干支	西曆	干支	西曆	干支	西曆	干支	西曆	干支	西曆	干支	農曆
1 16	丙午	12 18	丁丑	11 18	丁未	10 19	丁丑	9 19	丁未	8 21	戊寅	7 22	戊申	初一
1 17	丁未	12 19	戊寅	11 19	戊申	10 20	戊寅	9 20	戊申	8 22	己卯	7 23	己酉	初二
1 18	戊申	12 20	己卯	11 20	己酉	10 21	己卯	9 21	己酉	8 23	庚辰	7 24	庚戌	初三
1 19	己酉	12 21	庚辰	11 21	庚戌	10 22	庚辰	9 22	庚戌	8 24	辛巳	7 25	辛亥	初四
1 20	庚戌	12 22	辛巳	11 22	辛亥	10 23	辛巳	9 23	辛亥	8 25	壬午	7 26	壬子	初五
1 21	辛亥	12 23	壬午	11 23	壬子	10 24	壬午	9 24	壬子	8 26	癸未	7 27	癸丑	初六
1 22	壬子	12 24	癸未	11 24	癸丑	10 25	癸未	9 25	癸丑	8 27	甲申	7 28	甲寅	初七
1 23	癸丑	12 25	甲申	11 25	甲寅	10 26	甲申	9 26	甲寅	8 28	乙酉	7 29	乙卯	初八
1 24	甲寅	12 26	乙酉	11 26	乙卯	10 27	乙酉	9 27	乙卯	8 29	丙戌	7 30	丙辰	初九
1 25	乙卯	12 27	丙戌	11 27	丙辰	10 28	丙戌	9 28	丙辰	8 30	丁亥	7 31	丁巳	初十
1 26	丙辰	12 28	丁亥	11 28	丁巳	10 29	丁亥	9 29	丁巳	8 31	戊子	8 1	戊午	十一
1 27	丁巳	12 29	戊子	11 29	戊午	10 30	戊子	9 30	戊午	9 1	己丑	8 2	己未	十二
1 28	戊午	12 30	己丑	11 30	己未	10 31	己丑	10 1	己未	9 2	庚寅	8 3	庚申	十三
1 29	己未	12 31	庚寅	12 1	庚申	11 1	庚寅	10 2	庚申	9 3	辛卯	8 4	辛酉	十四
1 30	庚申	1 1	辛卯	12 2	辛酉	11 2	辛卯	10 3	辛酉	9 4	壬辰	8 5	壬戌	十五
1 31	辛酉	1 2	壬辰	12 3	壬戌	11 3	壬辰	10 4	壬戌	9 5	癸巳	8 6	癸亥	十六
2 1	壬戌	1 3	癸巳	12 4	癸亥	11 4	癸巳	10 5	癸亥	9 6	甲午	8 7	甲子	十七
2 2	癸亥	1 4	甲午	12 5	甲子	11 5	甲午	10 6	甲子	9 7	乙未	8 8	乙丑	十八
2 3	甲子	1 5	乙未	12 6	乙丑	11 6	乙未	10 7	乙丑	9 8	丙申	8 9	丙寅	十九
2 4	乙丑	1 6	丙申	12 7	丙寅	11 7	丙申	10 8	丙寅	9 9	丁酉	8 10	丁卯	二十
2 5	丙寅	1 7	丁酉	12 8	丁卯	11 8	丁酉	10 9	丁卯	9 10	戊戌	8 11	戊辰	廿一
2 6	丁卯	1 8	戊戌	12 9	戊辰	11 9	戊戌	10 10	戊辰	9 11	己亥	8 12	己巳	廿二
2 7	戊辰	1 9	己亥	12 10	己巳	11 10	己亥	10 11	己巳	9 12	庚子	8 13	庚午	廿三
2 8	己巳	1 10	庚子	12 11	庚午	11 11	庚子	10 12	庚午	9 13	辛丑	8 14	辛未	廿四
2 9	庚午	1 11	辛丑	12 12	辛未	11 12	辛丑	10 13	辛未	9 14	壬寅	8 15	壬申	廿五
2 10	辛未	1 12	壬寅	12 13	壬申	11 13	壬寅	10 14	壬申	9 15	癸卯	8 16	癸酉	廿六
2 11	壬申	1 13	癸卯	12 14	癸酉	11 14	癸卯	10 15	癸酉	9 16	甲辰	8 17	甲戌	廿七
2 12	癸酉	1 14	甲辰	12 15	甲戌	11 15	甲辰	10 16	甲戌	9 17	乙巳	8 18	乙亥	廿八
2 13	甲戌	1 15	乙巳	12 16	乙亥	11 16	乙巳	10 17	乙亥	9 18	丙午	8 19	丙子	廿九
2 14	乙亥			12 17	丙子	11 17	丙午	10 18	丙子			8 20	丁丑	三十

一九七二年　歲次壬子（肖鼠）　太歲姓邱名德　年星一白

六月小		五月大		四月小		三月小		二月大		正月小		月別
丁未		丙午		乙巳		甲辰		癸卯		壬寅		干支
三碧		四綠		五黃		六白		七赤		八白		九星
立秋 18時29分 廿八酉時	大暑 2時3分 十三丑時	小暑 8時43分 廿七辰時	夏至 15時6分 十一申時	芒種 22時22分 廿四亥時	小滿 7時0分 初九辰時	立夏 18時1分 廿二酉時	穀雨 7時38分 初七辰時	清明 0時29分 廿二早子時	春分 20時22分 初六戌時	驚蟄 19時28分 二十戌時	雨水 21時12分 初五亥時	節氣
西曆	干支	西曆	干支	西曆	干支	西曆	干支	西曆	干支	西曆	干支	農曆
7 11	癸卯	6 11	癸酉	5 13	甲辰	4 14	乙亥	3 15	乙巳	2 15	丙子	初一
7 12	甲辰	6 12	甲戌	5 14	乙巳	4 15	丙子	3 16	丙午	2 16	丁丑	初二
7 13	乙巳	6 13	乙亥	5 15	丙午	4 16	丁丑	3 17	丁未	2 17	戊寅	初三
7 14	丙午	6 14	丙子	5 16	丁未	4 17	戊寅	3 18	戊申	2 18	己卯	初四
7 15	丁未	6 15	丁丑	5 17	戊申	4 18	己卯	3 19	己酉	2 19	庚辰	初五
7 16	戊申	6 16	戊寅	5 18	己酉	4 19	庚辰	3 20	庚戌	2 20	辛巳	初六
7 17	己酉	6 17	己卯	5 19	庚戌	4 20	辛巳	3 21	辛亥	2 21	壬午	初七
7 18	庚戌	6 18	庚辰	5 20	辛亥	4 21	壬午	3 22	壬子	2 22	癸未	初八
7 19	辛亥	6 19	辛巳	5 21	壬子	4 22	癸未	3 23	癸丑	2 23	甲申	初九
7 20	壬子	6 20	壬午	5 22	癸丑	4 23	甲申	3 24	甲寅	2 24	乙酉	初十
7 21	癸丑	6 21	癸未	5 23	甲寅	4 24	乙酉	3 25	乙卯	2 25	丙戌	十一
7 22	甲寅	6 22	甲申	5 24	乙卯	4 25	丙戌	3 26	丙辰	2 26	丁亥	十二
7 23	乙卯	6 23	乙酉	5 25	丙辰	4 26	丁亥	3 27	丁巳	2 27	戊子	十三
7 24	丙辰	6 24	丙戌	5 26	丁巳	4 27	戊子	3 28	戊午	2 28	己丑	十四
7 25	丁巳	6 25	丁亥	5 27	戊午	4 28	己丑	3 29	己未	2 29	庚寅	十五
7 26	戊午	6 26	戊子	5 28	己未	4 29	庚寅	3 30	庚申	3 1	辛卯	十六
7 27	己未	6 27	己丑	5 29	庚申	4 30	辛卯	3 31	辛酉	3 2	壬辰	十七
7 28	庚申	6 28	庚寅	5 30	辛酉	5 1	壬辰	4 1	壬戌	3 3	癸巳	十八
7 29	辛酉	6 29	辛卯	5 31	壬戌	5 2	癸巳	4 2	癸亥	3 4	甲午	十九
7 30	壬戌	6 30	壬辰	6 1	癸亥	5 3	甲午	4 3	甲子	3 5	乙未	二十
7 31	癸亥	7 1	癸巳	6 2	甲子	5 4	乙未	4 4	乙丑	3 6	丙申	廿一
8 1	甲子	7 2	甲午	6 3	乙丑	5 5	丙申	4 5	丙寅	3 7	丁酉	廿二
8 2	乙丑	7 3	乙未	6 4	丙寅	5 6	丁酉	4 6	丁卯	3 8	戊戌	廿三
8 3	丙寅	7 4	丙申	6 5	丁卯	5 7	戊戌	4 7	戊辰	3 9	己亥	廿四
8 4	丁卯	7 5	丁酉	6 6	戊辰	5 8	己亥	4 8	己巳	3 10	庚子	廿五
8 5	戊辰	7 6	戊戌	6 7	己巳	5 9	庚子	4 9	庚午	3 11	辛丑	廿六
8 6	己巳	7 7	己亥	6 8	庚午	5 10	辛丑	4 10	辛未	3 12	壬寅	廿七
8 7	庚午	7 8	庚子	6 9	辛未	5 11	壬寅	4 11	壬申	3 13	癸卯	廿八
8 8	辛未	7 9	辛丑	6 10	壬申	5 12	癸卯	4 12	癸酉	3 14	甲辰	廿九
		7 10	壬寅					4 13	甲戌			三十

十二月大		十一月小		十月大		九月大		八月小		七月大		月別
癸丑		壬子		辛亥		庚戌		己酉		戊申		干支
六白		七赤		八白		九紫		一白		二黑		九星
大寒	小寒	冬至	大雪	小雪	立冬	霜降	寒露	秋分		白露	處暑	節氣
十七午時 12時48分	初二戌時 19時26分	十七丑時 2時13分	初二辰時 8時19分	十七未時 13時3分	初二申時 15時40分	十七申時 15時42分	初二午時 12時42分	十六卯時 6時33分		三十亥時 21時15分	十五巳時 9時3分	
西曆	干支	西曆	干支	西曆	干支	西曆	干支	西曆	干支	西曆	干支	農曆
1 4	庚子	12 6	辛未	11 6	辛丑	10 7	辛未	9 8	壬寅	8 9	壬申	初一
1 5	**辛丑**	12 7	**壬申**	11 7	**壬寅**	10 8	**壬申**	9 9	癸卯	8 10	癸酉	初二
1 6	壬寅	12 8	癸酉	11 8	癸卯	10 9	癸酉	9 10	甲辰	8 11	甲戌	初三
1 7	癸卯	12 9	甲戌	11 9	甲辰	10 10	甲戌	9 11	乙巳	8 12	乙亥	初四
1 8	甲辰	12 10	乙亥	11 10	乙巳	10 11	乙亥	9 12	丙午	8 13	丙子	初五
1 9	乙巳	12 11	丙子	11 11	丙午	10 12	丙子	9 13	丁未	8 14	丁丑	初六
1 10	丙午	12 12	丁丑	11 12	丁未	10 13	丁丑	9 14	戊申	8 15	戊寅	初七
1 11	丁未	12 13	戊寅	11 13	戊申	10 14	戊寅	9 15	己酉	8 16	己卯	初八
1 12	戊申	12 14	己卯	11 14	己酉	10 15	己卯	9 16	庚戌	8 17	庚辰	初九
1 13	己酉	12 15	庚辰	11 15	庚戌	10 16	庚辰	9 17	辛亥	8 18	辛巳	初十
1 14	庚戌	12 16	辛巳	11 16	辛亥	10 17	辛巳	9 18	壬子	8 19	壬午	十一
1 15	辛亥	12 17	壬午	11 17	壬子	10 18	壬午	9 19	癸丑	8 20	癸未	十二
1 16	壬子	12 18	癸未	11 18	癸丑	10 19	癸未	9 20	甲寅	8 21	甲申	十三
1 17	癸丑	12 19	甲申	11 19	甲寅	10 20	甲申	9 21	乙卯	8 22	乙酉	十四
1 18	甲寅	12 20	乙酉	11 20	乙卯	10 21	乙酉	9 22	丙辰	8 23	**丙戌**	十五
1 19	乙卯	12 21	丙戌	11 21	丙辰	10 22	丙戌	9 23	**丁巳**	8 24	丁亥	十六
1 20	**丙辰**	12 22	**丁亥**	11 22	**丁巳**	10 23	**丁亥**	9 24	戊午	8 25	戊子	十七
1 21	丁巳	12 23	戊子	11 23	戊午	10 24	戊子	9 25	己未	8 26	己丑	十八
1 22	戊午	12 24	己丑	11 24	己未	10 25	己丑	9 26	庚申	8 27	庚寅	十九
1 23	己未	12 25	庚寅	11 25	庚申	10 26	庚寅	9 27	辛酉	8 28	辛卯	二十
1 24	庚申	12 26	辛卯	11 26	辛酉	10 27	辛卯	9 28	壬戌	8 29	壬辰	廿一
1 25	辛酉	12 27	壬辰	11 27	壬戌	10 28	壬辰	9 29	癸亥	8 30	癸巳	廿二
1 26	壬戌	12 28	癸巳	11 28	癸亥	10 29	癸巳	9 30	甲子	8 31	甲午	廿三
1 27	癸亥	12 29	甲午	11 29	甲子	10 30	甲午	10 1	乙丑	9 1	乙未	廿四
1 28	甲子	12 30	乙未	11 30	乙丑	10 31	乙未	10 2	丙寅	9 2	丙申	廿五
1 29	乙丑	12 31	丙申	12 1	丙寅	11 1	丙申	10 3	丁卯	9 3	丁酉	廿六
1 30	丙寅	1 1	丁酉	12 2	丁卯	11 2	丁酉	10 4	戊辰	9 4	戊戌	廿七
1 31	丁卯	1 2	戊戌	12 3	戊辰	11 3	戊戌	10 5	己巳	9 5	己亥	廿八
2 1	戊辰	1 3	己亥	12 4	己巳	11 4	己亥	10 6	庚午	9 6	庚子	廿九
2 2	己巳			12 5	庚午	11 5	庚子			9 7	**辛丑**	三十

珍本萬年曆

一九七三年

歲次癸丑（肖牛）　太歲姓林名簿　年星九紫

月別	正月大		二月小		三月大		四月小		五月小		六月大	
干支	甲寅		乙卯		丙辰		丁巳		戊午		己未	
九星	五黃		四綠		三碧		二黑		一白		九紫	
節氣	立春	雨水	驚蟄	春分	清明	穀雨	立夏	小滿	芒種	夏至	小暑	大暑
	初二 7時4分辰時	十七 3時1分寅時	初二 1時13分丑時	十七 2時13分丑時	初三 6時14分卯時	十八 13時30分未時	初三 23時47分夜子	十九 12時54分午時	初六 4時7分寅時	廿一 21時1分亥時	初八 14時28分未時	廿四 7時56分辰時
農曆	干支	西曆	干支	西曆	干支	西曆	干支	西曆	干支	西曆	干支	西曆
初一	庚午	2 3	庚子	3 5	己巳	4 3	己亥	5 3	戊辰	6 1	丁酉	6 30
初二	辛未	2 4	辛丑	3 6	庚午	4 4	庚子	5 4	己巳	6 2	戊戌	7 1
初三	壬申	2 5	壬寅	3 7	辛未	4 5	辛丑	5 5	庚午	6 3	己亥	7 2
初四	癸酉	2 6	癸卯	3 8	壬申	4 6	壬寅	5 6	辛未	6 4	庚子	7 3
初五	甲戌	2 7	甲辰	3 9	癸酉	4 7	癸卯	5 7	壬申	6 5	辛丑	7 4
初六	乙亥	2 8	乙巳	3 10	甲戌	4 8	甲辰	5 8	癸酉	6 6	壬寅	7 5
初七	丙子	2 9	丙午	3 11	乙亥	4 9	乙巳	5 9	甲戌	6 7	癸卯	7 6
初八	丁丑	2 10	丁未	3 12	丙子	4 10	丙午	5 10	乙亥	6 8	甲辰	7 7
初九	戊寅	2 11	戊申	3 13	丁丑	4 11	丁未	5 11	丙子	6 9	乙巳	7 8
初十	己卯	2 12	己酉	3 14	戊寅	4 12	戊申	5 12	丁丑	6 10	丙午	7 9
十一	庚辰	2 13	庚戌	3 15	己卯	4 13	己酉	5 13	戊寅	6 11	丁未	7 10
十二	辛巳	2 14	辛亥	3 16	庚辰	4 14	庚戌	5 14	己卯	6 12	戊申	7 11
十三	壬午	2 15	壬子	3 17	辛巳	4 15	辛亥	5 15	庚辰	6 13	己酉	7 12
十四	癸未	2 16	癸丑	3 18	壬午	4 16	壬子	5 16	辛巳	6 14	庚戌	7 13
十五	甲申	2 17	甲寅	3 19	癸未	4 17	癸丑	5 17	壬午	6 15	辛亥	7 14
十六	乙酉	2 18	乙卯	3 20	甲申	4 18	甲寅	5 18	癸未	6 16	壬子	7 15
十七	丙戌	2 19	丙辰	3 21	乙酉	4 19	乙卯	5 19	甲申	6 17	癸丑	7 16
十八	丁亥	2 20	丁巳	3 22	丙戌	4 20	丙辰	5 20	乙酉	6 18	甲寅	7 17
十九	戊子	2 21	戊午	3 23	丁亥	4 21	丁巳	5 21	丙戌	6 19	乙卯	7 18
二十	己丑	2 22	己未	3 24	戊子	4 22	戊午	5 22	丁亥	6 20	丙辰	7 19
廿一	庚寅	2 23	庚申	3 25	己丑	4 23	己未	5 23	戊子	6 21	丁巳	7 20
廿二	辛卯	2 24	辛酉	3 26	庚寅	4 24	庚申	5 24	己丑	6 22	戊午	7 21
廿三	壬辰	2 25	壬戌	3 27	辛卯	4 25	辛酉	5 25	庚寅	6 23	己未	7 22
廿四	癸巳	2 26	癸亥	3 28	壬辰	4 26	壬戌	5 26	辛卯	6 24	庚申	7 23
廿五	甲午	2 27	甲子	3 29	癸巳	4 27	癸亥	5 27	壬辰	6 25	辛酉	7 24
廿六	乙未	2 28	乙丑	3 30	甲午	4 28	甲子	5 28	癸巳	6 26	壬戌	7 25
廿七	丙申	3 1	丙寅	3 31	乙未	4 29	乙丑	5 29	甲午	6 27	癸亥	7 26
廿八	丁酉	3 2	丁卯	4 1	丙申	4 30	丙寅	5 30	乙未	6 28	甲子	7 27
廿九	戊戌	3 3	戊辰	4 2	丁酉	5 1	丁卯	5 31	丙申	6 29	乙丑	7 28
三十	己亥	3 4			戊戌	5 2					丙寅	7 29

十二月大		十一月小		十月大		九月大		八月小		七月小		月別
乙丑		甲子		癸亥		壬戌		辛酉		庚申		干支
三碧		四綠		五黃		六白		七赤		八白		九星
大寒	小寒	冬至	大雪	小雪	立冬	霜降	寒露	秋分	白露	處暑	立秋	節氣
18時46分 廿八酉時	1時20分 十四丑時	8時8分 廿八辰時	14時11分 十三未時	18時54分 廿八酉時	21時28分 十三亥時	21時30分 廿八亥時	18時27分 十三酉時	12時21分 廿七午時	3時0分 十二寅時	14時54分 廿五未時	0時13分 初十早子時	
西曆	干支	西曆	干支	西曆	干支	西曆	干支	西曆	干支	西曆	干支	農曆
12 24	甲午	11 25	乙丑	10 26	乙未	9 26	乙丑	8 28	丙申	7 30	丁卯	初一
12 25	乙未	11 26	丙寅	10 27	丙申	9 27	丙寅	8 29	丁酉	7 31	戊辰	初二
12 26	丙申	11 27	丁卯	10 28	丁酉	9 28	丁卯	8 30	戊戌	8 1	己巳	初三
12 27	丁酉	11 28	戊辰	10 29	戊戌	9 29	戊辰	8 31	己亥	8 2	庚午	初四
12 28	戊戌	11 29	己巳	10 30	己亥	9 30	己巳	9 1	庚子	8 3	辛未	初五
12 29	己亥	11 30	庚午	10 31	庚子	10 1	庚午	9 2	辛丑	8 4	壬申	初六
12 30	庚子	12 1	辛未	11 1	辛丑	10 2	辛未	9 3	壬寅	8 5	癸酉	初七
12 31	辛丑	12 2	壬申	11 2	壬寅	10 3	壬申	9 4	癸卯	8 6	甲戌	初八
1 1	壬寅	12 3	癸酉	11 3	癸卯	10 4	癸酉	9 5	甲辰	8 7	乙亥	初九
1 2	癸卯	12 4	甲戌	11 4	甲辰	10 5	甲戌	9 6	乙巳	8 8	**丙子**	初十
1 3	甲辰	12 5	乙亥	11 5	乙巳	10 6	乙亥	9 7	丙午	8 9	丁丑	十一
1 4	乙巳	12 6	丙子	11 6	丙午	10 7	丙子	9 8	**丁未**	8 10	戊寅	十二
1 5	丙午	12 7	**丁丑**	11 7	**丁未**	10 8	**丁丑**	9 9	戊申	8 11	己卯	十三
1 6	**丁未**	12 8	戊寅	11 8	戊申	10 9	戊寅	9 10	己酉	8 12	庚辰	十四
1 7	戊申	12 9	己卯	11 9	己酉	10 10	己卯	9 11	庚戌	8 13	辛巳	十五
1 8	己酉	12 10	庚辰	11 10	庚戌	10 11	庚辰	9 12	辛亥	8 14	壬午	十六
1 9	庚戌	12 11	辛巳	11 11	辛亥	10 12	辛巳	9 13	壬子	8 15	癸未	十七
1 10	辛亥	12 12	壬午	11 12	壬子	10 13	壬午	9 14	癸丑	8 16	甲申	十八
1 11	壬子	12 13	癸未	11 13	癸丑	10 14	癸未	9 15	甲寅	8 17	乙酉	十九
1 12	癸丑	12 14	甲申	11 14	甲寅	10 15	甲申	9 16	乙卯	8 18	丙戌	二十
1 13	甲寅	12 15	乙酉	11 15	乙卯	10 16	乙酉	9 17	丙辰	8 19	丁亥	廿一
1 14	乙卯	12 16	丙戌	11 16	丙辰	10 17	丙戌	9 18	丁巳	8 20	戊子	廿二
1 15	丙辰	12 17	丁亥	11 17	丁巳	10 18	丁亥	9 19	戊午	8 21	己丑	廿三
1 16	丁巳	12 18	戊子	11 18	戊午	10 19	戊子	9 20	己未	8 22	庚寅	廿四
1 17	戊午	12 19	己丑	11 19	己未	10 20	己丑	9 21	庚申	8 23	**辛卯**	廿五
1 18	己未	12 20	庚寅	11 20	庚申	10 21	庚寅	9 22	辛酉	8 24	壬辰	廿六
1 19	庚申	12 21	辛卯	11 21	辛酉	10 22	辛卯	9 23	**壬戌**	8 25	癸巳	廿七
1 20	**辛酉**	12 22	**壬辰**	11 22	**壬戌**	10 23	**壬辰**	9 24	癸亥	8 26	甲午	廿八
1 21	壬戌	12 23	癸巳	11 23	癸亥	10 24	癸巳	9 25	甲子	8 27	乙未	廿九
1 22	癸亥			11 24	甲子	10 25	甲午					三十

五月小		閏四月小		四月大		三月小		二月大		正月大		月別
庚午				己巳		戊辰		丁卯		丙寅		干支
七赤				八白		九紫		一白		二黑		九星
小暑 20時13分 十八戌時	夏至 2時38分 初三丑時	芒種 9時52分 十六巳時		小滿 18時36分 三十酉時	立夏 5時34分 十五卯時	穀雨 19時19分 廿八戌時	清明 12時5分 十三午時	春分 8時7分 廿八辰時	驚蟄 7時7分 十三辰時	雨水 8時59分 廿八辰時	立春 13時0分 十三未時	節氣
西曆	干支	西曆	干支	西曆	干支	西曆	干支	西曆	干支	西曆	干支	農曆
6 20	壬辰	5 22	癸亥	4 22	癸巳	3 24	甲子	2 22	甲午	1 23	甲子	初一
6 21	癸巳	5 23	甲子	4 23	甲午	3 25	乙丑	2 23	乙未	1 24	乙丑	初二
6 22	甲午	5 24	乙丑	4 24	乙未	3 26	丙寅	2 24	丙申	1 25	丙寅	初三
6 23	乙未	5 25	丙寅	4 25	丙申	3 27	丁卯	2 25	丁酉	1 26	丁卯	初四
6 24	丙申	5 26	丁卯	4 26	丁酉	3 28	戊辰	2 26	戊戌	1 27	戊辰	初五
6 25	丁酉	5 27	戊辰	4 27	戊戌	3 29	己巳	2 27	己亥	1 28	己巳	初六
6 26	戊戌	5 28	己巳	4 28	己亥	3 30	庚午	2 28	庚子	1 29	庚午	初七
6 27	己亥	5 29	庚午	4 29	庚子	3 31	辛未	3 1	辛丑	1 30	辛未	初八
6 28	庚子	5 30	辛未	4 30	辛丑	4 1	壬申	3 2	壬寅	1 31	壬申	初九
6 29	辛丑	5 31	壬申	5 1	壬寅	4 2	癸酉	3 3	癸卯	2 1	癸酉	初十
6 30	壬寅	6 1	癸酉	5 2	癸卯	4 3	甲戌	3 4	甲辰	2 2	甲戌	十一
7 1	癸卯	6 2	甲戌	5 3	甲辰	4 4	乙亥	3 5	乙巳	2 3	乙亥	十二
7 2	甲辰	6 3	乙亥	5 4	乙巳	4 5	丙子	3 6	丙午	2 4	丙子	十三
7 3	乙巳	6 4	丙子	5 5	丙午	4 6	丁丑	3 7	丁未	2 5	丁丑	十四
7 4	丙午	6 5	丁丑	5 6	丁未	4 7	戊寅	3 8	戊申	2 6	戊寅	十五
7 5	丁未	6 6	戊寅	5 7	戊申	4 8	己卯	3 9	己酉	2 7	己卯	十六
7 6	戊申	6 7	己卯	5 8	己酉	4 9	庚辰	3 10	庚戌	2 8	庚辰	十七
7 7	己酉	6 8	庚辰	5 9	庚戌	4 10	辛巳	3 11	辛亥	2 9	辛巳	十八
7 8	庚戌	6 9	辛巳	5 10	辛亥	4 11	壬午	3 12	壬子	2 10	壬午	十九
7 9	辛亥	6 10	壬午	5 11	壬子	4 12	癸未	3 13	癸丑	2 11	癸未	二十
7 10	壬子	6 11	癸未	5 12	癸丑	4 13	甲申	3 14	甲寅	2 12	甲申	廿一
7 11	癸丑	6 12	甲申	5 13	甲寅	4 14	乙酉	3 15	乙卯	2 13	乙酉	廿二
7 12	甲寅	6 13	乙酉	5 14	乙卯	4 15	丙戌	3 16	丙辰	2 14	丙戌	廿三
7 13	乙卯	6 14	丙戌	5 15	丙辰	4 16	丁亥	3 17	丁巳	2 15	丁亥	廿四
7 14	丙辰	6 15	丁亥	5 16	丁巳	4 17	戊子	3 18	戊午	2 16	戊子	廿五
7 15	丁巳	6 16	戊子	5 17	戊午	4 18	己丑	3 19	己未	2 17	己丑	廿六
7 16	戊午	6 17	己丑	5 18	己未	4 19	庚寅	3 20	庚申	2 18	庚寅	廿七
7 17	己未	6 18	庚寅	5 19	庚申	4 20	辛卯	3 21	辛酉	2 19	辛卯	廿八
7 18	庚申	6 19	辛卯	5 20	辛酉	4 21	壬辰	3 22	壬戌	2 20	壬辰	廿九
				5 21	壬戌			3 23	癸亥	2 21	癸巳	三十

一九七四年　歲次甲寅（肖虎）　太歲姓張名朝　年星八白

十二月大		十一月小		十月大		九月大		八月小		七月小		六月大		月別
丁丑		丙子		乙亥		甲戌		癸酉		壬申		辛未		干支
九紫		一白		二黑		三碧		四綠		五黃		六白		九星
立春 18時59分 廿四酉時	大寒 0時36分 初十早子時	小寒 7時18分 廿四辰時	冬至 13時56分 初九未時	大雪 20時5分 廿四戌時	小雪 0時39分 初十早子時	立冬 3時18分 廿五寅時	霜降 3時11分 初十寅時	寒露 0時15分 廿四早子時	秋分 17時59分 初八酉時	白露 8時45分 廿二辰時	處暑 20時29分 初六戌時	立秋 5時57分 廿一卯時	大暑 13時30分 初五未時	節氣
西曆	干支	西曆	干支	西曆	干支	西曆	干支	西曆	干支	西曆	干支	西曆	干支	農曆
1 12	戊午	12 14	己丑	11 14	己未	10 15	己丑	9 16	庚申	8 18	辛卯	7 19	辛酉	初一
1 13	己未	12 15	庚寅	11 15	庚申	10 16	庚寅	9 17	辛酉	8 19	壬辰	7 20	壬戌	初二
1 14	庚申	12 16	辛卯	11 16	辛酉	10 17	辛卯	9 18	壬戌	8 20	癸巳	7 21	癸亥	初三
1 15	辛酉	12 17	壬辰	11 17	壬戌	10 18	壬辰	9 19	癸亥	8 21	甲午	7 22	甲子	初四
1 16	壬戌	12 18	癸巳	11 18	癸亥	10 19	癸巳	9 20	甲子	8 22	乙未	7 23	乙丑	初五
1 17	癸亥	12 19	甲午	11 19	甲子	10 20	甲午	9 21	乙丑	8 23	丙申	7 24	丙寅	初六
1 18	甲子	12 20	乙未	11 20	乙丑	10 21	乙未	9 22	丙寅	8 24	丁酉	7 25	丁卯	初七
1 19	乙丑	12 21	丙申	11 21	丙寅	10 22	丙申	9 23	丁卯	8 25	戊戌	7 26	戊辰	初八
1 20	丙寅	12 22	丁酉	11 22	丁卯	10 23	丁酉	9 24	戊辰	8 26	己亥	7 27	己巳	初九
1 21	丁卯	12 23	戊戌	11 23	戊辰	10 24	戊戌	9 25	己巳	8 27	庚子	7 28	庚午	初十
1 22	戊辰	12 24	己亥	11 24	己巳	10 25	己亥	9 26	庚午	8 28	辛丑	7 29	辛未	十一
1 23	己巳	12 25	庚子	11 25	庚午	10 26	庚子	9 27	辛未	8 29	壬寅	7 30	壬申	十二
1 24	庚午	12 26	辛丑	11 26	辛未	10 27	辛丑	9 28	壬申	8 30	癸卯	7 31	癸酉	十三
1 25	辛未	12 27	壬寅	11 27	壬申	10 28	壬寅	9 29	癸酉	8 31	甲辰	8 1	甲戌	十四
1 26	壬申	12 28	癸卯	11 28	癸酉	10 29	癸卯	9 30	甲戌	9 1	乙巳	8 2	乙亥	十五
1 27	癸酉	12 29	甲辰	11 29	甲戌	10 30	甲辰	10 1	乙亥	9 2	丙午	8 3	丙子	十六
1 28	甲戌	12 30	乙巳	11 30	乙亥	10 31	乙巳	10 2	丙子	9 3	丁未	8 4	丁丑	十七
1 29	乙亥	12 31	丙午	12 1	丙子	11 1	丙午	10 3	丁丑	9 4	戊申	8 5	戊寅	十八
1 30	丙子	1 1	丁未	12 2	丁丑	11 2	丁未	10 4	戊寅	9 5	己酉	8 6	己卯	十九
1 31	丁丑	1 2	戊申	12 3	戊寅	11 3	戊申	10 5	己卯	9 6	庚戌	8 7	庚辰	二十
2 1	戊寅	1 3	己酉	12 4	己卯	11 4	己酉	10 6	庚辰	9 7	辛亥	8 8	辛巳	廿一
2 2	己卯	1 4	庚戌	12 5	庚辰	11 5	庚戌	10 7	辛巳	9 8	壬子	8 9	壬午	廿二
2 3	庚辰	1 5	辛亥	12 6	辛巳	11 6	辛亥	10 8	壬午	9 9	癸丑	8 10	癸未	廿三
2 4	辛巳	1 6	壬子	12 7	壬午	11 7	壬子	10 9	癸未	9 10	甲寅	8 11	甲申	廿四
2 5	壬午	1 7	癸丑	12 8	癸未	11 8	癸丑	10 10	甲申	9 11	乙卯	8 12	乙酉	廿五
2 6	癸未	1 8	甲寅	12 9	甲申	11 9	甲寅	10 11	乙酉	9 12	丙辰	8 13	丙戌	廿六
2 7	甲申	1 9	乙卯	12 10	乙酉	11 10	乙卯	10 12	丙戌	9 13	丁巳	8 14	丁亥	廿七
2 8	乙酉	1 10	丙辰	12 11	丙戌	11 11	丙辰	10 13	丁亥	9 14	戊午	8 15	戊子	廿八
2 9	丙戌	1 11	丁巳	12 12	丁亥	11 12	丁巳	10 14	戊子	9 15	己未	8 16	己丑	廿九
2 10	丁亥			12 13	戊子	11 13	戊午					8 17	庚寅	三十

一九七五年

歲次乙卯（肖兔）

太歲姓方名清

年星七赤

六月小		五月小		四月大		三月小		二月大		正月大		月別
癸未		壬午		辛巳		庚辰		己卯		戊寅		干支
三碧		四綠		五黃		六白		七赤		八白		九星
	大暑	小暑	夏至	芒種	小滿	立夏	穀雨	清明	春分	驚蟄	雨水	節氣
	十五 19時22分 戌時	廿九 2時0分 丑時	十三 8時27分 辰時	廿七 15時42分 申時	十二 0時24分 早子	廿五 11時27分 午時	初十 1時7分 丑時	廿四 18時2分 酉時	初九 13時57分 未時	廿四 13時6分 未時	初九 14時50分 未時	
西曆	干支	西曆	干支	西曆	干支	西曆	干支	西曆	干支	西曆	干支	農曆
7 9	丙辰	6 10	丁亥	5 11	丁巳	4 12	戊子	3 13	戊午	2 11	戊子	初一
7 10	丁巳	6 11	戊子	5 12	戊午	4 13	己丑	3 14	己未	2 12	己丑	初二
7 11	戊午	6 12	己丑	5 13	己未	4 14	庚寅	3 15	庚申	2 13	庚寅	初三
7 12	己未	6 13	庚寅	5 14	庚申	4 15	辛卯	3 16	辛酉	2 14	辛卯	初四
7 13	庚申	6 14	辛卯	5 15	辛酉	4 16	壬辰	3 17	壬戌	2 15	壬辰	初五
7 14	辛酉	6 15	壬辰	5 16	壬戌	4 17	癸巳	3 18	癸亥	2 16	癸巳	初六
7 15	壬戌	6 16	癸巳	5 17	癸亥	4 18	甲午	3 19	甲子	2 17	甲午	初七
7 16	癸亥	6 17	甲午	5 18	甲子	4 19	乙未	3 20	乙丑	2 18	乙未	初八
7 17	甲子	6 18	乙未	5 19	乙丑	4 20	丙申	3 21	**丙寅**	2 19	**丙申**	初九
7 18	乙丑	6 19	丙申	5 20	丙寅	4 21	**丁酉**	3 22	丁卯	2 20	丁酉	初十
7 19	丙寅	6 20	丁酉	5 21	丁卯	4 22	戊戌	3 23	戊辰	2 21	戊戌	十一
7 20	丁卯	6 21	戊戌	5 22	**戊辰**	4 23	己亥	3 24	己巳	2 22	己亥	十二
7 21	戊辰	6 22	**己亥**	5 23	己巳	4 24	庚子	3 25	庚午	2 23	庚子	十三
7 22	己巳	6 23	庚子	5 24	庚午	4 25	辛丑	3 26	辛未	2 24	辛丑	十四
7 23	**庚午**	6 24	辛丑	5 25	辛未	4 26	壬寅	3 27	壬申	2 25	壬寅	十五
7 24	辛未	6 25	壬寅	5 26	壬申	4 27	癸卯	3 28	癸酉	2 26	癸卯	十六
7 25	壬申	6 26	癸卯	5 27	癸酉	4 28	甲辰	3 29	甲戌	2 27	甲辰	十七
7 26	癸酉	6 27	甲辰	5 28	甲戌	4 29	乙巳	3 30	乙亥	2 28	乙巳	十八
7 27	甲戌	6 28	乙巳	5 29	乙亥	4 30	丙午	3 31	丙子	3 1	丙午	十九
7 28	乙亥	6 29	丙午	5 30	丙子	5 1	丁未	4 1	丁丑	3 2	丁未	二十
7 29	丙子	6 30	丁未	5 31	丁丑	5 2	戊申	4 2	戊寅	3 3	戊申	廿一
7 30	丁丑	7 1	戊申	6 1	戊寅	5 3	己酉	4 3	己卯	3 4	己酉	廿二
7 31	戊寅	7 2	己酉	6 2	己卯	5 4	庚戌	4 4	庚辰	3 5	庚戌	廿三
8 1	己卯	7 3	庚戌	6 3	庚辰	5 5	辛亥	4 5	**辛巳**	3 6	**辛亥**	廿四
8 2	庚辰	7 4	辛亥	6 4	辛巳	5 6	**壬子**	4 6	壬午	3 7	壬子	廿五
8 3	辛巳	7 5	壬子	6 5	壬午	5 7	癸丑	4 7	癸未	3 8	癸丑	廿六
8 4	壬午	7 6	癸丑	6 6	**癸未**	5 8	甲寅	4 8	甲申	3 9	甲寅	廿七
8 5	癸未	7 7	甲寅	6 7	甲申	5 9	乙卯	4 9	乙酉	3 10	乙卯	廿八
8 6	甲申	7 8	**乙卯**	6 8	乙酉	5 10	丙辰	4 10	丙戌	3 11	丙辰	廿九
				6 9	丙戌			4 11	丁亥	3 12	丁巳	三十

十二月大		十一月小		十月大		九月小		八月小		七月大		月別
己丑		戊子		丁亥		丙戌		乙酉		甲申		干支
六白		七赤		八白		九紫		一白		二黑		九星
大寒	小寒	冬至	大雪	小雪	立冬	霜降	寒露	秋分	白露	處暑	立秋	節氣
6時25分 廿一卯時	12時58分 初六午時	19時46分 二十戌時	1時46分 初六丑時	6時31分 廿一卯時	9時3分 初六巳時	9時6分 二十巳時	6時2分 初五卯時	23時55分 十八夜子	14時33分 初三未時	2時24分 十八丑時	11時45分 初二午時	
西曆	干支	西曆	干支	西曆	干支	西曆	干支	西曆	干支	西曆	干支	農曆
1 1	壬子	12 3	癸未	11 3	癸丑	10 5	甲申	9 6	乙卯	8 7	乙酉	初一
1 2	癸丑	12 4	甲申	11 4	甲寅	10 6	乙酉	9 7	丙辰	8 8	**丙戌**	初二
1 3	甲寅	12 5	乙酉	11 5	乙卯	10 7	丙戌	9 8	**丁巳**	8 9	丁亥	初三
1 4	乙卯	12 6	丙戌	11 6	丙辰	10 8	丁亥	9 9	戊午	8 10	戊子	初四
1 5	丙辰	12 7	丁亥	11 7	丁巳	10 9	**戊子**	9 10	己未	8 11	己丑	初五
1 6	**丁巳**	12 8	**戊子**	11 8	**戊午**	10 10	己丑	9 11	庚申	8 12	庚寅	初六
1 7	戊午	12 9	己丑	11 9	己未	10 11	庚寅	9 12	辛酉	8 13	辛卯	初七
1 8	己未	12 10	庚寅	11 10	庚申	10 12	辛卯	9 13	壬戌	8 14	壬辰	初八
1 9	庚申	12 11	辛卯	11 11	辛酉	10 13	壬辰	9 14	癸亥	8 15	癸巳	初九
1 10	辛酉	12 12	壬辰	11 12	壬戌	10 14	癸巳	9 15	甲子	8 16	甲午	初十
1 11	壬戌	12 13	癸巳	11 13	癸亥	10 15	甲午	9 16	乙丑	8 17	乙未	十一
1 12	癸亥	12 14	甲午	11 14	甲子	10 16	乙未	9 17	丙寅	8 18	丙申	十二
1 13	甲子	12 15	乙未	11 15	乙丑	10 17	丙申	9 18	丁卯	8 19	丁酉	十三
1 14	乙丑	12 16	丙申	11 16	丙寅	10 18	丁酉	9 19	戊辰	8 20	戊戌	十四
1 15	丙寅	12 17	丁酉	11 17	丁卯	10 19	戊戌	9 20	己巳	8 21	己亥	十五
1 16	丁卯	12 18	戊戌	11 18	戊辰	10 20	己亥	9 21	庚午	8 22	庚子	十六
1 17	戊辰	12 19	己亥	11 19	己巳	10 21	庚子	9 22	辛未	8 23	辛丑	十七
1 18	己巳	12 20	庚子	11 20	庚午	10 22	辛丑	9 23	**壬申**	8 24	**壬寅**	十八
1 19	庚午	12 21	辛丑	11 21	辛未	10 23	壬寅	9 24	癸酉	8 25	癸卯	十九
1 20	辛未	12 22	**壬寅**	11 22	壬申	10 24	**癸卯**	9 25	甲戌	8 26	甲辰	二十
1 21	**壬申**	12 23	癸卯	11 23	**癸酉**	10 25	甲辰	9 26	乙亥	8 27	乙巳	廿一
1 22	癸酉	12 24	甲辰	11 24	甲戌	10 26	乙巳	9 27	丙子	8 28	丙午	廿二
1 23	甲戌	12 25	乙巳	11 25	乙亥	10 27	丙午	9 28	丁丑	8 29	丁未	廿三
1 24	乙亥	12 26	丙午	11 26	丙子	10 28	丁未	9 29	戊寅	8 30	戊申	廿四
1 25	丙子	12 27	丁未	11 27	丁丑	10 29	戊申	9 30	己卯	8 31	己酉	廿五
1 26	丁丑	12 28	戊申	11 28	戊寅	10 30	己酉	10 1	庚辰	9 1	庚戌	廿六
1 27	戊寅	12 29	己酉	11 29	己卯	10 31	庚戌	10 2	辛巳	9 2	辛亥	廿七
1 28	己卯	12 30	庚戌	11 30	庚辰	11 1	辛亥	10 3	壬午	9 3	壬子	廿八
1 29	庚辰	12 31	辛亥	12 1	辛巳	11 2	壬子	10 4	癸未	9 4	癸丑	廿九
1 30	辛巳			12 2	壬午					9 5	甲寅	三十

一九七六年　歲次丙辰（肖龍）　太歲姓辛名亞　年星六白

六月大 乙未 九紫		五月小 甲午 一白		四月大 癸巳 二黑		三月小 壬辰 三碧		二月大 辛卯 四綠		正月大 庚寅 五黃		月別 干支 九星
大暑 1時19分 廿七丑時	小暑 7時51分 十一辰時	夏至 14時24分 廿四未時	芒種 21時31分 初八亥時	小滿 6時21分 廿三卯時	立夏 17時15分 初七酉時	穀雨 7時3分 廿一辰時	清明 23時47分 初五夜子	春分 19時50分 二十戌時	驚蟄 18時48分 初五酉時	雨水 20時40分 二十戌時	立春 0時40分 初六早子	節氣
西曆	干支	西曆	干支	西曆	干支	西曆	干支	西曆	干支	西曆	干支	農曆
6 27	庚戌	5 29	辛巳	4 29	辛亥	3 31	壬午	3 1	壬子	1 31	壬午	初一
6 28	辛亥	5 30	壬午	4 30	壬子	4 1	癸未	3 2	癸丑	2 1	癸未	初二
6 29	壬子	5 31	癸未	5 1	癸丑	4 2	甲申	3 3	甲寅	2 2	甲申	初三
6 30	癸丑	6 1	甲申	5 2	甲寅	4 3	乙酉	3 4	乙卯	2 3	乙酉	初四
7 1	甲寅	6 2	乙酉	5 3	乙卯	4 4	丙戌	3 5	丙辰	2 4	丙戌	初五
7 2	乙卯	6 3	丙戌	5 4	丙辰	4 5	丁亥	3 6	丁巳	2 5	丁亥	初六
7 3	丙辰	6 4	丁亥	5 5	丁巳	4 6	戊子	3 7	戊午	2 6	戊子	初七
7 4	丁巳	6 5	戊子	5 6	戊午	4 7	己丑	3 8	己未	2 7	己丑	初八
7 5	戊午	6 6	己丑	5 7	己未	4 8	庚寅	3 9	庚申	2 8	庚寅	初九
7 6	己未	6 7	庚寅	5 8	庚申	4 9	辛卯	3 10	辛酉	2 9	辛卯	初十
7 7	庚申	6 8	辛卯	5 9	辛酉	4 10	壬辰	3 11	壬戌	2 10	壬辰	十一
7 8	辛酉	6 9	壬辰	5 10	壬戌	4 11	癸巳	3 12	癸亥	2 11	癸巳	十二
7 9	壬戌	6 10	癸巳	5 11	癸亥	4 12	甲午	3 13	甲子	2 12	甲午	十三
7 10	癸亥	6 11	甲午	5 12	甲子	4 13	乙未	3 14	乙丑	2 13	乙未	十四
7 11	甲子	6 12	乙未	5 13	乙丑	4 14	丙申	3 15	丙寅	2 14	丙申	十五
7 12	乙丑	6 13	丙申	5 14	丙寅	4 15	丁酉	3 16	丁卯	2 15	丁酉	十六
7 13	丙寅	6 14	丁酉	5 15	丁卯	4 16	戊戌	3 17	戊辰	2 16	戊戌	十七
7 14	丁卯	6 15	戊戌	5 16	戊辰	4 17	己亥	3 18	己巳	2 17	己亥	十八
7 15	戊辰	6 16	己亥	5 17	己巳	4 18	庚子	3 19	庚午	2 18	庚子	十九
7 16	己巳	6 17	庚子	5 18	庚午	4 19	辛丑	3 20	辛未	2 19	辛丑	二十
7 17	庚午	6 18	辛丑	5 19	辛未	4 20	壬寅	3 21	壬申	2 20	壬寅	廿一
7 18	辛未	6 19	壬寅	5 20	壬申	4 21	癸卯	3 22	癸酉	2 21	癸卯	廿二
7 19	壬申	6 20	癸卯	5 21	癸酉	4 22	甲辰	3 23	甲戌	2 22	甲辰	廿三
7 20	癸酉	6 21	甲辰	5 22	甲戌	4 23	乙巳	3 24	乙亥	2 23	乙巳	廿四
7 21	甲戌	6 22	乙巳	5 23	乙亥	4 24	丙午	3 25	丙子	2 24	丙午	廿五
7 22	乙亥	6 23	丙午	5 24	丙子	4 25	丁未	3 26	丁丑	2 25	丁未	廿六
7 23	丙子	6 24	丁未	5 25	丁丑	4 26	戊申	3 27	戊寅	2 26	戊申	廿七
7 24	丁丑	6 25	戊申	5 26	戊寅	4 27	己酉	3 28	己卯	2 27	己酉	廿八
7 25	戊寅	6 26	己酉	5 27	己卯	4 28	庚戌	3 29	庚辰	2 28	庚戌	廿九
7 26	己卯			5 28	庚辰			3 30	辛巳	2 29	辛亥	三十

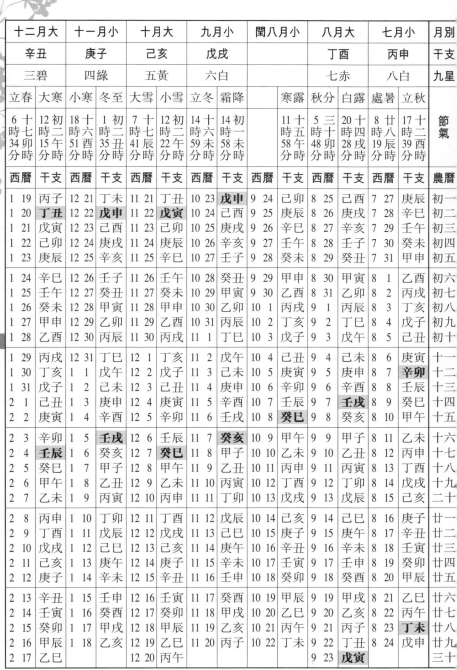

十二月大		十一月小		十月大		九月小		閏八月小		八月大		七月小		月別
辛丑		庚子		己亥		戊戌				丁酉		丙申		干支
三碧		四綠		五黃		六白				七赤		八白		九星
立春	大寒	小寒	冬至	大雪	小雪	立冬	霜降		寒露	秋分	白露	處暑	立秋	節氣
十七卯時 6時34分	初二午時 12時15分	十六酉時 18時51分	初二丑時 1時35分	十七辰時 7時41分	初二午時 12時22分	十六未時 14時59分	初一未時 14時58分		十五午時 11時58分	三十卯時 5時48分	十四戌時 20時28分	廿八辰時 8時19分	十二酉時 17時39分	
西曆	干支	西曆	干支	西曆	干支	西曆	干支	西曆	干支	西曆	干支	西曆	干支	農曆
1 19	丙子	12 21	丁未	11 21	丁丑	10 23	**戊申**	9 24	己卯	8 25	己酉	7 27	庚辰	初一
1 20	**丁丑**	12 22	**戊申**	11 22	**戊寅**	10 24	己酉	9 25	庚辰	8 26	庚戌	7 28	辛巳	初二
1 21	戊寅	12 23	己酉	11 23	己卯	10 25	庚戌	9 26	辛巳	8 27	辛亥	7 29	壬午	初三
1 22	己卯	12 24	庚戌	11 24	庚辰	10 26	辛亥	9 27	壬午	8 28	壬子	7 30	癸未	初四
1 23	庚辰	12 25	辛亥	11 25	辛巳	10 27	壬子	9 28	癸未	8 29	癸丑	7 31	甲申	初五
1 24	辛巳	12 26	壬子	11 26	壬午	10 28	癸丑	9 29	甲申	8 30	甲寅	8 1	乙酉	初六
1 25	壬午	12 27	癸丑	11 27	癸未	10 29	甲寅	9 30	乙酉	8 31	乙卯	8 2	丙戌	初七
1 26	癸未	12 28	甲寅	11 28	甲申	10 30	乙卯	10 1	丙戌	9 1	丙辰	8 3	丁亥	初八
1 27	甲申	12 29	乙卯	11 29	乙酉	10 31	丙辰	10 2	丁亥	9 2	丁巳	8 4	戊子	初九
1 28	乙酉	12 30	丙辰	11 30	丙戌	11 1	丁巳	10 3	戊子	9 3	戊午	8 5	己丑	初十
1 29	丙戌	12 31	丁巳	12 1	丁亥	11 2	戊午	10 4	己丑	9 4	己未	8 6	庚寅	十一
1 30	丁亥	1 1	戊午	12 2	戊子	11 3	己未	10 5	庚寅	9 5	庚申	8 7	**辛卯**	十二
1 31	戊子	1 2	己未	12 3	己丑	11 4	庚申	10 6	辛卯	9 6	辛酉	8 8	壬辰	十三
2 1	己丑	1 3	庚申	12 4	庚寅	11 5	辛酉	10 7	壬辰	9 7	**壬戌**	8 9	癸巳	十四
2 2	庚寅	1 4	辛酉	12 5	辛卯	11 6	壬戌	10 8	**癸巳**	9 8	癸亥	8 10	甲午	十五
2 3	辛卯	1 5	**壬戌**	12 6	壬辰	11 7	**癸亥**	10 9	甲午	9 9	甲子	8 11	乙未	十六
2 4	**壬辰**	1 6	癸亥	12 7	**癸巳**	11 8	甲子	10 10	乙未	9 10	乙丑	8 12	丙申	十七
2 5	癸巳	1 7	甲子	12 8	甲午	11 9	乙丑	10 11	丙申	9 11	丙寅	8 13	丁酉	十八
2 6	甲午	1 8	乙丑	12 9	乙未	11 10	丙寅	10 12	丁酉	9 12	丁卯	8 14	戊戌	十九
2 7	乙未	1 9	丙寅	12 10	丙申	11 11	丁卯	10 13	戊戌	9 13	戊辰	8 15	己亥	二十
2 8	丙申	1 10	丁卯	12 11	丁酉	11 12	戊辰	10 14	己亥	9 14	己巳	8 16	庚子	廿一
2 9	丁酉	1 11	戊辰	12 12	戊戌	11 13	己巳	10 15	庚子	9 15	庚午	8 17	辛丑	廿二
2 10	戊戌	1 12	己巳	12 13	己亥	11 14	庚午	10 16	辛丑	9 16	辛未	8 18	壬寅	廿三
2 11	己亥	1 13	庚午	12 14	庚子	11 15	辛未	10 17	壬寅	9 17	壬申	8 19	癸卯	廿四
2 12	庚子	1 14	辛未	12 15	辛丑	11 16	壬申	10 18	癸卯	9 18	癸酉	8 20	甲辰	廿五
2 13	辛丑	1 15	壬申	12 16	壬寅	11 17	癸酉	10 19	甲辰	9 19	甲戌	8 21	乙巳	廿六
2 14	壬寅	1 16	癸酉	12 17	癸卯	11 18	甲戌	10 20	乙巳	9 20	乙亥	8 22	丙午	廿七
2 15	癸卯	1 17	甲戌	12 18	甲辰	11 19	乙亥	10 21	丙午	9 21	丙子	8 23	**丁未**	廿八
2 16	甲辰	1 18	乙亥	12 19	乙巳	11 20	丙子	10 22	丁未	9 22	丁丑	8 24	戊申	廿九
2 17	乙巳			12 20	丙午					9 23	**戊寅**			三十

一九七七年

歲次丁巳（肖蛇）

太歲姓易名彥

年星五黃

六月大		五月小		四月大		三月大		二月小		正月大		月別
丁未		丙午		乙巳		甲辰		癸卯		壬寅		干支
六白		七赤		八白		九紫		一白		二黑		九星
立秋	大暑	小暑	夏至	芒種	小滿	立夏	穀雨	清明	春分	驚蟄	雨水	節氣
23時30分 廿三夜子	7時4分 初八辰時	13時48分 廿一未時	20時14分 初五戌時	3時32分 二十寅時	12時15分 初四午時	23時16分 十八夜子	12時57分 初三午時	5時46分 十七卯時	1時43分 初二丑時	0時44分 十七早子	2時31分 初二丑時	
西曆	干支	西曆	干支	西曆	干支	西曆	干支	西曆	干支	西曆	干支	農曆
7 16	甲戌	6 17	乙巳	5 18	乙亥	4 18	乙巳	3 20	丙子	2 18	丙午	初一
7 17	乙亥	6 18	丙午	5 19	丙子	4 19	丙午	3 21	**丁丑**	2 19	**丁未**	初二
7 18	丙子	6 19	丁未	5 20	丁丑	4 20	**丁未**	3 22	戊寅	2 20	戊申	初三
7 19	丁丑	6 20	戊申	5 21	**戊寅**	4 21	戊申	3 23	己卯	2 21	己酉	初四
7 20	戊寅	6 21	**己酉**	5 22	己卯	4 22	己酉	3 24	庚辰	2 22	庚戌	初五
7 21	己卯	6 22	庚戌	5 23	庚辰	4 23	庚戌	3 25	辛巳	2 23	辛亥	初六
7 22	庚辰	6 23	辛亥	5 24	辛巳	4 24	辛亥	3 26	壬午	2 24	壬子	初七
7 23	**辛巳**	6 24	壬子	5 25	壬午	4 25	壬子	3 27	癸未	2 25	癸丑	初八
7 24	壬午	6 25	癸丑	5 26	癸未	4 26	癸丑	3 28	甲申	2 26	甲寅	初九
7 25	癸未	6 26	甲寅	5 27	甲申	4 27	甲寅	3 29	乙酉	2 27	乙卯	初十
7 26	甲申	6 27	乙卯	5 28	乙酉	4 28	乙卯	3 30	丙戌	2 28	丙辰	十一
7 27	乙酉	6 28	丙辰	5 29	丙戌	4 29	丙辰	3 31	丁亥	3 1	丁巳	十二
7 28	丙戌	6 29	丁巳	5 30	丁亥	4 30	丁巳	4 1	戊子	3 2	戊午	十三
7 29	丁亥	6 30	戊午	5 31	戊子	5 1	戊午	4 2	己丑	3 3	己未	十四
7 30	戊子	7 1	己未	6 1	己丑	5 2	己未	4 3	庚寅	3 4	庚申	十五
7 31	己丑	7 2	庚申	6 2	庚寅	5 3	庚申	4 4	辛卯	3 5	辛酉	十六
8 1	庚寅	7 3	辛酉	6 3	辛卯	5 4	辛酉	4 5	**壬辰**	3 6	**壬戌**	十七
8 2	辛卯	7 4	壬戌	6 4	壬辰	5 5	**壬戌**	4 6	癸巳	3 7	癸亥	十八
8 3	壬辰	7 5	癸亥	6 5	癸巳	5 6	癸亥	4 7	甲午	3 8	甲子	十九
8 4	癸巳	7 6	甲子	6 6	**甲午**	5 7	甲子	4 8	乙未	3 9	乙丑	二十
8 5	甲午	7 7	**乙丑**	6 7	乙未	5 8	乙丑	4 9	丙申	3 10	丙寅	廿一
8 6	乙未	7 8	丙寅	6 8	丙申	5 9	丙寅	4 10	丁酉	3 11	丁卯	廿二
8 7	**丙申**	7 9	丁卯	6 9	丁酉	5 10	丁卯	4 11	戊戌	3 12	戊辰	廿三
8 8	丁酉	7 10	戊辰	6 10	戊戌	5 11	戊辰	4 12	己亥	3 13	己巳	廿四
8 9	戊戌	7 11	己巳	6 11	己亥	5 12	己巳	4 13	庚子	3 14	庚午	廿五
8 10	己亥	7 12	庚午	6 12	庚子	5 13	庚午	4 14	辛丑	3 15	辛未	廿六
8 11	庚子	7 13	辛未	6 13	辛丑	5 14	辛未	4 15	壬寅	3 16	壬申	廿七
8 12	辛丑	7 14	壬申	6 14	壬寅	5 15	壬申	4 16	癸卯	3 17	癸酉	廿八
8 13	壬寅	7 15	癸酉	6 15	癸卯	5 16	癸酉	4 17	甲辰	3 18	甲戌	廿九
8 14	癸卯			6 16	甲辰	5 17	甲戌			3 19	乙亥	三十

十二月小		十一月小		十月大		九月小		八月大		七月小		月別
癸丑		壬子		辛亥		庚戌		己酉		戊申		干支
九紫		一白		二黑		三碧		四綠		五黃		九星
立春	大寒	小寒	冬至	大雪	小雪	立冬	霜降	寒露	秋分	白露	處暑	節氣
廿七午時 12時27分	十二酉時 18時4分	廿七早子 0時43分	十二辰時 7時24分	廿七未時 13時31分	十二酉時 18時7分	廿六戌時 20時46分	十一戌時 20時41分	廿六酉時 17時44分	十一午時 11時30分	廿五丑時 2時16分	初九未時 14時0分	
西曆	**干支**	**西曆**	**干支**	**西曆**	**干支**	**西曆**	**干支**	**西曆**	**干支**	**西曆**	**干支**	**農曆**
1 9	辛未	12 11	壬寅	11 11	壬申	10 13	癸卯	9 13	癸酉	8 15	甲辰	初一
1 10	壬申	12 12	癸卯	11 12	癸酉	10 14	甲辰	9 14	甲戌	8 16	乙巳	初二
1 11	癸酉	12 13	甲辰	11 13	甲戌	10 15	乙巳	9 15	乙亥	8 17	丙午	初三
1 12	甲戌	12 14	乙巳	11 14	乙亥	10 16	丙午	9 16	丙子	8 18	丁未	初四
1 13	乙亥	12 15	丙午	11 15	丙子	10 17	丁未	9 17	丁丑	8 19	戊申	初五
1 14	丙子	12 16	丁未	11 16	丁丑	10 18	戊申	9 18	戊寅	8 20	己酉	初六
1 15	丁丑	12 17	戊申	11 17	戊寅	10 19	己酉	9 19	己卯	8 21	庚戌	初七
1 16	戊寅	12 18	己酉	11 18	己卯	10 20	庚戌	9 20	庚辰	8 22	辛亥	初八
1 17	己卯	12 19	庚戌	11 19	庚辰	10 21	辛亥	9 21	辛巳	8 23	**壬子**	初九
1 18	庚辰	12 20	辛亥	11 20	辛巳	10 22	壬子	9 22	壬午	8 24	癸丑	初十
1 19	辛巳	12 21	壬子	11 21	壬午	10 23	**癸丑**	9 23	**癸未**	8 25	甲寅	十一
1 20	**壬午**	12 22	**癸丑**	11 22	**癸未**	10 24	甲寅	9 24	甲申	8 26	乙卯	十二
1 21	癸未	12 23	甲寅	11 23	甲申	10 25	乙卯	9 25	乙酉	8 27	丙辰	十三
1 22	甲申	12 24	乙卯	11 24	乙酉	10 26	丙辰	9 26	丙戌	8 28	丁巳	十四
1 23	乙酉	12 25	丙辰	11 25	丙戌	10 27	丁巳	9 27	丁亥	8 29	戊午	十五
1 24	丙戌	12 26	丁巳	11 26	丁亥	10 28	戊午	9 28	戊子	8 30	己未	十六
1 25	丁亥	12 27	戊午	11 27	戊子	10 29	己未	9 29	己丑	8 31	庚申	十七
1 26	戊子	12 28	己未	11 28	己丑	10 30	庚申	9 30	庚寅	9 1	辛酉	十八
1 27	己丑	12 29	庚申	11 29	庚寅	10 31	辛酉	10 1	辛卯	9 2	壬戌	十九
1 28	庚寅	12 30	辛酉	11 30	辛卯	11 1	壬戌	10 2	壬辰	9 3	癸亥	二十
1 29	辛卯	12 31	壬戌	12 1	壬辰	11 2	癸亥	10 3	癸巳	9 4	甲子	廿一
1 30	壬辰	1 1	癸亥	12 2	癸巳	11 3	甲子	10 4	甲午	9 5	乙丑	廿二
1 31	癸巳	1 2	甲子	12 3	甲午	11 4	乙丑	10 5	乙未	9 6	丙寅	廿三
2 1	甲午	1 3	乙丑	12 4	乙未	11 5	丙寅	10 6	丙申	9 7	丁卯	廿四
2 2	乙未	1 4	丙寅	12 5	丙申	11 6	丁卯	10 7	丁酉	9 8	**戊辰**	廿五
2 3	丙申	1 5	丁卯	12 6	丁酉	11 7	**戊辰**	10 8	**戊戌**	9 9	己巳	廿六
2 4	**丁酉**	1 6	**戊辰**	12 7	**戊戌**	11 8	己巳	10 9	己亥	9 10	庚午	廿七
2 5	戊戌	1 7	己巳	12 8	己亥	11 9	庚午	10 10	庚子	9 11	辛未	廿八
2 6	己亥	1 8	庚午	12 9	庚子	11 10	辛未	10 11	辛丑	9 12	壬申	廿九
				12 10	辛丑			10 12	壬寅			三十

一九七八年

歲次戊午（肖馬）

太歲姓姚名黎

年星四綠

六月大		五月小		四月大		三月大		二月小		正月大		月別
己未		戊午		丁巳		丙辰		乙卯		甲寅		干支
三碧		四綠		五黃		六白		七赤		八白		九星
大暑	小暑	夏至	芒種		小滿	立夏	穀雨	清明	春分	驚蟄	雨水	節氣
十九 13時0分 未時	初三 19時37分 戌時	十七 2時10分 丑時	初一 9時23分 巳時		十五 18時9分 酉時	三十 5時9分 卯時	十四 18時50分 酉時	廿八 11時39分 午時	十三 7時34分 辰時	廿八 6時38分 卯時	十三 8時21分 辰時	
西曆	干支	西曆	干支	西曆	干支	西曆	干支	西曆	干支	西曆	干支	農曆
7 5	戊辰	6 6	**己亥**	5 7	己巳	4 7	己亥	3 9	庚午	2 7	庚子	初一
7 6	己巳	6 7	庚子	5 8	庚午	4 8	庚子	3 10	辛未	2 8	辛丑	初二
7 7	**庚午**	6 8	辛丑	5 9	辛未	4 9	辛丑	3 11	壬申	2 9	壬寅	初三
7 8	辛未	6 9	壬寅	5 10	壬申	4 10	壬寅	3 12	癸酉	2 10	癸卯	初四
7 9	壬申	6 10	癸卯	5 11	癸酉	4 11	癸卯	3 13	甲戌	2 11	甲辰	初五
7 10	癸酉	6 11	甲辰	5 12	甲戌	4 12	甲辰	3 14	乙亥	2 12	乙巳	初六
7 11	甲戌	6 12	乙巳	5 13	乙亥	4 13	乙巳	3 15	丙子	2 13	丙午	初七
7 12	乙亥	6 13	丙午	5 14	丙子	4 14	丙午	3 16	丁丑	2 14	丁未	初八
7 13	丙子	6 14	丁未	5 15	丁丑	4 15	丁未	3 17	戊寅	2 15	戊申	初九
7 14	丁丑	6 15	戊申	5 16	戊寅	4 16	戊申	3 18	己卯	2 16	己酉	初十
7 15	戊寅	6 16	己酉	5 17	己卯	4 17	己酉	3 19	庚辰	2 17	庚戌	十一
7 16	己卯	6 17	庚戌	5 18	庚辰	4 18	庚戌	3 20	辛巳	2 18	辛亥	十二
7 17	庚辰	6 18	辛亥	5 19	辛巳	4 19	辛亥	3 21	**壬午**	2 19	**壬子**	十三
7 18	辛巳	6 19	壬子	5 20	壬午	4 20	**壬子**	3 22	癸未	2 20	癸丑	十四
7 19	壬午	6 20	癸丑	5 21	**癸未**	4 21	癸丑	3 23	甲申	2 21	甲寅	十五
7 20	癸未	6 21	甲寅	5 22	甲申	4 22	甲寅	3 24	乙酉	2 22	乙卯	十六
7 21	甲申	6 22	**乙卯**	5 23	乙酉	4 23	乙卯	3 25	丙戌	2 23	丙辰	十七
7 22	乙酉	6 23	丙辰	5 24	丙戌	4 24	丙辰	3 26	丁亥	2 24	丁巳	十八
7 23	**丙戌**	6 24	丁巳	5 25	丁亥	4 25	丁巳	3 27	戊子	2 25	戊午	十九
7 24	丁亥	6 25	戊午	5 26	戊子	4 26	戊午	3 28	己丑	2 26	己未	二十
7 25	戊子	6 26	己未	5 27	己丑	4 27	己未	3 29	庚寅	2 27	庚申	廿一
7 26	己丑	6 27	庚申	5 28	庚寅	4 28	庚申	3 30	辛卯	2 28	辛酉	廿二
7 27	庚寅	6 28	辛酉	5 29	辛卯	4 29	辛酉	3 31	壬辰	3 1	壬戌	廿三
7 28	辛卯	6 29	壬戌	5 30	壬辰	4 30	壬戌	4 1	癸巳	3 2	癸亥	廿四
7 29	壬辰	6 30	癸亥	5 31	癸巳	5 1	癸亥	4 2	甲午	3 3	甲子	廿五
7 30	癸巳	7 1	甲子	6 1	甲午	5 2	甲子	4 3	乙未	3 4	乙丑	廿六
7 31	甲午	7 2	乙丑	6 2	乙未	5 3	乙丑	4 4	丙申	3 5	丙寅	廿七
8 1	乙未	7 3	丙寅	6 3	丙申	5 4	丙寅	4 5	**丁酉**	3 6	**丁卯**	廿八
8 2	丙申	7 4	丁卯	6 4	丁酉	5 5	丁卯	4 6	戊戌	3 7	戊辰	廿九
8 3	丁酉			6 5	戊戌	5 6	**戊辰**			3 8	己巳	三十

十二月小		十一月大		十月小		九月大		八月小		七月大		月別
乙丑		甲子		癸亥		壬戌		辛酉		庚申		干支
六白		七赤		八白		九紫		一白		二黑		九星
大寒	小寒	冬至	大雪	小雪	立冬	霜降	寒露	秋分	白露	處暑	立秋	節氣
廿三早子 0時0分	初八卯時 6時32分	廿三未時 13時21分	初八戌時 19時20分	廿三早子 0時5分	初八丑時 2時34分	廿三丑時 2時37分	初七夜子 23時31分	廿一酉時 17時26分	初六辰時 8時3分	二十戌時 19時57分	初五卯時 5時18分	
西曆	干支	西曆	干支	西曆	干支	西曆	干支	西曆	干支	西曆	干支	農曆
12 30	丙寅	11 30	丙申	11 1	丁卯	10 2	丁酉	9 3	戊辰	8 4	戊戌	初一
12 31	丁卯	12 1	丁酉	11 2	戊辰	10 3	戊戌	9 4	己巳	8 5	己亥	初二
1 1	戊辰	12 2	戊戌	11 3	己巳	10 4	己亥	9 5	庚午	8 6	庚子	初三
1 2	己巳	12 3	己亥	11 4	庚午	10 5	庚子	9 6	辛未	8 7	辛丑	初四
1 3	庚午	12 4	庚子	11 5	辛未	10 6	辛丑	9 7	壬申	8 8	**壬寅**	初五
1 4	辛未	12 5	辛丑	11 6	壬申	10 7	壬寅	9 8	**癸酉**	8 9	癸卯	初六
1 5	壬申	12 6	壬寅	11 7	癸酉	10 8	**癸卯**	9 9	甲戌	8 10	甲辰	初七
1 6	**癸酉**	12 7	**癸卯**	11 8	**甲戌**	10 9	甲辰	9 10	乙亥	8 11	乙巳	初八
1 7	甲戌	12 8	甲辰	11 9	乙亥	10 10	乙巳	9 11	丙子	8 12	丙午	初九
1 8	乙亥	12 9	乙巳	11 10	丙子	10 11	丙午	9 12	丁丑	8 13	丁未	初十
1 9	丙子	12 10	丙午	11 11	丁丑	10 12	丁未	9 13	戊寅	8 14	戊申	十一
1 10	丁丑	12 11	丁未	11 12	戊寅	10 13	戊申	9 14	己卯	8 15	己酉	十二
1 11	戊寅	12 12	戊申	11 13	己卯	10 14	己酉	9 15	庚辰	8 16	庚戌	十三
1 12	己卯	12 13	己酉	11 14	庚辰	10 15	庚戌	9 16	辛巳	8 17	辛亥	十四
1 13	庚辰	12 14	庚戌	11 15	辛巳	10 16	辛亥	9 17	壬午	8 18	壬子	十五
1 14	辛巳	12 15	辛亥	11 16	壬午	10 17	壬子	9 18	癸未	8 19	癸丑	十六
1 15	壬午	12 16	壬子	11 17	癸未	10 18	癸丑	9 19	甲申	8 20	甲寅	十七
1 16	癸未	12 17	癸丑	11 18	甲申	10 19	甲寅	9 20	乙酉	8 21	乙卯	十八
1 17	甲申	12 18	甲寅	11 19	乙酉	10 20	乙卯	9 21	丙戌	8 22	丙辰	十九
1 18	乙酉	12 19	乙卯	11 20	丙戌	10 21	丙辰	9 22	丁亥	8 23	**丁巳**	二十
1 19	丙戌	12 20	丙辰	11 21	丁亥	10 22	丁巳	9 23	**戊子**	8 24	戊午	廿一
1 20	丁亥	12 21	丁巳	11 22	戊子	10 23	戊午	9 24	己丑	8 25	己未	廿二
1 21	**戊子**	12 22	**戊午**	11 23	**己丑**	10 24	**己未**	9 25	庚寅	8 26	庚申	廿三
1 22	己丑	12 23	己未	11 24	庚寅	10 25	庚申	9 26	辛卯	8 27	辛酉	廿四
1 23	庚寅	12 24	庚申	11 25	辛卯	10 26	辛酉	9 27	壬辰	8 28	壬戌	廿五
1 24	辛卯	12 25	辛酉	11 26	壬辰	10 27	壬戌	9 28	癸巳	8 29	癸亥	廿六
1 25	壬辰	12 26	壬戌	11 27	癸巳	10 28	癸亥	9 29	甲午	8 30	甲子	廿七
1 26	癸巳	12 27	癸亥	11 28	甲午	10 29	甲子	9 30	乙未	8 31	乙丑	廿八
1 27	甲午	12 28	甲子	11 29	乙未	10 30	乙丑	10 1	丙申	9 1	丙寅	廿九
		12 29	乙丑			10 31	丙寅			9 2	丁卯	三十

六月大		五月小		四月大		三月小		二月小		正月大		月別	一九七九年
辛未		庚午		己巳		戊辰		丁卯		丙寅		干支	
九紫		一白		二黑		三碧		四綠		五黃		九星	
大暑	小暑	夏至	芒種	小滿	立夏	穀雨	清明	春分	驚蟄	雨水	立春	節氣	歲次己未（肖羊）
18時49分 三十酉時	1時25分 十五丑時	7時56分 廿八辰時	15時5分 十二申時	23時54分 廿六夜子	10時47分 十一巳時	0時36分 廿五早子	17時18分 初九酉時	13時22分 廿三未時	12時20分 初八午時	14時13分 廿三未時	18時13分 初八酉時		
西曆	干支	西曆	干支	西曆	干支	西曆	干支	西曆	干支	西曆	干支	農曆	
6 24	壬戌	5 26	癸巳	4 26	癸亥	3 28	甲午	2 27	乙丑	1 28	乙未	初一	
6 25	癸亥	5 27	甲午	4 27	甲子	3 29	乙未	2 28	丙寅	1 29	丙申	初二	
6 26	甲子	5 28	乙未	4 28	乙丑	3 30	丙申	3 1	丁卯	1 30	丁酉	初三	
6 27	乙丑	5 29	丙申	4 29	丙寅	3 31	丁酉	3 2	戊辰	1 31	戊戌	初四	
6 28	丙寅	5 30	丁酉	4 30	丁卯	4 1	戊戌	3 3	己巳	2 1	己亥	初五	
6 29	丁卯	5 31	戊戌	5 1	戊辰	4 2	己亥	3 4	庚午	2 2	庚子	初六	
6 30	戊辰	6 1	己亥	5 2	己巳	4 3	庚子	3 5	辛未	2 3	辛丑	初七	
7 1	己巳	6 2	庚子	5 3	庚午	4 4	辛丑	3 6	壬申	2 4	壬寅	初八	
7 2	庚午	6 3	辛丑	5 4	辛未	4 5	壬寅	3 7	癸酉	2 5	癸卯	初九	
7 3	辛未	6 4	壬寅	5 5	壬申	4 6	癸卯	3 8	甲戌	2 6	甲辰	初十	
7 4	壬申	6 5	癸卯	5 6	癸酉	4 7	甲辰	3 9	乙亥	2 7	乙巳	十一	太歲姓傅名稅
7 5	癸酉	6 6	甲辰	5 7	甲戌	4 8	乙巳	3 10	丙子	2 8	丙午	十二	
7 6	甲戌	6 7	乙巳	5 8	乙亥	4 9	丙午	3 11	丁丑	2 9	丁未	十三	
7 7	乙亥	6 8	丙午	5 9	丙子	4 10	丁未	3 12	戊寅	2 10	戊申	十四	
7 8	丙子	6 9	丁未	5 10	丁丑	4 11	戊申	3 13	己卯	2 11	己酉	十五	
7 9	丁丑	6 10	戊申	5 11	戊寅	4 12	己酉	3 14	庚辰	2 12	庚戌	十六	
7 10	戊寅	6 11	己酉	5 12	己卯	4 13	庚戌	3 15	辛巳	2 13	辛亥	十七	
7 11	己卯	6 12	庚戌	5 13	庚辰	4 14	辛亥	3 16	壬午	2 14	壬子	十八	
7 12	庚辰	6 13	辛亥	5 14	辛巳	4 15	壬子	3 17	癸未	2 15	癸丑	十九	
7 13	辛巳	6 14	壬子	5 15	壬午	4 16	癸丑	3 18	甲申	2 16	甲寅	二十	
7 14	壬午	6 15	癸丑	5 16	癸未	4 17	甲寅	3 19	乙酉	2 17	乙卯	廿一	年星三碧
7 15	癸未	6 16	甲寅	5 17	甲申	4 18	乙卯	3 20	丙戌	2 18	丙辰	廿二	
7 16	甲申	6 17	乙卯	5 18	乙酉	4 19	丙辰	3 21	丁亥	2 19	丁巳	廿三	
7 17	乙酉	6 18	丙辰	5 19	丙戌	4 20	丁巳	3 22	戊子	2 20	戊午	廿四	
7 18	丙戌	6 19	丁巳	5 20	丁亥	4 21	戊午	3 23	己丑	2 21	己未	廿五	
7 19	丁亥	6 20	戊午	5 21	戊子	4 22	己未	3 24	庚寅	2 22	庚申	廿六	
7 20	戊子	6 21	己未	5 22	己丑	4 23	庚申	3 25	辛卯	2 23	辛酉	廿七	
7 21	己丑	6 22	庚申	5 23	庚寅	4 24	辛酉	3 26	壬辰	2 24	壬戌	廿八	
7 22	庚寅	6 23	辛酉	5 24	辛卯	4 25	壬戌	3 27	癸巳	2 25	癸亥	廿九	
7 23	辛卯			5 25	壬辰					2 26	甲子	三十	

十二月小		十一月大		十月小		九月大		八月大		七月小		閏六月大		月別
丁丑		丙子		乙亥		甲戌		癸酉		壬申				干支
三碧		四綠		五黃		六白		七赤		八白				九星
立春	大寒	小寒	冬至	大雪	小雪	立冬	霜降	寒露	秋分	白露	處暑	立秋		節氣
0時10分 十九早子	5時49分 初四卯時	12時29分 十九午時	19時10分 初四戌時	1時18分 十九丑時	5時54分 初四卯時	8時33分 十九辰時	8時28分 初四辰時	5時30分 十九卯時	23時17分 初三夜子	14時0分 十七未時	1時47分 初二丑時	11時11分 十六午時		
西曆	干支	西曆	干支	西曆	干支	西曆	干支	西曆	干支	西曆	干支	西曆	干支	農曆
1 18	庚寅	12 19	庚申	11 20	辛卯	10 21	辛酉	9 21	辛卯	8 23	壬戌	7 24	壬辰	初一
1 19	辛卯	12 20	辛酉	11 21	壬辰	10 22	壬戌	9 22	壬辰	8 24	**癸亥**	7 25	癸巳	初二
1 20	壬辰	12 21	壬戌	11 22	癸巳	10 23	癸亥	9 23	**癸巳**	8 25	甲子	7 26	甲午	初三
1 21	**癸巳**	12 22	**癸亥**	11 23	**甲午**	10 24	**甲子**	9 24	甲午	8 26	乙丑	7 27	乙未	初四
1 22	甲午	12 23	甲子	11 24	乙未	10 25	乙丑	9 25	乙未	8 27	丙寅	7 28	丙申	初五
1 23	乙未	12 24	乙丑	11 25	丙申	10 26	丙寅	9 26	丙申	8 28	丁卯	7 29	丁酉	初六
1 24	丙申	12 25	丙寅	11 26	丁酉	10 27	丁卯	9 27	丁酉	8 29	戊辰	7 30	戊戌	初七
1 25	丁酉	12 26	丁卯	11 27	戊戌	10 28	戊辰	9 28	戊戌	8 30	己巳	7 31	己亥	初八
1 26	戊戌	12 27	戊辰	11 28	己亥	10 29	己巳	9 29	己亥	8 31	庚午	8 1	庚子	初九
1 27	己亥	12 28	己巳	11 29	庚子	10 30	庚午	9 30	庚子	9 1	辛未	8 2	辛丑	初十
1 28	庚子	12 29	庚午	11 30	辛丑	10 31	辛未	10 1	辛丑	9 2	壬申	8 3	壬寅	十一
1 29	辛丑	12 30	辛未	12 1	壬寅	11 1	壬申	10 2	壬寅	9 3	癸酉	8 4	癸卯	十二
1 30	壬寅	12 31	壬申	12 2	癸卯	11 2	癸酉	10 3	癸卯	9 4	甲戌	8 5	甲辰	十三
1 31	癸卯	1 1	癸酉	12 3	甲辰	11 3	甲戌	10 4	甲辰	9 5	乙亥	8 6	乙巳	十四
2 1	甲辰	1 2	甲戌	12 4	乙巳	11 4	乙亥	10 5	乙巳	9 6	丙子	8 7	丙午	十五
2 2	乙巳	1 3	乙亥	12 5	丙午	11 5	丙子	10 6	丙午	9 7	丁丑	8 8	**丁未**	十六
2 3	丙午	1 4	丙子	12 6	丁未	11 6	丁丑	10 7	丁未	9 8	**戊寅**	8 9	戊申	十七
2 4	丁未	1 5	丁丑	12 7	戊申	11 7	戊寅	10 8	戊申	9 9	己卯	8 10	己酉	十八
2 5	**戊申**	1 6	**戊寅**	12 8	**己酉**	11 8	**己卯**	10 9	**己酉**	9 10	庚辰	8 11	庚戌	十九
2 6	己酉	1 7	己卯	12 9	庚戌	11 9	庚辰	10 10	庚戌	9 11	辛巳	8 12	辛亥	二十
2 7	庚戌	1 8	庚辰	12 10	辛亥	11 10	辛巳	10 11	辛亥	9 12	壬午	8 13	壬子	廿一
2 8	辛亥	1 9	辛巳	12 11	壬子	11 11	壬午	10 12	壬子	9 13	癸未	8 14	癸丑	廿二
2 9	壬子	1 10	壬午	12 12	癸丑	11 12	癸未	10 13	癸丑	9 14	甲申	8 15	甲寅	廿三
2 10	癸丑	1 11	癸未	12 13	甲寅	11 13	甲申	10 14	甲寅	9 15	乙酉	8 16	乙卯	廿四
2 11	甲寅	1 12	甲申	12 14	乙卯	11 14	乙酉	10 15	乙卯	9 16	丙戌	8 17	丙辰	廿五
2 12	乙卯	1 13	乙酉	12 15	丙辰	11 15	丙戌	10 16	丙辰	9 17	丁亥	8 18	丁巳	廿六
2 13	丙辰	1 14	丙戌	12 16	丁巳	11 16	丁亥	10 17	丁巳	9 18	戊子	8 19	戊午	廿七
2 14	丁巳	1 15	丁亥	12 17	戊午	11 17	戊子	10 18	戊午	9 19	己丑	8 20	己未	廿八
2 15	戊午	1 16	戊子	12 18	己未	11 18	己丑	10 19	己未	9 20	庚寅	8 21	庚申	廿九
		1 17	己丑			11 19	庚寅	10 20	庚申			8 22	辛酉	三十

一九八〇年

歲次庚申（肖猴）

太歲姓毛名倖

年星二黑

六月大		五月小		四月大		三月小		二月小		正月大		月別
癸未		壬午		辛巳		庚辰		己卯		戊寅		干支
六白		七赤		八白		九紫		一白		二黑		九星
立秋	大暑	小暑	夏至	芒種	小滿	立夏	穀雨	清明	春分	驚蟄	雨水	節氣
廿七 17時9分 酉時	十二 0時42分 早子	廿五 7時24分 辰時	初九 13時47分 未時	廿三 21時4分 亥時	初八 5時42分 卯時	廿一 16時45分 申時	初六 6時23分 卯時	十九 23時15分 夜子	初四 19時10分 戌時	十九 18時17分 酉時	初四 20時2分 戌時	
西曆	干支	西曆	干支	西曆	干支	西曆	干支	西曆	干支	西曆	干支	農曆
7 12	丙戌	6 13	丁巳	5 14	丁亥	4 15	戊午	3 17	己丑	2 16	己未	初一
7 13	丁亥	6 14	戊午	5 15	戊子	4 16	己未	3 18	庚寅	2 17	庚申	初二
7 14	戊子	6 15	己未	5 16	己丑	4 17	庚申	3 19	辛卯	2 18	辛酉	初三
7 15	己丑	6 16	庚申	5 17	庚寅	4 18	辛酉	3 20	**壬辰**	2 19	**壬戌**	初四
7 16	庚寅	6 17	辛酉	5 18	辛卯	4 19	壬戌	3 21	癸巳	2 20	癸亥	初五
7 17	辛卯	6 18	壬戌	5 19	壬辰	4 20	**癸亥**	3 22	甲午	2 21	甲子	初六
7 18	壬辰	6 19	癸亥	5 20	癸巳	4 21	甲子	3 23	乙未	2 22	乙丑	初七
7 19	癸巳	6 20	甲子	5 21	**甲午**	4 22	乙丑	3 24	丙申	2 23	丙寅	初八
7 20	甲午	6 21	**乙丑**	5 22	乙未	4 23	丙寅	3 25	丁酉	2 24	丁卯	初九
7 21	乙未	6 22	丙寅	5 23	丙申	4 24	丁卯	3 26	戊戌	2 25	戊辰	初十
7 22	丙申	6 23	丁卯	5 24	丁酉	4 25	戊辰	3 27	己亥	2 26	己巳	十一
7 23	**丁酉**	6 24	戊辰	5 25	戊戌	4 26	己巳	3 28	庚子	2 27	庚午	十二
7 24	戊戌	6 25	己巳	5 26	己亥	4 27	庚午	3 29	辛丑	2 28	辛未	十三
7 25	己亥	6 26	庚午	5 27	庚子	4 28	辛未	3 30	壬寅	2 29	壬申	十四
7 26	庚子	6 27	辛未	5 28	辛丑	4 29	壬申	3 31	癸卯	3 1	癸酉	十五
7 27	辛丑	6 28	壬申	5 29	壬寅	4 30	癸酉	4 1	甲辰	3 2	甲戌	十六
7 28	壬寅	6 29	癸酉	5 30	癸卯	5 1	甲戌	4 2	乙巳	3 3	乙亥	十七
7 29	癸卯	6 30	甲戌	5 31	甲辰	5 2	乙亥	4 3	丙午	3 4	丙子	十八
7 30	甲辰	7 1	乙亥	6 1	乙巳	5 3	丙子	4 4	**丁未**	3 5	**丁丑**	十九
7 31	乙巳	7 2	丙子	6 2	丙午	5 4	丁丑	4 5	戊申	3 6	戊寅	二十
8 1	丙午	7 3	丁丑	6 3	丁未	5 5	**戊寅**	4 6	己酉	3 7	己卯	廿一
8 2	丁未	7 4	戊寅	6 4	戊申	5 6	己卯	4 7	庚戌	3 8	庚辰	廿二
8 3	戊申	7 5	己卯	6 5	**己酉**	5 7	庚辰	4 8	辛亥	3 9	辛巳	廿三
8 4	己酉	7 6	庚辰	6 6	庚戌	5 8	辛巳	4 9	壬子	3 10	壬午	廿四
8 5	庚戌	7 7	**辛巳**	6 7	辛亥	5 9	壬午	4 10	癸丑	3 11	癸未	廿五
8 6	辛亥	7 8	壬午	6 8	壬子	5 10	癸未	4 11	甲寅	3 12	甲申	廿六
8 7	**壬子**	7 9	癸未	6 9	癸丑	5 11	甲申	4 12	乙卯	3 13	乙酉	廿七
8 8	癸丑	7 10	甲申	6 10	甲寅	5 12	乙酉	4 13	丙辰	3 14	丙戌	廿八
8 9	甲寅	7 11	乙酉	6 11	乙卯	5 13	丙戌	4 14	丁巳	3 15	丁亥	廿九
8 10	乙卯			6 12	丙辰					3 16	戊子	三十

十二月大		十一月大		十月小		九月大		八月大		七月小		月別
己丑		戊子		丁亥		丙戌		乙酉		甲申		干支
九紫		一白		二黑		三碧		四綠		五黃		九星
立春	大寒	小寒	冬至	大雪	小雪	立冬	霜降	寒露	秋分	白露	處暑	節氣
三十卯時 5時56分	十五午時 11時36分	三十酉時 18時13分	十六早子 0時56分	十一月初一辰時 7時2分	十五午時 11時42分	三十未時 14時18分	十五未時 14時18分	三十午時 11時19分	十五卯時 5時9分	廿八戌時 19時54分	十三辰時 7時41分	
西曆	**干支**	**西曆**	**干支**	**西曆**	**干支**	**西曆**	**干支**	**西曆**	**干支**	**西曆**	**干支**	**農曆**
1 6	甲申	12 7	**甲寅**	11 8	乙酉	10 9	乙卯	9 9	乙酉	8 11	丙辰	初一
1 7	乙酉	12 8	乙卯	11 9	丙戌	10 10	丙辰	9 10	丙戌	8 12	丁巳	初二
1 8	丙戌	12 9	丙辰	11 10	丁亥	10 11	丁巳	9 11	丁亥	8 13	戊午	初三
1 9	丁亥	12 10	丁巳	11 11	戊子	10 12	戊午	9 12	戊子	8 14	己未	初四
1 10	戊子	12 11	戊午	11 12	己丑	10 13	己未	9 13	己丑	8 15	庚申	初五
1 11	己丑	12 12	己未	11 13	庚寅	10 14	庚申	9 14	庚寅	8 16	辛酉	初六
1 12	庚寅	12 13	庚申	11 14	辛卯	10 15	辛酉	9 15	辛卯	8 17	壬戌	初七
1 13	辛卯	12 14	辛酉	11 15	壬辰	10 16	壬戌	9 16	壬辰	8 18	癸亥	初八
1 14	壬辰	12 15	壬戌	11 16	癸巳	10 17	癸亥	9 17	癸巳	8 19	甲子	初九
1 15	癸巳	12 16	癸亥	11 17	甲午	10 18	甲子	9 18	甲午	8 20	乙丑	初十
1 16	甲午	12 17	甲子	11 18	乙未	10 19	乙丑	9 19	乙未	8 21	丙寅	十一
1 17	乙未	12 18	乙丑	11 19	丙申	10 20	丙寅	9 20	丙申	8 22	丁卯	十二
1 18	丙申	12 19	丙寅	11 20	丁酉	10 21	丁卯	9 21	丁酉	8 23	**戊辰**	十三
1 19	丁酉	12 20	丁卯	11 21	戊戌	10 22	戊辰	9 22	戊戌	8 24	己巳	十四
1 20	**戊戌**	12 21	戊辰	11 22	**己亥**	10 23	**己巳**	9 23	**己亥**	8 25	庚午	十五
1 21	己亥	12 22	**己巳**	11 23	庚子	10 24	庚午	9 24	庚子	8 26	辛未	十六
1 22	庚子	12 23	庚午	11 24	辛丑	10 25	辛未	9 25	辛丑	8 27	壬申	十七
1 23	辛丑	12 24	辛未	11 25	壬寅	10 26	壬申	9 26	壬寅	8 28	癸酉	十八
1 24	壬寅	12 25	壬申	11 26	癸卯	10 27	癸酉	9 27	癸卯	8 29	甲戌	十九
1 25	癸卯	12 26	癸酉	11 27	甲辰	10 28	甲戌	9 28	甲辰	8 30	乙亥	二十
1 26	甲辰	12 27	甲戌	11 28	乙巳	10 29	乙亥	9 29	乙巳	8 31	丙子	廿一
1 27	乙巳	12 28	乙亥	11 29	丙午	10 30	丙子	9 30	丙午	9 1	丁丑	廿二
1 28	丙午	12 29	丙子	11 30	丁未	10 31	丁丑	10 1	丁未	9 2	戊寅	廿三
1 29	丁未	12 30	丁丑	12 1	戊申	11 1	戊寅	10 2	戊申	9 3	己卯	廿四
1 30	戊申	12 31	戊寅	12 2	己酉	11 2	己卯	10 3	己酉	9 4	庚辰	廿五
1 31	己酉	1 1	己卯	12 3	庚戌	11 3	庚辰	10 4	庚戌	9 5	辛巳	廿六
2 1	庚戌	1 2	庚辰	12 4	辛亥	11 4	辛巳	10 5	辛亥	9 6	壬午	廿七
2 2	辛亥	1 3	辛巳	12 5	壬子	11 5	壬午	10 6	壬子	9 7	**癸未**	廿八
2 3	壬子	1 4	壬午	12 6	癸丑	11 6	癸未	10 7	癸丑	9 8	甲申	廿九
2 4	**癸丑**	1 5	**癸未**			11 7	**甲申**	10 8	**甲寅**			三十

一九八一年

歲次辛酉（肖雞）

太歲姓文名政

年星一白

六月小		五月大		四月小		三月小		二月大		正月小		月別
乙未		甲午		癸巳		壬辰		辛卯		庚寅		干支
三碧		四綠		五黃		六白		七赤		八白		九星
大暑	小暑	夏至	芒種	小滿	立夏	穀雨	清明	春分	驚蟄		雨水	節氣
廿二 6時40分 卯時	初六 13時12分 未時	二十 19時45分 戌時	初五 2時53分 丑時	十八 11時40分 午時	初二 22時35分 亥時	十六 12時19分 午時	初一 5時5分 卯時	十六 1時3分 丑時	初一 0時5分 早子		十五 1時52分 丑時	
西曆	干支	西曆	干支	西曆	干支	西曆	干支	西曆	干支	西曆	干支	農曆
7 2	辛巳	6 2	辛亥	5 4	壬午	4 5	**癸丑**	3 6	**癸未**	2 5	甲寅	初一
7 3	壬午	6 3	壬子	5 5	**癸未**	4 6	甲寅	3 7	甲申	2 6	乙卯	初二
7 4	癸未	6 4	癸丑	5 6	甲申	4 7	乙卯	3 8	乙酉	2 7	丙辰	初三
7 5	甲申	6 5	甲寅	5 7	乙酉	4 8	丙辰	3 9	丙戌	2 8	丁巳	初四
7 6	乙酉	6 6	**乙卯**	5 8	丙戌	4 9	丁巳	3 10	丁亥	2 9	戊午	初五
7 7	**丙戌**	6 7	丙辰	5 9	丁亥	4 10	戊午	3 11	戊子	2 10	己未	初六
7 8	丁亥	6 8	丁巳	5 10	戊子	4 11	己未	3 12	己丑	2 11	庚申	初七
7 9	戊子	6 9	戊午	5 11	己丑	4 12	庚申	3 13	庚寅	2 12	辛酉	初八
7 10	己丑	6 10	己未	5 12	庚寅	4 13	辛酉	3 14	辛卯	2 13	壬戌	初九
7 11	庚寅	6 11	庚申	5 13	辛卯	4 14	壬戌	3 15	壬辰	2 14	癸亥	初十
7 12	辛卯	6 12	辛酉	5 14	壬辰	4 15	癸亥	3 16	癸巳	2 15	甲子	十一
7 13	壬辰	6 13	壬戌	5 15	癸巳	4 16	甲子	3 17	甲午	2 16	乙丑	十二
7 14	癸巳	6 14	癸亥	5 16	甲午	4 17	乙丑	3 18	乙未	2 17	丙寅	十三
7 15	甲午	6 15	甲子	5 17	乙未	4 18	丙寅	3 19	丙申	2 18	丁卯	十四
7 16	乙未	6 16	乙丑	5 18	丙申	4 19	丁卯	3 20	丁酉	2 19	**戊辰**	十五
7 17	丙申	6 17	丙寅	5 19	丁酉	4 20	**戊辰**	3 21	**戊戌**	2 20	己巳	十六
7 18	丁酉	6 18	丁卯	5 20	戊戌	4 21	己巳	3 22	己亥	2 21	庚午	十七
7 19	戊戌	6 19	戊辰	5 21	**己亥**	4 22	庚午	3 23	庚子	2 22	辛未	十八
7 20	己亥	6 20	己巳	5 22	庚子	4 23	辛未	3 24	辛丑	2 23	壬申	十九
7 21	庚子	6 21	**庚午**	5 23	辛丑	4 24	壬申	3 25	壬寅	2 24	癸酉	二十
7 22	辛丑	6 22	辛未	5 24	壬寅	4 25	癸酉	3 26	癸卯	2 25	甲戌	廿一
7 23	**壬寅**	6 23	壬申	5 25	癸卯	4 26	甲戌	3 27	甲辰	2 26	乙亥	廿二
7 24	癸卯	6 24	癸酉	5 26	甲辰	4 27	乙亥	3 28	乙巳	2 27	丙子	廿三
7 25	甲辰	6 25	甲戌	5 27	乙巳	4 28	丙子	3 29	丙午	2 28	丁丑	廿四
7 26	乙巳	6 26	乙亥	5 28	丙午	4 29	丁丑	3 30	丁未	3 1	戊寅	廿五
7 27	丙午	6 27	丙子	5 29	丁未	4 30	戊寅	3 31	戊申	3 2	己卯	廿六
7 28	丁未	6 28	丁丑	5 30	戊申	5 1	己卯	4 1	己酉	3 3	庚辰	廿七
7 29	戊申	6 29	戊寅	5 31	己酉	5 2	庚辰	4 2	庚戌	3 4	辛巳	廿八
7 30	己酉	6 30	己卯	6 1	庚戌	5 3	辛巳	4 3	辛亥	3 5	壬午	廿九
		7 1	庚辰					4 4	壬子			三十

十二月大		十一月大		十月小		九月大		八月大		七月小		月別
辛丑		庚子		己亥		戊戌		丁酉		丙申		干支
六白		七赤		八白		九紫		一白		二黑		九星
大寒 17時15分 廿七酉時	小寒 0時6分 十二早子時	冬至 6時51分 廿七卯時	大雪 12時51分 十二午時	小雪 17時36分 廿六酉時	立冬 20時9分 十一戌時	霜降 20時13分 廿六戌時	寒露 17時10分 十一酉時	秋分 11時5分 廿六午時	白露 1時43分 十一丑時	處暑 13時38分 廿四未時	立秋 22時57分 初八亥時	節氣
西曆	干支	西曆	干支	西曆	干支	西曆	干支	西曆	干支	西曆	干支	農曆
12 26	戊寅	11 26	戊申	10 28	己卯	9 28	己酉	8 29	己卯	7 31	庚戌	初一
12 27	己卯	11 27	己酉	10 29	庚辰	9 29	庚戌	8 30	庚辰	8 1	辛亥	初二
12 28	庚辰	11 28	庚戌	10 30	辛巳	9 30	辛亥	8 31	辛巳	8 2	壬子	初三
12 29	辛巳	11 29	辛亥	10 31	壬午	10 1	壬子	9 1	壬午	8 3	癸丑	初四
12 30	壬午	11 30	壬子	11 1	癸未	10 2	癸丑	9 2	癸未	8 4	甲寅	初五
12 31	癸未	12 1	癸丑	11 2	甲申	10 3	甲寅	9 3	甲申	8 5	乙卯	初六
1 1	甲申	12 2	甲寅	11 3	乙酉	10 4	乙卯	9 4	乙酉	8 6	丙辰	初七
1 2	乙酉	12 3	乙卯	11 4	丙戌	10 5	丙辰	9 5	丙戌	8 7	丁巳	初八
1 3	丙戌	12 4	丙辰	11 5	丁亥	10 6	丁巳	9 6	丁亥	8 8	戊午	初九
1 4	丁亥	12 5	丁巳	11 6	戊子	10 7	戊午	9 7	戊子	8 9	己未	初十
1 5	戊子	12 6	戊午	11 7	己丑	10 8	己未	9 8	己丑	8 10	庚申	十一
1 6	己丑	12 7	己未	11 8	庚寅	10 9	庚申	9 9	庚寅	8 11	辛酉	十二
1 7	庚寅	12 8	庚申	11 9	辛卯	10 10	辛酉	9 10	辛卯	8 12	壬戌	十三
1 8	辛卯	12 9	辛酉	11 10	壬辰	10 11	壬戌	9 11	壬辰	8 13	癸亥	十四
1 9	壬辰	12 10	壬戌	11 11	癸巳	10 12	癸亥	9 12	癸巳	8 14	甲子	十五
1 10	癸巳	12 11	癸亥	11 12	甲午	10 13	甲子	9 13	甲午	8 15	乙丑	十六
1 11	甲午	12 12	甲子	11 13	乙未	10 14	乙丑	9 14	乙未	8 16	丙寅	十七
1 12	乙未	12 13	乙丑	11 14	丙申	10 15	丙寅	9 15	丙申	8 17	丁卯	十八
1 13	丙申	12 14	丙寅	11 15	丁酉	10 16	丁卯	9 16	丁酉	8 18	戊辰	十九
1 14	丁酉	12 15	丁卯	11 16	戊戌	10 17	戊辰	9 17	戊戌	8 19	己巳	二十
1 15	戊戌	12 16	戊辰	11 17	己亥	10 18	己巳	9 18	己亥	8 20	庚午	廿一
1 16	己亥	12 17	己巳	11 18	庚子	10 19	庚午	9 19	庚子	8 21	辛未	廿二
1 17	庚子	12 18	庚午	11 19	辛丑	10 20	辛未	9 20	辛丑	8 22	壬申	廿三
1 18	辛丑	12 19	辛未	11 20	壬寅	10 21	壬申	9 21	壬寅	8 23	癸酉	廿四
1 19	壬寅	12 20	壬申	11 21	癸卯	10 22	癸酉	9 22	癸卯	8 24	甲戌	廿五
1 20	癸卯	12 21	癸酉	11 22	甲辰	10 23	甲戌	9 23	甲辰	8 25	乙亥	廿六
1 21	甲辰	12 22	甲戌	11 23	乙巳	10 24	乙亥	9 24	乙巳	8 26	丙子	廿七
1 22	乙巳	12 23	乙亥	11 24	丙午	10 25	丙子	9 25	丙午	8 27	丁丑	廿八
1 23	丙午	12 24	丙子	11 25	丁未	10 26	丁丑	9 26	丁未	8 28	戊寅	廿九
1 24	丁未	12 25	丁丑			10 27	戊寅	9 27	戊申			三十

15

一九八二年

歲次壬戌（肖狗）

太歲姓洪名范

年星九紫

五月大		閏四月小		四月小		三月大		二月小		正月大		月別
丙午				乙巳		甲辰		癸卯		壬寅		干支
一白				二黑		三碧		四綠		五黃		九星
小暑	夏至		芒種	小滿	立夏	穀雨	清明	春分	驚蟄	雨水	立春	節氣
十七 18時56分 酉時	初二 1時23分 丑時		十五 8時37分 辰時	廿八 17時27分 酉時	十三 4時32分 寅時	廿七 18時5分 酉時	十二 10時58分 巳時	廿六 6時46分 卯時	十一 5時55分 卯時	廿六 7時33分 辰時	十一 11時45分 午時	
西曆	干支	西曆	干支	西曆	干支	西曆	干支	西曆	干支	西曆	干支	農曆
6 21	乙亥	5 23	丙午	4 24	丁丑	3 25	丁未	2 24	戊寅	1 25	戊申	初一
6 22	**丙子**	5 24	丁未	4 25	戊寅	3 26	戊申	2 25	己卯	1 26	己酉	初二
6 23	丁丑	5 25	戊申	4 26	己卯	3 27	己酉	2 26	庚辰	1 27	庚戌	初三
6 24	戊寅	5 26	己酉	4 27	庚辰	3 28	庚戌	2 27	辛巳	1 28	辛亥	初四
6 25	己卯	5 27	庚戌	4 28	辛巳	3 29	辛亥	2 28	壬午	1 29	壬子	初五
6 26	庚辰	5 28	辛亥	4 29	壬午	3 30	壬子	3 1	癸未	1 30	癸丑	初六
6 27	辛巳	5 29	壬子	4 30	癸未	3 31	癸丑	3 2	甲申	1 31	甲寅	初七
6 28	壬午	5 30	癸丑	5 1	甲申	4 1	甲寅	3 3	乙酉	2 1	乙卯	初八
6 29	癸未	5 31	甲寅	5 2	乙酉	4 2	乙卯	3 4	丙戌	2 2	丙辰	初九
6 30	甲申	6 1	乙卯	5 3	丙戌	4 3	丙辰	3 5	丁亥	2 3	丁巳	初十
7 1	乙酉	6 2	丙辰	5 4	丁亥	4 4	丁巳	3 6	**戊子**	2 4	**戊午**	十一
7 2	丙戌	6 3	丁巳	5 5	戊子	4 5	**戊午**	3 7	己丑	2 5	己未	十二
7 3	丁亥	6 4	戊午	5 6	**己丑**	4 6	己未	3 8	庚寅	2 6	庚申	十三
7 4	戊子	6 5	己未	5 7	庚寅	4 7	庚申	3 9	辛卯	2 7	辛酉	十四
7 5	己丑	6 6	**庚申**	5 8	辛卯	4 8	辛酉	3 10	壬辰	2 8	壬戌	十五
7 6	庚寅	6 7	辛酉	5 9	壬辰	4 9	壬戌	3 11	癸巳	2 9	癸亥	十六
7 7	**辛卯**	6 8	壬戌	5 10	癸巳	4 10	癸亥	3 12	甲午	2 10	甲子	十七
7 8	壬辰	6 9	癸亥	5 11	甲午	4 11	甲子	3 13	乙未	2 11	乙丑	十八
7 9	癸巳	6 10	甲子	5 12	乙未	4 12	乙丑	3 14	丙申	2 12	丙寅	十九
7 10	甲午	6 11	乙丑	5 13	丙申	4 13	丙寅	3 15	丁酉	2 13	丁卯	二十
7 11	乙未	6 12	丙寅	5 14	丁酉	4 14	丁卯	3 16	戊戌	2 14	戊辰	廿一
7 12	丙申	6 13	丁卯	5 15	戊戌	4 15	戊辰	3 17	己亥	2 15	己巳	廿二
7 13	丁酉	6 14	戊辰	5 16	己亥	4 16	己巳	3 18	庚子	2 16	庚午	廿三
7 14	戊戌	6 15	己巳	5 17	庚子	4 17	庚午	3 19	辛丑	2 17	辛未	廿四
7 15	己亥	6 16	庚午	5 18	辛丑	4 18	辛未	3 20	壬寅	2 18	壬申	廿五
7 16	庚子	6 17	辛未	5 19	壬寅	4 19	壬申	3 21	**癸卯**	2 19	**癸酉**	廿六
7 17	辛丑	6 18	壬申	5 20	癸卯	4 20	**癸酉**	3 22	甲辰	2 20	甲戌	廿七
7 18	壬寅	6 19	癸酉	5 21	**甲辰**	4 21	甲戌	3 23	乙巳	2 21	乙亥	廿八
7 19	癸卯	6 20	甲戌	5 22	乙巳	4 22	乙亥	3 24	丙午	2 22	丙子	廿九
7 20	甲辰					4 23	丙子			2 23	丁丑	三十

十二月大		十一月大		十月大		九月小		八月大		七月小		六月小		月別
癸丑		壬子		辛亥		庚戌		己酉		戊申		丁未		干支
三碧		四綠		五黃		六白		七赤		八白		九紫		九星
立春	大寒	小寒	冬至	大雪	小雪	立冬	霜降	寒露	秋分	白露	處暑	立秋	大暑	節氣
廿二酉時 17時35分	初七夜子時 23時14分	廿三卯時 5時53分	初八午時 12時26分	廿三酉時 18時44分	初八夜子時 23時13分	廿三丑時 2時4分	初八丑時 1時51分	廿二夜子時 23時9分	初七申時 16時45分	廿一辰時 7時45分	初五戌時 19時21分	十九寅時 4時42分	初三午時 12時25分	
西曆	干支	西曆	干支	西曆	干支	西曆	干支	西曆	干支	西曆	干支	西曆	干支	農曆
1 14	壬寅	12 15	壬申	11 15	壬寅	10 17	癸酉	9 17	癸卯	8 19	甲戌	7 21	乙巳	初一
1 15	癸卯	12 16	癸酉	11 16	癸卯	10 18	甲戌	9 18	甲辰	8 20	乙亥	7 22	丙午	初二
1 16	甲辰	12 17	甲戌	11 17	甲辰	10 19	乙亥	9 19	乙巳	8 21	丙子	7 23	**丁未**	初三
1 17	乙巳	12 18	乙亥	11 18	乙巳	10 20	丙子	9 20	丙午	8 22	丁丑	7 24	戊申	初四
1 18	丙午	12 19	丙子	11 19	丙午	10 21	丁丑	9 21	丁未	8 23	**戊寅**	7 25	己酉	初五
1 19	丁未	12 20	丁丑	11 20	丁未	10 22	戊寅	9 22	戊申	8 24	己卯	7 26	庚戌	初六
1 20	**戊申**	12 21	戊寅	11 21	戊申	10 23	己卯	9 23	**己酉**	8 25	庚辰	7 27	辛亥	初七
1 21	己酉	12 22	**己卯**	11 22	**己酉**	10 24	**庚辰**	9 24	庚戌	8 26	辛巳	7 28	壬子	初八
1 22	庚戌	12 23	庚辰	11 23	庚戌	10 25	辛巳	9 25	辛亥	8 27	壬午	7 29	癸丑	初九
1 23	辛亥	12 24	辛巳	11 24	辛亥	10 26	壬午	9 26	壬子	8 28	癸未	7 30	甲寅	初十
1 24	壬子	12 25	壬午	11 25	壬子	10 27	癸未	9 27	癸丑	8 29	甲申	7 31	乙卯	十一
1 25	癸丑	12 26	癸未	11 26	癸丑	10 28	甲申	9 28	甲寅	8 30	乙酉	8 1	丙辰	十二
1 26	甲寅	12 27	甲申	11 27	甲寅	10 29	乙酉	9 29	乙卯	8 31	丙戌	8 2	丁巳	十三
1 27	乙卯	12 28	乙酉	11 28	乙卯	10 30	丙戌	9 30	丙辰	9 1	丁亥	8 3	戊午	十四
1 28	丙辰	12 29	丙戌	11 29	丙辰	10 31	丁亥	10 1	丁巳	9 2	戊子	8 4	己未	十五
1 29	丁巳	12 30	丁亥	11 30	丁巳	11 1	戊子	10 2	戊午	9 3	己丑	8 5	庚申	十六
1 30	戊午	12 31	戊子	12 1	戊午	11 2	己丑	10 3	己未	9 4	庚寅	8 6	辛酉	十七
1 31	己未	1 1	己丑	12 2	己未	11 3	庚寅	10 4	庚申	9 5	辛卯	8 7	壬戌	十八
2 1	庚申	1 2	庚寅	12 3	庚申	11 4	辛卯	10 5	辛酉	9 6	壬辰	8 8	**癸亥**	十九
2 2	辛酉	1 3	辛卯	12 4	辛酉	11 5	壬辰	10 6	壬戌	9 7	癸巳	8 9	甲子	二十
2 3	壬戌	1 4	壬辰	12 5	壬戌	11 6	癸巳	10 7	癸亥	9 8	**甲午**	8 10	乙丑	廿一
2 4	**癸亥**	1 5	癸巳	12 6	癸亥	11 7	甲午	10 8	**甲子**	9 9	乙未	8 11	丙寅	廿二
2 5	甲子	1 6	**甲午**	12 7	**甲子**	11 8	**乙未**	10 9	乙丑	9 10	丙申	8 12	丁卯	廿三
2 6	乙丑	1 7	乙未	12 8	乙丑	11 9	丙申	10 10	丙寅	9 11	丁酉	8 13	戊辰	廿四
2 7	丙寅	1 8	丙申	12 9	丙寅	11 10	丁酉	10 11	丁卯	9 12	戊戌	8 14	己巳	廿五
2 8	丁卯	1 9	丁酉	12 10	丁卯	11 11	戊戌	10 12	戊辰	9 13	己亥	8 15	庚午	廿六
2 9	戊辰	1 10	戊戌	12 11	戊辰	11 12	己亥	10 13	己巳	9 14	庚子	8 16	辛未	廿七
2 10	己巳	1 11	己亥	12 12	己巳	11 13	庚子	10 14	庚午	9 15	辛丑	8 17	壬申	廿八
2 11	庚午	1 12	庚子	12 13	庚午	11 14	辛丑	10 15	辛未	9 16	壬寅	8 18	癸酉	廿九
2 12	辛未	1 13	辛丑	12 14	辛未			10 16	壬申					三十

珍本萬年曆

一九八三年

歲次癸亥（肖豬）

太歲姓虞名程

年星八白

月別	正月大		二月小		三月大		四月小		五月小		六月大	
干支	甲寅		乙卯		丙辰		丁巳		戊午		己未	
九星	二黑		一白		九紫		八白		七赤		六白	
節氣	驚蟄	雨水	清明	春分	立夏	穀雨	芒種	小滿	小暑	夏至	立秋	大暑
	廿二 11時45分 午時	初七 13時31分 未時	廿二 16時48分 申時	初七 12時38分 午時	廿四 10時13分 巳時	初八 23時52分 夜子	廿五 14時27分 未時	初九 23時8分 夜子	廿八 0時43分 早子	十二 7時9分 辰時	三十 10時30分 巳時	十四 18時14分 酉時
農曆	西曆	干支	西曆	干支	西曆	干支	西曆	干支	西曆	干支	西曆	干支
初一	2 13	壬申	3 15	壬寅	4 13	辛未	5 13	辛丑	6 11	庚午	7 10	己亥
初二	2 14	癸酉	3 16	癸卯	4 14	壬申	5 14	壬寅	6 12	辛未	7 11	庚子
初三	2 15	甲戌	3 17	甲辰	4 15	癸酉	5 15	癸卯	6 13	壬申	7 12	辛丑
初四	2 16	乙亥	3 18	乙巳	4 16	甲戌	5 16	甲辰	6 14	癸酉	7 13	壬寅
初五	2 17	丙子	3 19	丙午	4 17	乙亥	5 17	乙巳	6 15	甲戌	7 14	癸卯
初六	2 18	丁丑	3 20	丁未	4 18	丙子	5 18	丙午	6 16	乙亥	7 15	甲辰
初七	2 19	**戊寅**	3 21	**戊申**	4 19	丁丑	5 19	丁未	6 17	丙子	7 16	乙巳
初八	2 20	己卯	3 22	己酉	4 20	**戊寅**	5 20	戊申	6 18	丁丑	7 17	丙午
初九	2 21	庚辰	3 23	庚戌	4 21	己卯	5 21	**己酉**	6 19	戊寅	7 18	丁未
初十	2 22	辛巳	3 24	辛亥	4 22	庚辰	5 22	庚戌	6 20	己卯	7 19	戊申
十一	2 23	壬午	3 25	壬子	4 23	辛巳	5 23	辛亥	6 21	庚辰	7 20	己酉
十二	2 24	癸未	3 26	癸丑	4 24	壬午	5 24	壬子	6 22	**辛巳**	7 21	庚戌
十三	2 25	甲申	3 27	甲寅	4 25	癸未	5 25	癸丑	6 23	壬午	7 22	辛亥
十四	2 26	乙酉	3 28	乙卯	4 26	甲申	5 26	甲寅	6 24	癸未	7 23	**壬子**
十五	2 27	丙戌	3 29	丙辰	4 27	乙酉	5 27	乙卯	6 25	甲申	7 24	癸丑
十六	2 28	丁亥	3 30	丁巳	4 28	丙戌	5 28	丙辰	6 26	乙酉	7 25	甲寅
十七	3 1	戊子	3 31	戊午	4 29	丁亥	5 29	丁巳	6 27	丙戌	7 26	乙卯
十八	3 2	己丑	4 1	己未	4 30	戊子	5 30	戊午	6 28	丁亥	7 27	丙辰
十九	3 3	庚寅	4 2	庚申	5 1	己丑	5 31	己未	6 29	戊子	7 28	丁巳
二十	3 4	辛卯	4 3	辛酉	5 2	庚寅	6 1	庚申	6 30	己丑	7 29	戊午
廿一	3 5	壬辰	4 4	壬戌	5 3	辛卯	6 2	辛酉	7 1	庚寅	7 30	己未
廿二	3 6	**癸巳**	4 5	**癸亥**	5 4	壬辰	6 3	壬戌	7 2	辛卯	7 31	庚申
廿三	3 7	甲午	4 6	甲子	5 5	癸巳	6 4	癸亥	7 3	壬辰	8 1	辛酉
廿四	3 8	乙未	4 7	乙丑	5 6	**甲午**	6 5	甲子	7 4	癸巳	8 2	壬戌
廿五	3 9	丙申	4 8	丙寅	5 7	乙未	6 6	**乙丑**	7 5	甲午	8 3	癸亥
廿六	3 10	丁酉	4 9	丁卯	5 8	丙申	6 7	丙寅	7 6	乙未	8 4	甲子
廿七	3 11	戊戌	4 10	戊辰	5 9	丁酉	6 8	丁卯	7 7	丙申	8 5	乙丑
廿八	3 12	己亥	4 11	己巳	5 10	戊戌	6 9	戊辰	7 8	**丁酉**	8 6	丙寅
廿九	3 13	庚子	4 12	庚午	5 11	己亥	6 10	己巳	7 9	戊戌	8 7	丁卯
三十	3 14	辛丑			5 12	庚子					8 8	**戊辰**

十二月大		十一月大		十月小		九月大		八月小		七月小		月別
乙丑		甲子		癸亥		壬戌		辛酉		庚申		干支
九紫		一白		二黑		三碧		四綠		五黃		九星
大寒 5時6分 十九卯	小寒 11時43分 初四午時	冬至 18時30分 十九酉時	大雪 0時34分 初五早子	小雪 5時19分 十九卯時	立冬 7時54分 初四辰時	霜降 7時56分 十九辰時	寒露 4時57分 初四寅時	秋分 22時41分 十七亥時	白露 13時20分 初二未時	處暑 1時10分 十六丑時		節氣
西曆	干支	西曆	干支	西曆	干支	西曆	干支	西曆	干支	西曆	干支	農曆
1 3	丙申	12 4	丙寅	11 5	丁酉	10 6	丁卯	9 7	戊戌	8 9	己巳	初一
1 4	丁酉	12 5	丁卯	11 6	戊戌	10 7	戊辰	9 8	己亥	8 10	庚午	初二
1 5	戊戌	12 6	戊辰	11 7	己亥	10 8	己巳	9 9	庚子	8 11	辛未	初三
1 6	己亥	12 7	己巳	11 8	庚子	10 9	庚午	9 10	辛丑	8 12	壬申	初四
1 7	庚子	12 8	庚午	11 9	辛丑	10 10	辛未	9 11	壬寅	8 13	癸酉	初五
1 8	辛丑	12 9	辛未	11 10	壬寅	10 11	壬申	9 12	癸卯	8 14	甲戌	初六
1 9	壬寅	12 10	壬申	11 11	癸卯	10 12	癸酉	9 13	甲辰	8 15	乙亥	初七
1 10	癸卯	12 11	癸酉	11 12	甲辰	10 13	甲戌	9 14	乙巳	8 16	丙子	初八
1 11	甲辰	12 12	甲戌	11 13	乙巳	10 14	乙亥	9 15	丙午	8 17	丁丑	初九
1 12	乙巳	12 13	乙亥	11 14	丙午	10 15	丙子	9 16	丁未	8 18	戊寅	初十
1 13	丙午	12 14	丙子	11 15	丁未	10 16	丁丑	9 17	戊申	8 19	己卯	十一
1 14	丁未	12 15	丁丑	11 16	戊申	10 17	戊寅	9 18	己酉	8 20	庚辰	十二
1 15	戊申	12 16	戊寅	11 17	己酉	10 18	己卯	9 19	庚戌	8 21	辛巳	十三
1 16	己酉	12 17	己卯	11 18	庚戌	10 19	庚辰	9 20	辛亥	8 22	壬午	十四
1 17	庚戌	12 18	庚辰	11 19	辛亥	10 20	辛巳	9 21	壬子	8 23	癸未	十五
1 18	辛亥	12 19	辛巳	11 20	壬子	10 21	壬午	9 22	癸丑	8 24	甲申	十六
1 19	壬子	12 20	壬午	11 21	癸丑	10 22	癸未	9 23	甲寅	8 25	乙酉	十七
1 20	癸丑	12 21	癸未	11 22	甲寅	10 23	甲申	9 24	乙卯	8 26	丙戌	十八
1 21	甲寅	12 22	甲申	11 23	乙卯	10 24	乙酉	9 25	丙辰	8 27	丁亥	十九
1 22	乙卯	12 23	乙酉	11 24	丙辰	10 25	丙戌	9 26	丁巳	8 28	戊子	二十
1 23	丙辰	12 24	丙戌	11 25	丁巳	10 26	丁亥	9 27	戊午	8 29	己丑	廿一
1 24	丁巳	12 25	丁亥	11 26	戊午	10 27	戊子	9 28	己未	8 30	庚寅	廿二
1 25	戊午	12 26	戊子	11 27	己未	10 28	己丑	9 29	庚申	8 31	辛卯	廿三
1 26	己未	12 27	己丑	11 28	庚申	10 29	庚寅	9 30	辛酉	9 1	壬辰	廿四
1 27	庚申	12 28	庚寅	11 29	辛酉	10 30	辛卯	10 1	壬戌	9 2	癸巳	廿五
1 28	辛酉	12 29	辛卯	11 30	壬戌	10 31	壬辰	10 2	癸亥	9 3	甲午	廿六
1 29	壬戌	12 30	壬辰	12 1	癸亥	11 1	癸巳	10 3	甲子	9 4	乙未	廿七
1 30	癸亥	12 31	癸巳	12 2	甲子	11 2	甲午	10 4	乙丑	9 5	丙申	廿八
1 31	甲子	1 1	甲午	12 3	乙丑	11 3	乙未	10 5	丙寅	9 6	丁酉	廿九
2 1	乙丑	1 2	乙未			11 4	丙申					三十

一九八四年

歲次甲子（肖鼠）

太歲姓金名赤

年星七赤

六月小		五月小		四月大		三月大		二月小		正月大		月別
辛未		庚午		己巳		戊辰		丁卯		丙寅		干支
三碧		四綠		五黃		六白		七赤		八白		九星
大暑	小暑	夏至	芒種	小滿	立夏	穀雨	清明	春分	驚蟄	雨水	立春	節氣
廿五早子0時3分	初九卯時6時29分	廿二未時13時3分	初六戌時20時9分	廿一卯時5時9分	初五申時15時52分	二十卯時5時42分	初四亥時22時23分	十八酉時18時23分	初三酉時17時26分	十八戌時19時10分	初三夜子23時20分	
西曆	干支	西曆	干支	西曆	干支	西曆	干支	西曆	干支	西曆	干支	農曆
6 29	甲午	5 31	乙丑	5 1	乙未	4 1	乙丑	3 3	丙申	2 2	丙寅	初一
6 30	乙未	6 1	丙寅	5 2	丙申	4 2	丙寅	3 4	丁酉	2 3	丁卯	初二
7 1	丙申	6 2	丁卯	5 3	丁酉	4 3	丁卯	3 5	**戊戌**	2 4	**戊辰**	初三
7 2	丁酉	6 3	戊辰	5 4	戊戌	4 4	**戊辰**	3 6	己亥	2 5	己巳	初四
7 3	戊戌	6 4	己巳	5 5	**己亥**	4 5	己巳	3 7	庚子	2 6	庚午	初五
7 4	己亥	6 5	**庚午**	5 6	庚子	4 6	庚午	3 8	辛丑	2 7	辛未	初六
7 5	庚子	6 6	辛未	5 7	辛丑	4 7	辛未	3 9	壬寅	2 8	壬申	初七
7 6	辛丑	6 7	壬申	5 8	壬寅	4 8	壬申	3 10	癸卯	2 9	癸酉	初八
7 7	**壬寅**	6 8	癸酉	5 9	癸卯	4 9	癸酉	3 11	甲辰	2 10	甲戌	初九
7 8	癸卯	6 9	甲戌	5 10	甲辰	4 10	甲戌	3 12	乙巳	2 11	乙亥	初十
7 9	甲辰	6 10	乙亥	5 11	乙巳	4 11	乙亥	3 13	丙午	2 12	丙子	十一
7 10	乙巳	6 11	丙子	5 12	丙午	4 12	丙子	3 14	丁未	2 13	丁丑	十二
7 11	丙午	6 12	丁丑	5 13	丁未	4 13	丁丑	3 15	戊申	2 14	戊寅	十三
7 12	丁未	6 13	戊寅	5 14	戊申	4 14	戊寅	3 16	己酉	2 15	己卯	十四
7 13	戊申	6 14	己卯	5 15	己酉	4 15	己卯	3 17	庚戌	2 16	庚辰	十五
7 14	己酉	6 15	庚辰	5 16	庚戌	4 16	庚辰	3 18	辛亥	2 17	辛巳	十六
7 15	庚戌	6 16	辛巳	5 17	辛亥	4 17	辛巳	3 19	壬子	2 18	壬午	十七
7 16	辛亥	6 17	壬午	5 18	壬子	4 18	壬午	3 20	**癸丑**	2 19	**癸未**	十八
7 17	壬子	6 18	癸未	5 19	癸丑	4 19	癸未	3 21	甲寅	2 20	甲申	十九
7 18	癸丑	6 19	甲申	5 20	甲寅	4 20	**甲申**	3 22	乙卯	2 21	乙酉	二十
7 19	甲寅	6 20	乙酉	5 21	**乙卯**	4 21	乙酉	3 23	丙辰	2 22	丙戌	廿一
7 20	乙卯	6 21	**丙戌**	5 22	丙辰	4 22	丙戌	3 24	丁巳	2 23	丁亥	廿二
7 21	丙辰	6 22	丁亥	5 23	丁巳	4 23	丁亥	3 25	戊午	2 24	戊子	廿三
7 22	丁巳	6 23	戊子	5 24	戊午	4 24	戊子	3 26	己未	2 25	己丑	廿四
7 23	**戊午**	6 24	己丑	5 25	己未	4 25	己丑	3 27	庚申	2 26	庚寅	廿五
7 24	己未	6 25	庚寅	5 26	庚申	4 26	庚寅	3 28	辛酉	2 27	辛卯	廿六
7 25	庚申	6 26	辛卯	5 27	辛酉	4 27	辛卯	3 29	壬戌	2 28	壬辰	廿七
7 26	辛酉	6 27	壬辰	5 28	壬戌	4 28	壬辰	3 30	癸亥	2 29	癸巳	廿八
7 27	壬戌	6 28	癸巳	5 29	癸亥	4 29	癸巳	3 31	甲子	3 1	甲午	廿九
				5 30	甲子	4 30	甲午			3 2	乙未	三十

十二月大		十一月大		閏十月小		十月大		九月小		八月小		七月大		月別
丁丑		丙子				乙亥		甲戌		癸酉		壬申		干支
六白		七赤				八白		九紫		一白		二黑		九星
雨水	立春	大寒	小寒	冬至	大雪	小雪	立冬	霜降	寒露	秋分	白露	處暑	立秋	節氣
三十早子 0時14分	十五卯時 5時15分	三十巳時 10時44分	十五酉時 17時33分	十一月初一夜子 23時6分	十五卯時 6時24分	三十午時 11時11分	十五未時 13時47分	廿九未時 13時31分	十四巳時 10時49分	廿八寅時 4時25分	十二戌時 19時10分	廿七辰時 7時1分	十一申時 16時19分	
西曆	干支	西曆	干支	西曆	干支	西曆	干支	西曆	干支	西曆	干支	西曆	干支	農曆
1 21	庚申	12 22	**庚寅**	11 23	辛酉	10 24	辛卯	9 25	壬戌	8 27	癸巳	7 28	癸亥	初一
1 22	辛酉	12 23	辛卯	11 24	壬戌	10 25	壬辰	9 26	癸亥	8 28	甲午	7 29	甲子	初二
1 23	壬戌	12 24	壬辰	11 25	癸亥	10 26	癸巳	9 27	甲子	8 29	乙未	7 30	乙丑	初三
1 24	癸亥	12 25	癸巳	11 26	甲子	10 27	甲午	9 28	乙丑	8 30	丙申	7 31	丙寅	初四
1 25	甲子	12 26	甲午	11 27	乙丑	10 28	乙未	9 29	丙寅	8 31	丁酉	8 1	丁卯	初五
1 26	乙丑	12 27	乙未	11 28	丙寅	10 29	丙申	9 30	丁卯	9 1	戊戌	8 2	戊辰	初六
1 27	丙寅	12 28	丙申	11 29	丁卯	10 30	丁酉	10 1	戊辰	9 2	己亥	8 3	己巳	初七
1 28	丁卯	12 29	丁酉	11 30	戊辰	10 31	戊戌	10 2	己巳	9 3	庚子	8 4	庚午	初八
1 29	戊辰	12 30	戊戌	12 1	己巳	11 1	己亥	10 3	庚午	9 4	辛丑	8 5	辛未	初九
1 30	己巳	12 31	己亥	12 2	庚午	11 2	庚子	10 4	辛未	9 5	壬寅	8 6	壬申	初十
1 31	庚午	1 1	庚子	12 3	辛未	11 3	辛丑	10 5	壬申	9 6	癸卯	8 7	**癸酉**	十一
2 1	辛未	1 2	辛丑	12 4	壬申	11 4	壬寅	10 6	癸酉	9 7	**甲辰**	8 8	甲戌	十二
2 2	壬申	1 3	壬寅	12 5	癸酉	11 5	癸卯	10 7	甲戌	9 8	乙巳	8 9	乙亥	十三
2 3	癸酉	1 4	癸卯	12 6	甲戌	11 6	甲辰	10 8	**乙亥**	9 9	丙午	8 10	丙子	十四
2 4	**甲戌**	1 5	**甲辰**	12 7	**乙亥**	11 7	**乙巳**	10 9	丙子	9 10	丁未	8 11	丁丑	十五
2 5	乙亥	1 6	乙巳	12 8	丙子	11 8	丙午	10 10	丁丑	9 11	戊申	8 12	戊寅	十六
2 6	丙子	1 7	丙午	12 9	丁丑	11 9	丁未	10 11	戊寅	9 12	己酉	8 13	己卯	十七
2 7	丁丑	1 8	丁未	12 10	戊寅	11 10	戊申	10 12	己卯	9 13	庚戌	8 14	庚辰	十八
2 8	戊寅	1 9	戊申	12 11	己卯	11 11	己酉	10 13	庚辰	9 14	辛亥	8 15	辛巳	十九
2 9	己卯	1 10	己酉	12 12	庚辰	11 12	庚戌	10 14	辛巳	9 15	壬子	8 16	壬午	二十
2 10	庚辰	1 11	庚戌	12 13	辛巳	11 13	辛亥	10 15	壬午	9 16	癸丑	8 17	癸未	廿一
2 11	辛巳	1 12	辛亥	12 14	壬午	11 14	壬子	10 16	癸未	9 17	甲寅	8 18	甲申	廿二
2 12	壬午	1 13	壬子	12 15	癸未	11 15	癸丑	10 17	甲申	9 18	乙卯	8 19	乙酉	廿三
2 13	癸未	1 14	癸丑	12 16	甲申	11 16	甲寅	10 18	乙酉	9 19	丙辰	8 20	丙戌	廿四
2 14	甲申	1 15	甲寅	12 17	乙酉	11 17	乙卯	10 19	丙戌	9 20	丁巳	8 21	丁亥	廿五
2 15	乙酉	1 16	乙卯	12 18	丙戌	11 18	丙辰	10 20	丁亥	9 21	戊午	8 22	戊子	廿六
2 16	丙戌	1 17	丙辰	12 19	丁亥	11 19	丁巳	10 21	戊子	9 22	己未	8 23	**己丑**	廿七
2 17	丁亥	1 18	丁巳	12 20	戊子	11 20	戊午	10 22	己丑	9 23	**庚申**	8 24	庚寅	廿八
2 18	戊子	1 19	戊午	12 21	己丑	11 21	己未	10 23	**庚寅**	9 24	辛酉	8 25	辛卯	廿九
2 19	**己丑**	1 20	**己未**			11 22	**庚申**					8 26	壬辰	三十

一九八五年

歲次乙丑（肖牛）

太歲姓陳名泰

年星六白

六月小		五月大		四月小		三月大		二月大		正月小		月別
癸未		壬午		辛巳		庚辰		己卯		戊寅		干支
九紫		一白		二黑		三碧		四綠		五黃		九星
立秋	大暑	小暑	夏至	芒種	小滿	立夏	穀雨	清明	春分		驚蟄	節氣
22時29分 廿一亥時	5時54分 初六卯時	12時47分 二十午時	19時2分 初四戌時	2時24分 十八丑時	10時45分 初二巳時	22時2分 十六亥時	11時34分 初一午時	4時28分 十六寅時	0時21分 初一早子		23時25分 十四夜子	
西曆	干支	西曆	干支	西曆	干支	西曆	干支	西曆	干支	西曆	干支	農曆
7 18	戊午	6 18	戊子	5 20	己未	4 20	**己丑**	3 21	**己未**	2 20	庚寅	初一
7 19	己未	6 19	己丑	5 21	**庚申**	4 21	庚寅	3 22	庚申	2 21	辛卯	初二
7 20	庚申	6 20	庚寅	5 22	辛酉	4 22	辛卯	3 23	辛酉	2 22	壬辰	初三
7 21	辛酉	6 21	**辛卯**	5 23	壬戌	4 23	壬辰	3 24	壬戌	2 23	癸巳	初四
7 22	壬戌	6 22	壬辰	5 24	癸亥	4 24	癸巳	3 25	癸亥	2 24	甲午	初五
7 23	**癸亥**	6 23	癸巳	5 25	甲子	4 25	甲午	3 26	甲子	2 25	乙未	初六
7 24	甲子	6 24	甲午	5 26	乙丑	4 26	乙未	3 27	乙丑	2 26	丙申	初七
7 25	乙丑	6 25	乙未	5 27	丙寅	4 27	丙申	3 28	丙寅	2 27	丁酉	初八
7 26	丙寅	6 26	丙申	5 28	丁卯	4 28	丁酉	3 29	丁卯	2 28	戊戌	初九
7 27	丁卯	6 27	丁酉	5 29	戊辰	4 29	戊戌	3 30	戊辰	3 1	己亥	初十
7 28	戊辰	6 28	戊戌	5 30	己巳	4 30	己亥	3 31	己巳	3 2	庚子	十一
7 29	己巳	6 29	己亥	5 31	庚午	5 1	庚子	4 1	庚午	3 3	辛丑	十二
7 30	庚午	6 30	庚子	6 1	辛未	5 2	辛丑	4 2	辛未	3 4	壬寅	十三
7 31	辛未	7 1	辛丑	6 2	壬申	5 3	壬寅	4 3	壬申	3 5	**癸卯**	十四
8 1	壬申	7 2	壬寅	6 3	癸酉	5 4	癸卯	4 4	癸酉	3 6	甲辰	十五
8 2	癸酉	7 3	癸卯	6 4	甲戌	5 5	**甲辰**	4 5	**甲戌**	3 7	乙巳	十六
8 3	甲戌	7 4	甲辰	6 5	乙亥	5 6	乙巳	4 6	乙亥	3 8	丙午	十七
8 4	乙亥	7 5	乙巳	6 6	**丙子**	5 7	丙午	4 7	丙子	3 9	丁未	十八
8 5	丙子	7 6	丙午	6 7	丁丑	5 8	丁未	4 8	丁丑	3 10	戊申	十九
8 6	丁丑	7 7	**丁未**	6 8	戊寅	5 9	戊申	4 9	戊寅	3 11	己酉	二十
8 7	**戊寅**	7 8	戊申	6 9	己卯	5 10	己酉	4 10	己卯	3 12	庚戌	廿一
8 8	己卯	7 9	己酉	6 10	庚辰	5 11	庚戌	4 11	庚辰	3 13	辛亥	廿二
8 9	庚辰	7 10	庚戌	6 11	辛巳	5 12	辛亥	4 12	辛巳	3 14	壬子	廿三
8 10	辛巳	7 11	辛亥	6 12	壬午	5 13	壬子	4 13	壬午	3 15	癸丑	廿四
8 11	壬午	7 12	壬子	6 13	癸未	5 14	癸丑	4 14	癸未	3 16	甲寅	廿五
8 12	癸未	7 13	癸丑	6 14	甲申	5 15	甲寅	4 15	甲申	3 17	乙卯	廿六
8 13	甲申	7 14	甲寅	6 15	乙酉	5 16	乙卯	4 16	乙酉	3 18	丙辰	廿七
8 14	乙酉	7 15	乙卯	6 16	丙戌	5 17	丙辰	4 17	丙戌	3 19	丁巳	廿八
8 15	丙戌	7 16	丙辰	6 17	丁亥	5 18	丁巳	4 18	丁亥	3 20	戊午	廿九
		7 17	丁巳			5 19	戊午	4 19	戊子			三十

122

十二月大		十一月小		十月大		九月小		八月小		七月大		月別
己丑		戊子		丁亥		丙戌		乙酉		甲申		干支
三碧		四綠		五黃		六白		七赤		八白		九星
立春	大寒	小寒	冬至	大雪	小雪	立冬	霜降	寒露	秋分	白露	處暑	節氣
廿六午時 11時16分	十一申時 16時33分	廿五夜子 23時21分	十一卯時 5時55分	廿六午時 12時12分	十一申時 16時42分	廿五戌時 19時32分	初十戌時 19時20分	廿四申時 16時37分	初九巳時 10時14分	廿四丑時 1時13分	初八午時 12時50分	
西曆	干支	西曆	干支	西曆	干支	西曆	干支	西曆	干支	西曆	干支	農曆
1 10	甲寅	12 12	乙酉	11 12	乙卯	10 14	丙戌	9 15	丁巳	8 16	丁亥	初一
1 11	乙卯	12 13	丙戌	11 13	丙辰	10 15	丁亥	9 16	戊午	8 17	戊子	初二
1 12	丙辰	12 14	丁亥	11 14	丁巳	10 16	戊子	9 17	己未	8 18	己丑	初三
1 13	丁巳	12 15	戊子	11 15	戊午	10 17	己丑	9 18	庚申	8 19	庚寅	初四
1 14	戊午	12 16	己丑	11 16	己未	10 18	庚寅	9 19	辛酉	8 20	辛卯	初五
1 15	己未	12 17	庚寅	11 17	庚申	10 19	辛卯	9 20	壬戌	8 21	壬辰	初六
1 16	庚申	12 18	辛卯	11 18	辛酉	10 20	壬辰	9 21	癸亥	8 22	癸巳	初七
1 17	辛酉	12 19	壬辰	11 19	壬戌	10 21	癸巳	9 22	甲子	8 23	**甲午**	初八
1 18	壬戌	12 20	癸巳	11 20	癸亥	10 22	甲午	9 23	**乙丑**	8 24	乙未	初九
1 19	癸亥	12 21	甲午	11 21	甲子	10 23	**乙未**	9 24	丙寅	8 25	丙申	初十
1 20	**甲子**	12 22	**乙未**	11 22	**乙丑**	10 24	丙申	9 25	丁卯	8 26	丁酉	十一
1 21	乙丑	12 23	丙申	11 23	丙寅	10 25	丁酉	9 26	戊辰	8 27	戊戌	十二
1 22	丙寅	12 24	丁酉	11 24	丁卯	10 26	戊戌	9 27	己巳	8 28	己亥	十三
1 23	丁卯	12 25	戊戌	11 25	戊辰	10 27	己亥	9 28	庚午	8 29	庚子	十四
1 24	戊辰	12 26	己亥	11 26	己巳	10 28	庚子	9 29	辛未	8 30	辛丑	十五
1 25	己巳	12 27	庚子	11 27	庚午	10 29	辛丑	9 30	壬申	8 31	壬寅	十六
1 26	庚午	12 28	辛丑	11 28	辛未	10 30	壬寅	10 1	癸酉	9 1	癸卯	十七
1 27	辛未	12 29	壬寅	11 29	壬申	10 31	癸卯	10 2	甲戌	9 2	甲辰	十八
1 28	壬申	12 30	癸卯	11 30	癸酉	11 1	甲辰	10 3	乙亥	9 3	乙巳	十九
1 29	癸酉	12 31	甲辰	12 1	甲戌	11 2	乙巳	10 4	丙子	9 4	丙午	二十
1 30	甲戌	1 1	乙巳	12 2	乙亥	11 3	丙午	10 5	丁丑	9 5	丁未	廿一
1 31	乙亥	1 2	丙午	12 3	丙子	11 4	丁未	10 6	戊寅	9 6	戊申	廿二
2 1	丙子	1 3	丁未	12 4	丁丑	11 5	戊申	10 7	己卯	9 7	己酉	廿三
2 2	丁丑	1 4	戊申	12 5	戊寅	11 6	己酉	10 8	**庚辰**	9 8	**庚戌**	廿四
2 3	戊寅	1 5	**己酉**	12 6	己卯	11 7	**庚戌**	10 9	辛巳	9 9	辛亥	廿五
2 4	**己卯**	1 6	庚戌	12 7	**庚辰**	11 8	辛亥	10 10	壬午	9 10	壬子	廿六
2 5	庚辰	1 7	辛亥	12 8	辛巳	11 9	壬子	10 11	癸未	9 11	癸丑	廿七
2 6	辛巳	1 8	壬子	12 9	壬午	11 10	癸丑	10 12	甲申	9 12	甲寅	廿八
2 7	壬午	1 9	癸丑	12 10	癸未	11 11	甲寅	10 13	乙酉	9 13	乙卯	廿九
2 8	癸未			12 11	甲申					9 14	丙辰	三十

一九八六年

歲次丙寅（肖虎）

太歲姓沈名興

年星五黃

六月大		五月大		四月小		三月大		二月大		正月小		月別
乙未		甲午		癸巳		壬辰		辛卯		庚寅		干支
六白		七赤		八白		九紫		一白		二黑		九星
大暑	小暑	夏至		芒種	小滿	立夏	穀雨	清明	春分	驚蟄	雨水	節氣
十七午時 11時43分	初一酉時 18時35分	十六早子 0時41分		廿九辰時 8時12分	十三申時 16時45分	廿八寅時 3時50分	十二酉時 17時27分	廿七巳時 10時16分	十二卯時 6時4分	廿六卯時 5時13分	十一卯時 6時50分	
西曆	干支	西曆	干支	西曆	干支	西曆	干支	西曆	干支	西曆	干支	農曆
7 7	**壬子**	6 7	壬午	5 9	癸丑	4 9	癸未	3 10	癸丑	2 9	甲申	初一
7 8	癸丑	6 8	癸未	5 10	甲寅	4 10	甲申	3 11	甲寅	2 10	乙酉	初二
7 9	甲寅	6 9	甲申	5 11	乙卯	4 11	乙酉	3 12	乙卯	2 11	丙戌	初三
7 10	乙卯	6 10	乙酉	5 12	丙辰	4 12	丙戌	3 13	丙辰	2 12	丁亥	初四
7 11	丙辰	6 11	丙戌	5 13	丁巳	4 13	丁亥	3 14	丁巳	2 13	戊子	初五
7 12	丁巳	6 12	丁亥	5 14	戊午	4 14	戊子	3 15	戊午	2 14	己丑	初六
7 13	戊午	6 13	戊子	5 15	己未	4 15	己丑	3 16	己未	2 15	庚寅	初七
7 14	己未	6 14	己丑	5 16	庚申	4 16	庚寅	3 17	庚申	2 16	辛卯	初八
7 15	庚申	6 15	庚寅	5 17	辛酉	4 17	辛卯	3 18	辛酉	2 17	壬辰	初九
7 16	辛酉	6 16	辛卯	5 18	壬戌	4 18	壬辰	3 19	壬戌	2 18	癸巳	初十
7 17	壬戌	6 17	壬辰	5 19	癸亥	4 19	癸巳	3 20	癸亥	2 19	**甲午**	十一
7 18	癸亥	6 18	癸巳	5 20	甲子	4 20	**甲午**	3 21	**甲子**	2 20	乙未	十二
7 19	甲子	6 19	甲午	5 21	**乙丑**	4 21	乙未	3 22	乙丑	2 21	丙申	十三
7 20	乙丑	6 20	乙未	5 22	丙寅	4 22	丙申	3 23	丙寅	2 22	丁酉	十四
7 21	丙寅	6 21	丙申	5 23	丁卯	4 23	丁酉	3 24	丁卯	2 23	戊戌	十五
7 22	丁卯	6 22	**丁酉**	5 24	戊辰	4 24	戊戌	3 25	戊辰	2 24	己亥	十六
7 23	**戊辰**	6 23	戊戌	5 25	己巳	4 25	己亥	3 26	己巳	2 25	庚子	十七
7 24	己巳	6 24	己亥	5 26	庚午	4 26	庚子	3 27	庚午	2 26	辛丑	十八
7 25	庚午	6 25	庚子	5 27	辛未	4 27	辛丑	3 28	辛未	2 27	壬寅	十九
7 26	辛未	6 26	辛丑	5 28	壬申	4 28	壬寅	3 29	壬申	2 28	癸卯	二十
7 27	壬申	6 27	壬寅	5 29	癸酉	4 29	癸卯	3 30	癸酉	3 1	甲辰	廿一
7 28	癸酉	6 28	癸卯	5 30	甲戌	4 30	甲辰	3 31	甲戌	3 2	乙巳	廿二
7 29	甲戌	6 29	甲辰	5 31	乙亥	5 1	乙巳	4 1	乙亥	3 3	丙午	廿三
7 30	乙亥	6 30	乙巳	6 1	丙子	5 2	丙午	4 2	丙子	3 4	丁未	廿四
7 31	丙子	7 1	丙午	6 2	丁丑	5 3	丁未	4 3	丁丑	3 5	戊申	廿五
8 1	丁丑	7 2	丁未	6 3	戊寅	5 4	戊申	4 4	戊寅	3 6	**己酉**	廿六
8 2	戊寅	7 3	戊申	6 4	己卯	5 5	己酉	4 5	**己卯**	3 7	庚戌	廿七
8 3	己卯	7 4	己酉	6 5	庚辰	5 6	**庚戌**	4 6	庚辰	3 8	辛亥	廿八
8 4	庚辰	7 5	庚戌	6 6	**辛巳**	5 7	辛亥	4 7	辛巳	3 9	壬子	廿九
8 5	辛巳	7 6	辛亥			5 8	壬子	4 8	壬午			三十

十二月小		十一月小		十月大		九月小		八月大		七月小		月別
辛丑		庚子		己亥		戊戌		丁酉		丙申		干支
九紫		一白		二黑		三碧		四綠		五黃		九星
大寒	小寒	冬至	大雪	小雪	立冬	霜降	寒露	秋分	白露	處暑	立秋	
廿一亥時 22時22分	初七卯時 5時9分	廿一午時 11時44分	初六酉時 18時1分	廿一亥時 22時31分	初七丑時 1時20分	廿一丑時 1時9分	初五亥時 22時25分	二十申時 16時3分	初五辰時 7時1分	十八酉時 18時39分	初三寅時 4時17分	節氣
西曆	干支	西曆	干支	西曆	干支	西曆	干支	西曆	干支	西曆	干支	農曆
12 31	己酉	12 2	庚辰	11 2	庚戌	10 4	辛巳	9 4	辛亥	8 6	壬午	初一
1 1	庚戌	12 3	辛巳	11 3	辛亥	10 5	壬午	9 5	壬子	8 7	癸未	初二
1 2	辛亥	12 4	壬午	11 4	壬子	10 6	癸未	9 6	癸丑	8 8	**甲申**	初三
1 3	壬子	12 5	癸未	11 5	癸丑	10 7	甲申	9 7	甲寅	8 9	乙酉	初四
1 4	癸丑	12 6	甲申	11 6	甲寅	10 8	**乙酉**	9 8	**乙卯**	8 10	丙戌	初五
1 5	甲寅	12 7	**乙酉**	11 7	乙卯	10 9	丙戌	9 9	丙辰	8 11	丁亥	初六
1 6	**乙卯**	12 8	丙戌	11 8	**丙辰**	10 10	丁亥	9 10	丁巳	8 12	戊子	初七
1 7	丙辰	12 9	丁亥	11 9	丁巳	10 11	戊子	9 11	戊午	8 13	己丑	初八
1 8	丁巳	12 10	戊子	11 10	戊午	10 12	己丑	9 12	己未	8 14	庚寅	初九
1 9	戊午	12 11	己丑	11 11	己未	10 13	庚寅	9 13	庚申	8 15	辛卯	初十
1 10	己未	12 12	庚寅	11 12	庚申	10 14	辛卯	9 14	辛酉	8 16	壬辰	十一
1 11	庚申	12 13	辛卯	11 13	辛酉	10 15	壬辰	9 15	壬戌	8 17	癸巳	十二
1 12	辛酉	12 14	壬辰	11 14	壬戌	10 16	癸巳	9 16	癸亥	8 18	甲午	十三
1 13	壬戌	12 15	癸巳	11 15	癸亥	10 17	甲午	9 17	甲子	8 19	乙未	十四
1 14	癸亥	12 16	甲午	11 16	甲子	10 18	乙未	9 18	乙丑	8 20	丙申	十五
1 15	甲子	12 17	乙未	11 17	乙丑	10 19	丙申	9 19	丙寅	8 21	丁酉	十六
1 16	乙丑	12 18	丙申	11 18	丙寅	10 20	丁酉	9 20	丁卯	8 22	戊戌	十七
1 17	丙寅	12 19	丁酉	11 19	丁卯	10 21	戊戌	9 21	戊辰	8 23	**己亥**	十八
1 18	丁卯	12 20	戊戌	11 20	戊辰	10 22	己亥	9 22	己巳	8 24	庚子	十九
1 19	戊辰	12 21	己亥	11 21	己巳	10 23	庚子	9 23	**庚午**	8 25	辛丑	二十
1 20	**己巳**	12 22	**庚子**	11 22	**庚午**	10 24	**辛丑**	9 24	辛未	8 26	壬寅	廿一
1 21	庚午	12 23	辛丑	11 23	辛未	10 25	壬寅	9 25	壬申	8 27	癸卯	廿二
1 22	辛未	12 24	壬寅	11 24	壬申	10 26	癸卯	9 26	癸酉	8 28	甲辰	廿三
1 23	壬申	12 25	癸卯	11 25	癸酉	10 27	甲辰	9 27	甲戌	8 29	乙巳	廿四
1 24	癸酉	12 26	甲辰	11 26	甲戌	10 28	乙巳	9 28	乙亥	8 30	丙午	廿五
1 25	甲戌	12 27	乙巳	11 27	乙亥	10 29	丙午	9 29	丙子	8 31	丁未	廿六
1 26	乙亥	12 28	丙午	11 28	丙子	10 30	丁未	9 30	丁丑	9 1	戊申	廿七
1 27	丙子	12 29	丁未	11 29	丁丑	10 31	戊申	10 1	戊寅	9 2	己酉	廿八
1 28	丁丑	12 30	戊申	11 30	戊寅	11 1	己酉	10 2	己卯	9 3	庚戌	廿九
				12 1	己卯			10 3	庚辰			三十

一九八七年

歲次丁卯（肖兔）

太歲姓耿名章

年星四綠

月別	正月大		二月小		三月大		四月小		五月大		六月大	
干支	壬寅		癸卯		甲辰		乙巳		丙午		丁未	
九星	八白		七赤		六白		五黃		四綠		三碧	
節氣	立春	雨水	驚蟄	春分	清明	穀雨	立夏	小滿	芒種	夏至	小暑	大暑
	16時50分 初七申時	12時39分 廿二午時	10時59分 初七巳時	11時52分 廿二午時	16時3分 初八申時	23時14分 廿三夜子	9時37分 初九巳時	22時33分 廿四亥時	13時59分 十一未時	6時39分 廿七卯時	0時22分 十三早子	7時2分 廿八酉時
農曆	干支	西曆	干支	西曆	干支	西曆	干支	西曆	干支	西曆	干支	西曆
初一	戊寅	1 29	戊申	2 28	丁丑	3 29	丁未	4 28	丙子	5 27	丙午	6 26
初二	己卯	1 30	己酉	3 1	戊寅	3 30	戊申	4 29	丁丑	5 28	丁未	6 27
初三	庚辰	1 31	庚戌	3 2	己卯	3 31	己酉	4 30	戊寅	5 29	戊申	6 28
初四	辛巳	2 1	辛亥	3 3	庚辰	4 1	庚戌	5 1	己卯	5 30	己酉	6 29
初五	壬午	2 2	壬子	3 4	辛巳	4 2	辛亥	5 2	庚辰	5 31	庚戌	6 30
初六	癸未	2 3	癸丑	3 5	壬午	4 3	壬子	5 3	辛巳	6 1	辛亥	7 1
初七	**甲申**	2 4	**甲寅**	3 6	癸未	4 4	癸丑	5 4	壬午	6 2	壬子	7 2
初八	乙酉	2 5	乙卯	3 7	**甲申**	4 5	甲寅	5 5	癸未	6 3	癸丑	7 3
初九	丙戌	2 6	丙辰	3 8	乙酉	4 6	**乙卯**	5 6	甲申	6 4	甲寅	7 4
初十	丁亥	2 7	丁巳	3 9	丙戌	4 7	丙辰	5 7	乙酉	6 5	乙卯	7 5
十一	戊子	2 8	戊午	3 10	丁亥	4 8	丁巳	5 8	**丙戌**	6 6	丙辰	7 6
十二	己丑	2 9	己未	3 11	戊子	4 9	戊午	5 9	丁亥	6 7	丁巳	7 7
十三	庚寅	2 10	庚申	3 12	己丑	4 10	己未	5 10	戊子	6 8	**戊午**	7 8
十四	辛卯	2 11	辛酉	3 13	庚寅	4 11	庚申	5 11	己丑	6 9	己未	7 9
十五	壬辰	2 12	壬戌	3 14	辛卯	4 12	辛酉	5 12	庚寅	6 10	庚申	7 10
十六	癸巳	2 13	癸亥	3 15	壬辰	4 13	壬戌	5 13	辛卯	6 11	辛酉	7 11
十七	甲午	2 14	甲子	3 16	癸巳	4 14	癸亥	5 14	壬辰	6 12	壬戌	7 12
十八	乙未	2 15	乙丑	3 17	甲午	4 15	甲子	5 15	癸巳	6 13	癸亥	7 13
十九	丙申	2 16	丙寅	3 18	乙未	4 16	乙丑	5 16	甲午	6 14	甲子	7 14
二十	丁酉	2 17	丁卯	3 19	丙申	4 17	丙寅	5 17	乙未	6 15	乙丑	7 15
廿一	戊戌	2 18	戊辰	3 20	丁酉	4 18	丁卯	5 18	丙申	6 16	丙寅	7 16
廿二	**己亥**	2 19	**己巳**	3 21	戊戌	4 19	戊辰	5 19	丁酉	6 17	丁卯	7 17
廿三	庚子	2 20	庚午	3 22	**己亥**	4 20	己巳	5 20	戊戌	6 18	戊辰	7 18
廿四	辛丑	2 21	辛未	3 23	庚子	4 21	**庚午**	5 21	己亥	6 19	己巳	7 19
廿五	壬寅	2 22	壬申	3 24	辛丑	4 22	辛未	5 22	庚子	6 20	庚午	7 20
廿六	癸卯	2 23	癸酉	3 25	壬寅	4 23	壬申	5 23	辛丑	6 21	辛未	7 21
廿七	甲辰	2 24	甲戌	3 26	癸卯	4 24	癸酉	5 24	**壬寅**	6 22	壬申	7 22
廿八	乙巳	2 25	乙亥	3 27	甲辰	4 25	甲戌	5 25	癸卯	6 23	**癸酉**	7 23
廿九	丙午	2 26	丙子	3 28	乙巳	4 26	乙亥	5 26	甲辰	6 24	甲戌	7 24
三十	丁未	2 27			丙午	4 27			乙巳	6 25	乙亥	7 25

十二月小		十一月小		十月大		九月小		八月大		七月大		閏六月小		月別
癸丑		壬子		辛亥		庚戌		己酉		戊申				干支
六白		七赤		八白		九紫		一白		二黑				九星
立春	大寒	小寒	冬至	大雪	小雪	立冬	霜降	寒露	秋分	白露	處暑		立秋	節氣
22時38分 十七亥時	4時11分 初三寅時	10時56分 十七午時	17時33分 初二酉時	23時47分 十七夜子	4時20分 初三寅時	7時7分 十七辰時	6時58分 初二卯時	4時12分 十七寅時	21時52分 初一亥時	12時48分 十六午時	0時28分 初一早子		10時4分 十四巳時	
西曆	干支	西曆	干支	西曆	干支	西曆	干支	西曆	干支	西曆	干支	西曆	干支	農曆
1 19	癸酉	12 21	甲辰	11 21	甲戌	10 23	乙巳	9 23	**乙亥**	8 24	**乙巳**	7 26	丙子	初一
1 20	甲戌	12 22	**乙巳**	11 22	乙亥	10 24	**丙午**	9 24	丙子	8 25	丙午	7 27	丁丑	初二
1 21	**乙亥**	12 23	丙午	11 23	**丙子**	10 25	丁未	9 25	丁丑	8 26	丁未	7 28	戊寅	初三
1 22	丙子	12 24	丁未	11 24	丁丑	10 26	戊申	9 26	戊寅	8 27	戊申	7 29	己卯	初四
1 23	丁丑	12 25	戊申	11 25	戊寅	10 27	己酉	9 27	己卯	8 28	己酉	7 30	庚辰	初五
1 24	戊寅	12 26	己酉	11 26	己卯	10 28	庚戌	9 28	庚辰	8 29	庚戌	7 31	辛巳	初六
1 25	己卯	12 27	庚戌	11 27	庚辰	10 29	辛亥	9 29	辛巳	8 30	辛亥	8 1	壬午	初七
1 26	庚辰	12 28	辛亥	11 28	辛巳	10 30	壬子	9 30	壬午	8 31	壬子	8 2	癸未	初八
1 27	辛巳	12 29	壬子	11 29	壬午	10 31	癸丑	10 1	癸未	9 1	癸丑	8 3	甲申	初九
1 28	壬午	12 30	癸丑	11 30	癸未	11 1	甲寅	10 2	甲申	9 2	甲寅	8 4	乙酉	初十
1 29	癸未	12 31	甲寅	12 1	甲申	11 2	乙卯	10 3	乙酉	9 3	乙卯	8 5	丙戌	十一
1 30	甲申	1 1	乙卯	12 2	乙酉	11 3	丙辰	10 4	丙戌	9 4	丙辰	8 6	丁亥	十二
1 31	乙酉	1 2	丙辰	12 3	丙戌	11 4	丁巳	10 5	丁亥	9 5	丁巳	8 7	戊子	十三
2 1	丙戌	1 3	丁巳	12 4	丁亥	11 5	戊午	10 6	戊子	9 6	戊午	8 8	**己丑**	十四
2 2	丁亥	1 4	戊午	12 5	戊子	11 6	己未	10 7	己丑	9 7	己未	8 9	庚寅	十五
2 3	戊子	1 5	己未	12 6	己丑	11 7	庚申	10 8	庚寅	9 8	**庚申**	8 10	辛卯	十六
2 4	**己丑**	1 6	**庚申**	12 7	**庚寅**	11 8	**辛酉**	10 9	**辛卯**	9 9	辛酉	8 11	壬辰	十七
2 5	庚寅	1 7	辛酉	12 8	辛卯	11 9	壬戌	10 10	壬辰	9 10	壬戌	8 12	癸巳	十八
2 6	辛卯	1 8	壬戌	12 9	壬辰	11 10	癸亥	10 11	癸巳	9 11	癸亥	8 13	甲午	十九
2 7	壬辰	1 9	癸亥	12 10	癸巳	11 11	甲子	10 12	甲午	9 12	甲子	8 14	乙未	二十
2 8	癸巳	1 10	甲子	12 11	甲午	11 12	乙丑	10 13	乙未	9 13	乙丑	8 15	丙申	廿一
2 9	甲午	1 11	乙丑	12 12	乙未	11 13	丙寅	10 14	丙申	9 14	丙寅	8 16	丁酉	廿二
2 10	乙未	1 12	丙寅	12 13	丙申	11 14	丁卯	10 15	丁酉	9 15	丁卯	8 17	戊戌	廿三
2 11	丙申	1 13	丁卯	12 14	丁酉	11 15	戊辰	10 16	戊戌	9 16	戊辰	8 18	己亥	廿四
2 12	丁酉	1 14	戊辰	12 15	戊戌	11 16	己巳	10 17	己亥	9 17	己巳	8 19	庚子	廿五
2 13	戊戌	1 15	己巳	12 16	己亥	11 17	庚午	10 18	庚子	9 18	庚午	8 20	辛丑	廿六
2 14	己亥	1 16	庚午	12 17	庚子	11 18	辛未	10 19	辛丑	9 19	辛未	8 21	壬寅	廿七
2 15	庚子	1 17	辛未	12 18	辛丑	11 19	壬申	10 20	壬寅	9 20	壬申	8 22	癸卯	廿八
2 16	辛丑	1 18	壬申	12 19	壬寅	11 20	癸酉	10 21	癸卯	9 21	癸酉	8 23	甲辰	廿九
				12 20	癸卯			10 22	甲辰	9 22	甲戌			三十

一九八八年

歲次戊辰（肖龍）　太歲姓趙名達　年星三碧

月別	正月大		二月小		三月大		四月小		五月大		六月小	
干支	甲寅		乙卯		丙辰		丁巳		戊午		己未	
九星	五黃		四綠		三碧		二黑		一白		九紫	
節氣	雨水	驚蟄	春分	清明	穀雨	立夏	小滿	芒種	夏至	小暑	大暑	立秋
	18時28分 初三酉時	16時48分 十八申時	17時41分 初三酉時	21時51分 十八亥時	4時59分 初五寅時	15時25分 二十申時	4時22分 初六寅時	19時47分 廿一戌時	12時28分 初八午時	6時10分 廿四卯時	23時21分 初九亥時	…5時…2分 廿五申時
農曆	干支	西曆	干支	西曆	干支	西曆	干支	西曆	干支	西曆	干支	西曆
初一	壬寅	2 17	壬申	3 18	辛丑	4 16	辛未	5 16	庚子	6 14	庚午	7 14
初二	癸卯	2 18	癸酉	3 19	壬寅	4 17	壬申	5 17	辛丑	6 15	辛未	7 15
初三	**甲辰**	2 19	**甲戌**	3 20	癸卯	4 18	癸酉	5 18	壬寅	6 16	壬申	7 16
初四	乙巳	2 20	乙亥	3 21	甲辰	4 19	甲戌	5 19	癸卯	6 17	癸酉	7 17
初五	丙午	2 21	丙子	3 22	**乙巳**	4 20	乙亥	5 20	甲辰	6 18	甲戌	7 18
初六	丁未	2 22	丁丑	3 23	丙午	4 21	**丙子**	5 21	乙巳	6 19	乙亥	7 19
初七	戊申	2 23	戊寅	3 24	丁未	4 22	丁丑	5 22	丙午	6 20	丙子	7 20
初八	己酉	2 24	己卯	3 25	戊申	4 23	戊寅	5 23	**丁未**	6 21	丁丑	7 21
初九	庚戌	2 25	庚辰	3 26	己酉	4 24	己卯	5 24	戊申	6 22	**戊寅**	7 22
初十	辛亥	2 26	辛巳	3 27	庚戌	4 25	庚辰	5 25	己酉	6 23	己卯	7 23
十一	壬子	2 27	壬午	3 28	辛亥	4 26	辛巳	5 26	庚戌	6 24	庚辰	7 24
十二	癸丑	2 28	癸未	3 29	壬子	4 27	壬午	5 27	辛亥	6 25	辛巳	7 25
十三	甲寅	2 29	甲申	3 30	癸丑	4 28	癸未	5 28	壬子	6 26	壬午	7 26
十四	乙卯	3 1	乙酉	3 31	甲寅	4 29	甲申	5 29	癸丑	6 27	癸未	7 27
十五	丙辰	3 2	丙戌	4 1	乙卯	4 30	乙酉	5 30	甲寅	6 28	甲申	7 28
十六	丁巳	3 3	丁亥	4 2	丙辰	5 1	丙戌	5 31	乙卯	6 29	乙酉	7 29
十七	戊午	3 4	戊子	4 3	丁巳	5 2	丁亥	6 1	丙辰	6 30	丙戌	7 30
十八	**己未**	3 5	**己丑**	4 4	戊午	5 3	戊子	6 2	丁巳	7 1	丁亥	7 31
十九	庚申	3 6	庚寅	4 5	己未	5 4	己丑	6 3	戊午	7 2	戊子	8 1
二十	辛酉	3 7	辛卯	4 6	**庚申**	5 5	庚寅	6 4	己未	7 3	己丑	8 2
廿一	壬戌	3 8	壬辰	4 7	辛酉	5 6	**辛卯**	6 5	庚申	7 4	庚寅	8 3
廿二	癸亥	3 9	癸巳	4 8	壬戌	5 7	壬辰	6 6	辛酉	7 5	辛卯	8 4
廿三	甲子	3 10	甲午	4 9	癸亥	5 8	癸巳	6 7	壬戌	7 6	壬辰	8 5
廿四	乙丑	3 11	乙未	4 10	甲子	5 9	甲午	6 8	**癸亥**	7 7	癸巳	8 6
廿五	丙寅	3 12	丙申	4 11	乙丑	5 10	乙未	6 9	甲子	7 8	**甲午**	8 7
廿六	丁卯	3 13	丁酉	4 12	丙寅	5 11	丙申	6 10	乙丑	7 9	乙未	8 8
廿七	戊辰	3 14	戊戌	4 13	丁卯	5 12	丁酉	6 11	丙寅	7 10	丙申	8 9
廿八	己巳	3 15	己亥	4 14	戊辰	5 13	戊戌	6 12	丁卯	7 11	丁酉	8 10
廿九	庚午	3 16	庚子	4 15	己巳	5 14	己亥	6 13	戊辰	7 12	戊戌	8 11
三十	辛未	3 17			庚午	5 15			己巳	7 13		

十二月小		十一月大		十月大		九月小		八月大		七月大		月別
乙丑		甲子		癸亥		壬戌		辛酉		庚申		干支
三碧		四綠		五黃		六白		七赤		八白		九星
立春	大寒	小寒	冬至	大雪	小雪	立冬	霜降	寒露	秋分	白露	處暑	節氣
廿八寅時 4時26分	十三巳時 10時1分	廿八申時 16時44分	十三夜子 23時22分	廿九卯時 5時35分	十四巳時 10時9分	廿八午時 12時56分	十三午時 12時47分	廿八巳時 10時0分	十三寅時 3時41分	廿七酉時 18時36分	十二卯時 6時17分	
西曆	**干支**	**西曆**	**干支**	**西曆**	**干支**	**西曆**	**干支**	**西曆**	**干支**	**西曆**	**干支**	**農曆**
1 8	戊辰	12 9	戊戌	11 9	戊辰	10 11	己亥	9 11	己巳	8 12	己亥	初一
1 9	己巳	12 10	己亥	11 10	己巳	10 12	庚子	9 12	庚午	8 13	庚子	初二
1 10	庚午	12 11	庚子	11 11	庚午	10 13	辛丑	9 13	辛未	8 14	辛丑	初三
1 11	辛未	12 12	辛丑	11 12	辛未	10 14	壬寅	9 14	壬申	8 15	壬寅	初四
1 12	壬申	12 13	壬寅	11 13	壬申	10 15	癸卯	9 15	癸酉	8 16	癸卯	初五
1 13	癸酉	12 14	癸卯	11 14	癸酉	10 16	甲辰	9 16	甲戌	8 17	甲辰	初六
1 14	甲戌	12 15	甲辰	11 15	甲戌	10 17	乙巳	9 17	乙亥	8 18	乙巳	初七
1 15	乙亥	12 16	乙巳	11 16	乙亥	10 18	丙午	9 18	丙子	8 19	丙午	初八
1 16	丙子	12 17	丙午	11 17	丙子	10 19	丁未	9 19	丁丑	8 20	丁未	初九
1 17	丁丑	12 18	丁未	11 18	丁丑	10 20	戊申	9 20	戊寅	8 21	戊申	初十
1 18	戊寅	12 19	戊申	11 19	戊寅	10 21	己酉	9 21	己卯	8 22	己酉	十一
1 19	己卯	12 20	己酉	11 20	己卯	10 22	庚戌	9 22	庚辰	8 23	**庚戌**	十二
1 20	**庚辰**	12 21	**庚戌**	11 21	庚辰	10 23	**辛亥**	9 23	**辛巳**	8 24	辛亥	十三
1 21	辛巳	12 22	辛亥	11 22	**辛巳**	10 24	壬子	9 24	壬午	8 25	壬子	十四
1 22	壬午	12 23	壬子	11 23	壬午	10 25	癸丑	9 25	癸未	8 26	癸丑	十五
1 23	癸未	12 24	癸丑	11 24	癸未	10 26	甲寅	9 26	甲申	8 27	甲寅	十六
1 24	甲申	12 25	甲寅	11 25	甲申	10 27	乙卯	9 27	乙酉	8 28	乙卯	十七
1 25	乙酉	12 26	乙卯	11 26	乙酉	10 28	丙辰	9 28	丙戌	8 29	丙辰	十八
1 26	丙戌	12 27	丙辰	11 27	丙戌	10 29	丁巳	9 29	丁亥	8 30	丁巳	十九
1 27	丁亥	12 28	丁巳	11 28	丁亥	10 30	戊午	9 30	戊子	8 31	戊午	二十
1 28	戊子	12 29	戊午	11 29	戊子	10 31	己未	10 1	己丑	9 1	己未	廿一
1 29	己丑	12 30	己未	11 30	己丑	11 1	庚申	10 2	庚寅	9 2	庚申	廿二
1 30	庚寅	12 31	庚申	12 1	庚寅	11 2	辛酉	10 3	辛卯	9 3	辛酉	廿三
1 31	辛卯	1 1	辛酉	12 2	辛卯	11 3	壬戌	10 4	壬辰	9 4	壬戌	廿四
2 1	壬辰	1 2	壬戌	12 3	壬辰	11 4	癸亥	10 5	癸巳	9 5	癸亥	廿五
2 2	癸巳	1 3	癸亥	12 4	癸巳	11 5	甲子	10 6	甲午	9 6	甲子	廿六
2 3	甲午	1 4	甲子	12 5	甲午	11 6	乙丑	10 7	乙未	9 7	**乙丑**	廿七
2 4	**乙未**	1 5	**乙丑**	12 6	乙未	11 7	**丙寅**	10 8	**丙申**	9 8	丙寅	廿八
2 5	丙申	1 6	丙寅	12 7	**丙申**	11 8	丁卯	10 9	丁酉	9 9	丁卯	廿九
		1 7	丁卯	12 8	丁酉			10 10	戊戌	9 10	戊辰	三十

一九八九年

歲次己巳（肖蛇）

太歲姓郭名燦

年星二黑

六月大		五月小		四月大		三月小		二月小		正月大		月別
辛未		庚午		己巳		戊辰		丁卯		丙寅		干支
六白		七赤		八白		九紫		一白		二黑		九星
大暑	小暑	夏至	芒種	小滿	立夏		穀雨	清明	春分	驚蟄	雨水	節氣
5時12分 廿一卯時	11時58分 初五午時	18時19分 十八酉時	1時35分 初三丑時	10時13分 十七巳時	21時13分 初一亥時		10時51分 十五巳時	3時39分 廿九寅時	23時32分 十三夜子	22時36分 廿八亥時	0時19分 十四早子	
西曆	干支	西曆	干支	西曆	干支	西曆	干支	西曆	干支	西曆	干支	農曆
7 3	甲子	6 4	乙未	5 5	**乙丑**	4 6	丙申	3 8	丁卯	2 6	丁酉	初一
7 4	乙丑	6 5	丙申	5 6	丙寅	4 7	丁酉	3 9	戊辰	2 7	戊戌	初二
7 5	丙寅	6 6	**丁酉**	5 7	丁卯	4 8	戊戌	3 10	己巳	2 8	己亥	初三
7 6	丁卯	6 7	戊戌	5 8	戊辰	4 9	己亥	3 11	庚午	2 9	庚子	初四
7 7	**戊辰**	6 8	己亥	5 9	己巳	4 10	庚子	3 12	辛未	2 10	辛丑	初五
7 8	己巳	6 9	庚子	5 10	庚午	4 11	辛丑	3 13	壬申	2 11	壬寅	初六
7 9	庚午	6 10	辛丑	5 11	辛未	4 12	壬寅	3 14	癸酉	2 12	癸卯	初七
7 10	辛未	6 11	壬寅	5 12	壬申	4 13	癸卯	3 15	甲戌	2 13	甲辰	初八
7 11	壬申	6 12	癸卯	5 13	癸酉	4 14	甲辰	3 16	乙亥	2 14	乙巳	初九
7 12	癸酉	6 13	甲辰	5 14	甲戌	4 15	乙巳	3 17	丙子	2 15	丙午	初十
7 13	甲戌	6 14	乙巳	5 15	乙亥	4 16	丙午	3 18	丁丑	2 16	丁未	十一
7 14	乙亥	6 15	丙午	5 16	丙子	4 17	丁未	3 19	戊寅	2 17	戊申	十二
7 15	丙子	6 16	丁未	5 17	丁丑	4 18	戊申	3 20	**己卯**	2 18	己酉	十三
7 16	丁丑	6 17	戊申	5 18	戊寅	4 19	己酉	3 21	庚辰	2 19	**庚戌**	十四
7 17	戊寅	6 18	己酉	5 19	己卯	4 20	**庚戌**	3 22	辛巳	2 20	辛亥	十五
7 18	己卯	6 19	庚戌	5 20	庚辰	4 21	辛亥	3 23	壬午	2 21	壬子	十六
7 19	庚辰	6 20	辛亥	5 21	**辛巳**	4 22	壬子	3 24	癸未	2 22	癸丑	十七
7 20	辛巳	6 21	**壬子**	5 22	壬午	4 23	癸丑	3 25	甲申	2 23	甲寅	十八
7 21	壬午	6 22	癸丑	5 23	癸未	4 24	甲寅	3 26	乙酉	2 24	乙卯	十九
7 22	癸未	6 23	甲寅	5 24	甲申	4 25	乙卯	3 27	丙戌	2 25	丙辰	二十
7 23	**甲申**	6 24	乙卯	5 25	乙酉	4 26	丙辰	3 28	丁亥	2 26	丁巳	廿一
7 24	乙酉	6 25	丙辰	5 26	丙戌	4 27	丁巳	3 29	戊子	2 27	戊午	廿二
7 25	丙戌	6 26	丁巳	5 27	丁亥	4 28	戊午	3 30	己丑	2 28	己未	廿三
7 26	丁亥	6 27	戊午	5 28	戊子	4 29	己未	3 31	庚寅	3 1	庚申	廿四
7 27	戊子	6 28	己未	5 29	己丑	4 30	庚申	4 1	辛卯	3 2	辛酉	廿五
7 28	己丑	6 29	庚申	5 30	庚寅	5 1	辛酉	4 2	壬辰	3 3	壬戌	廿六
7 29	庚寅	6 30	辛酉	5 31	辛卯	5 2	壬戌	4 3	癸巳	3 4	癸亥	廿七
7 30	辛卯	7 1	壬戌	6 1	壬辰	5 3	癸亥	4 4	甲午	3 5	**甲子**	廿八
7 31	壬辰	7 2	癸亥	6 2	癸巳	5 4	甲子	4 5	**乙未**	3 6	乙丑	廿九
8 1	癸巳			6 3	甲午					3 7	丙寅	三十

十二月大		十一月大		十月大		九月小		八月大		七月小		月別
丁丑		丙子		乙亥		甲戌		癸酉		壬申		干支
九紫		一白		二黑		三碧		四綠		五黃		九星
大寒	小寒	冬至	大雪	小雪	立冬	霜降	寒露	秋分	白露	處暑	立秋	節氣
15時52分 廿四申時	22時33分 初九亥時	5時14分 廿五卯時	11時24分 初十午時	10時1分 廿五巳時	18時44分 初十酉時	18時38分 廿四酉時	15時49分 初九申時	9時32分 廿四巳時	0時25分 初九早子	12時8分 廿二午時	21時41分 初六亥時	
西曆	干支	西曆	干支	西曆	干支	西曆	干支	西曆	干支	西曆	干支	農曆
12 28	壬戌	11 28	壬辰	10 29	壬戌	9 30	癸巳	8 31	癸亥	8 2	甲午	初一
12 29	癸亥	11 29	癸巳	10 30	癸亥	10 1	甲午	9 1	甲子	8 3	乙未	初二
12 30	甲子	11 30	甲午	10 31	甲子	10 2	乙未	9 2	乙丑	8 4	丙申	初三
12 31	乙丑	12 1	乙未	11 1	乙丑	10 3	丙申	9 3	丙寅	8 5	丁酉	初四
1 1	丙寅	12 2	丙申	11 2	丙寅	10 4	丁酉	9 4	丁卯	8 6	戊戌	初五
1 2	丁卯	12 3	丁酉	11 3	丁卯	10 5	戊戌	9 5	戊辰	8 7	**己亥**	初六
1 3	戊辰	12 4	戊戌	11 4	戊辰	10 6	己亥	9 6	己巳	8 8	庚子	初七
1 4	己巳	12 5	己亥	11 5	己巳	10 7	庚子	9 7	庚午	8 9	辛丑	初八
1 5	**庚午**	12 6	庚子	11 6	庚午	10 8	**辛丑**	9 8	**辛未**	8 10	壬寅	初九
1 6	辛未	12 7	**辛丑**	11 7	**辛未**	10 9	壬寅	9 9	壬申	8 11	癸卯	初十
1 7	壬申	12 8	壬寅	11 8	壬申	10 10	癸卯	9 10	癸酉	8 12	甲辰	十一
1 8	癸酉	12 9	癸卯	11 9	癸酉	10 11	甲辰	9 11	甲戌	8 13	乙巳	十二
1 9	甲戌	12 10	甲辰	11 10	甲戌	10 12	乙巳	9 12	乙亥	8 14	丙午	十三
1 10	乙亥	12 11	乙巳	11 11	乙亥	10 13	丙午	9 13	丙子	8 15	丁未	十四
1 11	丙子	12 12	丙午	11 12	丙子	10 14	丁未	9 14	丁丑	8 16	戊申	十五
1 12	丁丑	12 13	丁未	11 13	丁丑	10 15	戊申	9 15	戊寅	8 17	己酉	十六
1 13	戊寅	12 14	戊申	11 14	戊寅	10 16	己酉	9 16	己卯	8 18	庚戌	十七
1 14	己卯	12 15	己酉	11 15	己卯	10 17	庚戌	9 17	庚辰	8 19	辛亥	十八
1 15	庚辰	12 16	庚戌	11 16	庚辰	10 18	辛亥	9 18	辛巳	8 20	壬子	十九
1 16	辛巳	12 17	辛亥	11 17	辛巳	10 19	壬子	9 19	壬午	8 21	癸丑	二十
1 17	壬午	12 18	壬子	11 18	壬午	10 20	癸丑	9 20	癸未	8 22	甲寅	廿一
1 18	癸未	12 19	癸丑	11 19	癸未	10 21	甲寅	9 21	甲申	8 23	**乙卯**	廿二
1 19	甲申	12 20	甲寅	11 20	甲申	10 22	乙卯	9 22	乙酉	8 24	丙辰	廿三
1 20	**乙酉**	12 21	乙卯	11 21	乙酉	10 23	**丙辰**	9 23	**丙戌**	8 25	丁巳	廿四
1 21	丙戌	12 22	**丙辰**	11 22	**丙戌**	10 24	丁巳	9 24	丁亥	8 26	戊午	廿五
1 22	丁亥	12 23	丁巳	11 23	丁亥	10 25	戊午	9 25	戊子	8 27	己未	廿六
1 23	戊子	12 24	戊午	11 24	戊子	10 26	己未	9 26	己丑	8 28	庚申	廿七
1 24	己丑	12 25	己未	11 25	己丑	10 27	庚申	9 27	庚寅	8 29	辛酉	廿八
1 25	庚寅	12 26	庚申	11 26	庚寅	10 28	辛酉	9 28	辛卯	8 30	壬戌	廿九
1 26	辛卯	12 27	辛酉	11 27	辛卯			9 29	壬辰			三十

一九九〇年

歲次庚午（肖馬）

太歲姓王名清

年星一白

月別	正月小		二月大		三月小		四月小		五月大		閏五月小	
干支	戊寅		己卯		庚辰		辛巳		壬午			
九星	八白		七赤		六白		五黃		四綠			
節氣	立春	雨水	驚蟄	春分	清明	穀雨	立夏	小滿	芒種	夏至	小暑	
	初九巳時 10時15分	廿四卯時 6時9分	初十寅時 4時25分	廿五卯時 5時22分	初十巳時 9時28分	廿五申時 16時41分	十二寅時 3時2分	廿七申時 16時1分	十四辰時 7時24分	三十早子 0時9分	十五酉時 17時47分	
農曆	干支	西曆	干支	西曆	干支	西曆	干支	西曆	干支	西曆	干支	西曆
初一	壬辰	1 27	辛酉	2 25	辛卯	3 27	庚申	4 25	己丑	5 24	己未	6 23
初二	癸巳	1 28	壬戌	2 26	壬辰	3 28	辛酉	4 26	庚寅	5 25	庚申	6 24
初三	甲午	1 29	癸亥	2 27	癸巳	3 29	壬戌	4 27	辛卯	5 26	辛酉	6 25
初四	乙未	1 30	甲子	2 28	甲午	3 30	癸亥	4 28	壬辰	5 27	壬戌	6 26
初五	丙申	1 31	乙丑	3 1	乙未	3 31	甲子	4 29	癸巳	5 28	癸亥	6 27
初六	丁酉	2 1	丙寅	3 2	丙申	4 1	乙丑	4 30	甲午	5 29	甲子	6 28
初七	戊戌	2 2	丁卯	3 3	丁酉	4 2	丙寅	5 1	乙未	5 30	乙丑	6 29
初八	己亥	2 3	戊辰	3 4	戊戌	4 3	丁卯	5 2	丙申	5 31	丙寅	6 30
初九	**庚子**	2 4	己巳	3 5	己亥	4 4	戊辰	5 3	丁酉	6 1	丁卯	7 1
初十	辛丑	2 5	**庚午**	3 6	**庚子**	4 5	己巳	5 4	戊戌	6 2	戊辰	7 2
十一	壬寅	2 6	辛未	3 7	辛丑	4 6	庚午	5 5	己亥	6 3	己巳	7 3
十二	癸卯	2 7	壬申	3 8	壬寅	4 7	**辛未**	5 6	庚子	6 4	庚午	7 4
十三	甲辰	2 8	癸酉	3 9	癸卯	4 8	壬申	5 7	辛丑	6 5	辛未	7 5
十四	乙巳	2 9	甲戌	3 10	甲辰	4 9	癸酉	5 8	**壬寅**	6 6	壬申	7 6
十五	丙午	2 10	乙亥	3 11	乙巳	4 10	甲戌	5 9	癸卯	6 7	**癸酉**	7 7
十六	丁未	2 11	丙子	3 12	丙午	4 11	乙亥	5 10	甲辰	6 8	甲戌	7 8
十七	戊申	2 12	丁丑	3 13	丁未	4 12	丙子	5 11	乙巳	6 9	乙亥	7 9
十八	己酉	2 13	戊寅	3 14	戊申	4 13	丁丑	5 12	丙午	6 10	丙子	7 10
十九	庚戌	2 14	己卯	3 15	己酉	4 14	戊寅	5 13	丁未	6 11	丁丑	7 11
二十	辛亥	2 15	庚辰	3 16	庚戌	4 15	己卯	5 14	戊申	6 12	戊寅	7 12
廿一	壬子	2 16	辛巳	3 17	辛亥	4 16	庚辰	5 15	己酉	6 13	己卯	7 13
廿二	癸丑	2 17	壬午	3 18	壬子	4 17	辛巳	5 16	庚戌	6 14	庚辰	7 14
廿三	甲寅	2 18	癸未	3 19	癸丑	4 18	壬午	5 17	辛亥	6 15	辛巳	7 15
廿四	**乙卯**	2 19	甲申	3 20	甲寅	4 19	癸未	5 18	壬子	6 16	壬午	7 16
廿五	丙辰	2 20	**乙酉**	3 21	**乙卯**	4 20	甲申	5 19	癸丑	6 17	癸未	7 17
廿六	丁巳	2 21	丙戌	3 22	丙辰	4 21	乙酉	5 20	甲寅	6 18	甲申	7 18
廿七	戊午	2 22	丁亥	3 23	丁巳	4 22	**丙戌**	5 21	乙卯	6 19	乙酉	7 19
廿八	己未	2 23	戊子	3 24	戊午	4 23	丁亥	5 22	丙辰	6 20	丙戌	7 20
廿九	庚申	2 24	己丑	3 25	己未	4 24	戊子	5 23	丁巳	6 21	丁亥	7 21
三十			庚寅	3 26					**戊午**	6 22		

十二月大		十一月大		十月大		九月大		八月小		七月大		六月小		月別
己丑		戊子		丁亥		丙戌		乙酉		甲申		癸未		干支
六白		七赤		八白		九紫		一白		二黑		三碧		九星
立春	大寒	小寒	冬至	大雪	小雪	立冬	霜降	寒露	秋分	白露	處暑	立秋	大暑	節氣
二十申時 16時4分	初五亥時 21時41分	廿一卯時 5時1分	初六午時 11時3分	廿一酉時 17時13分	初六亥時 21時50分	廿二早子 0時33分	初七早子 0時28分	二十亥時 21時38分	初五申時 15時22分	二十卯時 6時14分	初四酉時 17時58分	十八寅時 3時30分	初二午時 11時2分	
西曆	干支	西曆	干支	西曆	干支	西曆	干支	西曆	干支	西曆	干支	西曆	干支	農曆
1 16	丙戌	12 17	丙辰	11 17	丙戌	10 18	丙辰	9 19	丁亥	8 20	丁巳	7 22	戊子	初一
1 17	丁亥	12 18	丁巳	11 18	丁亥	10 19	丁巳	9 20	戊子	8 21	戊午	7 23	**己丑**	初二
1 18	戊子	12 19	戊午	11 19	戊子	10 20	戊午	9 21	己丑	8 22	己未	7 24	庚寅	初三
1 19	己丑	12 20	己未	11 20	己丑	10 21	己未	9 22	庚寅	8 23	**庚申**	7 25	辛卯	初四
1 20	**庚寅**	12 21	庚申	11 21	庚寅	10 22	庚申	9 23	**辛卯**	8 24	辛酉	7 26	壬辰	初五
1 21	辛卯	12 22	**辛酉**	11 22	**辛卯**	10 23	辛酉	9 24	壬辰	8 25	壬戌	7 27	癸巳	初六
1 22	壬辰	12 23	壬戌	11 23	壬辰	10 24	**壬戌**	9 25	癸巳	8 26	癸亥	7 28	甲午	初七
1 23	癸巳	12 24	癸亥	11 24	癸巳	10 25	癸亥	9 26	甲午	8 27	甲子	7 29	乙未	初八
1 24	甲午	12 25	甲子	11 25	甲午	10 26	甲子	9 27	乙未	8 28	乙丑	7 30	丙申	初九
1 25	乙未	12 26	乙丑	11 26	乙未	10 27	乙丑	9 28	丙申	8 29	丙寅	7 31	丁酉	初十
1 26	丙申	12 27	丙寅	11 27	丙申	10 28	丙寅	9 29	丁酉	8 30	丁卯	8 1	戊戌	十一
1 27	丁酉	12 28	丁卯	11 28	丁酉	10 29	丁卯	9 30	戊戌	8 31	戊辰	8 2	己亥	十二
1 28	戊戌	12 29	戊辰	11 29	戊戌	10 30	戊辰	10 1	己亥	9 1	己巳	8 3	庚子	十三
1 29	己亥	12 30	己巳	11 30	己亥	10 31	己巳	10 2	庚子	9 2	庚午	8 4	辛丑	十四
1 30	庚子	12 31	庚午	12 1	庚子	11 1	庚午	10 3	辛丑	9 3	辛未	8 5	壬寅	十五
1 31	辛丑	1 1	辛未	12 2	辛丑	11 2	辛未	10 4	壬寅	9 4	壬申	8 6	癸卯	十六
2 1	壬寅	1 2	壬申	12 3	壬寅	11 3	壬申	10 5	癸卯	9 5	癸酉	8 7	甲辰	十七
2 2	癸卯	1 3	癸酉	12 4	癸卯	11 4	癸酉	10 6	甲辰	9 6	甲戌	8 8	**乙巳**	十八
2 3	甲辰	1 4	甲戌	12 5	甲辰	11 5	甲戌	10 7	乙巳	9 7	乙亥	8 9	丙午	十九
2 4	**乙巳**	1 5	乙亥	12 6	乙巳	11 6	乙亥	10 8	**丙午**	9 8	**丙子**	8 10	丁未	二十
2 5	丙午	1 6	**丙子**	12 7	**丙午**	11 7	丙子	10 9	丁未	9 9	丁丑	8 11	戊申	廿一
2 6	丁未	1 7	丁丑	12 8	丁未	11 8	**丁丑**	10 10	戊申	9 10	戊寅	8 12	己酉	廿二
2 7	戊申	1 8	戊寅	12 9	戊申	11 9	戊寅	10 11	己酉	9 11	己卯	8 13	庚戌	廿三
2 8	己酉	1 9	己卯	12 10	己酉	11 10	己卯	10 12	庚戌	9 12	庚辰	8 14	辛亥	廿四
2 9	庚戌	1 10	庚辰	12 11	庚戌	11 11	庚辰	10 13	辛亥	9 13	辛巳	8 15	壬子	廿五
2 10	辛亥	1 11	辛巳	12 12	辛亥	11 12	辛巳	10 14	壬子	9 14	壬午	8 16	癸丑	廿六
2 11	壬子	1 12	壬午	12 13	壬子	11 13	壬午	10 15	癸丑	9 15	癸未	8 17	甲寅	廿七
2 12	癸丑	1 13	癸未	12 14	癸丑	11 14	癸未	10 16	甲寅	9 16	甲申	8 18	乙卯	廿八
2 13	甲寅	1 14	甲申	12 15	甲寅	11 15	甲申	10 17	乙卯	9 17	乙酉	8 19	丙辰	廿九
2 14	乙卯	1 15	乙酉	12 16	乙卯	11 16	乙酉			9 18	丙戌			三十

一九九一年

歲次辛未（肖羊）

太歲姓李名素

年星九紫

月別	正月小		二月大		三月小		四月小		五月大		六月小	
干支	庚寅		辛卯		壬辰		癸巳		甲午		乙未	
九星	五黃		四綠		三碧		二黑		一白		九紫	
節氣	雨水	驚蟄	春分	清明	穀雨	立夏	小滿	芒種	夏至	小暑	大暑	立秋
	初五午時 11時58分	二十巳時 10時14分	初六午時 11時11分	廿一申時 15時17分	初六亥時 22時30分	廿二辰時 8時51分	初八亥時 21時52分	廿四未時 13時14分	十一卯時 5時58分	廿六夜子 23時37分	十二申時 16時51分	廿八辰時 9時20分
農曆	西曆	干支	西曆	干支	西曆	干支	西曆	干支	西曆	干支	西曆	干支
初一	2 15	丙辰	3 16	乙酉	4 15	乙卯	5 14	甲申	6 12	癸丑	7 12	癸未
初二	2 16	丁巳	3 17	丙戌	4 16	丙辰	5 15	乙酉	6 13	甲寅	7 13	甲申
初三	2 17	戊午	3 18	丁亥	4 17	丁巳	5 16	丙戌	6 14	乙卯	7 14	乙酉
初四	2 18	己未	3 19	戊子	4 18	戊午	5 17	丁亥	6 15	丙辰	7 15	丙戌
初五	2 19	**庚申**	3 20	己丑	4 19	己未	5 18	戊子	6 16	丁巳	7 16	丁亥
初六	2 20	辛酉	3 21	**庚寅**	4 20	**庚申**	5 19	己丑	6 17	戊午	7 17	戊子
初七	2 21	壬戌	3 22	辛卯	4 21	辛酉	5 20	庚寅	6 18	己未	7 18	己丑
初八	2 22	癸亥	3 23	壬辰	4 22	壬戌	5 21	**辛卯**	6 19	庚申	7 19	庚寅
初九	2 23	甲子	3 24	癸巳	4 23	癸亥	5 22	壬辰	6 20	辛酉	7 20	辛卯
初十	2 24	乙丑	3 25	甲午	4 24	甲子	5 23	癸巳	6 21	壬戌	7 21	壬辰
十一	2 25	丙寅	3 26	乙未	4 25	乙丑	5 24	甲午	6 22	**癸亥**	7 22	癸巳
十二	2 26	丁卯	3 27	丙申	4 26	丙寅	5 25	乙未	6 23	甲子	7 23	**甲午**
十三	2 27	戊辰	3 28	丁酉	4 27	丁卯	5 26	丙申	6 24	乙丑	7 24	乙未
十四	2 28	己巳	3 29	戊戌	4 28	戊辰	5 27	丁酉	6 25	丙寅	7 25	丙申
十五	3 1	庚午	3 30	己亥	4 29	己巳	5 28	戊戌	6 26	丁卯	7 26	丁酉
十六	3 2	辛未	3 31	庚子	4 30	庚午	5 29	己亥	6 27	戊辰	7 27	戊戌
十七	3 3	壬申	4 1	辛丑	5 1	辛未	5 30	庚子	6 28	己巳	7 28	己亥
十八	3 4	癸酉	4 2	壬寅	5 2	壬申	5 31	辛丑	6 29	庚午	7 29	庚子
十九	3 5	甲戌	4 3	癸卯	5 3	癸酉	6 1	壬寅	6 30	辛未	7 30	辛丑
二十	3 6	**乙亥**	4 4	甲辰	5 4	甲戌	6 2	癸卯	7 1	壬申	7 31	壬寅
廿一	3 7	丙子	4 5	**乙巳**	5 5	乙亥	6 3	甲辰	7 2	癸酉	8 1	癸卯
廿二	3 8	丁丑	4 6	丙午	5 6	**丙子**	6 4	乙巳	7 3	甲戌	8 2	甲辰
廿三	3 9	戊寅	4 7	丁未	5 7	丁丑	6 5	丙午	7 4	乙亥	8 3	乙巳
廿四	3 10	己卯	4 8	戊申	5 8	戊寅	6 6	**丁未**	7 5	丙子	8 4	丙午
廿五	3 11	庚辰	4 9	己酉	5 9	己卯	6 7	戊申	7 6	丁丑	8 5	丁未
廿六	3 12	辛巳	4 10	庚戌	5 10	庚辰	6 8	己酉	7 7	**戊寅**	8 6	戊申
廿七	3 13	壬午	4 11	辛亥	5 11	辛巳	6 9	庚戌	7 8	己卯	8 7	己酉
廿八	3 14	癸未	4 12	壬子	5 12	壬午	6 10	辛亥	7 9	庚辰	8 8	**庚戌**
廿九	3 15	甲申	4 13	癸丑	5 13	癸未	6 11	壬子	7 10	辛巳	8 9	辛亥
三十			4 14	甲寅					7 11	壬午		

十二月大		十一月大		十月大		九月小		八月大		七月小		月別
辛丑		庚子		己亥		戊戌		丁酉		丙申		干支
三碧		四綠		五黃		六白		七赤		八白		九星
大寒	小寒	冬至	大雪	小雪	立冬	霜降	寒露	秋分	白露	處暑		節氣
十七 3時30分 寅時	初二 10時12分 巳時	十七 16時52分 申時	初二 23時5分 夜子	十八 3時39分 寅時	初三 6時23分 卯時	十七 6時16分 卯時	初二 3時28分 寅時	十六 21時11分 戌時	初一 12時4分 午時	十四 23時47分 夜子		
西曆	干支	西曆	干支	西曆	干支	西曆	干支	西曆	干支	西曆	干支	農曆
1 5	庚辰	12 6	庚戌	11 6	庚辰	10 8	辛亥	9 8	**辛巳**	8 10	壬子	初一
1 6	**辛巳**	12 7	**辛亥**	11 7	辛巳	10 9	**壬子**	9 9	壬午	8 11	癸丑	初二
1 7	壬午	12 8	壬子	11 8	**壬午**	10 10	癸丑	9 10	癸未	8 12	甲寅	初三
1 8	癸未	12 9	癸丑	11 9	癸未	10 11	甲寅	9 11	甲申	8 13	乙卯	初四
1 9	甲申	12 10	甲寅	11 10	甲申	10 12	乙卯	9 12	乙酉	8 14	丙辰	初五
1 10	乙酉	12 11	乙卯	11 11	乙酉	10 13	丙辰	9 13	丙戌	8 15	丁巳	初六
1 11	丙戌	12 12	丙辰	11 12	丙戌	10 14	丁巳	9 14	丁亥	8 16	戊午	初七
1 12	丁亥	12 13	丁巳	11 13	丁亥	10 15	戊午	9 15	戊子	8 17	己未	初八
1 13	戊子	12 14	戊午	11 14	戊子	10 16	己未	9 16	己丑	8 18	庚申	初九
1 14	己丑	12 15	己未	11 15	己丑	10 17	庚申	9 17	庚寅	8 19	辛酉	初十
1 15	庚寅	12 16	庚申	11 16	庚寅	10 18	辛酉	9 18	辛卯	8 20	壬戌	十一
1 16	辛卯	12 17	辛酉	11 17	辛卯	10 19	壬戌	9 19	壬辰	8 21	癸亥	十二
1 17	壬辰	12 18	壬戌	11 18	壬辰	10 20	癸亥	9 20	癸巳	8 22	甲子	十三
1 18	癸巳	12 19	癸亥	11 19	癸巳	10 21	甲子	9 21	甲午	8 23	**乙丑**	十四
1 19	甲午	12 20	甲子	11 20	甲午	10 22	乙丑	9 22	乙未	8 24	丙寅	十五
1 20	乙未	12 21	乙丑	11 21	乙未	10 23	丙寅	9 23	**丙申**	8 25	丁卯	十六
1 21	**丙申**	12 22	**丙寅**	11 22	丙申	10 24	**丁卯**	9 24	丁酉	8 26	戊辰	十七
1 22	丁酉	12 23	丁卯	11 23	**丁酉**	10 25	戊辰	9 25	戊戌	8 27	己巳	十八
1 23	戊戌	12 24	戊辰	11 24	戊戌	10 26	己巳	9 26	己亥	8 28	庚午	十九
1 24	己亥	12 25	己巳	11 25	己亥	10 27	庚午	9 27	庚子	8 29	辛未	二十
1 25	庚子	12 26	庚午	11 26	庚子	10 28	辛未	9 28	辛丑	8 30	壬申	廿一
1 26	辛丑	12 27	辛未	11 27	辛丑	10 29	壬申	9 29	壬寅	8 31	癸酉	廿二
1 27	壬寅	12 28	壬申	11 28	壬寅	10 30	癸酉	9 30	癸卯	9 1	甲戌	廿三
1 28	癸卯	12 29	癸酉	11 29	癸卯	10 31	甲戌	10 1	甲辰	9 2	乙亥	廿四
1 29	甲辰	12 30	甲戌	11 30	甲辰	11 1	乙亥	10 2	乙巳	9 3	丙子	廿五
1 30	乙巳	12 31	乙亥	12 1	乙巳	11 2	丙子	10 3	丙午	9 4	丁丑	廿六
1 31	丙午	1 1	丙子	12 2	丙午	11 3	丁丑	10 4	丁未	9 5	戊寅	廿七
2 1	丁未	1 2	丁丑	12 3	丁未	11 4	戊寅	10 5	戊申	9 6	己卯	廿八
2 2	戊申	1 3	戊寅	12 4	戊申	11 5	己卯	10 6	己酉	9 7	庚辰	廿九
2 3	己酉	1 4	己卯	12 5	己酉			10 7	庚戌			三十

一九九二年　歲次壬申（肖猴）　太歲姓劉名旺　年星八白

136

月別	六月大	五月小	四月小	三月大	二月大	正月小
干支	丁未	丙午	乙巳	甲辰	癸卯	壬寅
九星	六白	七赤	八白	九紫	一白	二黑
節氣	大暑 22時39分 廿三亥時 ／ 小暑 5時26分 初八卯時	夏至 11時46分 廿一午時 ／ 芒種 19時18分 初五戌時	小滿 3時40分 十九寅時 ／ 立夏 14時41分 初三未時	穀雨 4時18分 十八寅時 ／ 清明 21時7分 初二亥時	春分 16時59分 十七申時 ／ 驚蟄 16時4分 初二申時	雨水 17時47分 十六酉時 ／ 立春 21時54分 初一亥時

六月大 西曆	干支	五月小 西曆	干支	四月小 西曆	干支	三月大 西曆	干支	二月大 西曆	干支	正月小 西曆	干支	農曆
6 30	丁丑	6 1	戊申	5 3	己卯	4 3	己酉	3 4	己卯	2 4	**庚戌**	初一
7 1	戊寅	6 2	己酉	5 4	庚辰	4 4	**庚戌**	3 5	**庚辰**	2 5	辛亥	初二
7 2	己卯	6 3	庚戌	5 5	**辛巳**	4 5	辛亥	3 6	辛巳	2 6	壬子	初三
7 3	庚辰	6 4	辛亥	5 6	壬午	4 6	壬子	3 7	壬午	2 7	癸丑	初四
7 4	辛巳	6 5	**壬子**	5 7	癸未	4 7	癸丑	3 8	癸未	2 8	甲寅	初五
7 5	壬午	6 6	癸丑	5 8	甲申	4 8	甲寅	3 9	甲申	2 9	乙卯	初六
7 6	癸未	6 7	甲寅	5 9	乙酉	4 9	乙卯	3 10	乙酉	2 10	丙辰	初七
7 7	**甲申**	6 8	乙卯	5 10	丙戌	4 10	丙辰	3 11	丙戌	2 11	丁巳	初八
7 8	乙酉	6 9	丙辰	5 11	丁亥	4 11	丁巳	3 12	丁亥	2 12	戊午	初九
7 9	丙戌	6 10	丁巳	5 12	戊子	4 12	戊午	3 13	戊子	2 13	己未	初十
7 10	丁亥	6 11	戊午	5 13	己丑	4 13	己未	3 14	己丑	2 14	庚申	十一
7 11	戊子	6 12	己未	5 14	庚寅	4 14	庚申	3 15	庚寅	2 15	辛酉	十二
7 12	己丑	6 13	庚申	5 15	辛卯	4 15	辛酉	3 16	辛卯	2 16	壬戌	十三
7 13	庚寅	6 14	辛酉	5 16	壬辰	4 16	壬戌	3 17	壬辰	2 17	癸亥	十四
7 14	辛卯	6 15	壬戌	5 17	癸巳	4 17	癸亥	3 18	癸巳	2 18	甲子	十五
7 15	壬辰	6 16	癸亥	5 18	甲午	4 18	甲子	3 19	甲午	2 19	**乙丑**	十六
7 16	癸巳	6 17	甲子	5 19	乙未	4 19	乙丑	3 20	**乙未**	2 20	丙寅	十七
7 17	甲午	6 18	乙丑	5 20	丙申	4 20	**丙寅**	3 21	丙申	2 21	丁卯	十八
7 18	乙未	6 19	丙寅	5 21	**丁酉**	4 21	丁卯	3 22	丁酉	2 22	戊辰	十九
7 19	丙申	6 20	丁卯	5 22	戊戌	4 22	戊辰	3 23	戊戌	2 23	己巳	二十
7 20	丁酉	6 21	**戊辰**	5 23	己亥	4 23	己巳	3 24	己亥	2 24	庚午	廿一
7 21	戊戌	6 22	己巳	5 24	庚子	4 24	庚午	3 25	庚子	2 25	辛未	廿二
7 22	**己亥**	6 23	庚午	5 25	辛丑	4 25	辛未	3 26	辛丑	2 26	壬申	廿三
7 23	庚子	6 24	辛未	5 26	壬寅	4 26	壬申	3 27	壬寅	2 27	癸酉	廿四
7 24	辛丑	6 25	壬申	5 27	癸卯	4 27	癸酉	3 28	癸卯	2 28	甲戌	廿五
7 25	壬寅	6 26	癸酉	5 28	甲辰	4 28	甲戌	3 29	甲辰	2 29	乙亥	廿六
7 26	癸卯	6 27	甲戌	5 29	乙巳	4 29	乙亥	3 30	乙巳	3 1	丙子	廿七
7 27	甲辰	6 28	乙亥	5 30	丙午	4 30	丙子	3 31	丙午	3 2	丁丑	廿八
7 28	乙巳	6 29	丙子	5 31	丁未	5 1	丁丑	4 1	丁未	3 3	戊寅	廿九
7 29	丙午					5 2	戊寅	4 2	戊申			三十

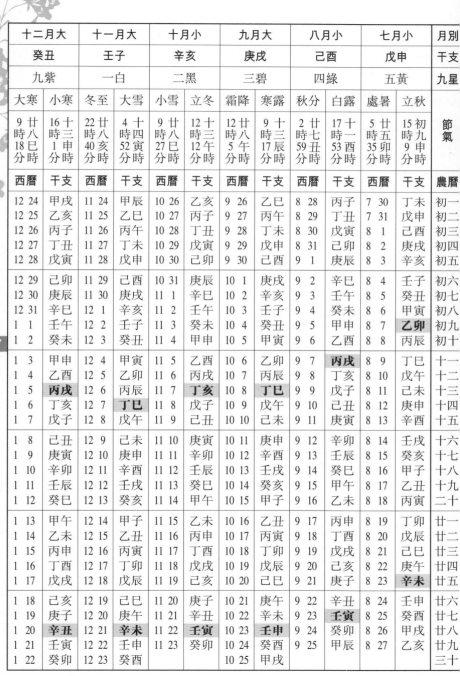

十二月大		十一月大		十月小		九月大		八月小		七月小		月別
癸丑		壬子		辛亥		庚戌		己酉		戊申		干支
九紫		一白		二黑		三碧		四綠		五黃		九星
大寒	小寒	冬至	大雪	小雪	立冬	霜降	寒露	秋分	白露	處暑	立秋	節氣
9時18分 廿八巳時	16時1分 十三申時	22時40分 廿八亥時	4時52分 十四寅時	9時27分 廿八巳時	12時12分 十三午時	12時5分 廿八午時	9時17分 十三辰時	2時59分 廿七丑時	17時53分 十一酉時	5時35分 廿五卯時	15時9分 初九申時	
西曆	**干支**	**西曆**	**干支**	**西曆**	**干支**	**西曆**	**干支**	**西曆**	**干支**	**西曆**	**干支**	**農曆**
12 24	甲戌	11 24	甲辰	10 26	乙亥	9 26	乙巳	8 28	丙子	7 30	丁未	初一
12 25	乙亥	11 25	乙巳	10 27	丙子	9 27	丙午	8 29	丁丑	7 31	戊申	初二
12 26	丙子	11 26	丙午	10 28	丁丑	9 28	丁未	8 30	戊寅	8 1	己酉	初三
12 27	丁丑	11 27	丁未	10 29	戊寅	9 29	戊申	8 31	己卯	8 2	庚戌	初四
12 28	戊寅	11 28	戊申	10 30	己卯	9 30	己酉	9 1	庚辰	8 3	辛亥	初五
12 29	己卯	11 29	己酉	10 31	庚辰	10 1	庚戌	9 2	辛巳	8 4	壬子	初六
12 30	庚辰	11 30	庚戌	11 1	辛巳	10 2	辛亥	9 3	壬午	8 5	癸丑	初七
12 31	辛巳	12 1	辛亥	11 2	壬午	10 3	壬子	9 4	癸未	8 6	甲寅	初八
1 1	壬午	12 2	壬子	11 3	癸未	10 4	癸丑	9 5	甲申	8 7	**乙卯**	初九
1 2	癸未	12 3	癸丑	11 4	甲申	10 5	甲寅	9 6	乙酉	8 8	丙辰	初十
1 3	甲申	12 4	甲寅	11 5	乙酉	10 6	乙卯	9 7	**丙戌**	8 9	丁巳	十一
1 4	乙酉	12 5	乙卯	11 6	丙戌	10 7	丙辰	9 8	丁亥	8 10	戊午	十二
1 5	**丙戌**	12 6	丙辰	11 7	**丁亥**	10 8	**丁巳**	9 9	戊子	8 11	己未	十三
1 6	丁亥	12 7	**丁巳**	11 8	戊子	10 9	戊午	9 10	己丑	8 12	庚申	十四
1 7	戊子	12 8	戊午	11 9	己丑	10 10	己未	9 11	庚寅	8 13	辛酉	十五
1 8	己丑	12 9	己未	11 10	庚寅	10 11	庚申	9 12	辛卯	8 14	壬戌	十六
1 9	庚寅	12 10	庚申	11 11	辛卯	10 12	辛酉	9 13	壬辰	8 15	癸亥	十七
1 10	辛卯	12 11	辛酉	11 12	壬辰	10 13	壬戌	9 14	癸巳	8 16	甲子	十八
1 11	壬辰	12 12	壬戌	11 13	癸巳	10 14	癸亥	9 15	甲午	8 17	乙丑	十九
1 12	癸巳	12 13	癸亥	11 14	甲午	10 15	甲子	9 16	乙未	8 18	丙寅	二十
1 13	甲午	12 14	甲子	11 15	乙未	10 16	乙丑	9 17	丙申	8 19	丁卯	廿一
1 14	乙未	12 15	乙丑	11 16	丙申	10 17	丙寅	9 18	丁酉	8 20	戊辰	廿二
1 15	丙申	12 16	丙寅	11 17	丁酉	10 18	丁卯	9 19	戊戌	8 21	己巳	廿三
1 16	丁酉	12 17	丁卯	11 18	戊戌	10 19	戊辰	9 20	己亥	8 22	庚午	廿四
1 17	戊戌	12 18	戊辰	11 19	己亥	10 20	己巳	9 21	庚子	8 23	**辛未**	廿五
1 18	己亥	12 19	己巳	11 20	庚子	10 21	庚午	9 22	辛丑	8 24	壬申	廿六
1 19	庚子	12 20	庚午	11 21	辛丑	10 22	辛未	9 23	**壬寅**	8 25	癸酉	廿七
1 20	**辛丑**	12 21	**辛未**	11 22	**壬寅**	10 23	**壬申**	9 24	癸卯	8 26	甲戌	廿八
1 21	壬寅	12 22	壬申	11 23	癸卯	10 24	癸酉	9 25	甲辰	8 27	乙亥	廿九
1 22	癸卯	12 23	癸酉			10 25	甲戌					三十

一九九三年

歲次癸酉（肖雞）

太歲姓康名志

年星七赤

月別	正月小		二月大		三月大		閏三月小		四月大		五月小	
干支	甲寅		乙卯		丙辰				丁巳		戊午	
九星	八白		七赤		六白				五黃		四綠	
節氣	立春	雨水	驚蟄	春分	清明	穀雨	立夏		小滿	芒種	夏至	小暑
	十三寅時 3時43分	廿七夜子 23時35分	十三亥時 21時53分	廿八亥時 22時48分	十四丑時 2時56分	廿九巳時 10時7分	十四戌時 20時34分		初一巳時 9時29分	十七早子 0時52分	初二酉時 17時35分	十八午時 11時15分
農曆	干支	西曆	干支	西曆	干支	西曆	干支	西曆	干支	西曆	干支	西曆
初一	甲辰	1 23	癸酉	2 21	癸卯	3 23	癸酉	4 22	**壬寅**	5 21	壬申	6 20
初二	乙巳	1 24	甲戌	2 22	甲辰	3 24	甲戌	4 23	癸卯	5 22	**癸酉**	6 21
初三	丙午	1 25	乙亥	2 23	乙巳	3 25	乙亥	4 24	甲辰	5 23	甲戌	6 22
初四	丁未	1 26	丙子	2 24	丙午	3 26	丙子	4 25	乙巳	5 24	乙亥	6 23
初五	戊申	1 27	丁丑	2 25	丁未	3 27	丁丑	4 26	丙午	5 25	丙子	6 24
初六	己酉	1 28	戊寅	2 26	戊申	3 28	戊寅	4 27	丁未	5 26	丁丑	6 25
初七	庚戌	1 29	己卯	2 27	己酉	3 29	己卯	4 28	戊申	5 27	戊寅	6 26
初八	辛亥	1 30	庚辰	2 28	庚戌	3 30	庚辰	4 29	己酉	5 28	己卯	6 27
初九	壬子	1 31	辛巳	3 1	辛亥	3 31	辛巳	4 30	庚戌	5 29	庚辰	6 28
初十	癸丑	2 1	壬午	3 2	壬子	4 1	壬午	5 1	辛亥	5 30	辛巳	6 29
十一	甲寅	2 2	癸未	3 3	癸丑	4 2	癸未	5 2	壬子	5 31	壬午	6 30
十二	乙卯	2 3	甲申	3 4	甲寅	4 3	甲申	5 3	癸丑	6 1	癸未	7 1
十三	**丙辰**	2 4	**乙酉**	3 5	乙卯	4 4	乙酉	5 4	甲寅	6 2	甲申	7 2
十四	丁巳	2 5	丙戌	3 6	**丙辰**	4 5	**丙戌**	5 5	乙卯	6 3	乙酉	7 3
十五	戊午	2 6	丁亥	3 7	丁巳	4 6	丁亥	5 6	丙辰	6 4	丙戌	7 4
十六	己未	2 7	戊子	3 8	戊午	4 7	戊子	5 7	丁巳	6 5	丁亥	7 5
十七	庚申	2 8	己丑	3 9	己未	4 8	己丑	5 8	**戊午**	6 6	戊子	7 6
十八	辛酉	2 9	庚寅	3 10	庚申	4 9	庚寅	5 9	己未	6 7	**己丑**	7 7
十九	壬戌	2 10	辛卯	3 11	辛酉	4 10	辛卯	5 10	庚申	6 8	庚寅	7 8
二十	癸亥	2 11	壬辰	3 12	壬戌	4 11	壬辰	5 11	辛酉	6 9	辛卯	7 9
廿一	甲子	2 12	癸巳	3 13	癸亥	4 12	癸巳	5 12	壬戌	6 10	壬辰	7 10
廿二	乙丑	2 13	甲午	3 14	甲子	4 13	甲午	5 13	癸亥	6 11	癸巳	7 11
廿三	丙寅	2 14	乙未	3 15	乙丑	4 14	乙未	5 14	甲子	6 12	甲午	7 12
廿四	丁卯	2 15	丙申	3 16	丙寅	4 15	丙申	5 15	乙丑	6 13	乙未	7 13
廿五	戊辰	2 16	丁酉	3 17	丁卯	4 16	丁酉	5 16	丙寅	6 14	丙申	7 14
廿六	己巳	2 17	戊戌	3 18	戊辰	4 17	戊戌	5 17	丁卯	6 15	丁酉	7 15
廿七	**庚午**	2 18	己亥	3 19	己巳	4 18	己亥	5 18	戊辰	6 16	戊戌	7 16
廿八	辛未	2 19	**庚子**	3 20	庚午	4 19	庚子	5 19	己巳	6 17	己亥	7 17
廿九	壬申	2 20	辛丑	3 21	**辛未**	4 20	辛丑	5 20	庚午	6 18	庚子	7 18
三十			壬寅	3 22	壬申	4 21			辛未	6 19		

十二月小		十一月大		十月小		九月大		八月小		七月小		六月大		月別
乙丑		甲子		癸亥		壬戌		辛酉		庚申		己未		干支
六白		七赤		八白		九紫		一白		二黑		三碧		九星
立春	大寒	小寒	冬至	大雪	小雪	立冬	霜降	寒露	秋分	白露	處暑	立秋	大暑	節氣
廿四巳時 9時33分	初九申時 15時7分	廿四亥時 21時51分	初十寅時 4時29分	廿四巳時 10時42分	初九申時 15時16分	廿四酉時 18時2分	初九酉時 17時54分	廿三申時 15時7分	初八辰時 8時48分	廿一夜子 23時43分	初六午時 11時24分	二十戌時 20時59分	初五寅時 4時28分	
西曆	干支	西曆	干支	西曆	干支	西曆	干支	西曆	干支	西曆	干支	西曆	干支	農曆
1 12	戊戌	12 13	戊辰	11 14	己亥	10 15	己巳	9 16	庚子	8 18	辛未	7 19	辛丑	初一
1 13	己亥	12 14	己巳	11 15	庚子	10 16	庚午	9 17	辛丑	8 19	壬申	7 20	壬寅	初二
1 14	庚子	12 15	庚午	11 16	辛丑	10 17	辛未	9 18	壬寅	8 20	癸酉	7 21	癸卯	初三
1 15	辛丑	12 16	辛未	11 17	壬寅	10 18	壬申	9 19	癸卯	8 21	甲戌	7 22	甲辰	初四
1 16	壬寅	12 17	壬申	11 18	癸卯	10 19	癸酉	9 20	甲辰	8 22	乙亥	7 23	**乙巳**	初五
1 17	癸卯	12 18	癸酉	11 19	甲辰	10 20	甲戌	9 21	乙巳	8 23	**丙子**	7 24	丙午	初六
1 18	甲辰	12 19	甲戌	11 20	乙巳	10 21	乙亥	9 22	丙午	8 24	丁丑	7 25	丁未	初七
1 19	乙巳	12 20	乙亥	11 21	丙午	10 22	丙子	9 23	**丁未**	8 25	戊寅	7 26	戊申	初八
1 20	**丙午**	12 21	丙子	11 22	**丁未**	10 23	**丁丑**	9 24	戊申	8 26	己卯	7 27	己酉	初九
1 21	丁未	12 22	**丁丑**	11 23	戊申	10 24	戊寅	9 25	己酉	8 27	庚辰	7 28	庚戌	初十
1 22	戊申	12 23	戊寅	11 24	己酉	10 25	己卯	9 26	庚戌	8 28	辛巳	7 29	辛亥	十一
1 23	己酉	12 24	己卯	11 25	庚戌	10 26	庚辰	9 27	辛亥	8 29	壬午	7 30	壬子	十二
1 24	庚戌	12 25	庚辰	11 26	辛亥	10 27	辛巳	9 28	壬子	8 30	癸未	7 31	癸丑	十三
1 25	辛亥	12 26	辛巳	11 27	壬子	10 28	壬午	9 29	癸丑	8 31	甲申	8 1	甲寅	十四
1 26	壬子	12 27	壬午	11 28	癸丑	10 29	癸未	9 30	甲寅	9 1	乙酉	8 2	乙卯	十五
1 27	癸丑	12 28	癸未	11 29	甲寅	10 30	甲申	10 1	乙卯	9 2	丙戌	8 3	丙辰	十六
1 28	甲寅	12 29	甲申	11 30	乙卯	10 31	乙酉	10 2	丙辰	9 3	丁亥	8 4	丁巳	十七
1 29	乙卯	12 30	乙酉	12 1	丙辰	11 1	丙戌	10 3	丁巳	9 4	戊子	8 5	戊午	十八
1 30	丙辰	12 31	丙戌	12 2	丁巳	11 2	丁亥	10 4	戊午	9 5	己丑	8 6	己未	十九
1 31	丁巳	1 1	丁亥	12 3	戊午	11 3	戊子	10 5	己未	9 6	庚寅	8 7	**庚申**	二十
2 1	戊午	1 2	戊子	12 4	己未	11 4	己丑	10 6	庚申	9 7	**辛卯**	8 8	辛酉	廿一
2 2	己未	1 3	己丑	12 5	庚申	11 5	庚寅	10 7	辛酉	9 8	壬辰	8 9	壬戌	廿二
2 3	庚申	1 4	庚寅	12 6	辛酉	11 6	辛卯	10 8	**壬戌**	9 9	癸巳	8 10	癸亥	廿三
2 4	**辛酉**	1 5	**辛卯**	12 7	**壬戌**	11 7	**壬辰**	10 9	癸亥	9 10	甲午	8 11	甲子	廿四
2 5	壬戌	1 6	壬辰	12 8	癸亥	11 8	癸巳	10 10	甲子	9 11	乙未	8 12	乙丑	廿五
2 6	癸亥	1 7	癸巳	12 9	甲子	11 9	甲午	10 11	乙丑	9 12	丙申	8 13	丙寅	廿六
2 7	甲子	1 8	甲午	12 10	乙丑	11 10	乙未	10 12	丙寅	9 13	丁酉	8 14	丁卯	廿七
2 8	乙丑	1 9	乙未	12 11	丙寅	11 11	丙申	10 13	丁卯	9 14	戊戌	8 15	戊辰	廿八
2 9	丙寅	1 10	丙申	12 12	丁卯	11 12	丁酉	10 14	戊辰	9 15	己亥	8 16	己巳	廿九
		1 11	丁酉			11 13	戊戌					8 17	庚午	三十

一九九四年

歲次甲戌（肖狗）

太歲姓誓名廣

年星六白

月別	正月大		二月大		三月大		四月小		五月大		六月小	
干支	丙寅		丁卯		戊辰		己巳		庚午		辛未	
九星	五黃		四綠		三碧		二黑		一白		九紫	
節氣	雨水	驚蟄	春分	清明	穀雨	立夏	小滿	芒種	夏至	小暑	大暑	
	初十 5時24分卯時	廿五 3時43分寅時	初十 4時37分寅時	廿五 8時46分辰時	初十 15時56分申時	廿六 2時20分丑時	十一 15時19分未時	廿七 6時43分卯時	十三 23時25分夜子	廿九 17時16分申時	十五 10時18分巳時	
農曆	干支	西曆	干支	西曆	干支	西曆	干支	西曆	干支	西曆	干支	西曆
初一	丁卯	2 10	丁酉	3 12	丁卯	4 11	丁酉	5 11	丙寅	6 9	丙申	7 9
初二	戊辰	2 11	戊戌	3 13	戊辰	4 12	戊戌	5 12	丁卯	6 10	丁酉	7 10
初三	己巳	2 12	己亥	3 14	己巳	4 13	己亥	5 13	戊辰	6 11	戊戌	7 11
初四	庚午	2 13	庚子	3 15	庚午	4 14	庚子	5 14	己巳	6 12	己亥	7 12
初五	辛未	2 14	辛丑	3 16	辛未	4 15	辛丑	5 15	庚午	6 13	庚子	7 13
初六	壬申	2 15	壬寅	3 17	壬申	4 16	壬寅	5 16	辛未	6 14	辛丑	7 14
初七	癸酉	2 16	癸卯	3 18	癸酉	4 17	癸卯	5 17	壬申	6 15	壬寅	7 15
初八	甲戌	2 17	甲辰	3 19	甲戌	4 18	甲辰	5 18	癸酉	6 16	癸卯	7 16
初九	乙亥	2 18	乙巳	3 20	乙亥	4 19	乙巳	5 19	甲戌	6 17	甲辰	7 17
初十	**丙子**	2 19	**丙午**	3 21	**丙子**	4 20	丙午	5 20	乙亥	6 18	乙巳	7 18
十一	丁丑	2 20	丁未	3 22	丁丑	4 21	**丁未**	5 21	丙子	6 19	丙午	7 19
十二	戊寅	2 21	戊申	3 23	戊寅	4 22	戊申	5 22	丁丑	6 20	丁未	7 20
十三	己卯	2 22	己酉	3 24	己卯	4 23	己酉	5 23	**戊寅**	6 21	戊申	7 21
十四	庚辰	2 23	庚戌	3 25	庚辰	4 24	庚戌	5 24	己卯	6 22	己酉	7 22
十五	辛巳	2 24	辛亥	3 26	辛巳	4 25	辛亥	5 25	庚辰	6 23	**庚戌**	7 23
十六	壬午	2 25	壬子	3 27	壬午	4 26	壬子	5 26	辛巳	6 24	辛亥	7 24
十七	癸未	2 26	癸丑	3 28	癸未	4 27	癸丑	5 27	壬午	6 25	壬子	7 25
十八	甲申	2 27	甲寅	3 29	甲申	4 28	甲寅	5 28	癸未	6 26	癸丑	7 26
十九	乙酉	2 28	乙卯	3 30	乙酉	4 29	乙卯	5 29	甲申	6 27	甲寅	7 27
二十	丙戌	3 1	丙辰	3 31	丙戌	4 30	丙辰	5 30	乙酉	6 28	乙卯	7 28
廿一	丁亥	3 2	丁巳	4 1	丁亥	5 1	丁巳	5 31	丙戌	6 29	丙辰	7 29
廿二	戊子	3 3	戊午	4 2	戊子	5 2	戊午	6 1	丁亥	6 30	丁巳	7 30
廿三	己丑	3 4	己未	4 3	己丑	5 3	己未	6 2	戊子	7 1	戊午	7 31
廿四	庚寅	3 5	庚申	4 4	庚寅	5 4	庚申	6 3	己丑	7 2	己未	8 1
廿五	**辛卯**	3 6	**辛酉**	4 5	辛卯	5 5	辛酉	6 4	庚寅	7 3	庚申	8 2
廿六	壬辰	3 7	壬戌	4 6	**壬辰**	5 6	壬戌	6 5	辛卯	7 4	辛酉	8 3
廿七	癸巳	3 8	癸亥	4 7	癸巳	5 7	**癸亥**	6 6	壬辰	7 5	壬戌	8 4
廿八	甲午	3 9	甲子	4 8	甲午	5 8	甲子	6 7	癸巳	7 6	癸亥	8 5
廿九	乙未	3 10	乙丑	4 9	乙未	5 9	乙丑	6 8	**甲午**	7 7	甲子	8 6
三十	丙申	3 11	丙寅	4 10	丙申	5 10			乙未	7 8		

十二月大		十一月小		十月大		九月小		八月小		七月大		月別
丁丑		丙子		乙亥		甲戌		癸酉		壬申		干支
三碧		四綠		五黃		六白		七赤		八白		九星
大寒	小寒	冬至	大雪	小雪	立冬	霜降	寒露	秋分	白露	處暑	立秋	節氣
20時57分 二十戌時	3時42分 初六寅時	10時19分 二十巳時	16時33分 初五申時	21時6分 二十亥時	23時53分 初五夜子時	23時44分 十九夜子時	20時50分 初四戌時	14時38分 十八未時	5時34分 初三卯時	17時14分 十七酉時	2時50分 初二丑時	節氣
西曆	干支	西曆	干支	西曆	干支	西曆	干支	西曆	干支	西曆	干支	農曆
1 1	壬辰	12 3	癸亥	11 3	癸巳	10 5	甲子	9 6	乙未	8 7	乙丑	初一
1 2	癸巳	12 4	甲子	11 4	甲午	10 6	乙丑	9 7	丙申	8 8	丙寅	初二
1 3	甲午	12 5	乙丑	11 5	乙未	10 7	丙寅	9 8	丁酉	8 9	丁卯	初三
1 4	乙未	12 6	丙寅	11 6	丙申	10 8	丁卯	9 9	戊戌	8 10	戊辰	初四
1 5	丙申	12 7	丁卯	11 7	丁酉	10 9	戊辰	9 10	己亥	8 11	己巳	初五
1 6	丁酉	12 8	戊辰	11 8	戊戌	10 10	己巳	9 11	庚子	8 12	庚午	初六
1 7	戊戌	12 9	己巳	11 9	己亥	10 11	庚午	9 12	辛丑	8 13	辛未	初七
1 8	己亥	12 10	庚午	11 10	庚子	10 12	辛未	9 13	壬寅	8 14	壬申	初八
1 9	庚子	12 11	辛未	11 11	辛丑	10 13	壬申	9 14	癸卯	8 15	癸酉	初九
1 10	辛丑	12 12	壬申	11 12	壬寅	10 14	癸酉	9 15	甲辰	8 16	甲戌	初十
1 11	壬寅	12 13	癸酉	11 13	癸卯	10 15	甲戌	9 16	乙巳	8 17	乙亥	十一
1 12	癸卯	12 14	甲戌	11 14	甲辰	10 16	乙亥	9 17	丙午	8 18	丙子	十二
1 13	甲辰	12 15	乙亥	11 15	乙巳	10 17	丙子	9 18	丁未	8 19	丁丑	十三
1 14	乙巳	12 16	丙子	11 16	丙午	10 18	丁丑	9 19	戊申	8 20	戊寅	十四
1 15	丙午	12 17	丁丑	11 17	丁未	10 19	戊寅	9 20	己酉	8 21	己卯	十五
1 16	丁未	12 18	戊寅	11 18	戊申	10 20	己卯	9 21	庚戌	8 22	庚辰	十六
1 17	戊申	12 19	己卯	11 19	己酉	10 21	庚辰	9 22	辛亥	8 23	辛巳	十七
1 18	己酉	12 20	庚辰	11 20	庚戌	10 22	辛巳	9 23	壬子	8 24	壬午	十八
1 19	庚戌	12 21	辛巳	11 21	辛亥	10 23	壬午	9 24	癸丑	8 25	癸未	十九
1 20	辛亥	12 22	壬午	11 22	壬子	10 24	癸未	9 25	甲寅	8 26	甲申	二十
1 21	壬子	12 23	癸未	11 23	癸丑	10 25	甲申	9 26	乙卯	8 27	乙酉	廿一
1 22	癸丑	12 24	甲申	11 24	甲寅	10 26	乙酉	9 27	丙辰	8 28	丙戌	廿二
1 23	甲寅	12 25	乙酉	11 25	乙卯	10 27	丙戌	9 28	丁巳	8 29	丁亥	廿三
1 24	乙卯	12 26	丙戌	11 26	丙辰	10 28	丁亥	9 29	戊午	8 30	戊子	廿四
1 25	丙辰	12 27	丁亥	11 27	丁巳	10 29	戊子	9 30	己未	8 31	己丑	廿五
1 26	丁巳	12 28	戊子	11 28	戊午	10 30	己丑	10 1	庚申	9 1	庚寅	廿六
1 27	戊午	12 29	己丑	11 29	己未	10 31	庚寅	10 2	辛酉	9 2	辛卯	廿七
1 28	己未	12 30	庚寅	11 30	庚申	11 1	辛卯	10 3	壬戌	9 3	壬辰	廿八
1 29	庚申	12 31	辛卯	12 1	辛酉	11 2	壬辰	10 4	癸亥	9 4	癸巳	廿九
1 30	辛酉			12 2	壬戌					9 5	甲午	三十

41

一九九五年

歲次乙亥（肖豬）

太歲姓伍名保

年星五黃

六月小		五月大		四月小		三月大		二月大		正月小		月別
癸未		壬午		辛巳		庚辰		己卯		戊寅		干支
六白		七赤		八白		九紫		一白		二黑		九星
大暑	小暑	夏至	芒種	小滿	立夏	穀雨	清明	春分	驚蟄	雨水	立春	節氣
16時7分 廿六申時	22時57分 初十亥時	5時14分 廿五卯時	12時34分 初九午時	21時8分 廿二亥時	8時11分 初七辰時	21時46分 廿一亥時	14時37分 初六未時	10時13分 廿一巳時	9時34分 初六巳時	11時14分 二十午時	15時24分 初五申時	
西曆	干支	西曆	干支	西曆	干支	西曆	干支	西曆	干支	西曆	干支	農曆
6 28	庚寅	5 29	庚申	4 30	辛卯	3 31	辛酉	3 1	辛卯	1 31	壬戌	初一
6 29	辛卯	5 30	辛酉	5 1	壬辰	4 1	壬戌	3 2	壬辰	2 1	癸亥	初二
6 30	壬辰	5 31	壬戌	5 2	癸巳	4 2	癸亥	3 3	癸巳	2 2	甲子	初三
7 1	癸巳	6 1	癸亥	5 3	甲午	4 3	甲子	3 4	甲午	2 3	乙丑	初四
7 2	甲午	6 2	甲子	5 4	乙未	4 4	乙丑	3 5	乙未	2 4	**丙寅**	初五
7 3	乙未	6 3	乙丑	5 5	丙申	4 5	**丙寅**	3 6	**丙申**	2 5	丁卯	初六
7 4	丙申	6 4	丙寅	5 6	**丁酉**	4 6	丁卯	3 7	丁酉	2 6	戊辰	初七
7 5	丁酉	6 5	丁卯	5 7	戊戌	4 7	戊辰	3 8	戊戌	2 7	己巳	初八
7 6	戊戌	6 6	**戊辰**	5 8	己亥	4 8	己巳	3 9	己亥	2 8	庚午	初九
7 7	**己亥**	6 7	己巳	5 9	庚子	4 9	庚午	3 10	庚子	2 9	辛未	初十
7 8	庚子	6 8	庚午	5 10	辛丑	4 10	辛未	3 11	辛丑	2 10	壬申	十一
7 9	辛丑	6 9	辛未	5 11	壬寅	4 11	壬申	3 12	壬寅	2 11	癸酉	十二
7 10	壬寅	6 10	壬申	5 12	癸卯	4 12	癸酉	3 13	癸卯	2 12	甲戌	十三
7 11	癸卯	6 11	癸酉	5 13	甲辰	4 13	甲戌	3 14	甲辰	2 13	乙亥	十四
7 12	甲辰	6 12	甲戌	5 14	乙巳	4 14	乙亥	3 15	乙巳	2 14	丙子	十五
7 13	乙巳	6 13	乙亥	5 15	丙午	4 15	丙子	3 16	丙午	2 15	丁丑	十六
7 14	丙午	6 14	丙子	5 16	丁未	4 16	丁丑	3 17	丁未	2 16	戊寅	十七
7 15	丁未	6 15	丁丑	5 17	戊申	4 17	戊寅	3 18	戊申	2 17	己卯	十八
7 16	戊申	6 16	戊寅	5 18	己酉	4 18	己卯	3 19	己酉	2 18	庚辰	十九
7 17	己酉	6 17	己卯	5 19	庚戌	4 19	庚辰	3 20	庚戌	2 19	**辛巳**	二十
7 18	庚戌	6 18	庚辰	5 20	辛亥	4 20	**辛巳**	3 21	**辛亥**	2 20	壬午	廿一
7 19	辛亥	6 19	辛巳	5 21	**壬子**	4 21	壬午	3 22	壬子	2 21	癸未	廿二
7 20	壬子	6 20	壬午	5 22	癸丑	4 22	癸未	3 23	癸丑	2 22	甲申	廿三
7 21	癸丑	6 21	癸未	5 23	甲寅	4 23	甲申	3 24	甲寅	2 23	乙酉	廿四
7 22	甲寅	6 22	**甲申**	5 24	乙卯	4 24	乙酉	3 25	乙卯	2 24	丙戌	廿五
7 23	**乙卯**	6 23	乙酉	5 25	丙辰	4 25	丙戌	3 26	丙辰	2 25	丁亥	廿六
7 24	丙辰	6 24	丙戌	5 26	丁巳	4 26	丁亥	3 27	丁巳	2 26	戊子	廿七
7 25	丁巳	6 25	丁亥	5 27	戊午	4 27	戊子	3 28	戊午	2 27	己丑	廿八
7 26	戊午	6 26	戊子	5 28	己未	4 28	己丑	3 29	己未	2 28	庚寅	廿九
		6 27	己丑			4 29	庚寅	3 30	庚申			三十

十二月大		十一月小		十月大		九月小		閏八月小		八月大		七月大		月別
己丑		戊子		丁亥		丙戌				乙酉		甲申		干支
九紫		一白		二黑		三碧				四綠		五黃		九星
立春	大寒	小寒	冬至	大雪	小雪	立冬	霜降		寒露	秋分	白露	處暑	立秋	節氣
十六亥時 21時15分	初二丑時 2時47分	十六巳時 9時33分	初一申時 16時9分	十六亥時 22時24分	初二丑時 2時56分	十六卯時 5時44分	初一卯時 5時34分		十五丑時 2時49分	廿九戌時 20時28分	十四午時 11時25分	廿八夜子時 23時4分	十三辰時 8時41分	
西曆	干支	西曆	干支	西曆	干支	西曆	干支	西曆	干支	西曆	干支	西曆	干支	農曆
1 20	丙辰	12 22	**丁亥**	11 22	丁巳	10 24	**戊子**	9 25	己未	8 26	己丑	7 27	己未	初一
1 21	**丁巳**	12 23	戊子	11 23	**戊午**	10 25	己丑	9 26	庚申	8 27	庚寅	7 28	庚申	初二
1 22	戊午	12 24	己丑	11 24	己未	10 26	庚寅	9 27	辛酉	8 28	辛卯	7 29	辛酉	初三
1 23	己未	12 25	庚寅	11 25	庚申	10 27	辛卯	9 28	壬戌	8 29	壬辰	7 30	壬戌	初四
1 24	庚申	12 26	辛卯	11 26	辛酉	10 28	壬辰	9 29	癸亥	8 30	癸巳	7 31	癸亥	初五
1 25	辛酉	12 27	壬辰	11 27	壬戌	10 29	癸巳	9 30	甲子	8 31	甲午	8 1	甲子	初六
1 26	壬戌	12 28	癸巳	11 28	癸亥	10 30	甲午	10 1	乙丑	9 1	乙未	8 2	乙丑	初七
1 27	癸亥	12 29	甲午	11 29	甲子	10 31	乙未	10 2	丙寅	9 2	丙申	8 3	丙寅	初八
1 28	甲子	12 30	乙未	11 30	乙丑	11 1	丙申	10 3	丁卯	9 3	丁酉	8 4	丁卯	初九
1 29	乙丑	12 31	丙申	12 1	丙寅	11 2	丁酉	10 4	戊辰	9 4	戊戌	8 5	戊辰	初十
1 30	丙寅	1 1	丁酉	12 2	丁卯	11 3	戊戌	10 5	己巳	9 5	己亥	8 6	己巳	十一
1 31	丁卯	1 2	戊戌	12 3	戊辰	11 4	己亥	10 6	庚午	9 6	庚子	8 7	庚午	十二
2 1	戊辰	1 3	己亥	12 4	己巳	11 5	庚子	10 7	辛未	9 7	辛丑	8 8	**辛未**	十三
2 2	己巳	1 4	庚子	12 5	庚午	11 6	辛丑	10 8	壬申	9 8	**壬寅**	8 9	壬申	十四
2 3	庚午	1 5	辛丑	12 6	辛未	11 7	壬寅	10 9	**癸酉**	9 9	癸卯	8 10	癸酉	十五
2 4	**辛未**	1 6	**壬寅**	12 7	**壬申**	11 8	**癸卯**	10 10	甲戌	9 10	甲辰	8 11	甲戌	十六
2 5	壬申	1 7	癸卯	12 8	癸酉	11 9	甲辰	10 11	乙亥	9 11	乙巳	8 12	乙亥	十七
2 6	癸酉	1 8	甲辰	12 9	甲戌	11 10	乙巳	10 12	丙子	9 12	丙午	8 13	丙子	十八
2 7	甲戌	1 9	乙巳	12 10	乙亥	11 11	丙午	10 13	丁丑	9 13	丁未	8 14	丁丑	十九
2 8	乙亥	1 10	丙午	12 11	丙子	11 12	丁未	10 14	戊寅	9 14	戊申	8 15	戊寅	二十
2 9	丙子	1 11	丁未	12 12	丁丑	11 13	戊申	10 15	己卯	9 15	己酉	8 16	己卯	廿一
2 10	丁丑	1 12	戊申	12 13	戊寅	11 14	己酉	10 16	庚辰	9 16	庚戌	8 17	庚辰	廿二
2 11	戊寅	1 13	己酉	12 14	己卯	11 15	庚戌	10 17	辛巳	9 17	辛亥	8 18	辛巳	廿三
2 12	己卯	1 14	庚戌	12 15	庚辰	11 16	辛亥	10 18	壬午	9 18	壬子	8 19	壬午	廿四
2 13	庚辰	1 15	辛亥	12 16	辛巳	11 17	壬子	10 19	癸未	9 19	癸丑	8 20	癸未	廿五
2 14	辛巳	1 16	壬子	12 17	壬午	11 18	癸丑	10 20	甲申	9 20	甲寅	8 21	甲申	廿六
2 15	壬午	1 17	癸丑	12 18	癸未	11 19	甲寅	10 21	乙酉	9 21	乙卯	8 22	乙酉	廿七
2 16	癸未	1 18	甲寅	12 19	甲申	11 20	乙卯	10 22	丙戌	9 22	丙辰	8 23	**丙戌**	廿八
2 17	甲申	1 19	乙卯	12 20	乙酉	11 21	丙辰	10 23	丁亥	9 23	**丁巳**	8 24	丁亥	廿九
2 18	乙酉			12 21	丙戌					9 24	戊午	8 25	戊子	三十

一九九六年

歲次丙子（肖鼠）

太歲姓郭名嘉

年星四綠

六月小		五月大		四月大		三月小		二月大		正月小		月別
乙未		甲午		癸巳		壬辰		辛卯		庚寅		干支
三碧		四綠		五黃		六白		七赤		八白		九星
立秋	大暑	小暑	夏至	芒種	小滿	立夏	穀雨	清明	春分	驚蟄	雨水	節氣
廿三14時30分未時	初七21時57分亥時	廿二4時47分寅時	初六11時4分午時	二十18時24分酉時	初五2時58分丑時	十八14時2分未時	初三3時36分寅時	十七20時28分戌時	初二16時17分申時	十六15時25分申時	初一17時4分酉時	
西曆	干支	西曆	干支	西曆	干支	西曆	干支	西曆	干支	西曆	干支	農曆
7 16	甲寅	6 16	甲申	5 17	甲寅	4 18	乙酉	3 19	乙卯	2 19	**丙戌**	初一
7 17	乙卯	6 17	乙酉	5 18	乙卯	4 19	丙戌	3 20	**丙辰**	2 20	丁亥	初二
7 18	丙辰	6 18	丙戌	5 19	丙辰	4 20	**丁亥**	3 21	丁巳	2 21	戊子	初三
7 19	丁巳	6 19	丁亥	5 20	丁巳	4 21	戊子	3 22	戊午	2 22	己丑	初四
7 20	戊午	6 20	戊子	5 21	**戊午**	4 22	己丑	3 23	己未	2 23	庚寅	初五
7 21	己未	6 21	**己丑**	5 22	己未	4 23	庚寅	3 24	庚申	2 24	辛卯	初六
7 22	**庚申**	6 22	庚寅	5 23	庚申	4 24	辛卯	3 25	辛酉	2 25	壬辰	初七
7 23	辛酉	6 23	辛卯	5 24	辛酉	4 25	壬辰	3 26	壬戌	2 26	癸巳	初八
7 24	壬戌	6 24	壬辰	5 25	壬戌	4 26	癸巳	3 27	癸亥	2 27	甲午	初九
7 25	癸亥	6 25	癸巳	5 26	癸亥	4 27	甲午	3 28	甲子	2 28	乙未	初十
7 26	甲子	6 26	甲午	5 27	甲子	4 28	乙未	3 29	乙丑	2 29	丙申	十一
7 27	乙丑	6 27	乙未	5 28	乙丑	4 29	丙申	3 30	丙寅	3 1	丁酉	十二
7 28	丙寅	6 28	丙申	5 29	丙寅	4 30	丁酉	3 31	丁卯	3 2	戊戌	十三
7 29	丁卯	6 29	丁酉	5 30	丁卯	5 1	戊戌	4 1	戊辰	3 3	己亥	十四
7 30	戊辰	6 30	戊戌	5 31	戊辰	5 2	己亥	4 2	己巳	3 4	庚子	十五
7 31	己巳	7 1	己亥	6 1	己巳	5 3	庚子	4 3	庚午	3 5	**辛丑**	十六
8 1	庚午	7 2	庚子	6 2	庚午	5 4	辛丑	4 4	**辛未**	3 6	壬寅	十七
8 2	辛未	7 3	辛丑	6 3	辛未	5 5	**壬寅**	4 5	壬申	3 7	癸卯	十八
8 3	壬申	7 4	壬寅	6 4	壬申	5 6	癸卯	4 6	癸酉	3 8	甲辰	十九
8 4	癸酉	7 5	癸卯	6 5	**癸酉**	5 7	甲辰	4 7	甲戌	3 9	乙巳	二十
8 5	甲戌	7 6	甲辰	6 6	甲戌	5 8	乙巳	4 8	乙亥	3 10	丙午	廿一
8 6	乙亥	7 7	**乙巳**	6 7	乙亥	5 9	丙午	4 9	丙子	3 11	丁未	廿二
8 7	**丙子**	7 8	丙午	6 8	丙子	5 10	丁未	4 10	丁丑	3 12	戊申	廿三
8 8	丁丑	7 9	丁未	6 9	丁丑	5 11	戊申	4 11	戊寅	3 13	己酉	廿四
8 9	戊寅	7 10	戊申	6 10	戊寅	5 12	己酉	4 12	己卯	3 14	庚戌	廿五
8 10	己卯	7 11	己酉	6 11	己卯	5 13	庚戌	4 13	庚辰	3 15	辛亥	廿六
8 11	庚辰	7 12	庚戌	6 12	庚辰	5 14	辛亥	4 14	辛巳	3 16	壬子	廿七
8 12	辛巳	7 13	辛亥	6 13	辛巳	5 15	壬子	4 15	壬午	3 17	癸丑	廿八
8 13	壬午	7 14	壬子	6 14	壬午	5 16	癸丑	4 16	癸未	3 18	甲寅	廿九
		7 15	癸丑	6 15	癸未			4 17	甲申			三十

十二月小		十一月小		十月大		九月大		八月小		七月大		月別
辛丑		庚子		己亥		戊戌		丁酉		丙申		干支
六白		七赤		八白		九紫		一白		二黑		九星
立春	大寒	小寒	冬至	大雪	小雪	立冬	霜降	寒露	秋分	白露	處暑	節氣
廿七 3時4分 寅時	十二 8時36分 辰時	廿六 15時22分 申時	十一 21時58分 亥時	廿七 4時11分 寅時	十二 8時45分 辰時	廿七 11時33分 午時	十二 11時23分 午時	廿六 8時36分 辰時	十一 2時17分 丑時	廿五 17時14分 酉時	初十 4時53分 寅時	
西曆	干支	西曆	干支	西曆	干支	西曆	干支	西曆	干支	西曆	干支	農曆
1 9	辛亥	12 11	壬午	11 11	壬子	10 12	壬午	9 13	癸丑	8 14	癸未	初一
1 10	壬子	12 12	癸未	11 12	癸丑	10 13	癸未	9 14	甲寅	8 15	甲申	初二
1 11	癸丑	12 13	甲申	11 13	甲寅	10 14	甲申	9 15	乙卯	8 16	乙酉	初三
1 12	甲寅	12 14	乙酉	11 14	乙卯	10 15	乙酉	9 16	丙辰	8 17	丙戌	初四
1 13	乙卯	12 15	丙戌	11 15	丙辰	10 16	丙戌	9 17	丁巳	8 18	丁亥	初五
1 14	丙辰	12 16	丁亥	11 16	丁巳	10 17	丁亥	9 18	戊午	8 19	戊子	初六
1 15	丁巳	12 17	戊子	11 17	戊午	10 18	戊子	9 19	己未	8 20	己丑	初七
1 16	戊午	12 18	己丑	11 18	己未	10 19	己丑	9 20	庚申	8 21	庚寅	初八
1 17	己未	12 19	庚寅	11 19	庚申	10 20	庚寅	9 21	辛酉	8 22	辛卯	初九
1 18	庚申	12 20	辛卯	11 20	辛酉	10 21	辛卯	9 22	壬戌	8 23	**壬辰**	初十
1 19	辛酉	12 21	**壬辰**	11 21	壬戌	10 22	壬辰	9 23	**癸亥**	8 24	癸巳	十一
1 20	**壬戌**	12 22	癸巳	11 22	**癸亥**	10 23	**癸巳**	9 24	甲子	8 25	甲午	十二
1 21	癸亥	12 23	甲午	11 23	甲子	10 24	甲午	9 25	乙丑	8 26	乙未	十三
1 22	甲子	12 24	乙未	11 24	乙丑	10 25	乙未	9 26	丙寅	8 27	丙申	十四
1 23	乙丑	12 25	丙申	11 25	丙寅	10 26	丙申	9 27	丁卯	8 28	丁酉	十五
1 24	丙寅	12 26	丁酉	11 26	丁卯	10 27	丁酉	9 28	戊辰	8 29	戊戌	十六
1 25	丁卯	12 27	戊戌	11 27	戊辰	10 28	戊戌	9 29	己巳	8 30	己亥	十七
1 26	戊辰	12 28	己亥	11 28	己巳	10 29	己亥	9 30	庚午	8 31	庚子	十八
1 27	己巳	12 29	庚子	11 29	庚午	10 30	庚子	10 1	辛未	9 1	辛丑	十九
1 28	庚午	12 30	辛丑	11 30	辛未	10 31	辛丑	10 2	壬申	9 2	壬寅	二十
1 29	辛未	12 31	壬寅	12 1	壬申	11 1	壬寅	10 3	癸酉	9 3	癸卯	廿一
1 30	壬申	1 1	癸卯	12 2	癸酉	11 2	癸卯	10 4	甲戌	9 4	甲辰	廿二
1 31	癸酉	1 2	甲辰	12 3	甲戌	11 3	甲辰	10 5	乙亥	9 5	乙巳	廿三
2 1	甲戌	1 3	乙巳	12 4	乙亥	11 4	乙巳	10 6	丙子	9 6	丙午	廿四
2 2	乙亥	1 4	丙午	12 5	丙子	11 5	丙午	10 7	丁丑	9 7	**丁未**	廿五
2 3	丙子	1 5	**丁未**	12 6	丁丑	11 6	丁未	10 8	**戊寅**	9 8	戊申	廿六
2 4	**丁丑**	1 6	戊申	12 7	**戊寅**	11 7	**戊申**	10 9	己卯	9 9	己酉	廿七
2 5	戊寅	1 7	己酉	12 8	己卯	11 8	己酉	10 10	庚辰	9 10	庚戌	廿八
2 6	己卯	1 8	庚戌	12 9	庚辰	11 9	庚戌	10 11	辛巳	9 11	辛亥	廿九
				12 10	辛巳	11 10	辛亥			9 12	壬子	三十

一九九七年

歲次丁丑（肖牛）

太歲姓汪名文

年星三碧

月別	正月大		二月小		三月大		四月小		五月大		六月小	
干支	壬寅		癸卯		甲辰		乙巳		丙午		丁未	
九星	五黃		四綠		三碧		二黑		一白		九紫	
節氣	雨水	驚蟄	春分	清明	穀雨	立夏	小滿		芒種	夏至	小暑	大暑
	十二 22時53分 亥時	廿七 21時14分 亥時	十二 22時6分 亥時	廿八 2時17分 丑時	十四 9時25分 巳時	廿九 19時51分 戌時	十五 8時18分 辰時		初二 0時13分 早子時	十七 16時54分 申時	初三 10時36分 巳時	十九 3時47分 寅時
農曆	干支	西曆	干支	西曆	干支	西曆	干支	西曆	干支	西曆	干支	西曆
初一	庚辰	2 7	庚戌	3 9	己卯	4 7	己酉	5 7	戊寅	6 5	戊申	7 5
初二	辛巳	2 8	辛亥	3 10	庚辰	4 8	庚戌	5 8	**己卯**	6 6	己酉	7 6
初三	壬午	2 9	壬子	3 11	辛巳	4 9	辛亥	5 9	庚辰	6 7	**庚戌**	7 7
初四	癸未	2 10	癸丑	3 12	壬午	4 10	壬子	5 10	辛巳	6 8	辛亥	7 8
初五	甲申	2 11	甲寅	3 13	癸未	4 11	癸丑	5 11	壬午	6 9	壬子	7 9
初六	乙酉	2 12	乙卯	3 14	甲申	4 12	甲寅	5 12	癸未	6 10	癸丑	7 10
初七	丙戌	2 13	丙辰	3 15	乙酉	4 13	乙卯	5 13	甲申	6 11	甲寅	7 11
初八	丁亥	2 14	丁巳	3 16	丙戌	4 14	丙辰	5 14	乙酉	6 12	乙卯	7 12
初九	戊子	2 15	戊午	3 17	丁亥	4 15	丁巳	5 15	丙戌	6 13	丙辰	7 13
初十	己丑	2 16	己未	3 18	戊子	4 16	戊午	5 16	丁亥	6 14	丁巳	7 14
十一	庚寅	2 17	庚申	3 19	己丑	4 17	己未	5 17	戊子	6 15	戊午	7 15
十二	**辛卯**	2 18	**辛酉**	3 20	庚寅	4 18	庚申	5 18	己丑	6 16	己未	7 16
十三	壬辰	2 19	壬戌	3 21	辛卯	4 19	辛酉	5 19	庚寅	6 17	庚申	7 17
十四	癸巳	2 20	癸亥	3 22	**壬辰**	4 20	壬戌	5 20	辛卯	6 18	辛酉	7 18
十五	甲午	2 21	甲子	3 23	癸巳	4 21	**癸亥**	5 21	壬辰	6 19	壬戌	7 19
十六	乙未	2 22	乙丑	3 24	甲午	4 22	甲子	5 22	癸巳	6 20	癸亥	7 20
十七	丙申	2 23	丙寅	3 25	乙未	4 23	乙丑	5 23	**甲午**	6 21	甲子	7 21
十八	丁酉	2 24	丁卯	3 26	丙申	4 24	丙寅	5 24	乙未	6 22	乙丑	7 22
十九	戊戌	2 25	戊辰	3 27	丁酉	4 25	丁卯	5 25	丙申	6 23	**丙寅**	7 23
二十	己亥	2 26	己巳	3 28	戊戌	4 26	戊辰	5 26	丁酉	6 24	丁卯	7 24
廿一	庚子	2 27	庚午	3 29	己亥	4 27	己巳	5 27	戊戌	6 25	戊辰	7 25
廿二	辛丑	2 28	辛未	3 30	庚子	4 28	庚午	5 28	己亥	6 26	己巳	7 26
廿三	壬寅	3 1	壬申	3 31	辛丑	4 29	辛未	5 29	庚子	6 27	庚午	7 27
廿四	癸卯	3 2	癸酉	4 1	壬寅	4 30	壬申	5 30	辛丑	6 28	辛未	7 28
廿五	甲辰	3 3	甲戌	4 2	癸卯	5 1	癸酉	5 31	壬寅	6 29	壬申	7 29
廿六	乙巳	3 4	乙亥	4 3	甲辰	5 2	甲戌	6 1	癸卯	6 30	癸酉	7 30
廿七	**丙午**	3 5	丙子	4 4	乙巳	5 3	乙亥	6 2	甲辰	7 1	甲戌	7 31
廿八	丁未	3 6	**丁丑**	4 5	丙午	5 4	丙子	6 3	乙巳	7 2	乙亥	8 1
廿九	戊申	3 7	戊寅	4 6	**丁未**	5 5	丁丑	6 4	丙午	7 3	丙子	8 2
三十	己酉	3 8			戊申	5 6			丁未	7 4		

十二月小		十一月大		十月大		九月小		八月大		七月大		月別
癸丑		壬子		辛亥		庚戌		己酉		戊申		干支
三碧		四綠		五黃		六白		七赤		八白		九星
大寒	小寒	冬至	大雪	小雪	立冬	霜降	寒露	秋分	白露	處暑	立秋	節氣
廿二未時 14時26分	初七亥時 21時11分	廿三寅時 3時48分	初八巳時 10時2分	廿三未時 14時35分	初八酉時 17時22分	廿二酉時 17時13分	初七未時 14時27分	廿二辰時 8時7分	初六夜子 23時3分	廿一巳時 10時43分	初五戌時 20時19分	
西曆	干支	西曆	干支	西曆	干支	西曆	干支	西曆	干支	西曆	干支	農曆
12 30	丙午	11 30	丙子	10 31	丙午	10 2	丁丑	9 2	丁未	8 3	丁丑	初一
12 31	丁未	12 1	丁丑	11 1	丁未	10 3	戊寅	9 3	戊申	8 4	戊寅	初二
1 1	戊申	12 2	戊寅	11 2	戊申	10 4	己卯	9 4	己酉	8 5	己卯	初三
1 2	己酉	12 3	己卯	11 3	己酉	10 5	庚辰	9 5	庚戌	8 6	庚辰	初四
1 3	庚戌	12 4	庚辰	11 4	庚戌	10 6	辛巳	9 6	辛亥	8 7	**辛巳**	初五
1 4	辛亥	12 5	辛巳	11 5	辛亥	10 7	壬午	9 7	**壬子**	8 8	壬午	初六
1 5	**壬子**	12 6	壬午	11 6	壬子	10 8	**癸未**	9 8	癸丑	8 9	癸未	初七
1 6	癸丑	12 7	**癸未**	11 7	**癸丑**	10 9	甲申	9 9	甲寅	8 10	甲申	初八
1 7	甲寅	12 8	甲申	11 8	甲寅	10 10	乙酉	9 10	乙卯	8 11	乙酉	初九
1 8	乙卯	12 9	乙酉	11 9	乙卯	10 11	丙戌	9 11	丙辰	8 12	丙戌	初十
1 9	丙辰	12 10	丙戌	11 10	丙辰	10 12	丁亥	9 12	丁巳	8 13	丁亥	十一
1 10	丁巳	12 11	丁亥	11 11	丁巳	10 13	戊子	9 13	戊午	8 14	戊子	十二
1 11	戊午	12 12	戊子	11 12	戊午	10 14	己丑	9 14	己未	8 15	己丑	十三
1 12	己未	12 13	己丑	11 13	己未	10 15	庚寅	9 15	庚申	8 16	庚寅	十四
1 13	庚申	12 14	庚寅	11 14	庚申	10 16	辛卯	9 16	辛酉	8 17	辛卯	十五
1 14	辛酉	12 15	辛卯	11 15	辛酉	10 17	壬辰	9 17	壬戌	8 18	壬辰	十六
1 15	壬戌	12 16	壬辰	11 16	壬戌	10 18	癸巳	9 18	癸亥	8 19	癸巳	十七
1 16	癸亥	12 17	癸巳	11 17	癸亥	10 19	甲午	9 19	甲子	8 20	甲午	十八
1 17	甲子	12 18	甲午	11 18	甲子	10 20	乙未	9 20	乙丑	8 21	乙未	十九
1 18	乙丑	12 19	乙未	11 19	乙丑	10 21	丙申	9 21	丙寅	8 22	丙申	二十
1 19	丙寅	12 20	丙申	11 20	丙寅	10 22	丁酉	9 22	丁卯	8 23	**丁酉**	廿一
1 20	**丁卯**	12 21	丁酉	11 21	丁卯	10 23	**戊戌**	9 23	**戊辰**	8 24	戊戌	廿二
1 21	戊辰	12 22	**戊戌**	11 22	**戊辰**	10 24	己亥	9 24	己巳	8 25	己亥	廿三
1 22	己巳	12 23	己亥	11 23	己巳	10 25	庚子	9 25	庚午	8 26	庚子	廿四
1 23	庚午	12 24	庚子	11 24	庚午	10 26	辛丑	9 26	辛未	8 27	辛丑	廿五
1 24	辛未	12 25	辛丑	11 25	辛未	10 27	壬寅	9 27	壬申	8 28	壬寅	廿六
1 25	壬申	12 26	壬寅	11 26	壬申	10 28	癸卯	9 28	癸酉	8 29	癸卯	廿七
1 26	癸酉	12 27	癸卯	11 27	癸酉	10 29	甲辰	9 29	甲戌	8 30	甲辰	廿八
1 27	甲戌	12 28	甲辰	11 28	甲戌	10 30	乙巳	9 30	乙亥	8 31	乙巳	廿九
		12 29	乙巳	11 29	乙亥			10 1	丙子	9 1	丙午	三十

一九九八年

歲次戊寅（肖虎）

太歲姓曾名光

年星二黑

月別	正月大		二月小		三月小		四月大		五月小		閏五月小	
干支	甲寅		乙卯		丙辰		丁巳		戊午			
九星	二黑		一白		九紫		八白		七赤			
節氣	立春	雨水	驚蟄	春分	清明	穀雨	立夏	小滿	芒種	夏至	小暑	
	初八 8時53分 辰時	廿三 4時43分 寅時	初八 3時3分 寅時	廿三 3時57分 寅時	初九 8時6分 辰時	廿四 15時16分 申時	十一 1時40分 丑時	廿六 14時38分 未時	十二 6時2分 卯時	廿七 22時44分 亥時	十四 16時25分 申時	
農曆	干支	西曆	干支	西曆	干支	西曆	干支	西曆	干支	西曆	干支	西曆
初一	乙亥	1 28	乙巳	2 27	甲戌	3 28	癸卯	4 26	癸酉	5 26	壬寅	6 24
初二	丙子	1 29	丙午	2 28	乙亥	3 29	甲辰	4 27	甲戌	5 27	癸卯	6 25
初三	丁丑	1 30	丁未	3 1	丙子	3 30	乙巳	4 28	乙亥	5 28	甲辰	6 26
初四	戊寅	1 31	戊申	3 2	丁丑	3 31	丙午	4 29	丙子	5 29	乙巳	6 27
初五	己卯	2 1	己酉	3 3	戊寅	4 1	丁未	4 30	丁丑	5 30	丙午	6 28
初六	庚辰	2 2	庚戌	3 4	己卯	4 2	戊申	5 1	戊寅	5 31	丁未	6 29
初七	辛巳	2 3	辛亥	3 5	庚辰	4 3	己酉	5 2	己卯	6 1	戊申	6 30
初八	**壬午**	2 4	**壬子**	3 6	辛巳	4 4	庚戌	5 3	庚辰	6 2	己酉	7 1
初九	癸未	2 5	癸丑	3 7	**壬午**	4 5	辛亥	5 4	辛巳	6 3	庚戌	7 2
初十	甲申	2 6	甲寅	3 8	癸未	4 6	壬子	5 5	壬午	6 4	辛亥	7 3
十一	乙酉	2 7	乙卯	3 9	甲申	4 7	**癸丑**	5 6	癸未	6 5	壬子	7 4
十二	丙戌	2 8	丙辰	3 10	乙酉	4 8	甲寅	5 7	**甲申**	6 6	癸丑	7 5
十三	丁亥	2 9	丁巳	3 11	丙戌	4 9	乙卯	5 8	乙酉	6 7	甲寅	7 6
十四	戊子	2 10	戊午	3 12	丁亥	4 10	丙辰	5 9	丙戌	6 8	**乙卯**	7 7
十五	己丑	2 11	己未	3 13	戊子	4 11	丁巳	5 10	丁亥	6 9	丙辰	7 8
十六	庚寅	2 12	庚申	3 14	己丑	4 12	戊午	5 11	戊子	6 10	丁巳	7 9
十七	辛卯	2 13	辛酉	3 15	庚寅	4 13	己未	5 12	己丑	6 11	戊午	7 10
十八	壬辰	2 14	壬戌	3 16	辛卯	4 14	庚申	5 13	庚寅	6 12	己未	7 11
十九	癸巳	2 15	癸亥	3 17	壬辰	4 15	辛酉	5 14	辛卯	6 13	庚申	7 12
二十	甲午	2 16	甲子	3 18	癸巳	4 16	壬戌	5 15	壬辰	6 14	辛酉	7 13
廿一	乙未	2 17	乙丑	3 19	甲午	4 17	癸亥	5 16	癸巳	6 15	壬戌	7 14
廿二	丙申	2 18	丙寅	3 20	乙未	4 18	甲子	5 17	甲午	6 16	癸亥	7 15
廿三	**丁酉**	2 19	**丁卯**	3 21	丙申	4 19	乙丑	5 18	乙未	6 17	甲子	7 16
廿四	戊戌	2 20	戊辰	3 22	**丁酉**	4 20	丙寅	5 19	丙申	6 18	乙丑	7 17
廿五	己亥	2 21	己巳	3 23	戊戌	4 21	丁卯	5 20	丁酉	6 19	丙寅	7 18
廿六	庚子	2 22	庚午	3 24	己亥	4 22	**戊辰**	5 21	戊戌	6 20	丁卯	7 19
廿七	辛丑	2 23	辛未	3 25	庚子	4 23	己巳	5 22	**己亥**	6 21	戊辰	7 20
廿八	壬寅	2 24	壬申	3 26	辛丑	4 24	庚午	5 23	庚子	6 22	己巳	7 21
廿九	癸卯	2 25	癸酉	3 27	壬寅	4 25	辛未	5 24	辛丑	6 23	庚午	7 22
三十	甲辰	2 26					壬申	5 25				

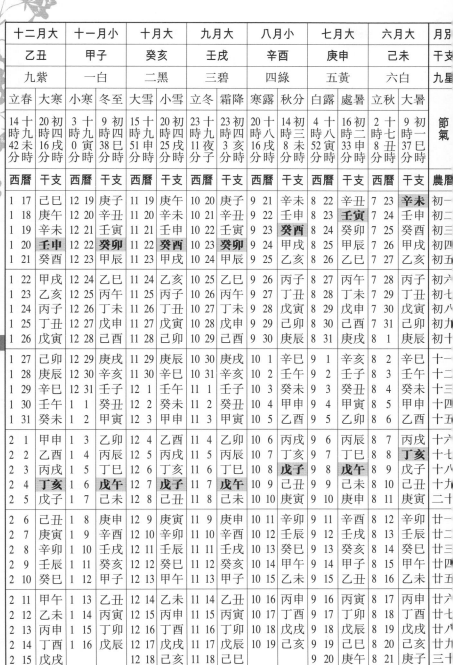

十二月大		十一月小		十月大		九月大		八月小		七月大		六月大		月別
乙丑		甲子		癸亥		壬戌		辛酉		庚申		己未		干支
九紫		一白		二黑		三碧		四綠		五黃		六白		九星
立春	大寒	小寒	冬至	大雪	小雪	立冬	霜降	寒露	秋分	白露	處暑	立秋	大暑	節氣
十九未時 14時42分	初四戌時 20時16分	十九寅時 3時0分	初四巳時 9時38分	十九申時 15時51分	初四戌時 20時25分	十九夜子 23時11分	初四亥時 23時3分	十八戌時 20時16分	初三未時 14時8分	十八寅時 4時52分	初二申時 16時33分	十七丑時 2時8分	初一巳時 9時37分	
西曆	干支	西曆	干支	西曆	干支	西曆	干支	西曆	干支	西曆	干支	西曆	干支	農曆
1 17	己巳	12 19	庚子	11 19	庚午	10 20	庚子	9 21	辛未	8 22	辛丑	7 23	**辛未**	初一
1 18	庚午	12 20	辛丑	11 20	辛未	10 21	辛丑	9 22	壬申	8 23	**壬寅**	7 24	壬申	初二
1 19	辛未	12 21	壬寅	11 21	壬申	10 22	壬寅	9 23	**癸酉**	8 24	癸卯	7 25	癸酉	初三
1 20	**壬申**	12 22	**癸卯**	11 22	**癸酉**	10 23	**癸卯**	9 24	甲戌	8 25	甲辰	7 26	甲戌	初四
1 21	癸酉	12 23	甲辰	11 23	甲戌	10 24	甲辰	9 25	乙亥	8 26	乙巳	7 27	乙亥	初五
1 22	甲戌	12 24	乙巳	11 24	乙亥	10 25	乙巳	9 26	丙子	8 27	丙午	7 28	丙子	初六
1 23	乙亥	12 25	丙午	11 25	丙子	10 26	丙午	9 27	丁丑	8 28	丁未	7 29	丁丑	初七
1 24	丙子	12 26	丁未	11 26	丁丑	10 27	丁未	9 28	戊寅	8 29	戊申	7 30	戊寅	初八
1 25	丁丑	12 27	戊申	11 27	戊寅	10 28	戊申	9 29	己卯	8 30	己酉	7 31	己卯	初九
1 26	戊寅	12 28	己酉	11 28	己卯	10 29	己酉	9 30	庚辰	8 31	庚戌	8 1	庚辰	初十
1 27	己卯	12 29	庚戌	11 29	庚辰	10 30	庚戌	10 1	辛巳	9 1	辛亥	8 2	辛巳	十一
1 28	庚辰	12 30	辛亥	11 30	辛巳	10 31	辛亥	10 2	壬午	9 2	壬子	8 3	壬午	十二
1 29	辛巳	12 31	壬子	12 1	壬午	11 1	壬子	10 3	癸未	9 3	癸丑	8 4	癸未	十三
1 30	壬午	1 1	癸丑	12 2	癸未	11 2	癸丑	10 4	甲申	9 4	甲寅	8 5	甲申	十四
1 31	癸未	1 2	甲寅	12 3	甲申	11 3	甲寅	10 5	乙酉	9 5	乙卯	8 6	乙酉	十五
2 1	甲申	1 3	乙卯	12 4	乙酉	11 4	乙卯	10 6	丙戌	9 6	丙辰	8 7	丙戌	十六
2 2	乙酉	1 4	丙辰	12 5	丙戌	11 5	丙辰	10 7	丁亥	9 7	丁巳	8 8	**丁亥**	十七
2 3	丙戌	1 5	丁巳	12 6	丁亥	11 6	丁巳	10 8	**戊子**	9 8	**戊午**	8 9	戊子	十八
2 4	**丁亥**	1 6	**戊午**	12 7	**戊子**	11 7	**戊午**	10 9	己丑	9 9	己未	8 10	己丑	十九
2 5	戊子	1 7	己未	12 8	己丑	11 8	己未	10 10	庚寅	9 10	庚申	8 11	庚寅	二十
2 6	己丑	1 8	庚申	12 9	庚寅	11 9	庚申	10 11	辛卯	9 11	辛酉	8 12	辛卯	廿一
2 7	庚寅	1 9	辛酉	12 10	辛卯	11 10	辛酉	10 12	壬辰	9 12	壬戌	8 13	壬辰	廿二
2 8	辛卯	1 10	壬戌	12 11	壬辰	11 11	壬戌	10 13	癸巳	9 13	癸亥	8 14	癸巳	廿三
2 9	壬辰	1 11	癸亥	12 12	癸巳	11 12	癸亥	10 14	甲午	9 14	甲子	8 15	甲午	廿四
2 10	癸巳	1 12	甲子	12 13	甲午	11 13	甲子	10 15	乙未	9 15	乙丑	8 16	乙未	廿五
2 11	甲午	1 13	乙丑	12 14	乙未	11 14	乙丑	10 16	丙申	9 16	丙寅	8 17	丙申	廿六
2 12	乙未	1 14	丙寅	12 15	丙申	11 15	丙寅	10 17	丁酉	9 17	丁卯	8 18	丁酉	廿七
2 13	丙申	1 15	丁卯	12 16	丁酉	11 16	丁卯	10 18	戊戌	9 18	戊辰	8 19	戊戌	廿八
2 14	丁酉	1 16	戊辰	12 17	戊戌	11 17	戊辰	10 19	己亥	9 19	己巳	8 20	己亥	廿九
2 15	戊戌			12 18	己亥	11 18	己巳			9 20	庚午	8 21	庚子	三十

右欄（直書）：一九九九年　歲次己卯（肖兔）　太歲姓伍名仲　年星一白

六月小		五月小		四月大		三月小		二月小		正月大		月別
辛未		庚午		己巳		戊辰		丁卯		丙寅		干支
三碧		四綠		五黃		六白		七赤		八白		九星
立秋	大暑	小暑	夏至	芒種	小滿	立夏	穀雨	清明	春分	驚蟄	雨水	節氣
7時57分 廿七辰時	15時26分 十一申時	22時26分 廿四亥時	4時33分 初九寅時	11時51分 廿三午時	20時27分 初七戌時	7時29分 廿一辰時	20時55分 初五戌時	13時55分 十九未時	9時46分 初四巳時	8時52分 十九辰時	10時33分 初四巳時	
西曆	干支	西曆	干支	西曆	干支	西曆	干支	西曆	干支	西曆	干支	農曆
7 13	丙寅	6 14	丁酉	5 15	丁卯	4 16	戊戌	3 18	己巳	2 16	己亥	初一
7 14	丁卯	6 15	戊戌	5 16	戊辰	4 17	己亥	3 19	庚午	2 17	庚子	初二
7 15	戊辰	6 16	己亥	5 17	己巳	4 18	庚子	3 20	辛未	2 18	辛丑	初三
7 16	己巳	6 17	庚子	5 18	庚午	4 19	辛丑	3 21	壬申	2 19	壬寅	初四
7 17	庚午	6 18	辛丑	5 19	辛未	4 20	壬寅	3 22	癸酉	2 20	癸卯	初五
7 18	辛未	6 19	壬寅	5 20	壬申	4 21	癸卯	3 23	甲戌	2 21	甲辰	初六
7 19	壬申	6 20	癸卯	5 21	癸酉	4 22	甲辰	3 24	乙亥	2 22	乙巳	初七
7 20	癸酉	6 21	甲辰	5 22	甲戌	4 23	乙巳	3 25	丙子	2 23	丙午	初八
7 21	甲戌	6 22	乙巳	5 23	乙亥	4 24	丙午	3 26	丁丑	2 24	丁未	初九
7 22	乙亥	6 23	丙午	5 24	丙子	4 25	丁未	3 27	戊寅	2 25	戊申	初十
7 23	丙子	6 24	丁未	5 25	丁丑	4 26	戊申	3 28	己卯	2 26	己酉	十一
7 24	丁丑	6 25	戊申	5 26	戊寅	4 27	己酉	3 29	庚辰	2 27	庚戌	十二
7 25	戊寅	6 26	己酉	5 27	己卯	4 28	庚戌	3 30	辛巳	2 28	辛亥	十三
7 26	己卯	6 27	庚戌	5 28	庚辰	4 29	辛亥	3 31	壬午	3 1	壬子	十四
7 27	庚辰	6 28	辛亥	5 29	辛巳	4 30	壬子	4 1	癸未	3 2	癸丑	十五
7 28	辛巳	6 29	壬子	5 30	壬午	5 1	癸丑	4 2	甲申	3 3	甲寅	十六
7 29	壬午	6 30	癸丑	5 31	癸未	5 2	甲寅	4 3	乙酉	3 4	乙卯	十七
7 30	癸未	7 1	甲寅	6 1	甲申	5 3	乙卯	4 4	丙戌	3 5	丙辰	十八
7 31	甲申	7 2	乙卯	6 2	乙酉	5 4	丙辰	4 5	丁亥	3 6	丁巳	十九
8 1	乙酉	7 3	丙辰	6 3	丙戌	5 5	丁巳	4 6	戊子	3 7	戊午	二十
8 2	丙戌	7 4	丁巳	6 4	丁亥	5 6	戊午	4 7	己丑	3 8	己未	廿一
8 3	丁亥	7 5	戊午	6 5	戊子	5 7	己未	4 8	庚寅	3 9	庚申	廿二
8 4	戊子	7 6	己未	6 6	己丑	5 8	庚申	4 9	辛卯	3 10	辛酉	廿三
8 5	己丑	7 7	庚申	6 7	庚寅	5 9	辛酉	4 10	壬辰	3 11	壬戌	廿四
8 6	庚寅	7 8	辛酉	6 8	辛卯	5 10	壬戌	4 11	癸巳	3 12	癸亥	廿五
8 7	辛卯	7 9	壬戌	6 9	壬辰	5 11	癸亥	4 12	甲午	3 13	甲子	廿六
8 8	壬辰	7 10	癸亥	6 10	癸巳	5 12	甲子	4 13	乙未	3 14	乙丑	廿七
8 9	癸巳	7 11	甲子	6 11	甲午	5 13	乙丑	4 14	丙申	3 15	丙寅	廿八
8 10	甲午	7 12	乙丑	6 12	乙未	5 14	丙寅	4 15	丁酉	3 16	丁卯	廿九
				6 13	丙申					3 17	戊辰	三十

十二月小		十一月大		十月大		九月大		八月小		七月大		月別
丁丑		丙子		乙亥		甲戌		癸酉		壬申		干支
六白		七赤		八白		九紫		一白		二黑		九星
立春	大寒	小寒	冬至	大雪	小雪	立冬	霜降	寒露	秋分	白露	處暑	節氣
廿九戌時 20時32分	十五丑時 2時5分	三十辰時 8時50分	十五申時 15時27分	三十亥時 21時14分	十六丑時 2時14分	十月初一卯時 5時21分	十六寅時 4時52分	九月初一丑時 2時5分	十四戌時 19時46分	廿九巳時 10時41分	十三亥時 22時22分	
西曆	干支	西曆	干支	西曆	干支	西曆	干支	西曆	干支	西曆	干支	農曆
1 7	甲子	12 8	甲午	11 8	**甲子**	10 9	**甲午**	9 10	乙丑	8 11	乙未	初一
1 8	乙丑	12 9	乙未	11 9	乙丑	10 10	乙未	9 11	丙寅	8 12	丙申	初二
1 9	丙寅	12 10	丙申	11 10	丙寅	10 11	丙申	9 12	丁卯	8 13	丁酉	初三
1 10	丁卯	12 11	丁酉	11 11	丁卯	10 12	丁酉	9 13	戊辰	8 14	戊戌	初四
1 11	戊辰	12 12	戊戌	11 12	戊辰	10 13	戊戌	9 14	己巳	8 15	己亥	初五
1 12	己巳	12 13	己亥	11 13	己巳	10 14	己亥	9 15	庚午	8 16	庚子	初六
1 13	庚午	12 14	庚子	11 14	庚午	10 15	庚子	9 16	辛未	8 17	辛丑	初七
1 14	辛未	12 15	辛丑	11 15	辛未	10 16	辛丑	9 17	壬申	8 18	壬寅	初八
1 15	壬申	12 16	壬寅	11 16	壬申	10 17	壬寅	9 18	癸酉	8 19	癸卯	初九
1 16	癸酉	12 17	癸卯	11 17	癸酉	10 18	癸卯	9 19	甲戌	8 20	甲辰	初十
1 17	甲戌	12 18	甲辰	11 18	甲戌	10 19	甲辰	9 20	乙亥	8 21	乙巳	十一
1 18	乙亥	12 19	乙巳	11 19	乙亥	10 20	乙巳	9 21	丙子	8 22	丙午	十二
1 19	丙子	12 20	丙午	11 20	丙子	10 21	丙午	9 22	丁丑	8 23	**丁未**	十三
1 20	丁丑	12 21	丁未	11 21	丁丑	10 22	丁未	9 23	**戊寅**	8 24	戊申	十四
1 21	**戊寅**	12 22	**戊申**	11 22	戊寅	10 23	戊申	9 24	己卯	8 25	己酉	十五
1 22	己卯	12 23	己酉	11 23	**己卯**	10 24	**己酉**	9 25	庚辰	8 26	庚戌	十六
1 23	庚辰	12 24	庚戌	11 24	庚辰	10 25	庚戌	9 26	辛巳	8 27	辛亥	十七
1 24	辛巳	12 25	辛亥	11 25	辛巳	10 26	辛亥	9 27	壬午	8 28	壬子	十八
1 25	壬午	12 26	壬子	11 26	壬午	10 27	壬子	9 28	癸未	8 29	癸丑	十九
1 26	癸未	12 27	癸丑	11 27	癸未	10 28	癸丑	9 29	甲申	8 30	甲寅	二十
1 27	甲申	12 28	甲寅	11 28	甲申	10 29	甲寅	9 30	乙酉	8 31	乙卯	廿一
1 28	乙酉	12 29	乙卯	11 29	乙酉	10 30	乙卯	10 1	丙戌	9 1	丙辰	廿二
1 29	丙戌	12 30	丙辰	11 30	丙戌	10 31	丙辰	10 2	丁亥	9 2	丁巳	廿三
1 30	丁亥	12 31	丁巳	12 1	丁亥	11 1	丁巳	10 3	戊子	9 3	戊午	廿四
1 31	戊子	1 1	戊午	12 2	戊子	11 2	戊午	10 4	己丑	9 4	己未	廿五
2 1	己丑	1 2	己未	12 3	己丑	11 3	己未	10 5	庚寅	9 5	庚申	廿六
2 2	庚寅	1 3	庚申	12 4	庚寅	11 4	庚申	10 6	辛卯	9 6	辛酉	廿七
2 3	辛卯	1 4	辛酉	12 5	辛卯	11 5	辛酉	10 7	壬辰	9 7	壬戌	廿八
2 4	**壬辰**	1 5	壬戌	12 6	壬辰	11 6	壬戌	10 8	癸巳	9 8	**癸亥**	廿九
		1 6	**癸亥**	12 7	**癸巳**	11 7	癸亥			9 9	甲子	三十

二〇〇〇年　歲次庚辰（肖龍）　太歲姓重名德　年星九紫

月別	正月大	二月大	三月小	四月小	五月大	六月小
干支	戊寅	己卯	庚辰	辛巳	壬午	癸未
九星	五黃	四綠	三碧	二黑	一白	九紫

節氣

- 正月大：驚蟄 14時42分 三十未時 ／ 雨水 16時22分 十五申時
- 二月大：清明 19時45分 三十戌時 ／ 春分 15時35分 十五申時
- 三月小：穀雨 2時54分 十六丑時
- 四月小：小滿 2時46分 十八丑時 ／ 立夏 13時19分 初二未時
- 五月大：夏至 10時22分 二十巳時 ／ 芒種 17時41分 初四酉時
- 六月小：大暑 21時15分 廿一戊時 ／ 小暑 4時4分 初六寅時

六月小 西曆	干支	五月大 西曆	干支	四月小 西曆	干支	三月小 西曆	干支	二月大 西曆	干支	正月大 西曆	干支	農曆
7 2	辛酉	6 2	辛卯	5 4	壬戌	4 5	癸巳	3 6	癸亥	2 5	癸巳	初一
7 3	壬戌	6 3	壬辰	5 5	癸亥	4 6	甲午	3 7	甲子	2 6	甲午	初二
7 4	癸亥	6 4	癸巳	5 6	甲子	4 7	乙未	3 8	乙丑	2 7	乙未	初三
7 5	甲子	6 5	甲午	5 7	乙丑	4 8	丙申	3 9	丙寅	2 8	丙申	初四
7 6	乙丑	6 6	乙未	5 8	丙寅	4 9	丁酉	3 10	丁卯	2 9	丁酉	初五
7 7	丙寅	6 7	丙申	5 9	丁卯	4 10	戊戌	3 11	戊辰	2 10	戊戌	初六
7 8	丁卯	6 8	丁酉	5 10	戊辰	4 11	己亥	3 12	己巳	2 11	己亥	初七
7 9	戊辰	6 9	戊戌	5 11	己巳	4 12	庚子	3 13	庚午	2 12	庚子	初八
7 10	己巳	6 10	己亥	5 12	庚午	4 13	辛丑	3 14	辛未	2 13	辛丑	初九
7 11	庚午	6 11	庚子	5 13	辛未	4 14	壬寅	3 15	壬申	2 14	壬寅	初十
7 12	辛未	6 12	辛丑	5 14	壬申	4 15	癸卯	3 16	癸酉	2 15	癸卯	十一
7 13	壬申	6 13	壬寅	5 15	癸酉	4 16	甲辰	3 17	甲戌	2 16	甲辰	十二
7 14	癸酉	6 14	癸卯	5 16	甲戌	4 17	乙巳	3 18	乙亥	2 17	乙巳	十三
7 15	甲戌	6 15	甲辰	5 17	乙亥	4 18	丙午	3 19	丙子	2 18	丙午	十四
7 16	乙亥	6 16	乙巳	5 18	丙子	4 19	丁未	3 20	丁丑	2 19	丁未	十五
7 17	丙子	6 17	丙午	5 19	丁丑	4 20	戊申	3 21	戊寅	2 20	戊申	十六
7 18	丁丑	6 18	丁未	5 20	戊寅	4 21	己酉	3 22	己卯	2 21	己酉	十七
7 19	戊寅	6 19	戊申	5 21	己卯	4 22	庚戌	3 23	庚辰	2 22	庚戌	十八
7 20	己卯	6 20	己酉	5 22	庚辰	4 23	辛亥	3 24	辛巳	2 23	辛亥	十九
7 21	庚辰	6 21	庚戌	5 23	辛巳	4 24	壬子	3 25	壬午	2 24	壬子	二十
7 22	辛巳	6 22	辛亥	5 24	壬午	4 25	癸丑	3 26	癸未	2 25	癸丑	廿一
7 23	壬午	6 23	壬子	5 25	癸未	4 26	甲寅	3 27	甲申	2 26	甲寅	廿二
7 24	癸未	6 24	癸丑	5 26	甲申	4 27	乙卯	3 28	乙酉	2 27	乙卯	廿三
7 25	甲申	6 25	甲寅	5 27	乙酉	4 28	丙辰	3 29	丙戌	2 28	丙辰	廿四
7 26	乙酉	6 26	乙卯	5 28	丙戌	4 29	丁巳	3 30	丁亥	2 29	丁巳	廿五
7 27	丙戌	6 27	丙辰	5 29	丁亥	4 30	戊午	3 31	戊子	3 1	戊午	廿六
7 28	丁亥	6 28	丁巳	5 30	戊子	5 1	己未	4 1	己丑	3 2	己未	廿七
7 29	戊子	6 29	戊午	5 31	己丑	5 2	庚申	4 2	庚寅	3 3	庚申	廿八
7 30	己丑	6 30	己未	6 1	庚寅	5 3	辛酉	4 3	辛卯	3 4	辛酉	廿九
		7 1	庚申					4 4	壬辰	3 5	壬戌	三十

152

十二月小		十一月大		十月大		九月小		八月大		七月小		月別
己丑		戊子		丁亥		丙戌		乙酉		甲申		干支
三碧		四綠		五黃		六白		七赤		八白		九星
大寒	小寒	冬至	大雪	小雪	立冬	霜降	寒露	秋分	白露	處暑	立秋	
7時54分 廿六辰時	14時38分 十一未時	21時16分 廿六亥時	3時29分 十二寅時	8時3分 廿七辰時	10時49分 十二巳時	10時41分 廿六巳時	7時45分 十一辰時	1時35分 廿六丑時	16時30分 初十申時	4時11分 廿四寅時	13時36分 初八未時	節氣
西曆	干支	西曆	干支	西曆	干支	西曆	干支	西曆	干支	西曆	干支	農曆
12 26	戊午	11 26	戊子	10 27	戊午	9 28	己丑	8 29	己未	7 31	庚寅	初一
12 27	己未	11 27	己丑	10 28	己未	9 29	庚寅	8 30	庚申	8 1	辛卯	初二
12 28	庚申	11 28	庚寅	10 29	庚申	9 30	辛卯	8 31	辛酉	8 2	壬辰	初三
12 29	辛酉	11 29	辛卯	10 30	辛酉	10 1	壬辰	9 1	壬戌	8 3	癸巳	初四
12 30	壬戌	11 30	壬辰	10 31	壬戌	10 2	癸巳	9 2	癸亥	8 4	甲午	初五
12 31	癸亥	12 1	癸巳	11 1	癸亥	10 3	甲午	9 3	甲子	8 5	乙未	初六
1 1	甲子	12 2	甲午	11 2	甲子	10 4	乙未	9 4	乙丑	8 6	丙申	初七
1 2	乙丑	12 3	乙未	11 3	乙丑	10 5	丙申	9 5	丙寅	8 7	**丁酉**	初八
1 3	丙寅	12 4	丙申	11 4	丙寅	10 6	丁酉	9 6	丁卯	8 8	戊戌	初九
1 4	丁卯	12 5	丁酉	11 5	丁卯	10 7	戊戌	9 7	**戊辰**	8 9	己亥	初十
1 5	**戊辰**	12 6	戊戌	11 6	戊辰	10 8	**己亥**	9 8	己巳	8 10	庚子	十一
1 6	己巳	12 7	**己亥**	11 7	**己巳**	10 9	庚子	9 9	庚午	8 11	辛丑	十二
1 7	庚午	12 8	庚子	11 8	庚午	10 10	辛丑	9 10	辛未	8 12	壬寅	十三
1 8	辛未	12 9	辛丑	11 9	辛未	10 11	壬寅	9 11	壬申	8 13	癸卯	十四
1 9	壬申	12 10	壬寅	11 10	壬申	10 12	癸卯	9 12	癸酉	8 14	甲辰	十五
1 10	癸酉	12 11	癸卯	11 11	癸酉	10 13	甲辰	9 13	甲戌	8 15	乙巳	十六
1 11	甲戌	12 12	甲辰	11 12	甲戌	10 14	乙巳	9 14	乙亥	8 16	丙午	十七
1 12	乙亥	12 13	乙巳	11 13	乙亥	10 15	丙午	9 15	丙子	8 17	丁未	十八
1 13	丙子	12 14	丙午	11 14	丙子	10 16	丁未	9 16	丁丑	8 18	戊申	十九
1 14	丁丑	12 15	丁未	11 15	丁丑	10 17	戊申	9 17	戊寅	8 19	己酉	二十
1 15	戊寅	12 16	戊申	11 16	戊寅	10 18	己酉	9 18	己卯	8 20	庚戌	廿一
1 16	己卯	12 17	己酉	11 17	己卯	10 19	庚戌	9 19	庚辰	8 21	辛亥	廿二
1 17	庚辰	12 18	庚戌	11 18	庚辰	10 20	辛亥	9 20	辛巳	8 22	壬子	廿三
1 18	辛巳	12 19	辛亥	11 19	辛巳	10 21	壬子	9 21	壬午	8 23	**癸丑**	廿四
1 19	壬午	12 20	壬子	11 20	壬午	10 22	癸丑	9 22	癸未	8 24	甲寅	廿五
1 20	**癸未**	12 21	**癸丑**	11 21	癸未	10 23	**甲寅**	9 23	**甲申**	8 25	乙卯	廿六
1 21	甲申	12 22	甲寅	11 22	**甲申**	10 24	乙卯	9 24	乙酉	8 26	丙辰	廿七
1 22	乙酉	12 23	乙卯	11 23	乙酉	10 25	丙辰	9 25	丙戌	8 27	丁巳	廿八
1 23	丙戌	12 24	丙辰	11 24	丙戌	10 26	丁巳	9 26	丁亥	8 28	戊午	廿九
		12 25	丁巳	11 25	丁亥			9 27	戊子			三十

二〇〇一年

歲次辛巳（肖蛇）

太歲姓鄭名祖

年星八白

五月大		閏四月小		四月大		三月小		二月大		正月大		月別
甲午				癸巳		壬辰		辛卯		庚寅		干支
七赤				八白		九紫		一白		二黑		九星
小暑	夏至		芒種	小滿	立夏	穀雨	清明	春分	驚蟄	雨水	立春	節氣
十七巳時 9時52分	初一申時 16時12分		十四夜子 23時19分	廿九辰時 8時6分	十三酉時 19時7分	廿七辰時 8時43分	十二丑時 1時33分	廿六亥時 21時24分	十一戌時 20時33分	廿六亥時 22時11分	十二丑時 2時20分	
西曆	干支	西曆	干支	西曆	干支	西曆	干支	西曆	干支	西曆	干支	農曆
6 21	**乙卯**	5 23	丙戌	4 23	丙辰	3 25	丁亥	2 23	丁巳	1 24	丁亥	初一
6 22	丙辰	5 24	丁亥	4 24	丁巳	3 26	戊子	2 24	戊午	1 25	戊子	初二
6 23	丁巳	5 25	戊子	4 25	戊午	3 27	己丑	2 25	己未	1 26	己丑	初三
6 24	戊午	5 26	己丑	4 26	己未	3 28	庚寅	2 26	庚申	1 27	庚寅	初四
6 25	己未	5 27	庚寅	4 27	庚申	3 29	辛卯	2 27	辛酉	1 28	辛卯	初五
6 26	庚申	5 28	辛卯	4 28	辛酉	3 30	壬辰	2 28	壬戌	1 29	壬辰	初六
6 27	辛酉	5 29	壬辰	4 29	壬戌	3 31	癸巳	3 1	癸亥	1 30	癸巳	初七
6 28	壬戌	5 30	癸巳	4 30	癸亥	4 1	甲午	3 2	甲子	1 31	甲午	初八
6 29	癸亥	5 31	甲午	5 1	甲子	4 2	乙未	3 3	乙丑	2 1	乙未	初九
6 30	甲子	6 1	乙未	5 2	乙丑	4 3	丙申	3 4	丙寅	2 2	丙申	初十
7 1	乙丑	6 2	丙申	5 3	丙寅	4 4	丁酉	3 5	**丁卯**	2 3	丁酉	十一
7 2	丙寅	6 3	丁酉	5 4	丁卯	4 5	**戊戌**	3 6	戊辰	2 4	**戊戌**	十二
7 3	丁卯	6 4	戊戌	5 5	**戊辰**	4 6	己亥	3 7	己巳	2 5	己亥	十三
7 4	戊辰	6 5	**己亥**	5 6	己巳	4 7	庚子	3 8	庚午	2 6	庚子	十四
7 5	己巳	6 6	庚子	5 7	庚午	4 8	辛丑	3 9	辛未	2 7	辛丑	十五
7 6	庚午	6 7	辛丑	5 8	辛未	4 9	壬寅	3 10	壬申	2 8	壬寅	十六
7 7	**辛未**	6 8	壬寅	5 9	壬申	4 10	癸卯	3 11	癸酉	2 9	癸卯	十七
7 8	壬申	6 9	癸卯	5 10	癸酉	4 11	甲辰	3 12	甲戌	2 10	甲辰	十八
7 9	癸酉	6 10	甲辰	5 11	甲戌	4 12	乙巳	3 13	乙亥	2 11	乙巳	十九
7 10	甲戌	6 11	乙巳	5 12	乙亥	4 13	丙午	3 14	丙子	2 12	丙午	二十
7 11	乙亥	6 12	丙午	5 13	丙子	4 14	丁未	3 15	丁丑	2 13	丁未	廿一
7 12	丙子	6 13	丁未	5 14	丁丑	4 15	戊申	3 16	戊寅	2 14	戊申	廿二
7 13	丁丑	6 14	戊申	5 15	戊寅	4 16	己酉	3 17	己卯	2 15	己酉	廿三
7 14	戊寅	6 15	己酉	5 16	己卯	4 17	庚戌	3 18	庚辰	2 16	庚戌	廿四
7 15	己卯	6 16	庚戌	5 17	庚辰	4 18	辛亥	3 19	辛巳	2 17	辛亥	廿五
7 16	庚辰	6 17	辛亥	5 18	辛巳	4 19	壬子	3 20	**壬午**	2 18	**壬子**	廿六
7 17	辛巳	6 18	壬子	5 19	壬午	4 20	**癸丑**	3 21	癸未	2 19	癸丑	廿七
7 18	壬午	6 19	癸丑	5 20	癸未	4 21	甲寅	3 22	甲申	2 20	甲寅	廿八
7 19	癸未	6 20	甲寅	5 21	**甲申**	4 22	乙卯	3 23	乙酉	2 21	乙卯	廿九
7 20	甲申			5 22	乙酉			3 24	丙戌	2 22	丙辰	三十

十二月大		十一月小		十月大		九月小		八月大		七月小		六月小		月別
辛丑		庚子		己亥		戊戌		丁酉		丙申		乙未		干支
九紫		一白		二黑		三碧		四綠		五黃		六白		九星
立春	大寒	小寒	冬至	大雪	小雪	立冬	霜降	寒露	秋分	白露	處暑	立秋	大暑	節氣
廿三 8時8分 辰時	初八 13時44分 未時	廿二 20時26分 戌時	初八 3時8分 寅時	廿三 9時17分 巳時	初八 13時53分 未時	廿二 16時31分 申時	初七 16時31分 申時	廿二 13時42分 未時	初七 7時25分 辰時	二十 22時18分 亥時	初五 10時1分 巳時	十八 19時34分 戌時	初三 3時5分 寅時	
西曆	**干支**	**西曆**	**干支**	**西曆**	**干支**	**西曆**	**干支**	**西曆**	**干支**	**西曆**	**干支**	**西曆**	**干支**	**農曆**
1 13	辛巳	12 15	壬子	11 15	壬午	10 17	癸丑	9 17	癸未	8 19	甲寅	7 21	乙酉	初一
1 14	壬午	12 16	癸丑	11 16	癸未	10 18	甲寅	9 18	甲申	8 20	乙卯	7 22	丙戌	初二
1 15	癸未	12 17	甲寅	11 17	甲申	10 19	乙卯	9 19	乙酉	8 21	丙辰	7 23	**丁亥**	初三
1 16	甲申	12 18	乙卯	11 18	乙酉	10 20	丙辰	9 20	丙戌	8 22	丁巳	7 24	戊子	初四
1 17	乙酉	12 19	丙辰	11 19	丙戌	10 21	丁巳	9 21	丁亥	8 23	**戊午**	7 25	己丑	初五
1 18	丙戌	12 20	丁巳	11 20	丁亥	10 22	戊午	9 22	戊子	8 24	己未	7 26	庚寅	初六
1 19	丁亥	12 21	戊午	11 21	戊子	10 23	**己未**	9 23	**己丑**	8 25	庚申	7 27	辛卯	初七
1 20	**戊子**	12 22	**己未**	11 22	**己丑**	10 24	庚申	9 24	庚寅	8 26	辛酉	7 28	壬辰	初八
1 21	己丑	12 23	庚申	11 23	庚寅	10 25	辛酉	9 25	辛卯	8 27	壬戌	7 29	癸巳	初九
1 22	庚寅	12 24	辛酉	11 24	辛卯	10 26	壬戌	9 26	壬辰	8 28	癸亥	7 30	甲午	初十
1 23	辛卯	12 25	壬戌	11 25	壬辰	10 27	癸亥	9 27	癸巳	8 29	甲子	7 31	乙未	十一
1 24	壬辰	12 26	癸亥	11 26	癸巳	10 28	甲子	9 28	甲午	8 30	乙丑	8 1	丙申	十二
1 25	癸巳	12 27	甲子	11 27	甲午	10 29	乙丑	9 29	乙未	8 31	丙寅	8 2	丁酉	十三
1 26	甲午	12 28	乙丑	11 28	乙未	10 30	丙寅	9 30	丙申	9 1	丁卯	8 3	戊戌	十四
1 27	乙未	12 29	丙寅	11 29	丙申	10 31	丁卯	10 1	丁酉	9 2	戊辰	8 4	己亥	十五
1 28	丙申	12 30	丁卯	11 30	丁酉	11 1	戊辰	10 2	戊戌	9 3	己巳	8 5	庚子	十六
1 29	丁酉	12 31	戊辰	12 1	戊戌	11 2	己巳	10 3	己亥	9 4	庚午	8 6	辛丑	十七
1 30	戊戌	1 1	己巳	12 2	己亥	11 3	庚午	10 4	庚子	9 5	辛未	8 7	**壬寅**	十八
1 31	己亥	1 2	庚午	12 3	庚子	11 4	辛未	10 5	辛丑	9 6	壬申	8 8	癸卯	十九
2 1	庚子	1 3	辛未	12 4	辛丑	11 5	壬申	10 6	壬寅	9 7	**癸酉**	8 9	甲辰	二十
2 2	辛丑	1 4	壬申	12 5	壬寅	11 6	癸酉	10 7	癸卯	9 8	甲戌	8 10	乙巳	廿一
2 3	壬寅	1 5	**癸酉**	12 6	癸卯	11 7	**甲戌**	10 8	**甲辰**	9 9	乙亥	8 11	丙午	廿二
2 4	**癸卯**	1 6	甲戌	12 7	**甲辰**	11 8	乙亥	10 9	乙巳	9 10	丙子	8 12	丁未	廿三
2 5	甲辰	1 7	乙亥	12 8	乙巳	11 9	丙子	10 10	丙午	9 11	丁丑	8 13	戊申	廿四
2 6	乙巳	1 8	丙子	12 9	丙午	11 10	丁丑	10 11	丁未	9 12	戊寅	8 14	己酉	廿五
2 7	丙午	1 9	丁丑	12 10	丁未	11 11	戊寅	10 12	戊申	9 13	己卯	8 15	庚戌	廿六
2 8	丁未	1 10	戊寅	12 11	戊申	11 12	己卯	10 13	己酉	9 14	庚辰	8 16	辛亥	廿七
2 9	戊申	1 11	己卯	12 12	己酉	11 13	庚辰	10 14	庚戌	9 15	辛巳	8 17	壬子	廿八
2 10	己酉	1 12	庚辰	12 13	庚戌	11 14	辛巳	10 15	辛亥	9 16	壬午	8 18	癸丑	廿九
2 11	庚戌			12 14	辛亥			10 16	壬子					三十

二〇〇二年

歲次壬午（肖馬）

太歲姓路名明

年星七赤

六月大		五月小		四月大		三月小		二月大		正月大		月別
丁未		丙午		乙巳		甲辰		癸卯		壬寅		干支
三碧		四綠		五黃		六白		七赤		八白		九星
立秋	大暑	小暑	夏至	芒種	小滿	立夏	穀雨	清明	春分	驚蟄	雨水	
三十 1時23分 丑時	十四 15時54分 辰時	廿七 15時40分 申時	十一 22時3分 亥時	廿六 5時17分 卯時	初十 13時55分 未時	廿四 0時55分 早子	初八 14時33分 未時	廿三 7時18分 辰時	初八 3時14分 寅時	廿三 2時18分 丑時	初八 4時1分 寅時	節氣
西曆	干支	西曆	干支	西曆	干支	西曆	干支	西曆	干支	西曆	干支	農曆
7 10	己卯	6 11	庚戌	5 12	庚辰	4 13	辛亥	3 14	辛巳	2 12	辛亥	初一
7 11	庚辰	6 12	辛亥	5 13	辛巳	4 14	壬子	3 15	壬午	2 13	壬子	初二
7 12	辛巳	6 13	壬子	5 14	壬午	4 15	癸丑	3 16	癸未	2 14	癸丑	初三
7 13	壬午	6 14	癸丑	5 15	癸未	4 16	甲寅	3 17	甲申	2 15	甲寅	初四
7 14	癸未	6 15	甲寅	5 16	甲申	4 17	乙卯	3 18	乙酉	2 16	乙卯	初五
7 15	甲申	6 16	乙卯	5 17	乙酉	4 18	丙辰	3 19	丙戌	2 17	丙辰	初六
7 16	乙酉	6 17	丙辰	5 18	丙戌	4 19	丁巳	3 20	丁亥	2 18	丁巳	初七
7 17	丙戌	6 18	丁巳	5 19	丁亥	4 20	**戊午**	3 21	**戊子**	2 19	**戊午**	初八
7 18	丁亥	6 19	戊午	5 20	戊子	4 21	己未	3 22	己丑	2 20	己未	初九
7 19	戊子	6 20	己未	5 21	**己丑**	4 22	庚申	3 23	庚寅	2 21	庚申	初十
7 20	己丑	6 21	**庚申**	5 22	庚寅	4 23	辛酉	3 24	辛卯	2 22	辛酉	十一
7 21	庚寅	6 22	辛酉	5 23	辛卯	4 24	壬戌	3 25	壬辰	2 23	壬戌	十二
7 22	辛卯	6 23	壬戌	5 24	壬辰	4 25	癸亥	3 26	癸巳	2 24	癸亥	十三
7 23	**壬辰**	6 24	癸亥	5 25	癸巳	4 26	甲子	3 27	甲午	2 25	甲子	十四
7 24	癸巳	6 25	甲子	5 26	甲午	4 27	乙丑	3 28	乙未	2 26	乙丑	十五
7 25	甲午	6 26	乙丑	5 27	乙未	4 28	丙寅	3 29	丙申	2 27	丙寅	十六
7 26	乙未	6 27	丙寅	5 28	丙申	4 29	丁卯	3 30	丁酉	2 28	丁卯	十七
7 27	丙申	6 28	丁卯	5 29	丁酉	4 30	戊辰	3 31	戊戌	3 1	戊辰	十八
7 28	丁酉	6 29	戊辰	5 30	戊戌	5 1	己巳	4 1	己亥	3 2	己巳	十九
7 29	戊戌	6 30	己巳	5 31	己亥	5 2	庚午	4 2	庚子	3 3	庚午	二十
7 30	己亥	7 1	庚午	6 1	庚子	5 3	辛未	4 3	辛丑	3 4	辛未	廿一
7 31	庚子	7 2	辛未	6 2	辛丑	5 4	壬申	4 4	壬寅	3 5	壬申	廿二
8 1	辛丑	7 3	壬申	6 3	壬寅	5 5	癸酉	4 5	**癸卯**	3 6	**癸酉**	廿三
8 2	壬寅	7 4	癸酉	6 4	癸卯	5 6	**甲戌**	4 6	甲辰	3 7	甲戌	廿四
8 3	癸卯	7 5	甲戌	6 5	甲辰	5 7	乙亥	4 7	乙巳	3 8	乙亥	廿五
8 4	甲辰	7 6	乙亥	6 6	**乙巳**	5 8	丙子	4 8	丙午	3 9	丙子	廿六
8 5	乙巳	7 7	**丙子**	6 7	丙午	5 9	丁丑	4 9	丁未	3 10	丁丑	廿七
8 6	丙午	7 8	丁丑	6 8	丁未	5 10	戊寅	4 10	戊申	3 11	戊寅	廿八
8 7	丁未	7 9	戊寅	6 9	戊申	5 11	己卯	4 11	己酉	3 12	己卯	廿九
8 8	**戊申**			6 10	己酉			4 12	庚戌	3 13	庚辰	三十

十二月小		十一月大		十月小		九月大		八月小		七月小		月別
癸丑		壬子		辛亥		庚戌		己酉		戊申		干支
六白		七赤		八白		九紫		一白		二黑		九星
大寒	小寒	冬至	大雪	小雪	立冬	霜降	寒露	秋分	白露		處暑	節氣
十九戌時 19時33分	初四丑時 2時15分	十九辰時 8時55分	初四申時 15時8分	十八戌時 19時42分	初三亥時 22時26分	十八亥時 22時20分	初三戌時 19時31分	十七未時 13時14分	初二寅時 4時7分		十五申時 15時48分	
西曆	**干支**	**西曆**	**干支**	**西曆**	**干支**	**西曆**	**干支**	**西曆**	**干支**	**西曆**	**干支**	**農曆**
1 3	丙子	12 4	丙午	11 5	丁丑	10 6	丁未	9 7	戊寅	8 9	己酉	初一
1 4	丁丑	12 5	丁未	11 6	戊寅	10 7	戊申	9 8	**己卯**	8 10	庚戌	初二
1 5	戊寅	12 6	戊申	11 7	**己卯**	10 8	**己酉**	9 9	庚辰	8 11	辛亥	初三
1 6	**己卯**	12 7	**己酉**	11 8	庚辰	10 9	庚戌	9 10	辛巳	8 12	壬子	初四
1 7	庚辰	12 8	庚戌	11 9	辛巳	10 10	辛亥	9 11	壬午	8 13	癸丑	初五
1 8	辛巳	12 9	辛亥	11 10	壬午	10 11	壬子	9 12	癸未	8 14	甲寅	初六
1 9	壬午	12 10	壬子	11 11	癸未	10 12	癸丑	9 13	甲申	8 15	乙卯	初七
1 10	癸未	12 11	癸丑	11 12	甲申	10 13	甲寅	9 14	乙酉	8 16	丙辰	初八
1 11	甲申	12 12	甲寅	11 13	乙酉	10 14	乙卯	9 15	丙戌	8 17	丁巳	初九
1 12	乙酉	12 13	乙卯	11 14	丙戌	10 15	丙辰	9 16	丁亥	8 18	戊午	初十
1 13	丙戌	12 14	丙辰	11 15	丁亥	10 16	丁巳	9 17	戊子	8 19	己未	十一
1 14	丁亥	12 15	丁巳	11 16	戊子	10 17	戊午	9 18	己丑	8 20	庚申	十二
1 15	戊子	12 16	戊午	11 17	己丑	10 18	己未	9 19	庚寅	8 21	辛酉	十三
1 16	己丑	12 17	己未	11 18	庚寅	10 19	庚申	9 20	辛卯	8 22	壬戌	十四
1 17	庚寅	12 18	庚申	11 19	辛卯	10 20	辛酉	9 21	壬辰	8 23	**癸亥**	十五
1 18	辛卯	12 19	辛酉	11 20	壬辰	10 21	壬戌	9 22	癸巳	8 24	甲子	十六
1 19	壬辰	12 20	壬戌	11 21	癸巳	10 22	癸亥	9 23	**甲午**	8 25	乙丑	十七
1 20	癸巳	12 21	癸亥	11 22	**甲午**	10 23	**甲子**	9 24	乙未	8 26	丙寅	十八
1 21	**甲午**	12 22	**甲子**	11 23	乙未	10 24	乙丑	9 25	丙申	8 27	丁卯	十九
1 22	乙未	12 23	乙丑	11 24	丙申	10 25	丙寅	9 26	丁酉	8 28	戊辰	二十
1 23	丙申	12 24	丙寅	11 25	丁酉	10 26	丁卯	9 27	戊戌	8 29	己巳	廿一
1 24	丁酉	12 25	丁卯	11 26	戊戌	10 27	戊辰	9 28	己亥	8 30	庚午	廿二
1 25	戊戌	12 26	戊辰	11 27	己亥	10 28	己巳	9 29	庚子	8 31	辛未	廿三
1 26	己亥	12 27	己巳	11 28	庚子	10 29	庚午	9 30	辛丑	9 1	壬申	廿四
1 27	庚子	12 28	庚午	11 29	辛丑	10 30	辛未	10 1	壬寅	9 2	癸酉	廿五
1 28	辛丑	12 29	辛未	11 30	壬寅	10 31	壬申	10 2	癸卯	9 3	甲戌	廿六
1 29	壬寅	12 30	壬申	12 1	癸卯	11 1	癸酉	10 3	甲辰	9 4	乙亥	廿七
1 30	癸卯	12 31	癸酉	12 2	甲辰	11 2	甲戌	10 4	乙巳	9 5	丙子	廿八
1 31	甲辰	1 1	甲戌	12 3	乙巳	11 3	乙亥	10 5	丙午	9 6	丁丑	廿九
		1 2	乙亥			11 4	丙子					三十

二〇〇三年

歲次癸未（肖羊）

太歲姓魏名明

年星六白

六月小		五月大		四月大		三月小		二月大		正月大		月別
己未		戊午		丁巳		丙辰		乙卯		甲寅		干支
九紫		一白		二黑		三碧		四綠		五黃		九星
大暑	小暑	夏至	芒種	小滿	立夏	穀雨	清明	春分	驚蟄	雨水	立春	節氣
廿四 14時43分 未時	初八 21時29分 亥時	廿三 3時50分 寅時	初七 11時6分 午時	廿一 19時44分 戌時	初六 6時44分 卯時	十九 20時22分 戌時	初四 13時10分 未時	十九 9時13分 巳時	初四 8時7分 辰時	十九 9時50分 巳時	初四 13時57分 未時	
西曆	干支	西曆	干支	西曆	干支	西曆	干支	西曆	干支	西曆	干支	農曆
6 30	甲戌	5 31	甲辰	5 1	甲戌	4 2	乙巳	3 3	乙亥	2 1	乙巳	初一
7 1	乙亥	6 1	乙巳	5 2	乙亥	4 3	丙午	3 4	丙子	2 2	丙午	初二
7 2	丙子	6 2	丙午	5 3	丙子	4 4	丁未	3 5	丁丑	2 3	丁未	初三
7 3	丁丑	6 3	丁未	5 4	丁丑	4 5	**戊申**	3 6	**戊寅**	2 4	**戊申**	初四
7 4	戊寅	6 4	戊申	5 5	戊寅	4 6	己酉	3 7	己卯	2 5	己酉	初五
7 5	己卯	6 5	己酉	5 6	**己卯**	4 7	庚戌	3 8	庚辰	2 6	庚戌	初六
7 6	庚辰	6 6	**庚戌**	5 7	庚辰	4 8	辛亥	3 9	辛巳	2 7	辛亥	初七
7 7	**辛巳**	6 7	辛亥	5 8	辛巳	4 9	壬子	3 10	壬午	2 8	壬子	初八
7 8	壬午	6 8	壬子	5 9	壬午	4 10	癸丑	3 11	癸未	2 9	癸丑	初九
7 9	癸未	6 9	癸丑	5 10	癸未	4 11	甲寅	3 12	甲申	2 10	甲寅	初十
7 10	甲申	6 10	甲寅	5 11	甲申	4 12	乙卯	3 13	乙酉	2 11	乙卯	十一
7 11	乙酉	6 11	乙卯	5 12	乙酉	4 13	丙辰	3 14	丙戌	2 12	丙辰	十二
7 12	丙戌	6 12	丙辰	5 13	丙戌	4 14	丁巳	3 15	丁亥	2 13	丁巳	十三
7 13	丁亥	6 13	丁巳	5 14	丁亥	4 15	戊午	3 16	戊子	2 14	戊午	十四
7 14	戊子	6 14	戊午	5 15	戊子	4 16	己未	3 17	己丑	2 15	己未	十五
7 15	己丑	6 15	己未	5 16	己丑	4 17	庚申	3 18	庚寅	2 16	庚申	十六
7 16	庚寅	6 16	庚申	5 17	庚寅	4 18	辛酉	3 19	辛卯	2 17	辛酉	十七
7 17	辛卯	6 17	辛酉	5 18	辛卯	4 19	壬戌	3 20	壬辰	2 18	壬戌	十八
7 18	壬辰	6 18	壬戌	5 19	壬辰	4 20	**癸亥**	3 21	**癸巳**	2 19	**癸亥**	十九
7 19	癸巳	6 19	癸亥	5 20	癸巳	4 21	甲子	3 22	甲午	2 20	甲子	二十
7 20	甲午	6 20	甲子	5 21	**甲午**	4 22	乙丑	3 23	乙未	2 21	乙丑	廿一
7 21	乙未	6 21	乙丑	5 22	乙未	4 23	丙寅	3 24	丙申	2 22	丙寅	廿二
7 22	丙申	6 22	**丙寅**	5 23	丙申	4 24	丁卯	3 25	丁酉	2 23	丁卯	廿三
7 23	**丁酉**	6 23	丁卯	5 24	丁酉	4 25	戊辰	3 26	戊戌	2 24	戊辰	廿四
7 24	戊戌	6 24	戊辰	5 25	戊戌	4 26	己巳	3 27	己亥	2 25	己巳	廿五
7 25	己亥	6 25	己巳	5 26	己亥	4 27	庚午	3 28	庚子	2 26	庚午	廿六
7 26	庚子	6 26	庚午	5 27	庚子	4 28	辛未	3 29	辛丑	2 27	辛未	廿七
7 27	辛丑	6 27	辛未	5 28	辛丑	4 29	壬申	3 30	壬寅	2 28	壬申	廿八
7 28	壬寅	6 28	壬申	5 29	壬寅	4 30	癸酉	3 31	癸卯	3 1	癸酉	廿九
		6 29	癸酉	5 30	癸卯			4 1	甲辰	3 2	甲戌	三十

十二月大		十一月小		十月大		九月小		八月小		七月大		月別
乙丑		甲子		癸亥		壬戌		辛酉		庚申		干支
三碧		四綠		五黃		六白		七赤		八白		九星
大寒	小寒	冬至	大雪	小雪	立冬	霜降	寒露	秋分	白露	處暑	立秋	節氣
三十 丑時 1時22分	十五 辰時 8時4分	廿九 未時 14時44分	十四 戌時 20時55分	三十 丑時 1時31分	十五 寅時 4時15分	廿九 寅時 4時9分	十四 丑時 1時20分	廿七 戌時 19時3分	十二 巳時 9時56分	廿六 亥時 21時39分	十一 辰時 7時12分	
西曆	干支	西曆	干支	西曆	干支	西曆	干支	西曆	干支	西曆	干支	農曆
12 23	庚午	11 24	辛丑	10 25	辛未	9 26	壬寅	8 28	癸酉	7 29	癸卯	初一
12 24	辛未	11 25	壬寅	10 26	壬申	9 27	癸卯	8 29	甲戌	7 30	甲辰	初二
12 25	壬申	11 26	癸卯	10 27	癸酉	9 28	甲辰	8 30	乙亥	7 31	乙巳	初三
12 26	癸酉	11 27	甲辰	10 28	甲戌	9 29	乙巳	8 31	丙子	8 1	丙午	初四
12 27	甲戌	11 28	乙巳	10 29	乙亥	9 30	丙午	9 1	丁丑	8 2	丁未	初五
12 28	乙亥	11 29	丙午	10 30	丙子	10 1	丁未	9 2	戊寅	8 3	戊申	初六
12 29	丙子	11 30	丁未	10 31	丁丑	10 2	戊申	9 3	己卯	8 4	己酉	初七
12 30	丁丑	12 1	戊申	11 1	戊寅	10 3	己酉	9 4	庚辰	8 5	庚戌	初八
12 31	戊寅	12 2	己酉	11 2	己卯	10 4	庚戌	9 5	辛巳	8 6	辛亥	初九
1 1	己卯	12 3	庚戌	11 3	庚辰	10 5	辛亥	9 6	壬午	8 7	壬子	初十
1 2	庚辰	12 4	辛亥	11 4	辛巳	10 6	壬子	9 7	癸未	8 8	**癸丑**	十一
1 3	辛巳	12 5	壬子	11 5	壬午	10 7	癸丑	9 8	**甲申**	8 9	甲寅	十二
1 4	壬午	12 6	癸丑	11 6	癸未	10 8	甲寅	9 9	乙酉	8 10	乙卯	十三
1 5	癸未	12 7	**甲寅**	11 7	甲申	10 9	**乙卯**	9 10	丙戌	8 11	丙辰	十四
1 6	**甲申**	12 8	乙卯	11 8	**乙酉**	10 10	丙辰	9 11	丁亥	8 12	丁巳	十五
1 7	乙酉	12 9	丙辰	11 9	丙戌	10 11	丁巳	9 12	戊子	8 13	戊午	十六
1 8	丙戌	12 10	丁巳	11 10	丁亥	10 12	戊午	9 13	己丑	8 14	己未	十七
1 9	丁亥	12 11	戊午	11 11	戊子	10 13	己未	9 14	庚寅	8 15	庚申	十八
1 10	戊子	12 12	己未	11 12	己丑	10 14	庚申	9 15	辛卯	8 16	辛酉	十九
1 11	己丑	12 13	庚申	11 13	庚寅	10 15	辛酉	9 16	壬辰	8 17	壬戌	二十
1 12	庚寅	12 14	辛酉	11 14	辛卯	10 16	壬戌	9 17	癸巳	8 18	癸亥	廿一
1 13	辛卯	12 15	壬戌	11 15	壬辰	10 17	癸亥	9 18	甲午	8 19	甲子	廿二
1 14	壬辰	12 16	癸亥	11 16	癸巳	10 18	甲子	9 19	乙未	8 20	乙丑	廿三
1 15	癸巳	12 17	甲子	11 17	甲午	10 19	乙丑	9 20	丙申	8 21	丙寅	廿四
1 16	甲午	12 18	乙丑	11 18	乙未	10 20	丙寅	9 21	丁酉	8 22	丁卯	廿五
1 17	乙未	12 19	丙寅	11 19	丙申	10 21	丁卯	9 22	戊戌	8 23	**戊辰**	廿六
1 18	丙申	12 20	丁卯	11 20	丁酉	10 22	戊辰	9 23	**己亥**	8 24	己巳	廿七
1 19	丁酉	12 21	戊辰	11 21	戊戌	10 23	己巳	9 24	庚子	8 25	庚午	廿八
1 20	戊戌	12 22	**己巳**	11 22	己亥	10 24	**庚午**	9 25	辛丑	8 26	辛未	廿九
1 21	**己亥**			11 23	**庚子**					8 27	壬申	三十

二〇〇四年

歲次甲申（肖猴）

太歲姓方名公

年星五黃

五月小		四月大		三月大		閏二月小		二月大		正月小		月別
庚午		己巳		戊辰				丁卯		丙寅		干支
七赤		八白		九紫				一白		二黑		九星
小暑	夏至	芒種	小滿	立夏	穀雨		清明	春分	驚蟄	雨水	立春	節氣
二十寅時 3時18分	初四巳時 9時39分	十八申時 16時55分	初三丑時 1時33分	十七午時 12時33分	初二丑時 2時11分		十五酉時 18時44分	三十未時 14時52分	十五未時 13時56分	廿九申時 15時39分	十四戌時 19時46分	
西曆	干支	西曆	干支	西曆	干支	西曆	干支	西曆	干支	西曆	干支	農曆
6 18	戊辰	5 19	戊戌	4 19	戊辰	3 21	己亥	2 20	己巳	1 22	庚子	初一
6 19	己巳	5 20	己亥	4 20	**己巳**	3 22	庚子	2 21	庚午	1 23	辛丑	初二
6 20	庚午	5 21	**庚子**	4 21	庚午	3 23	辛丑	2 22	辛未	1 24	壬寅	初三
6 21	**辛未**	5 22	辛丑	4 22	辛未	3 24	壬寅	2 23	壬申	1 25	癸卯	初四
6 22	壬申	5 23	壬寅	4 23	壬申	3 25	癸卯	2 24	癸酉	1 26	甲辰	初五
6 23	癸酉	5 24	癸卯	4 24	癸酉	3 26	甲辰	2 25	甲戌	1 27	乙巳	初六
6 24	甲戌	5 25	甲辰	4 25	甲戌	3 27	乙巳	2 26	乙亥	1 28	丙午	初七
6 25	乙亥	5 26	乙巳	4 26	乙亥	3 28	丙午	2 27	丙子	1 29	丁未	初八
6 26	丙子	5 27	丙午	4 27	丙子	3 29	丁未	2 28	丁丑	1 30	戊申	初九
6 27	丁丑	5 28	丁未	4 28	丁丑	3 30	戊申	2 29	戊寅	1 31	己酉	初十
6 28	戊寅	5 29	戊申	4 29	戊寅	3 31	己酉	3 1	己卯	2 1	庚戌	十一
6 29	己卯	5 30	己酉	4 30	己卯	4 1	庚戌	3 2	庚辰	2 2	辛亥	十二
6 30	庚辰	5 31	庚戌	5 1	庚辰	4 2	辛亥	3 3	辛巳	2 3	壬子	十三
7 1	辛巳	6 1	辛亥	5 2	辛巳	4 3	壬子	3 4	壬午	2 4	**癸丑**	十四
7 2	壬午	6 2	壬子	5 3	壬午	4 4	**癸丑**	3 5	**癸未**	2 5	甲寅	十五
7 3	癸未	6 3	癸丑	5 4	癸未	4 5	甲寅	3 6	甲申	2 6	乙卯	十六
7 4	甲申	6 4	甲寅	5 5	**甲申**	4 6	乙卯	3 7	乙酉	2 7	丙辰	十七
7 5	乙酉	6 5	**乙卯**	5 6	乙酉	4 7	丙辰	3 8	丙戌	2 8	丁巳	十八
7 6	丙戌	6 6	丙辰	5 7	丙戌	4 8	丁巳	3 9	丁亥	2 9	戊午	十九
7 7	**丁亥**	6 7	丁巳	5 8	丁亥	4 9	戊午	3 10	戊子	2 10	己未	二十
7 8	戊子	6 8	戊午	5 9	戊子	4 10	己未	3 11	己丑	2 11	庚申	廿一
7 9	己丑	6 9	己未	5 10	己丑	4 11	庚申	3 12	庚寅	2 12	辛酉	廿二
7 10	庚寅	6 10	庚申	5 11	庚寅	4 12	辛酉	3 13	辛卯	2 13	壬戌	廿三
7 11	辛卯	6 11	辛酉	5 12	辛卯	4 13	壬戌	3 14	壬辰	2 14	癸亥	廿四
7 12	壬辰	6 12	壬戌	5 13	壬辰	4 14	癸亥	3 15	癸巳	2 15	甲子	廿五
7 13	癸巳	6 13	癸亥	5 14	癸巳	4 15	甲子	3 16	甲午	2 16	乙丑	廿六
7 14	甲午	6 14	甲子	5 15	甲午	4 16	乙丑	3 17	乙未	2 17	丙寅	廿七
7 15	乙未	6 15	乙丑	5 16	乙未	4 17	丙寅	3 18	丙申	2 18	丁卯	廿八
7 16	丙申	6 16	丙寅	5 17	丙申	4 18	丁卯	3 19	丁酉	2 19	**戊辰**	廿九
		6 17	丁卯	5 18	丁酉			3 20	**戊戌**			三十

十二月大		十一月小		十月大		九月小		八月大		七月小		六月大		月別
丁丑		丙子		乙亥		甲戌		癸酉		壬申		辛未		干支
九紫		一白		二黑		三碧		四綠		五黃		六白		九星
立春	大寒	小寒	冬至	大雪	小雪	立冬	霜降	寒露	秋分	白露	處暑	立秋	大暑	節氣
廿六丑時 1時34分	十一辰時 7時9分	廿五未時 13時52分	初十戌時 20時33分	廿六丑時 2時43分	十一辰時 7時20分	廿五巳時 10時3分	初十巳時 9時58分	廿五辰時 7時8分	初十早子 0時52分	廿三申時 15時44分	初八寅時 3時28分	廿二午時 12時59分	初六戌時 20時32分	
西曆	干支	西曆	干支	西曆	干支	西曆	干支	西曆	干支	西曆	干支	西曆	干支	農曆
1 10	甲午	12 12	乙丑	11 12	乙未	10 14	丙寅	9 14	丙申	8 16	丁卯	7 17	丁酉	初一
1 11	乙未	12 13	丙寅	11 13	丙申	10 15	丁卯	9 15	丁酉	8 17	戊辰	7 18	戊戌	初二
1 12	丙申	12 14	丁卯	11 14	丁酉	10 16	戊辰	9 16	戊戌	8 18	己巳	7 19	己亥	初三
1 13	丁酉	12 15	戊辰	11 15	戊戌	10 17	己巳	9 17	己亥	8 19	庚午	7 20	庚子	初四
1 14	戊戌	12 16	己巳	11 16	己亥	10 18	庚午	9 18	庚子	8 20	辛未	7 21	辛丑	初五
1 15	己亥	12 17	庚午	11 17	庚子	10 19	辛未	9 19	辛丑	8 21	壬申	7 22	**壬寅**	初六
1 16	庚子	12 18	辛未	11 18	辛丑	10 20	壬申	9 20	壬寅	8 22	癸酉	7 23	癸卯	初七
1 17	辛丑	12 19	壬申	11 19	壬寅	10 21	癸酉	9 21	癸卯	8 23	**甲戌**	7 24	甲辰	初八
1 18	壬寅	12 20	癸酉	11 20	癸卯	10 22	甲戌	9 22	甲辰	8 24	乙亥	7 25	乙巳	初九
1 19	癸卯	12 21	**甲戌**	11 21	甲辰	10 23	**乙亥**	9 23	**乙巳**	8 25	丙子	7 26	丙午	初十
1 20	**甲辰**	12 22	乙亥	11 22	**乙巳**	10 24	丙子	9 24	丙午	8 26	丁丑	7 27	丁未	十一
1 21	乙巳	12 23	丙子	11 23	丙午	10 25	丁丑	9 25	丁未	8 27	戊寅	7 28	戊申	十二
1 22	丙午	12 24	丁丑	11 24	丁未	10 26	戊寅	9 26	戊申	8 28	己卯	7 29	己酉	十三
1 23	丁未	12 25	戊寅	11 25	戊申	10 27	己卯	9 27	己酉	8 29	庚辰	7 30	庚戌	十四
1 24	戊申	12 26	己卯	11 26	己酉	10 28	庚辰	9 28	庚戌	8 30	辛巳	7 31	辛亥	十五
1 25	己酉	12 27	庚辰	11 27	庚戌	10 29	辛巳	9 29	辛亥	8 31	壬午	8 1	壬子	十六
1 26	庚戌	12 28	辛巳	11 28	辛亥	10 30	壬午	9 30	壬子	9 1	癸未	8 2	癸丑	十七
1 27	辛亥	12 29	壬午	11 29	壬子	10 31	癸未	10 1	癸丑	9 2	甲申	8 3	甲寅	十八
1 28	壬子	12 30	癸未	11 30	癸丑	11 1	甲申	10 2	甲寅	9 3	乙酉	8 4	乙卯	十九
1 29	癸丑	12 31	甲申	12 1	甲寅	11 2	乙酉	10 3	乙卯	9 4	丙戌	8 5	丙辰	二十
1 30	甲寅	1 1	乙酉	12 2	乙卯	11 3	丙戌	10 4	丙辰	9 5	丁亥	8 6	丁巳	廿一
1 31	乙卯	1 2	丙戌	12 3	丙辰	11 4	丁亥	10 5	丁巳	9 6	戊子	8 7	**戊午**	廿二
2 1	丙辰	1 3	丁亥	12 4	丁巳	11 5	戊子	10 6	戊午	9 7	**己丑**	8 8	己未	廿三
2 2	丁巳	1 4	戊子	12 5	戊午	11 6	己丑	10 7	己未	9 8	庚寅	8 9	庚申	廿四
2 3	戊午	1 5	**己丑**	12 6	己未	11 7	**庚寅**	10 8	**庚申**	9 9	辛卯	8 10	辛酉	廿五
2 4	**己未**	1 6	庚寅	12 7	**庚申**	11 8	辛卯	10 9	辛酉	9 10	壬辰	8 11	壬戌	廿六
2 5	庚申	1 7	辛卯	12 8	辛酉	11 9	壬辰	10 10	壬戌	9 11	癸巳	8 12	癸亥	廿七
2 6	辛酉	1 8	壬辰	12 9	壬戌	11 10	癸巳	10 11	癸亥	9 12	甲午	8 13	甲子	廿八
2 7	壬戌	1 9	癸巳	12 10	癸亥	11 11	甲午	10 12	甲子	9 13	乙未	8 14	乙丑	廿九
2 8	癸亥			12 11	甲子			10 13	乙丑			8 15	丙寅	三十

二〇〇五年

歲次乙酉（肖雞）

太歲姓蔣名嵩

年星四綠

六月大		五月小		四月大		三月小		二月大		正月小		月別
癸未		壬午		辛巳		庚辰		己卯		戊寅		干支
三碧		四綠		五黃		六白		七赤		八白		九星
大暑	小暑		夏至	芒種	小滿	立夏	穀雨	清明	春分	驚蟄	雨水	
十八 丑時 2時21分	初二 巳時 9時8分		十五 申時 15時17分	廿九 亥時 22時45分	十四 辰時 7時22分	廿七 酉時 18時23分	十二 辰時 8時0分	廿七 早子 0時48分	十一 戌時 20時41分	廿五 戌時 19時45分	初十 亥時 21時28分	節氣
西曆	干支	西曆	干支	西曆	干支	西曆	干支	西曆	干支	西曆	干支	農曆
7 6	辛卯	6 7	壬戌	5 8	壬辰	4 9	癸亥	3 10	癸巳	2 9	甲子	初一
7 7	**壬辰**	6 8	癸亥	5 9	癸巳	4 10	甲子	3 11	甲午	2 10	乙丑	初二
7 8	癸巳	6 9	甲子	5 10	甲午	4 11	乙丑	3 12	乙未	2 11	丙寅	初三
7 9	甲午	6 10	乙丑	5 11	乙未	4 12	丙寅	3 13	丙申	2 12	丁卯	初四
7 10	乙未	6 11	丙寅	5 12	丙申	4 13	丁卯	3 14	丁酉	2 13	戊辰	初五
7 11	丙申	6 12	丁卯	5 13	丁酉	4 14	戊辰	3 15	戊戌	2 14	己巳	初六
7 12	丁酉	6 13	戊辰	5 14	戊戌	4 15	己巳	3 16	己亥	2 15	庚午	初七
7 13	戊戌	6 14	己巳	5 15	己亥	4 16	庚午	3 17	庚子	2 16	辛未	初八
7 14	己亥	6 15	庚午	5 16	庚子	4 17	辛未	3 18	辛丑	2 17	壬申	初九
7 15	庚子	6 16	辛未	5 17	辛丑	4 18	壬申	3 19	壬寅	2 18	**癸酉**	初十
7 16	辛丑	6 17	壬申	5 18	壬寅	4 19	癸酉	3 20	**癸卯**	2 19	甲戌	十一
7 17	壬寅	6 18	癸酉	5 19	癸卯	4 20	**甲戌**	3 21	甲辰	2 20	乙亥	十二
7 18	癸卯	6 19	甲戌	5 20	甲辰	4 21	乙亥	3 22	乙巳	2 21	丙子	十三
7 19	甲辰	6 20	乙亥	5 21	**乙巳**	4 22	丙子	3 23	丙午	2 22	丁丑	十四
7 20	乙巳	6 21	**丙子**	5 22	丙午	4 23	丁丑	3 24	丁未	2 23	戊寅	十五
7 21	丙午	6 22	丁丑	5 23	丁未	4 24	戊寅	3 25	戊申	2 24	己卯	十六
7 22	丁未	6 23	戊寅	5 24	戊申	4 25	己卯	3 26	己酉	2 25	庚辰	十七
7 23	**戊申**	6 24	己卯	5 25	己酉	4 26	庚辰	3 27	庚戌	2 26	辛巳	十八
7 24	己酉	6 25	庚辰	5 26	庚戌	4 27	辛巳	3 28	辛亥	2 27	壬午	十九
7 25	庚戌	6 26	辛巳	5 27	辛亥	4 28	壬午	3 29	壬子	2 28	癸未	二十
7 26	辛亥	6 27	壬午	5 28	壬子	4 29	癸未	3 30	癸丑	3 1	甲申	廿一
7 27	壬子	6 28	癸未	5 29	癸丑	4 30	甲申	3 31	甲寅	3 2	乙酉	廿二
7 28	癸丑	6 29	甲申	5 30	甲寅	5 1	乙酉	4 1	乙卯	3 3	丙戌	廿三
7 29	甲寅	6 30	乙酉	5 31	乙卯	5 2	丙戌	4 2	丙辰	3 4	丁亥	廿四
7 30	乙卯	7 1	丙戌	6 1	丙辰	5 3	丁亥	4 3	丁巳	3 5	**戊子**	廿五
7 31	丙辰	7 2	丁亥	6 2	丁巳	5 4	戊子	4 4	戊午	3 6	己丑	廿六
8 1	丁巳	7 3	戊子	6 3	戊午	5 5	**己丑**	4 5	**己未**	3 7	庚寅	廿七
8 2	戊午	7 4	己丑	6 4	己未	5 6	庚寅	4 6	庚申	3 8	辛卯	廿八
8 3	己未	7 5	庚寅	6 5	**庚申**	5 7	辛卯	4 7	辛酉	3 9	壬辰	廿九
8 4	庚申			6 6	辛酉			4 8	壬戌			三十

十二月小		十一月大		十月小		九月大		八月小		七月大		月别
己丑		戊子		丁亥		丙戌		乙酉		甲申		干支
六白		七赤		八白		九紫		一白		二黑		九星
大寒	小寒	冬至	大雪	小雪	立冬	霜降	寒露	秋分	白露	處暑	立秋	節氣
13時0分 廿一未時	19時43分 初六戌時	2時22分 廿二丑時	8時34分 初七辰時	13時9分 廿一未時	15時54分 初六申時	15時47分 廿一申時	12時59分 初六午時	6時41分 二十卯時	21時35分 初四亥時	9時17分 十九巳時	18時51分 初三酉時	
西曆	**干支**	**西曆**	**干支**	**西曆**	**干支**	**西曆**	**干支**	**西曆**	**干支**	**西曆**	**干支**	**農曆**
12 31	己丑	12 1	己未	11 2	庚寅	10 3	庚申	9 4	辛卯	8 5	辛酉	初一
1 1	庚寅	12 2	庚申	11 3	辛卯	10 4	辛酉	9 5	壬辰	8 6	壬戌	初二
1 2	辛卯	12 3	辛酉	11 4	壬辰	10 5	壬戌	9 6	癸巳	8 7	**癸亥**	初三
1 3	壬辰	12 4	壬戌	11 5	癸巳	10 6	癸亥	9 7	**甲午**	8 8	甲子	初四
1 4	癸巳	12 5	癸亥	11 6	甲午	10 7	甲子	9 8	乙未	8 9	乙丑	初五
1 5	**甲午**	12 6	甲子	11 7	**乙未**	10 8	**乙丑**	9 9	丙申	8 10	丙寅	初六
1 6	乙未	12 7	**乙丑**	11 8	丙申	10 9	丙寅	9 10	丁酉	8 11	丁卯	初七
1 7	丙申	12 8	丙寅	11 9	丁酉	10 10	丁卯	9 11	戊戌	8 12	戊辰	初八
1 8	丁酉	12 9	丁卯	11 10	戊戌	10 11	戊辰	9 12	己亥	8 13	己巳	初九
1 9	戊戌	12 10	戊辰	11 11	己亥	10 12	己巳	9 13	庚子	8 14	庚午	初十
1 10	己亥	12 11	己巳	11 12	庚子	10 13	庚午	9 14	辛丑	8 15	辛未	十一
1 11	庚子	12 12	庚午	11 13	辛丑	10 14	辛未	9 15	壬寅	8 16	壬申	十二
1 12	辛丑	12 13	辛未	11 14	壬寅	10 15	壬申	9 16	癸卯	8 17	癸酉	十三
1 13	壬寅	12 14	壬申	11 15	癸卯	10 16	癸酉	9 17	甲辰	8 18	甲戌	十四
1 14	癸卯	12 15	癸酉	11 16	甲辰	10 17	甲戌	9 18	乙巳	8 19	乙亥	十五
1 15	甲辰	12 16	甲戌	11 17	乙巳	10 18	乙亥	9 19	丙午	8 20	丙子	十六
1 16	乙巳	12 17	乙亥	11 18	丙午	10 19	丙子	9 20	丁未	8 21	丁丑	十七
1 17	丙午	12 18	丙子	11 19	丁未	10 20	丁丑	9 21	戊申	8 22	戊寅	十八
1 18	丁未	12 19	丁丑	11 20	戊申	10 21	戊寅	9 22	己酉	8 23	**己卯**	十九
1 19	戊申	12 20	戊寅	11 21	己酉	10 22	己卯	9 23	**庚戌**	8 24	庚辰	二十
1 20	**己酉**	12 21	己卯	11 22	**庚戌**	10 23	**庚辰**	9 24	辛亥	8 25	辛巳	廿一
1 21	庚戌	12 22	**庚辰**	11 23	辛亥	10 24	辛巳	9 25	壬子	8 26	壬午	廿二
1 22	辛亥	12 23	辛巳	11 24	壬子	10 25	壬午	9 26	癸丑	8 27	癸未	廿三
1 23	壬子	12 24	壬午	11 25	癸丑	10 26	癸未	9 27	甲寅	8 28	甲申	廿四
1 24	癸丑	12 25	癸未	11 26	甲寅	10 27	甲申	9 28	乙卯	8 29	乙酉	廿五
1 25	甲寅	12 26	甲申	11 27	乙卯	10 28	乙酉	9 29	丙辰	8 30	丙戌	廿六
1 26	乙卯	12 27	乙酉	11 28	丙辰	10 29	丙戌	9 30	丁巳	8 31	丁亥	廿七
1 27	丙辰	12 28	丙戌	11 29	丁巳	10 30	丁亥	10 1	戊午	9 1	戊子	廿八
1 28	丁巳	12 29	丁亥	11 30	戊午	10 31	戊子	10 2	己未	9 2	己丑	廿九
		12 30	戊子			11 1	己丑			9 3	庚寅	三十

二〇〇六年

歲次丙戌（肖狗）

太歲姓向名般

年星三碧

六月小		五月大		四月小		三月大		二月小		正月大		月別
乙未		甲午		癸巳		壬辰		辛卯		庚寅		干支
九紫		一白		二黑		三碧		四綠		五黃		九星
大暑	小暑	夏至	芒種	小滿	立夏	穀雨	清明	春分	驚蟄	雨水	立春	節氣
廿八辰時 8時11分	十二未時 14時57分	廿六戌時 21時18分	十一寅時 4時34分	廿四未時 13時12分	初九早子 0時11分	廿三未時 13時49分	初八卯時 6時38分	廿二丑時 2時30分	初七丑時 1時35分	廿二寅時 3時17分	初七辰時 7時25分	
西曆	干支	西曆	干支	西曆	干支	西曆	干支	西曆	干支	西曆	干支	農曆
6 26	丙戌	5 27	丙辰	4 28	丁亥	3 29	丁巳	2 28	戊子	1 29	戊午	初一
6 27	丁亥	5 28	丁巳	4 29	戊子	3 30	戊午	3 1	己丑	1 30	己未	初二
6 28	戊子	5 29	戊午	4 30	己丑	3 31	己未	3 2	庚寅	1 31	庚申	初三
6 29	己丑	5 30	己未	5 1	庚寅	4 1	庚申	3 3	辛卯	2 1	辛酉	初四
6 30	庚寅	5 31	庚申	5 2	辛卯	4 2	辛酉	3 4	壬辰	2 2	壬戌	初五
7 1	辛卯	6 1	辛酉	5 3	壬辰	4 3	壬戌	3 5	癸巳	2 3	癸亥	初六
7 2	壬辰	6 2	壬戌	5 4	癸巳	4 4	癸亥	3 6	**甲午**	2 4	**甲子**	初七
7 3	癸巳	6 3	癸亥	5 5	甲午	4 5	**甲子**	3 7	乙未	2 5	乙丑	初八
7 4	甲午	6 4	甲子	5 6	**乙未**	4 6	乙丑	3 8	丙申	2 6	丙寅	初九
7 5	乙未	6 5	乙丑	5 7	丙申	4 7	丙寅	3 9	丁酉	2 7	丁卯	初十
7 6	丙申	6 6	**丙寅**	5 8	丁酉	4 8	丁卯	3 10	戊戌	2 8	戊辰	十一
7 7	**丁酉**	6 7	丁卯	5 9	戊戌	4 9	戊辰	3 11	己亥	2 9	己巳	十二
7 8	戊戌	6 8	戊辰	5 10	己亥	4 10	己巳	3 12	庚子	2 10	庚午	十三
7 9	己亥	6 9	己巳	5 11	庚子	4 11	庚午	3 13	辛丑	2 11	辛未	十四
7 10	庚子	6 10	庚午	5 12	辛丑	4 12	辛未	3 14	壬寅	2 12	壬申	十五
7 11	辛丑	6 11	辛未	5 13	壬寅	4 13	壬申	3 15	癸卯	2 13	癸酉	十六
7 12	壬寅	6 12	壬申	5 14	癸卯	4 14	癸酉	3 16	甲辰	2 14	甲戌	十七
7 13	癸卯	6 13	癸酉	5 15	甲辰	4 15	甲戌	3 17	乙巳	2 15	乙亥	十八
7 14	甲辰	6 14	甲戌	5 16	乙巳	4 16	乙亥	3 18	丙午	2 16	丙子	十九
7 15	乙巳	6 15	乙亥	5 17	丙午	4 17	丙子	3 19	丁未	2 17	丁丑	二十
7 16	丙午	6 16	丙子	5 18	丁未	4 18	丁丑	3 20	戊申	2 18	戊寅	廿一
7 17	丁未	6 17	丁丑	5 19	戊申	4 19	戊寅	3 21	**己酉**	2 19	**己卯**	廿二
7 18	戊申	6 18	戊寅	5 20	己酉	4 20	**己卯**	3 22	庚戌	2 20	庚辰	廿三
7 19	己酉	6 19	己卯	5 21	**庚戌**	4 21	庚辰	3 23	辛亥	2 21	辛巳	廿四
7 20	庚戌	6 20	庚辰	5 22	辛亥	4 22	辛巳	3 24	壬子	2 22	壬午	廿五
7 21	辛亥	6 21	**辛巳**	5 23	壬子	4 23	壬午	3 25	癸丑	2 23	癸未	廿六
7 22	壬子	6 22	壬午	5 24	癸丑	4 24	癸未	3 26	甲寅	2 24	甲申	廿七
7 23	**癸丑**	6 23	癸未	5 25	甲寅	4 25	甲申	3 27	乙卯	2 25	乙酉	廿八
7 24	甲寅	6 24	甲申	5 26	乙卯	4 26	乙酉	3 28	丙辰	2 26	丙戌	廿九
		6 25	乙酉			4 27	丙戌			2 27	丁亥	三十

十二月大		十一月大		十月小		九月大		八月大		閏七月小		七月大		月別
辛丑		庚子		己亥		戊戌		丁酉				丙申		干支
三碧		四綠		五黃		六白		七赤				八白		九星
立春	大寒	小寒	冬至	大雪	小雪	立冬	霜降	寒露	秋分	白露		處暑	立秋	
十七 13時14分 未時	初二 18時51分 酉時	十八 1時32分 丑時	初三 8時13分 辰時	十七 14時23分 未時	初二 19時0分 戌時	十七 21時43分 亥時	初二 21時37分 亥時	十七 18時48分 酉時	初二 12時31分 午時	十六 3時24分 寅時		三十 15時7分 申時	十五 0時40分 早子時	節氣
西曆	干支	西曆	干支	西曆	干支	西曆	干支	西曆	干支	西曆	干支	西曆	干支	農曆
1 19	癸丑	12 20	癸未	11 21	甲寅	10 22	甲申	9 22	甲寅	8 24	乙酉	7 25	乙卯	初一
1 20	**甲寅**	12 21	甲申	11 22	**乙卯**	10 23	**乙酉**	9 23	**乙卯**	8 25	丙戌	7 26	丙辰	初二
1 21	乙卯	12 22	**乙酉**	11 23	丙辰	10 24	丙戌	9 24	丙辰	8 26	丁亥	7 27	丁巳	初三
1 22	丙辰	12 23	丙戌	11 24	丁巳	10 25	丁亥	9 25	丁巳	8 27	戊子	7 28	戊午	初四
1 23	丁巳	12 24	丁亥	11 25	戊午	10 26	戊子	9 26	戊午	8 28	己丑	7 29	己未	初五
1 24	戊午	12 25	戊子	11 26	己未	10 27	己丑	9 27	己未	8 29	庚寅	7 30	庚申	初六
1 25	己未	12 26	己丑	11 27	庚申	10 28	庚寅	9 28	庚申	8 30	辛卯	7 31	辛酉	初七
1 26	庚申	12 27	庚寅	11 28	辛酉	10 29	辛卯	9 29	辛酉	8 31	壬辰	8 1	壬戌	初八
1 27	辛酉	12 28	辛卯	11 29	壬戌	10 30	壬辰	9 30	壬戌	9 1	癸巳	8 2	癸亥	初九
1 28	壬戌	12 29	壬辰	11 30	癸亥	10 31	癸巳	10 1	癸亥	9 2	甲午	8 3	甲子	初十
1 29	癸亥	12 30	癸巳	12 1	甲子	11 1	甲午	10 2	甲子	9 3	乙未	8 4	乙丑	十一
1 30	甲子	12 31	甲午	12 2	乙丑	11 2	乙未	10 3	乙丑	9 4	丙申	8 5	丙寅	十二
1 31	乙丑	1 1	乙未	12 3	丙寅	11 3	丙申	10 4	丙寅	9 5	丁酉	8 6	丁卯	十三
2 1	丙寅	1 2	丙申	12 4	丁卯	11 4	丁酉	10 5	丁卯	9 6	戊戌	8 7	戊辰	十四
2 2	丁卯	1 3	丁酉	12 5	戊辰	11 5	戊戌	10 6	戊辰	9 7	己亥	8 8	**己巳**	十五
2 3	戊辰	1 4	戊戌	12 6	己巳	11 6	己亥	10 7	己巳	9 8	**庚子**	8 9	庚午	十六
2 4	**己巳**	1 5	己亥	12 7	**庚午**	11 7	**庚子**	10 8	**庚午**	9 9	辛丑	8 10	辛未	十七
2 5	庚午	1 6	**庚子**	12 8	辛未	11 8	辛丑	10 9	辛未	9 10	壬寅	8 11	壬申	十八
2 6	辛未	1 7	辛丑	12 9	壬申	11 9	壬寅	10 10	壬申	9 11	癸卯	8 12	癸酉	十九
2 7	壬申	1 8	壬寅	12 10	癸酉	11 10	癸卯	10 11	癸酉	9 12	甲辰	8 13	甲戌	二十
2 8	癸酉	1 9	癸卯	12 11	甲戌	11 11	甲辰	10 12	甲戌	9 13	乙巳	8 14	乙亥	廿一
2 9	甲戌	1 10	甲辰	12 12	乙亥	11 12	乙巳	10 13	乙亥	9 14	丙午	8 15	丙子	廿二
2 10	乙亥	1 11	乙巳	12 13	丙子	11 13	丙午	10 14	丙子	9 15	丁未	8 16	丁丑	廿三
2 11	丙子	1 12	丙午	12 14	丁丑	11 14	丁未	10 15	丁丑	9 16	戊申	8 17	戊寅	廿四
2 12	丁丑	1 13	丁未	12 15	戊寅	11 15	戊申	10 16	戊寅	9 17	己酉	8 18	己卯	廿五
2 13	戊寅	1 14	戊申	12 16	己卯	11 16	己酉	10 17	己卯	9 18	庚戌	8 19	庚辰	廿六
2 14	己卯	1 15	己酉	12 17	庚辰	11 17	庚戌	10 18	庚辰	9 19	辛亥	8 20	辛巳	廿七
2 15	庚辰	1 16	庚戌	12 18	辛巳	11 18	辛亥	10 19	辛巳	9 20	壬子	8 21	壬午	廿八
2 16	辛巳	1 17	辛亥	12 19	壬午	11 19	壬子	10 20	壬午	9 21	癸丑	8 22	癸未	廿九
2 17	壬午	1 18	壬子			11 20	癸丑	10 21	癸未			8 23	**甲申**	三十

二〇〇七年

歲次丁亥（肖豬）

太歲姓封名齊

年星二黑

六月大		五月小		四月小		三月大		二月小		正月小		月別
丁未		丙午		乙巳		甲辰		癸卯		壬寅		干支
六白		七赤		八白		九紫		一白		二黑		九星
立秋	大暑	小暑	夏至	芒種	小滿	立夏	穀雨	清明	春分	驚蟄	雨水	節氣
廿六 6時29分 卯時	初十 14時1分 未時	廿三 20時46分 戌時	初八 3時8分 寅時	廿一 10時23分 巳時	初五 19時2分 戌時	二十 6時1分 卯時	初四 19時40分 戌時	十八 12時27分 午時	初三 8時21分 辰時	十七 7時24分 辰時	初二 9時8分 巳時	
西曆	干支	西曆	干支	西曆	干支	西曆	干支	西曆	干支	西曆	干支	農曆
7 14	己酉	6 15	庚辰	5 17	辛亥	4 17	辛巳	3 19	壬子	2 18	癸未	初一
7 15	庚戌	6 16	辛巳	5 18	壬子	4 18	壬午	3 20	癸丑	2 19	**甲申**	初二
7 16	辛亥	6 17	壬午	5 19	癸丑	4 19	癸未	3 21	**甲寅**	2 20	乙酉	初三
7 17	壬子	6 18	癸未	5 20	甲寅	4 20	**甲申**	3 22	乙卯	2 21	丙戌	初四
7 18	癸丑	6 19	甲申	5 21	**乙卯**	4 21	乙酉	3 23	丙辰	2 22	丁亥	初五
7 19	甲寅	6 20	乙酉	5 22	丙辰	4 22	丙戌	3 24	丁巳	2 23	戊子	初六
7 20	乙卯	6 21	丙戌	5 23	丁巳	4 23	丁亥	3 25	戊午	2 24	己丑	初七
7 21	丙辰	6 22	**丁亥**	5 24	戊午	4 24	戊子	3 26	己未	2 25	庚寅	初八
7 22	丁巳	6 23	戊子	5 25	己未	4 25	己丑	3 27	庚申	2 26	辛卯	初九
7 23	**戊午**	6 24	己丑	5 26	庚申	4 26	庚寅	3 28	辛酉	2 27	壬辰	初十
7 24	己未	6 25	庚寅	5 27	辛酉	4 27	辛卯	3 29	壬戌	2 28	癸巳	十一
7 25	庚申	6 26	辛卯	5 28	壬戌	4 28	壬辰	3 30	癸亥	3 1	甲午	十二
7 26	辛酉	6 27	壬辰	5 29	癸亥	4 29	癸巳	3 31	甲子	3 2	乙未	十三
7 27	壬戌	6 28	癸巳	5 30	甲子	4 30	甲午	4 1	乙丑	3 3	丙申	十四
7 28	癸亥	6 29	甲午	5 31	乙丑	5 1	乙未	4 2	丙寅	3 4	丁酉	十五
7 29	甲子	6 30	乙未	6 1	丙寅	5 2	丙申	4 3	丁卯	3 5	戊戌	十六
7 30	乙丑	7 1	丙申	6 2	丁卯	5 3	丁酉	4 4	戊辰	3 6	**己亥**	十七
7 31	丙寅	7 2	丁酉	6 3	戊辰	5 4	戊戌	4 5	**己巳**	3 7	庚子	十八
8 1	丁卯	7 3	戊戌	6 4	己巳	5 5	己亥	4 6	庚午	3 8	辛丑	十九
8 2	戊辰	7 4	己亥	6 5	庚午	5 6	**庚子**	4 7	辛未	3 9	壬寅	二十
8 3	己巳	7 5	庚子	6 6	**辛未**	5 7	辛丑	4 8	壬申	3 10	癸卯	廿一
8 4	庚午	7 6	辛丑	6 7	壬申	5 8	壬寅	4 9	癸酉	3 11	甲辰	廿二
8 5	辛未	7 7	**壬寅**	6 8	癸酉	5 9	癸卯	4 10	甲戌	3 12	乙巳	廿三
8 6	壬申	7 8	癸卯	6 9	甲戌	5 10	甲辰	4 11	乙亥	3 13	丙午	廿四
8 7	癸酉	7 9	甲辰	6 10	乙亥	5 11	乙巳	4 12	丙子	3 14	丁未	廿五
8 8	**甲戌**	7 10	乙巳	6 11	丙子	5 12	丙午	4 13	丁丑	3 15	戊申	廿六
8 9	乙亥	7 11	丙午	6 12	丁丑	5 13	丁未	4 14	戊寅	3 16	己酉	廿七
8 10	丙子	7 12	丁未	6 13	戊寅	5 14	戊申	4 15	己卯	3 17	庚戌	廿八
8 11	丁丑	7 13	戊申	6 14	己卯	5 15	己酉	4 16	庚辰	3 18	辛亥	廿九
8 12	戊寅					5 16	庚戌					三十

十二月大		十一月小		十月大		九月大		八月大		七月小		月別
癸丑		壬子		辛亥		庚戌		己酉		戊申		干支
九紫		一白		二黑		三碧		四綠		五黃		九星
立春	大寒	小寒	冬至	大雪	小雪	立冬	霜降	寒露	秋分	白露	處暑	節氣
19時3分 廿八戌時	0時40分 十四早子	7時21分 廿八辰時	14時2分 十三未時	20時12分 廿八戌時	0時49分 十四早子	3時32分 廿九寅時	3時27分 十四寅時	0時37分 廿九早子	18時21分 十三酉時	9時13分 廿七巳時	20時57分 十一戌時	
西曆	干支	西曆	干支	西曆	干支	西曆	干支	西曆	干支	西曆	干支	農曆
1 8	丁未	12 10	戊寅	11 10	戊申	10 11	戊寅	9 11	戊申	8 13	己卯	初一
1 9	戊申	12 11	己卯	11 11	己酉	10 12	己卯	9 12	己酉	8 14	庚辰	初二
1 10	己酉	12 12	庚辰	11 12	庚戌	10 13	庚辰	9 13	庚戌	8 15	辛巳	初三
1 11	庚戌	12 13	辛巳	11 13	辛亥	10 14	辛巳	9 14	辛亥	8 16	壬午	初四
1 12	辛亥	12 14	壬午	11 14	壬子	10 15	壬午	9 15	壬子	8 17	癸未	初五
1 13	壬子	12 15	癸未	11 15	癸丑	10 16	癸未	9 16	癸丑	8 18	甲申	初六
1 14	癸丑	12 16	甲申	11 16	甲寅	10 17	甲申	9 17	甲寅	8 19	乙酉	初七
1 15	甲寅	12 17	乙酉	11 17	乙卯	10 18	乙酉	9 18	乙卯	8 20	丙戌	初八
1 16	乙卯	12 18	丙戌	11 18	丙辰	10 19	丙戌	9 19	丙辰	8 21	丁亥	初九
1 17	丙辰	12 19	丁亥	11 19	丁巳	10 20	丁亥	9 20	丁巳	8 22	戊子	初十
1 18	丁巳	12 20	戊子	11 20	戊午	10 21	戊子	9 21	戊午	8 23	**己丑**	十一
1 19	戊午	12 21	己丑	11 21	己未	10 22	己丑	9 22	己未	8 24	庚寅	十二
1 20	己未	12 22	**庚寅**	11 22	庚申	10 23	庚寅	9 23	**庚申**	8 25	辛卯	十三
1 21	**庚申**	12 23	辛卯	11 23	**辛酉**	10 24	**辛卯**	9 24	辛酉	8 26	壬辰	十四
1 22	辛酉	12 24	壬辰	11 24	壬戌	10 25	壬辰	9 25	壬戌	8 27	癸巳	十五
1 23	壬戌	12 25	癸巳	11 25	癸亥	10 26	癸巳	9 26	癸亥	8 28	甲午	十六
1 24	癸亥	12 26	甲午	11 26	甲子	10 27	甲午	9 27	甲子	8 29	乙未	十七
1 25	甲子	12 27	乙未	11 27	乙丑	10 28	乙未	9 28	乙丑	8 30	丙申	十八
1 26	乙丑	12 28	丙申	11 28	丙寅	10 29	丙申	9 29	丙寅	8 31	丁酉	十九
1 27	丙寅	12 29	丁酉	11 29	丁卯	10 30	丁酉	9 30	丁卯	9 1	戊戌	二十
1 28	丁卯	12 30	戊戌	11 30	戊辰	10 31	戊戌	10 1	戊辰	9 2	己亥	廿一
1 29	戊辰	12 31	己亥	12 1	己巳	11 1	己亥	10 2	己巳	9 3	庚子	廿二
1 30	己巳	1 1	庚子	12 2	庚午	11 2	庚子	10 3	庚午	9 4	辛丑	廿三
1 31	庚午	1 2	辛丑	12 3	辛未	11 3	辛丑	10 4	辛未	9 5	壬寅	廿四
2 1	辛未	1 3	壬寅	12 4	壬申	11 4	壬寅	10 5	壬申	9 6	癸卯	廿五
2 2	壬申	1 4	癸卯	12 5	癸酉	11 5	癸卯	10 6	癸酉	9 7	甲辰	廿六
2 3	癸酉	1 5	甲辰	12 6	甲戌	11 6	甲辰	10 7	甲戌	9 8	**乙巳**	廿七
2 4	**甲戌**	1 6	**乙巳**	12 7	**乙亥**	11 7	乙巳	10 8	乙亥	9 9	丙午	廿八
2 5	乙亥	1 7	丙午	12 8	丙子	11 8	**丙午**	10 9	**丙子**	9 10	丁未	廿九
2 6	丙子			12 9	丁丑	11 9	丁未	10 10	丁丑			三十

二〇〇八年

歲次戊子（肖鼠）

太歲姓郢名班

年星一白

六月小		五月小		四月大		三月小		二月小		正月大		月別
己未		戊午		丁巳		丙辰		乙卯		甲寅		干支
三碧		四綠		五黃		六白		七赤		八白		九星
大暑	小暑	夏至	芒種	小滿	立夏		穀雨	清明	春分	驚蟄	雨水	節氣
19時50分 二十戌時	2時35分 初五丑時	8時57分 十八辰時	16時12分 初二申時	0時51分 十七早子	11時50分 初一午時		1時39分 十五丑時	18時16分 廿八酉時	14時10分 十三未時	13時13分 廿八未時	14時57分 十三未時	
西曆	干支	西曆	干支	西曆	干支	西曆	干支	西曆	干支	西曆	干支	農曆
7 3	甲辰	6 4	乙亥	5 5	**乙巳**	4 6	丙子	3 8	丁未	2 7	丁丑	初一
7 4	乙巳	6 5	**丙子**	5 6	丙午	4 7	丁丑	3 9	戊申	2 8	戊寅	初二
7 5	丙午	6 6	丁丑	5 7	丁未	4 8	戊寅	3 10	己酉	2 9	己卯	初三
7 6	丁未	6 7	戊寅	5 8	戊申	4 9	己卯	3 11	庚戌	2 10	庚辰	初四
7 7	**戊申**	6 8	己卯	5 9	己酉	4 10	庚辰	3 12	辛亥	2 11	辛巳	初五
7 8	己酉	6 9	庚辰	5 10	庚戌	4 11	辛巳	3 13	壬子	2 12	壬午	初六
7 9	庚戌	6 10	辛巳	5 11	辛亥	4 12	壬午	3 14	癸丑	2 13	癸未	初七
7 10	辛亥	6 11	壬午	5 12	壬子	4 13	癸未	3 15	甲寅	2 14	甲申	初八
7 11	壬子	6 12	癸未	5 13	癸丑	4 14	甲申	3 16	乙卯	2 15	乙酉	初九
7 12	癸丑	6 13	甲申	5 14	甲寅	4 15	乙酉	3 17	丙辰	2 16	丙戌	初十
7 13	甲寅	6 14	乙酉	5 15	乙卯	4 16	丙戌	3 18	丁巳	2 17	丁亥	十一
7 14	乙卯	6 15	丙戌	5 16	丙辰	4 17	丁亥	3 19	戊午	2 18	戊子	十二
7 15	丙辰	6 16	丁亥	5 17	丁巳	4 18	戊子	3 20	**己未**	2 19	**己丑**	十三
7 16	丁巳	6 17	戊子	5 18	戊午	4 19	己丑	3 21	庚申	2 20	庚寅	十四
7 17	戊午	6 18	己丑	5 19	己未	4 20	**庚寅**	3 22	辛酉	2 21	辛卯	十五
7 18	己未	6 19	庚寅	5 20	庚申	4 21	辛卯	3 23	壬戌	2 22	壬辰	十六
7 19	庚申	6 20	辛卯	5 21	**辛酉**	4 22	壬辰	3 24	癸亥	2 23	癸巳	十七
7 20	辛酉	6 21	**壬辰**	5 22	壬戌	4 23	癸巳	3 25	甲子	2 24	甲午	十八
7 21	壬戌	6 22	癸巳	5 23	癸亥	4 24	甲午	3 26	乙丑	2 25	乙未	十九
7 22	**癸亥**	6 23	甲午	5 24	甲子	4 25	乙未	3 27	丙寅	2 26	丙申	二十
7 23	甲子	6 24	乙未	5 25	乙丑	4 26	丙申	3 28	丁卯	2 27	丁酉	廿一
7 24	乙丑	6 25	丙申	5 26	丙寅	4 27	丁酉	3 29	戊辰	2 28	戊戌	廿二
7 25	丙寅	6 26	丁酉	5 27	丁卯	4 28	戊戌	3 30	己巳	2 29	己亥	廿三
7 26	丁卯	6 27	戊戌	5 28	戊辰	4 29	己亥	3 31	庚午	3 1	庚子	廿四
7 27	戊辰	6 28	己亥	5 29	己巳	4 30	庚子	4 1	辛未	3 2	辛丑	廿五
7 28	己巳	6 29	庚子	5 30	庚午	5 1	辛丑	4 2	壬申	3 3	壬寅	廿六
7 29	庚午	6 30	辛丑	5 31	辛未	5 2	壬寅	4 3	癸酉	3 4	癸卯	廿七
7 30	辛未	7 1	壬寅	6 1	壬申	5 3	癸卯	4 4	**甲戌**	3 5	**甲辰**	廿八
7 31	壬申	7 2	癸卯	6 2	癸酉	5 4	甲辰	4 5	乙亥	3 6	乙巳	廿九
				6 3	甲戌					3 7	丙午	三十

十二月大		十一月小		十月大		九月大		八月小		七月大		月別
乙丑		甲子		癸亥		壬戌		辛酉		庚申		干支
六白		七赤		八白		九紫		一白		二黑		九星
大寒	小寒	冬至	大雪	小雪	立冬	霜降	寒露	秋分	白露	處暑	立秋	節氣
廿五 6時29分 卯時	初十 13時10分 未時	廿四 19時51分 戌時	初十 2時1分 丑時	廿五 6時38分 卯時	初十 9時21分 巳時	廿五 9時16分 巳時	初十 6時26分 卯時	廿四 0時10分 早子	初八 15時2分 申時	廿三 2時46分 丑時	初七 12時18分 午時	
西曆	干支	西曆	干支	西曆	干支	西曆	干支	西曆	干支	西曆	干支	農曆
12 27	辛丑	11 28	壬申	10 29	壬寅	9 29	壬申	8 31	癸卯	8 1	癸酉	初一
12 28	壬寅	11 29	癸酉	10 30	癸卯	9 30	癸酉	9 1	甲辰	8 2	甲戌	初二
12 29	癸卯	11 30	甲戌	10 31	甲辰	10 1	甲戌	9 2	乙巳	8 3	乙亥	初三
12 30	甲辰	12 1	乙亥	11 1	乙巳	10 2	乙亥	9 3	丙午	8 4	丙子	初四
12 31	乙巳	12 2	丙子	11 2	丙午	10 3	丙子	9 4	丁未	8 5	丁丑	初五
1 1	丙午	12 3	丁丑	11 3	丁未	10 4	丁丑	9 5	戊申	8 6	戊寅	初六
1 2	丁未	12 4	戊寅	11 4	戊申	10 5	戊寅	9 6	己酉	8 7	**己卯**	初七
1 3	戊申	12 5	己卯	11 5	己酉	10 6	己卯	9 7	**庚戌**	8 8	庚辰	初八
1 4	己酉	12 6	庚辰	11 6	庚戌	10 7	庚辰	9 8	辛亥	8 9	辛巳	初九
1 5	**庚戌**	12 7	**辛巳**	11 7	**辛亥**	10 8	**辛巳**	9 9	壬子	8 10	壬午	初十
1 6	辛亥	12 8	壬午	11 8	壬子	10 9	壬午	9 10	癸丑	8 11	癸未	十一
1 7	壬子	12 9	癸未	11 9	癸丑	10 10	癸未	9 11	甲寅	8 12	甲申	十二
1 8	癸丑	12 10	甲申	11 10	甲寅	10 11	甲申	9 12	乙卯	8 13	乙酉	十三
1 9	甲寅	12 11	乙酉	11 11	乙卯	10 12	乙酉	9 13	丙辰	8 14	丙戌	十四
1 10	乙卯	12 12	丙戌	11 12	丙辰	10 13	丙戌	9 14	丁巳	8 15	丁亥	十五
1 11	丙辰	12 13	丁亥	11 13	丁巳	10 14	丁亥	9 15	戊午	8 16	戊子	十六
1 12	丁巳	12 14	戊子	11 14	戊午	10 15	戊子	9 16	己未	8 17	己丑	十七
1 13	戊午	12 15	己丑	11 15	己未	10 16	己丑	9 17	庚申	8 18	庚寅	十八
1 14	己未	12 16	庚寅	11 16	庚申	10 17	庚寅	9 18	辛酉	8 19	辛卯	十九
1 15	庚申	12 17	辛卯	11 17	辛酉	10 18	辛卯	9 19	壬戌	8 20	壬辰	二十
1 16	辛酉	12 18	壬辰	11 18	壬戌	10 19	壬辰	9 20	癸亥	8 21	癸巳	廿一
1 17	壬戌	12 19	癸巳	11 19	癸亥	10 20	癸巳	9 21	甲子	8 22	甲午	廿二
1 18	癸亥	12 20	甲午	11 20	甲子	10 21	甲午	9 22	乙丑	8 23	**乙未**	廿三
1 19	甲子	12 21	**乙未**	11 21	乙丑	10 22	乙未	9 23	**丙寅**	8 24	丙申	廿四
1 20	**乙丑**	12 22	丙申	11 22	**丙寅**	10 23	**丙申**	9 24	丁卯	8 25	丁酉	廿五
1 21	丙寅	12 23	丁酉	11 23	丁卯	10 24	丁酉	9 25	戊辰	8 26	戊戌	廿六
1 22	丁卯	12 24	戊戌	11 24	戊辰	10 25	戊戌	9 26	己巳	8 27	己亥	廿七
1 23	戊辰	12 25	己亥	11 25	己巳	10 26	己亥	9 27	庚午	8 28	庚子	廿八
1 24	己巳	12 26	庚子	11 26	庚午	10 27	庚子	9 28	辛未	8 29	辛丑	廿九
1 25	庚午			11 27	辛未	10 28	辛丑			8 30	壬寅	三十

二〇〇九年

歲次己丑（肖牛）

太歲姓潘名蓋

年星九紫

月別	正月大		二月大		三月小		四月小		五月大		閏五月小	
干支	丙寅		丁卯		戊辰		己巳		庚午			
九星	五黃		四綠		三碧		二黑		一白			
節氣	立春	雨水	驚蟄	春分	清明	穀雨	立夏	小滿	芒種	夏至	小暑	
	初十 0時52分 早子	廿四 20時46分 戌時	初九 19時2分 戌時	廿四 19時59分 戌時	初十 0時5分 早子	廿五 7時18分 辰時	十一 17時39分 酉時	廿七 6時40分 卯時	十三 22時17分 亥時	廿九 14時46分 未時	十五 8時24分 辰時	
農曆	干支	西曆	干支	西曆	干支	西曆	干支	西曆	干支	西曆	干支	西曆
初一	辛未	1 26	辛丑	2 25	辛未	3 27	庚子	4 25	己巳	5 24	己亥	6 23
初二	壬申	1 27	壬寅	2 26	壬申	3 28	辛丑	4 26	庚午	5 25	庚子	6 24
初三	癸酉	1 28	癸卯	2 27	癸酉	3 29	壬寅	4 27	辛未	5 26	辛丑	6 25
初四	甲戌	1 29	甲辰	2 28	甲戌	3 30	癸卯	4 28	壬申	5 27	壬寅	6 26
初五	乙亥	1 30	乙巳	3 1	乙亥	3 31	甲辰	4 29	癸酉	5 28	癸卯	6 27
初六	丙子	1 31	丙午	3 2	丙子	4 1	乙巳	4 30	甲戌	5 29	甲辰	6 28
初七	丁丑	2 1	丁未	3 3	丁丑	4 2	丙午	5 1	乙亥	5 30	乙巳	6 29
初八	戊寅	2 2	戊申	3 4	戊寅	4 3	丁未	5 2	丙子	5 31	丙午	6 30
初九	己卯	2 3	**己酉**	3 5	己卯	4 4	戊申	5 3	丁丑	6 1	丁未	7 1
初十	**庚辰**	2 4	庚戌	3 6	**庚辰**	4 5	己酉	5 4	戊寅	6 2	戊申	7 2
十一	辛巳	2 5	辛亥	3 7	辛巳	4 6	**庚戌**	5 5	己卯	6 3	己酉	7 3
十二	壬午	2 6	壬子	3 8	壬午	4 7	辛亥	5 6	庚辰	6 4	庚戌	7 4
十三	癸未	2 7	癸丑	3 9	癸未	4 8	壬子	5 7	**辛巳**	6 5	辛亥	7 5
十四	甲申	2 8	甲寅	3 10	甲申	4 9	癸丑	5 8	壬午	6 6	壬子	7 6
十五	乙酉	2 9	乙卯	3 11	乙酉	4 10	甲寅	5 9	癸未	6 7	**癸丑**	7 7
十六	丙戌	2 10	丙辰	3 12	丙戌	4 11	乙卯	5 10	甲申	6 8	甲寅	7 8
十七	丁亥	2 11	丁巳	3 13	丁亥	4 12	丙辰	5 11	乙酉	6 9	乙卯	7 9
十八	戊子	2 12	戊午	3 14	戊子	4 13	丁巳	5 12	丙戌	6 10	丙辰	7 10
十九	己丑	2 13	己未	3 15	己丑	4 14	戊午	5 13	丁亥	6 11	丁巳	7 11
二十	庚寅	2 14	庚申	3 16	庚寅	4 15	己未	5 14	戊子	6 12	戊午	7 12
廿一	辛卯	2 15	辛酉	3 17	辛卯	4 16	庚申	5 15	己丑	6 13	己未	7 13
廿二	壬辰	2 16	壬戌	3 18	壬辰	4 17	辛酉	5 16	庚寅	6 14	庚申	7 14
廿三	癸巳	2 17	癸亥	3 19	癸巳	4 18	壬戌	5 17	辛卯	6 15	辛酉	7 15
廿四	**甲午**	2 18	**甲子**	3 20	甲午	4 19	癸亥	5 18	壬辰	6 16	壬戌	7 16
廿五	乙未	2 19	乙丑	3 21	**乙未**	4 20	甲子	5 19	癸巳	6 17	癸亥	7 17
廿六	丙申	2 20	丙寅	3 22	丙申	4 21	乙丑	5 20	甲午	6 18	甲子	7 18
廿七	丁酉	2 21	丁卯	3 23	丁酉	4 22	**丙寅**	5 21	乙未	6 19	乙丑	7 19
廿八	戊戌	2 22	戊辰	3 24	戊戌	4 23	丁卯	5 22	丙申	6 20	丙寅	7 20
廿九	己亥	2 23	己巳	3 25	己亥	4 24	戊辰	5 23	**丁酉**	6 21	丁卯	7 21
三十	庚子	2 24	庚午	3 26					戊戌	6 22		

十二月大		十一月大		十月小		九月大		八月小		七月大		六月小		月別
丁丑		丙子		乙亥		甲戌		癸酉		壬申		辛未		干支
三碧		四綠		五黃		六白		七赤		八白		九紫		九星
立春	大寒	小寒	冬至	大雪	小雪	立冬	霜降	寒露	秋分	白露	處暑	立秋	大暑	節氣
廿一卯時 6時42分	初六午時 12時18分	廿一戌時 19時0分	初七丑時 1時40分	廿一辰時 7時5分	初六午時 12時27分	廿一申時 15時10分	初六申時 15時5分	二十午時 12時15分	初五卯時 5時59分	十九戌時 20時51分	初四辰時 8時35分	十七酉時 18時7分	初二丑時 1時39分	
西曆	干支	西曆	干支	西曆	干支	西曆	干支	西曆	干支	西曆	干支	西曆	干支	農曆
1 15	乙丑	12 16	乙未	11 17	丙寅	10 18	丙申	9 19	丁卯	8 20	丁酉	7 22	戊辰	初一
1 16	丙寅	12 17	丙申	11 18	丁卯	10 19	丁酉	9 20	戊辰	8 21	戊戌	7 23	**己巳**	初二
1 17	丁卯	12 18	丁酉	11 19	戊辰	10 20	戊戌	9 21	己巳	8 22	己亥	7 24	庚午	初三
1 18	戊辰	12 19	戊戌	11 20	己巳	10 21	己亥	9 22	庚午	8 23	**庚子**	7 25	辛未	初四
1 19	己巳	12 20	己亥	11 21	庚午	10 22	庚子	9 23	**辛未**	8 24	辛丑	7 26	壬申	初五
1 20	**庚午**	12 21	庚子	11 22	**辛未**	10 23	**辛丑**	9 24	壬申	8 25	壬寅	7 27	癸酉	初六
1 21	辛未	12 22	**辛丑**	11 23	壬申	10 24	壬寅	9 25	癸酉	8 26	癸卯	7 28	甲戌	初七
1 22	壬申	12 23	壬寅	11 24	癸酉	10 25	癸卯	9 26	甲戌	8 27	甲辰	7 29	乙亥	初八
1 23	癸酉	12 24	癸卯	11 25	甲戌	10 26	甲辰	9 27	乙亥	8 28	乙巳	7 30	丙子	初九
1 24	甲戌	12 25	甲辰	11 26	乙亥	10 27	乙巳	9 28	丙子	8 29	丙午	7 31	丁丑	初十
1 25	乙亥	12 26	乙巳	11 27	丙子	10 28	丙午	9 29	丁丑	8 30	丁未	8 1	戊寅	十一
1 26	丙子	12 27	丙午	11 28	丁丑	10 29	丁未	9 30	戊寅	8 31	戊申	8 2	己卯	十二
1 27	丁丑	12 28	丁未	11 29	戊寅	10 30	戊申	10 1	己卯	9 1	己酉	8 3	庚辰	十三
1 28	戊寅	12 29	戊申	11 30	己卯	10 31	己酉	10 2	庚辰	9 2	庚戌	8 4	辛巳	十四
1 29	己卯	12 30	己酉	12 1	庚辰	11 1	庚戌	10 3	辛巳	9 3	辛亥	8 5	壬午	十五
1 30	庚辰	12 31	庚戌	12 2	辛巳	11 2	辛亥	10 4	壬午	9 4	壬子	8 6	癸未	十六
1 31	辛巳	1 1	辛亥	12 3	壬午	11 3	壬子	10 5	癸未	9 5	癸丑	8 7	**甲申**	十七
2 1	壬午	1 2	壬子	12 4	癸未	11 4	癸丑	10 6	甲申	9 6	甲寅	8 8	乙酉	十八
2 2	癸未	1 3	癸丑	12 5	甲申	11 5	甲寅	10 7	乙酉	9 7	**乙卯**	8 9	丙戌	十九
2 3	甲申	1 4	甲寅	12 6	乙酉	11 6	乙卯	10 8	**丙戌**	9 8	丙辰	8 10	丁亥	二十
2 4	**乙酉**	1 5	**乙卯**	12 7	**丙戌**	11 7	**丙辰**	10 9	丁亥	9 9	丁巳	8 11	戊子	廿一
2 5	丙戌	1 6	丙辰	12 8	丁亥	11 8	丁巳	10 10	戊子	9 10	戊午	8 12	己丑	廿二
2 6	丁亥	1 7	丁巳	12 9	戊子	11 9	戊午	10 11	己丑	9 11	己未	8 13	庚寅	廿三
2 7	戊子	1 8	戊午	12 10	己丑	11 10	己未	10 12	庚寅	9 12	庚申	8 14	辛卯	廿四
2 8	己丑	1 9	己未	12 11	庚寅	11 11	庚申	10 13	辛卯	9 13	辛酉	8 15	壬辰	廿五
2 9	庚寅	1 10	庚申	12 12	辛卯	11 12	辛酉	10 14	壬辰	9 14	壬戌	8 16	癸巳	廿六
2 10	辛卯	1 11	辛酉	12 13	壬辰	11 13	壬戌	10 15	癸巳	9 15	癸亥	8 17	甲午	廿七
2 11	壬辰	1 12	壬戌	12 14	癸巳	11 14	癸亥	10 16	甲午	9 16	甲子	8 18	乙未	廿八
2 12	癸巳	1 13	癸亥	12 15	甲午	11 15	甲子	10 17	乙未	9 17	乙丑	8 19	丙申	廿九
2 13	甲午	1 14	甲子			11 16	乙丑			9 18	丙寅			三十

二〇一〇年

歲次庚寅（肖虎）

太歲姓鄔名桓

年星八白

六月小		五月大		四月小		三月大		二月小		正月大		月別
癸未		壬午		辛巳		庚辰		己卯		戊寅		干支
六白		七赤		八白		九紫		一白		二黑		九星
立秋	大暑	小暑	夏至	芒種	小滿	立夏	穀雨	清明	春分	驚蟄	雨水	節氣
廿七夜子 23時57分	十二辰時 7時28分	廿六未時 14時14分	初十戌時 20時35分	廿四寅時 3時51分	初八午時 12時29分	廿二夜子 23時29分	初七未時 13時7分	廿一卯時 5時55分	初六丑時 1時48分	廿一早子 0時52分	初六丑時 2時35分	
西曆	干支	西曆	干支	西曆	干支	西曆	干支	西曆	干支	西曆	干支	農曆
7 12	癸亥	6 12	癸巳	5 14	甲子	4 14	甲午	3 16	乙丑	2 14	乙未	初一
7 13	甲子	6 13	甲午	5 15	乙丑	4 15	乙未	3 17	丙寅	2 15	丙申	初二
7 14	乙丑	6 14	乙未	5 16	丙寅	4 16	丙申	3 18	丁卯	2 16	丁酉	初三
7 15	丙寅	6 15	丙申	5 17	丁卯	4 17	丁酉	3 19	戊辰	2 17	戊戌	初四
7 16	丁卯	6 16	丁酉	5 18	戊辰	4 18	戊戌	3 20	己巳	2 18	己亥	初五
7 17	戊辰	6 17	戊戌	5 19	己巳	4 19	己亥	3 21	**庚午**	2 19	**庚子**	初六
7 18	己巳	6 18	己亥	5 20	庚午	4 20	**庚子**	3 22	辛未	2 20	辛丑	初七
7 19	庚午	6 19	庚子	5 21	**辛未**	4 21	辛丑	3 23	壬申	2 21	壬寅	初八
7 20	辛未	6 20	辛丑	5 22	壬申	4 22	壬寅	3 24	癸酉	2 22	癸卯	初九
7 21	壬申	6 21	**壬寅**	5 23	癸酉	4 23	癸卯	3 25	甲戌	2 23	甲辰	初十
7 22	癸酉	6 22	癸卯	5 24	甲戌	4 24	甲辰	3 26	乙亥	2 24	乙巳	十一
7 23	**甲戌**	6 23	甲辰	5 25	乙亥	4 25	乙巳	3 27	丙子	2 25	丙午	十二
7 24	乙亥	6 24	乙巳	5 26	丙子	4 26	丙午	3 28	丁丑	2 26	丁未	十三
7 25	丙子	6 25	丙午	5 27	丁丑	4 27	丁未	3 29	戊寅	2 27	戊申	十四
7 26	丁丑	6 26	丁未	5 28	戊寅	4 28	戊申	3 30	己卯	2 28	己酉	十五
7 27	戊寅	6 27	戊申	5 29	己卯	4 29	己酉	3 31	庚辰	3 1	庚戌	十六
7 28	己卯	6 28	己酉	5 30	庚辰	4 30	庚戌	4 1	辛巳	3 2	辛亥	十七
7 29	庚辰	6 29	庚戌	5 31	辛巳	5 1	辛亥	4 2	壬午	3 3	壬子	十八
7 30	辛巳	6 30	辛亥	6 1	壬午	5 2	壬子	4 3	癸未	3 4	癸丑	十九
7 31	壬午	7 1	壬子	6 2	癸未	5 3	癸丑	4 4	甲申	3 5	甲寅	二十
8 1	癸未	7 2	癸丑	6 3	甲申	5 4	甲寅	4 5	**乙酉**	3 6	**乙卯**	廿一
8 2	甲申	7 3	甲寅	6 4	乙酉	5 5	**乙卯**	4 6	丙戌	3 7	丙辰	廿二
8 3	乙酉	7 4	乙卯	6 5	丙戌	5 6	丙辰	4 7	丁亥	3 8	丁巳	廿三
8 4	丙戌	7 5	丙辰	6 6	**丁亥**	5 7	丁巳	4 8	戊子	3 9	戊午	廿四
8 5	丁亥	7 6	丁巳	6 7	戊子	5 8	戊午	4 9	己丑	3 10	己未	廿五
8 6	戊子	7 7	**戊午**	6 8	己丑	5 9	己未	4 10	庚寅	3 11	庚申	廿六
8 7	**己丑**	7 8	己未	6 9	庚寅	5 10	庚申	4 11	辛卯	3 12	辛酉	廿七
8 8	庚寅	7 9	庚申	6 10	辛卯	5 11	辛酉	4 12	壬辰	3 13	壬戌	廿八
8 9	辛卯	7 10	辛酉	6 11	壬辰	5 12	壬戌	4 13	癸巳	3 14	癸亥	廿九
		7 11	壬戌			5 13	癸亥			3 15	甲子	三十

十二月大 己丑 九紫		十一月小 戊子 一白		十月大 丁亥 二黑		九月小 丙戌 三碧		八月大 乙酉 四綠		七月小 甲申 五黃		月別 干支 九星
大寒 18時7分 十七酉時	小寒 0時50分 初三早子時	冬至 7時28分 十七辰時	大雪 13時41分 初二未時	小雪 18時16分 十七酉時	立冬 21時3分 初二亥時	霜降 20時54分 十六戌時	寒露 18時5分 初一酉時	秋分 11時48分 十六午時	白露 2時41分 初一丑時		處暑 14時24分 十四未時	節氣
西曆	干支	西曆	干支	西曆	干支	西曆	干支	西曆	干支	西曆	干支	農曆
1 4	己未	12 6	庚寅	11 6	庚申	10 8	辛卯	9 8	辛酉	8 10	壬辰	初一
1 5	庚申	12 7	辛卯	11 7	辛酉	10 9	壬辰	9 9	壬戌	8 11	癸巳	初二
1 6	辛酉	12 8	壬辰	11 8	壬戌	10 10	癸巳	9 10	癸亥	8 12	甲午	初三
1 7	壬戌	12 9	癸巳	11 9	癸亥	10 11	甲午	9 11	甲子	8 13	乙未	初四
1 8	癸亥	12 10	甲午	11 10	甲子	10 12	乙未	9 12	乙丑	8 14	丙申	初五
1 9	甲子	12 11	乙未	11 11	乙丑	10 13	丙申	9 13	丙寅	8 15	丁酉	初六
1 10	乙丑	12 12	丙申	11 12	丙寅	10 14	丁酉	9 14	丁卯	8 16	戊戌	初七
1 11	丙寅	12 13	丁酉	11 13	丁卯	10 15	戊戌	9 15	戊辰	8 17	己亥	初八
1 12	丁卯	12 14	戊戌	11 14	戊辰	10 16	己亥	9 16	己巳	8 18	庚子	初九
1 13	戊辰	12 15	己亥	11 15	己巳	10 17	庚子	9 17	庚午	8 19	辛丑	初十
1 14	己巳	12 16	庚子	11 16	庚午	10 18	辛丑	9 18	辛未	8 20	壬寅	十一
1 15	庚午	12 17	辛丑	11 17	辛未	10 19	壬寅	9 19	壬申	8 21	癸卯	十二
1 16	辛未	12 18	壬寅	11 18	壬申	10 20	癸卯	9 20	癸酉	8 22	甲辰	十三
1 17	壬申	12 19	癸卯	11 19	癸酉	10 21	甲辰	9 21	甲戌	8 23	乙巳	十四
1 18	癸酉	12 20	甲辰	11 20	甲戌	10 22	乙巳	9 22	乙亥	8 24	丙午	十五
1 19	甲戌	12 21	乙巳	11 21	乙亥	10 23	丙午	9 23	丙子	8 25	丁未	十六
1 20	乙亥	12 22	丙午	11 22	丙子	10 24	丁未	9 24	丁丑	8 26	戊申	十七
1 21	丙子	12 23	丁未	11 23	丁丑	10 25	戊申	9 25	戊寅	8 27	己酉	十八
1 22	丁丑	12 24	戊申	11 24	戊寅	10 26	己酉	9 26	己卯	8 28	庚戌	十九
1 23	戊寅	12 25	己酉	11 25	己卯	10 27	庚戌	9 27	庚辰	8 29	辛亥	二十
1 24	己卯	12 26	庚戌	11 26	庚辰	10 28	辛亥	9 28	辛巳	8 30	壬子	廿一
1 25	庚辰	12 27	辛亥	11 27	辛巳	10 29	壬子	9 29	壬午	8 31	癸丑	廿二
1 26	辛巳	12 28	壬子	11 28	壬午	10 30	癸丑	9 30	癸未	9 1	甲寅	廿三
1 27	壬午	12 29	癸丑	11 29	癸未	10 31	甲寅	10 1	甲申	9 2	乙卯	廿四
1 28	癸未	12 30	甲寅	11 30	甲申	11 1	乙卯	10 2	乙酉	9 3	丙辰	廿五
1 29	甲申	12 31	乙卯	12 1	乙酉	11 2	丙辰	10 3	丙戌	9 4	丁巳	廿六
1 30	乙酉	1 1	丙辰	12 2	丙戌	11 3	丁巳	10 4	丁亥	9 5	戊午	廿七
1 31	丙戌	1 2	丁巳	12 3	丁亥	11 4	戊午	10 5	戊子	9 6	己未	廿八
2 1	丁亥	1 3	戊午	12 4	戊子	11 5	己未	10 6	己丑	9 7	庚申	廿九
2 2	戊子			12 5	己丑			10 7	庚寅			三十

二〇一一年

歲次辛卯（肖兔）

太歲姓范名寧

年星七赤

月別	正月大		二月小		三月大		四月大		五月小		六月大	
干支	庚寅		辛卯		壬辰		癸巳		甲午		乙未	
九星	八白		七赤		六白		五黃		四綠		三碧	
節氣	立春	雨水	驚蟄	春分	清明	穀雨	立夏	小滿	芒種	夏至	小暑	大暑
	12時32分 初二午時	8時24分 十七辰時	6時43分 初二卯時	7時37分 十七辰時	11時46分 初三午時	18時56分 十八酉時	5時24分 初四卯時	18時18分 十九酉時	9時43分 初五巳時	2時24分 廿一丑時	20時6分 初七戌時	13時17分 廿三未時
農曆	干支	西曆	干支	西曆	干支	西曆	干支	西曆	干支	西曆	干支	西曆
初一	己丑	2 3	己未	3 5	戊子	4 3	戊午	5 3	戊子	6 2	丁巳	7 1
初二	**庚寅**	2 4	**庚申**	3 6	己丑	4 4	己未	5 4	己丑	6 3	戊午	7 2
初三	辛卯	2 5	辛酉	3 7	**庚寅**	4 5	庚申	5 5	庚寅	6 4	己未	7 3
初四	壬辰	2 6	壬戌	3 8	辛卯	4 6	**辛酉**	5 6	辛卯	6 5	庚申	7 4
初五	癸巳	2 7	癸亥	3 9	壬辰	4 7	壬戌	5 7	**壬辰**	6 6	辛酉	7 5
初六	甲午	2 8	甲子	3 10	癸巳	4 8	癸亥	5 8	癸巳	6 7	壬戌	7 6
初七	乙未	2 9	乙丑	3 11	甲午	4 9	甲子	5 9	甲午	6 8	**癸亥**	7 7
初八	丙申	2 10	丙寅	3 12	乙未	4 10	乙丑	5 10	乙未	6 9	甲子	7 8
初九	丁酉	2 11	丁卯	3 13	丙申	4 11	丙寅	5 11	丙申	6 10	乙丑	7 9
初十	戊戌	2 12	戊辰	3 14	丁酉	4 12	丁卯	5 12	丁酉	6 11	丙寅	7 10
十一	己亥	2 13	己巳	3 15	戊戌	4 13	戊辰	5 13	戊戌	6 12	丁卯	7 11
十二	庚子	2 14	庚午	3 16	己亥	4 14	己巳	5 14	己亥	6 13	戊辰	7 12
十三	辛丑	2 15	辛未	3 17	庚子	4 15	庚午	5 15	庚子	6 14	己巳	7 13
十四	壬寅	2 16	壬申	3 18	辛丑	4 16	辛未	5 16	辛丑	6 15	庚午	7 14
十五	癸卯	2 17	癸酉	3 19	壬寅	4 17	壬申	5 17	壬寅	6 16	辛未	7 15
十六	甲辰	2 18	甲戌	3 20	癸卯	4 18	癸酉	5 18	癸卯	6 17	壬申	7 16
十七	**乙巳**	2 19	**乙亥**	3 21	甲辰	4 19	甲戌	5 19	甲辰	6 18	癸酉	7 17
十八	丙午	2 20	丙子	3 22	**乙巳**	4 20	乙亥	5 20	乙巳	6 19	甲戌	7 18
十九	丁未	2 21	丁丑	3 23	丙午	4 21	**丙子**	5 21	丙午	6 20	乙亥	7 19
二十	戊申	2 22	戊寅	3 24	丁未	4 22	丁丑	5 22	丁未	6 21	丙子	7 20
廿一	己酉	2 23	己卯	3 25	戊申	4 23	戊寅	5 23	**戊申**	6 22	丁丑	7 21
廿二	庚戌	2 24	庚辰	3 26	己酉	4 24	己卯	5 24	己酉	6 23	戊寅	7 22
廿三	辛亥	2 25	辛巳	3 27	庚戌	4 25	庚辰	5 25	庚戌	6 24	**己卯**	7 23
廿四	壬子	2 26	壬午	3 28	辛亥	4 26	辛巳	5 26	辛亥	6 25	庚辰	7 24
廿五	癸丑	2 27	癸未	3 29	壬子	4 27	壬午	5 27	壬子	6 26	辛巳	7 25
廿六	甲寅	2 28	甲申	3 30	癸丑	4 28	癸未	5 28	癸丑	6 27	壬午	7 26
廿七	乙卯	3 1	乙酉	3 31	甲寅	4 29	甲申	5 29	甲寅	6 28	癸未	7 27
廿八	丙辰	3 2	丙戌	4 1	乙卯	4 30	乙酉	5 30	乙卯	6 29	甲申	7 28
廿九	丁巳	3 3	丁亥	4 2	丙辰	5 1	丙戌	5 31	丙辰	6 30	乙酉	7 29
三十	戊午	3 4			丁巳	5 2	丁亥	6 1			丙戌	7 30

十二月小		十一月大		十月小		九月大		八月小		七月小		月別
辛丑		庚子		己亥		戊戌		丁酉		丙申		干支
六白		七赤		八白		九紫		一白		二黑		九星
大寒	小寒	冬至	大雪	小雪	立冬	霜降	寒露	秋分	白露	處暑	立秋	節氣
23時56分 廿七夜子	6時41分 十三卯時	13時18分 廿八未時	19時32分 十三戌時	0時8分 廿八早子	2時52分 十三丑時	2時43分 廿八丑時	23時57分 十二夜子	17時37分 廿六酉時	8時33分 十一辰時	20時13分 廿四戌時	5時49分 初九卯時	
西曆	干支	西曆	干支	西曆	干支	西曆	干支	西曆	干支	西曆	干支	農曆
12 25	甲寅	11 25	甲申	10 27	乙卯	9 27	乙酉	8 29	丙辰	7 31	丁亥	初一
12 26	乙卯	11 26	乙酉	10 28	丙辰	9 28	丙戌	8 30	丁巳	8 1	戊子	初二
12 27	丙辰	11 27	丙戌	10 29	丁巳	9 29	丁亥	8 31	戊午	8 2	己丑	初三
12 28	丁巳	11 28	丁亥	10 30	戊午	9 30	戊子	9 1	己未	8 3	庚寅	初四
12 29	戊午	11 29	戊子	10 31	己未	10 1	己丑	9 2	庚申	8 4	辛卯	初五
12 30	己未	11 30	己丑	11 1	庚申	10 2	庚寅	9 3	辛酉	8 5	壬辰	初六
12 31	庚申	12 1	庚寅	11 2	辛酉	10 3	辛卯	9 4	壬戌	8 6	癸巳	初七
1 1	辛酉	12 2	辛卯	11 3	壬戌	10 4	壬辰	9 5	癸亥	8 7	甲午	初八
1 2	壬戌	12 3	壬辰	11 4	癸亥	10 5	癸巳	9 6	甲子	8 8	**乙未**	初九
1 3	癸亥	12 4	癸巳	11 5	甲子	10 6	甲午	9 7	乙丑	8 9	丙申	初十
1 4	甲子	12 5	甲午	11 6	乙丑	10 7	乙未	9 8	**丙寅**	8 10	丁酉	十一
1 5	乙丑	12 6	乙未	11 7	丙寅	10 8	**丙申**	9 9	丁卯	8 11	戊戌	十二
1 6	**丙寅**	12 7	**丙申**	11 8	**丁卯**	10 9	丁酉	9 10	戊辰	8 12	己亥	十三
1 7	丁卯	12 8	丁酉	11 9	戊辰	10 10	戊戌	9 11	己巳	8 13	庚子	十四
1 8	戊辰	12 9	戊戌	11 10	己巳	10 11	己亥	9 12	庚午	8 14	辛丑	十五
1 9	己巳	12 10	己亥	11 11	庚午	10 12	庚子	9 13	辛未	8 15	壬寅	十六
1 10	庚午	12 11	庚子	11 12	辛未	10 13	辛丑	9 14	壬申	8 16	癸卯	十七
1 11	辛未	12 12	辛丑	11 13	壬申	10 14	壬寅	9 15	癸酉	8 17	甲辰	十八
1 12	壬申	12 13	壬寅	11 14	癸酉	10 15	癸卯	9 16	甲戌	8 18	乙巳	十九
1 13	癸酉	12 14	癸卯	11 15	甲戌	10 16	甲辰	9 17	乙亥	8 19	丙午	二十
1 14	甲戌	12 15	甲辰	11 16	乙亥	10 17	乙巳	9 18	丙子	8 20	丁未	廿一
1 15	乙亥	12 16	乙巳	11 17	丙子	10 18	丙午	9 19	丁丑	8 21	戊申	廿二
1 16	丙子	12 17	丙午	11 18	丁丑	10 19	丁未	9 20	戊寅	8 22	己酉	廿三
1 17	丁丑	12 18	丁未	11 19	戊寅	10 20	戊申	9 21	己卯	8 23	**庚戌**	廿四
1 18	戊寅	12 19	戊申	11 20	己卯	10 21	己酉	9 22	庚辰	8 24	辛亥	廿五
1 19	己卯	12 20	己酉	11 21	庚辰	10 22	庚戌	9 23	**辛巳**	8 25	壬子	廿六
1 20	**庚辰**	12 21	庚戌	11 22	辛巳	10 23	辛亥	9 24	壬午	8 26	癸丑	廿七
1 21	辛巳	12 22	**辛亥**	11 23	**壬午**	10 24	**壬子**	9 25	癸未	8 27	甲寅	廿八
1 22	壬午	12 23	壬子	11 24	癸未	10 25	癸丑	9 26	甲申	8 28	乙卯	廿九
		12 24	癸丑			10 26	甲寅					三十

二〇一二年

歲次壬辰（肖龍）

太歲姓彭名泰

年星六白

月別	正月大		二月小		三月大		四月大		閏四月小		五月大	
干支	壬寅		癸卯		甲辰		乙巳				丙午	
九星	五黃		四綠		三碧		二黑				一白	
節氣	立春	雨水	驚蟄	春分	清明	穀雨	立夏	小滿		芒種	夏至	小暑
	十三酉時 18時40分	廿八未時 14時25分	十三午時 12時28分	廿八未時 13時20分	十四酉時 17時16分	三十早子 0時25分	十五巳時 10時43分	三十夜子 23時40分		十六未時 14時43分	初三辰時 7時45分	十九丑時 1時21分
農曆	干支	西曆	干支	西曆	干支	西曆	干支	西曆	干支	西曆	干支	西曆
初一	癸未	1 23	癸丑	2 22	壬午	3 22	壬子	4 21	壬午	5 21	辛亥	6 19
初二	甲申	1 24	甲寅	2 23	癸未	3 23	癸丑	4 22	癸未	5 22	壬子	6 20
初三	乙酉	1 25	乙卯	2 24	甲申	3 24	甲寅	4 23	甲申	5 23	**癸丑**	6 21
初四	丙戌	1 26	丙辰	2 25	乙酉	3 25	乙卯	4 24	乙酉	5 24	甲寅	6 22
初五	丁亥	1 27	丁巳	2 26	丙戌	3 26	丙辰	4 25	丙戌	5 25	乙卯	6 23
初六	戊子	1 28	戊午	2 27	丁亥	3 27	丁巳	4 26	丁亥	5 26	丙辰	6 24
初七	己丑	1 29	己未	2 28	戊子	3 28	戊午	4 27	戊子	5 27	丁巳	6 25
初八	庚寅	1 30	庚申	2 29	己丑	3 29	己未	4 28	己丑	5 28	戊午	6 26
初九	辛卯	1 31	辛酉	3 1	庚寅	3 30	庚申	4 29	庚寅	5 29	己未	6 27
初十	壬辰	2 1	壬戌	3 2	辛卯	3 31	辛酉	4 30	辛卯	5 30	庚申	6 28
十一	癸巳	2 2	癸亥	3 3	壬辰	4 1	壬戌	5 1	壬辰	5 31	辛酉	6 29
十二	甲午	2 3	甲子	3 4	癸巳	4 2	癸亥	5 2	癸巳	6 1	壬戌	6 30
十三	**乙未**	2 4	**乙丑**	3 5	甲午	4 3	甲子	5 3	甲午	6 2	癸亥	7 1
十四	丙申	2 5	丙寅	3 6	**乙未**	4 4	乙丑	5 4	乙未	6 3	甲子	7 2
十五	丁酉	2 6	丁卯	3 7	丙申	4 5	**丙寅**	5 5	丙申	6 4	乙丑	7 3
十六	戊戌	2 7	戊辰	3 8	丁酉	4 6	丁卯	5 6	**丁酉**	6 5	丙寅	7 4
十七	己亥	2 8	己巳	3 9	戊戌	4 7	戊辰	5 7	戊戌	6 6	丁卯	7 5
十八	庚子	2 9	庚午	3 10	己亥	4 8	己巳	5 8	己亥	6 7	戊辰	7 6
十九	辛丑	2 10	辛未	3 11	庚子	4 9	庚午	5 9	庚子	6 8	**己巳**	7 7
二十	壬寅	2 11	壬申	3 12	辛丑	4 10	辛未	5 10	辛丑	6 9	庚午	7 8
廿一	癸卯	2 12	癸酉	3 13	壬寅	4 11	壬申	5 11	壬寅	6 10	辛未	7 9
廿二	甲辰	2 13	甲戌	3 14	癸卯	4 12	癸酉	5 12	癸卯	6 11	壬申	7 10
廿三	乙巳	2 14	乙亥	3 15	甲辰	4 13	甲戌	5 13	甲辰	6 12	癸酉	7 11
廿四	丙午	2 15	丙子	3 16	乙巳	4 14	乙亥	5 14	乙巳	6 13	甲戌	7 12
廿五	丁未	2 16	丁丑	3 17	丙午	4 15	丙子	5 15	丙午	6 14	乙亥	7 13
廿六	戊申	2 17	戊寅	3 18	丁未	4 16	丁丑	5 16	丁未	6 15	丙子	7 14
廿七	己酉	2 18	己卯	3 19	戊申	4 17	戊寅	5 17	戊申	6 16	丁丑	7 15
廿八	**庚戌**	2 19	**庚辰**	3 20	己酉	4 18	己卯	5 18	己酉	6 17	戊寅	7 16
廿九	辛亥	2 20	辛巳	3 21	庚戌	4 19	庚辰	5 19	庚戌	6 18	己卯	7 17
三十	壬子	2 21			**辛亥**	4 20	**辛巳**	5 20			庚辰	7 18

十二月小		十一月大		十月小		九月大		八月小		七月大		六月小		月別
癸丑		壬子		辛亥		庚戌		己酉		戊申		丁未		干支
三碧		四綠		五黃		六白		七赤		八白		九紫		九星
立春	大寒	小寒	冬至	大雪	小雪	立冬	霜降	寒露	秋分	白露	處暑	立秋	大暑	節氣
廿四早子 0時19分	初九卯時 6時26分	廿四未時 13時16分	初九戌時 20時16分	廿四丑時 2時32分	初九辰時 7時20分	廿四巳時 9時56分	初九巳時 9時52分	廿三卯時 6時42分	初八早子 0時18分	廿二未時 14時44分	初七丑時 2時16分	二十午時 11時26分	初四酉時 18時51分	
西曆	干支	西曆	干支	西曆	干支	西曆	干支	西曆	干支	西曆	干支	西曆	干支	農曆
1 12	戊寅	12 13	戊申	11 14	己卯	10 15	己酉	9 16	庚辰	8 17	庚戌	7 19	辛巳	初一
1 13	己卯	12 14	己酉	11 15	庚辰	10 16	庚戌	9 17	辛巳	8 18	辛亥	7 20	壬午	初二
1 14	庚辰	12 15	庚戌	11 16	辛巳	10 17	辛亥	9 18	壬午	8 19	壬子	7 21	癸未	初三
1 15	辛巳	12 16	辛亥	11 17	壬午	10 18	壬子	9 19	癸未	8 20	癸丑	7 22	**甲申**	初四
1 16	壬午	12 17	壬子	11 18	癸未	10 19	癸丑	9 20	甲申	8 21	甲寅	7 23	乙酉	初五
1 17	癸未	12 18	癸丑	11 19	甲申	10 20	甲寅	9 21	乙酉	8 22	乙卯	7 24	丙戌	初六
1 18	甲申	12 19	甲寅	11 20	乙酉	10 21	乙卯	9 22	丙戌	8 23	**丙辰**	7 25	丁亥	初七
1 19	乙酉	12 20	乙卯	11 21	丙戌	10 22	丙辰	9 23	**丁亥**	8 24	丁巳	7 26	戊子	初八
1 20	**丙戌**	12 21	**丙辰**	11 22	**丁亥**	10 23	**丁巳**	9 24	戊子	8 25	戊午	7 27	己丑	初九
1 21	丁亥	12 22	丁巳	11 23	戊子	10 24	戊午	9 25	己丑	8 26	己未	7 28	庚寅	初十
1 22	戊子	12 23	戊午	11 24	己丑	10 25	己未	9 26	庚寅	8 27	庚申	7 29	辛卯	十一
1 23	己丑	12 24	己未	11 25	庚寅	10 26	庚申	9 27	辛卯	8 28	辛酉	7 30	壬辰	十二
1 24	庚寅	12 25	庚申	11 26	辛卯	10 27	辛酉	9 28	壬辰	8 29	壬戌	7 31	癸巳	十三
1 25	辛卯	12 26	辛酉	11 27	壬辰	10 28	壬戌	9 29	癸巳	8 30	癸亥	8 1	甲午	十四
1 26	壬辰	12 27	壬戌	11 28	癸巳	10 29	癸亥	9 30	甲午	8 31	甲子	8 2	乙未	十五
1 27	癸巳	12 28	癸亥	11 29	甲午	10 30	甲子	10 1	乙未	9 1	乙丑	8 3	丙申	十六
1 28	甲午	12 29	甲子	11 30	乙未	10 31	乙丑	10 2	丙申	9 2	丙寅	8 4	丁酉	十七
1 29	乙未	12 30	乙丑	12 1	丙申	11 1	丙寅	10 3	丁酉	9 3	丁卯	8 5	戊戌	十八
1 30	丙申	12 31	丙寅	12 2	丁酉	11 2	丁卯	10 4	戊戌	9 4	戊辰	8 6	己亥	十九
1 31	丁酉	1 1	丁卯	12 3	戊戌	11 3	戊辰	10 5	己亥	9 5	己巳	8 7	**庚子**	二十
2 1	戊戌	1 2	戊辰	12 4	己亥	11 4	己巳	10 6	庚子	9 6	庚午	8 8	辛丑	廿一
2 2	己亥	1 3	己巳	12 5	庚子	11 5	庚午	10 7	辛丑	9 7	**辛未**	8 9	壬寅	廿二
2 3	庚子	1 4	庚午	12 6	辛丑	11 6	辛未	10 8	**壬寅**	9 8	壬申	8 10	癸卯	廿三
2 4	**辛丑**	1 5	**辛未**	12 7	**壬寅**	11 7	**壬申**	10 9	癸卯	9 9	癸酉	8 11	甲辰	廿四
2 5	壬寅	1 6	壬申	12 8	癸卯	11 8	癸酉	10 10	甲辰	9 10	甲戌	8 12	乙巳	廿五
2 6	癸卯	1 7	癸酉	12 9	甲辰	11 9	甲戌	10 11	乙巳	9 11	乙亥	8 13	丙午	廿六
2 7	甲辰	1 8	甲戌	12 10	乙巳	11 10	乙亥	10 12	丙午	9 12	丙子	8 14	丁未	廿七
2 8	乙巳	1 9	乙亥	12 11	丙午	11 11	丙子	10 13	丁未	9 13	丁丑	8 15	戊申	廿八
2 9	丙午	1 10	丙子	12 12	丁未	11 12	丁丑	10 14	戊申	9 14	戊寅	8 16	己酉	廿九
		1 11	丁丑			11 13	戊寅			9 15	己卯			三十

二〇一三年

歲次癸巳（肖蛇）

太歲姓徐名舜

年星五黃

月別	六月大		五月大		四月小		三月大		二月小		正月大	
干支	己未		戊午		丁巳		丙辰		乙卯		甲寅	
九星	六白		七赤		八白		九紫		一白		二黑	
節氣		大暑	小暑	夏至	芒種	小滿	立夏	穀雨	清明	春分	驚蟄	雨水
		十六 0時40分 早子	三十 7時9分 辰時	十四 13時33分 未時	廿七 20時44分 戌時	十二 5時29分 卯時	廿六 16時28分 申時	十一 6時14分 卯時	廿四 23時5分 夜子	初九 19時9分 戌時	廿四 18時19分 酉時	初九 20時15分 戌時
農曆	西曆	干支	西曆	干支	西曆	干支	西曆	干支	西曆	干支	西曆	干支
初一	7 8	乙亥	6 8	乙巳	5 10	丙子	4 10	丙午	3 12	丁丑	2 10	丁未
初二	7 9	丙子	6 9	丙午	5 11	丁丑	4 11	丁未	3 13	戊寅	2 11	戊申
初三	7 10	丁丑	6 10	丁未	5 12	戊寅	4 12	戊申	3 14	己卯	2 12	己酉
初四	7 11	戊寅	6 11	戊申	5 13	己卯	4 13	己酉	3 15	庚辰	2 13	庚戌
初五	7 12	己卯	6 12	己酉	5 14	庚辰	4 14	庚戌	3 16	辛巳	2 14	辛亥
初六	7 13	庚辰	6 13	庚戌	5 15	辛巳	4 15	辛亥	3 17	壬午	2 15	壬子
初七	7 14	辛巳	6 14	辛亥	5 16	壬午	4 16	壬子	3 18	癸未	2 16	癸丑
初八	7 15	壬午	6 15	壬子	5 17	癸未	4 17	癸丑	3 19	甲申	2 17	甲寅
初九	7 16	癸未	6 16	癸丑	5 18	甲申	4 18	甲寅	3 20	**乙酉**	2 18	**乙卯**
初十	7 17	甲申	6 17	甲寅	5 19	乙酉	4 19	乙卯	3 21	丙戌	2 19	丙辰
十一	7 18	乙酉	6 18	乙卯	5 20	丙戌	4 20	**丙辰**	3 22	丁亥	2 20	丁巳
十二	7 19	丙戌	6 19	丙辰	5 21	**丁亥**	4 21	丁巳	3 23	戊子	2 21	戊午
十三	7 20	丁亥	6 20	丁巳	5 22	戊子	4 22	戊午	3 24	己丑	2 22	己未
十四	7 21	戊子	6 21	**戊午**	5 23	己丑	4 23	己未	3 25	庚寅	2 23	庚申
十五	7 22	己丑	6 22	己未	5 24	庚寅	4 24	庚申	3 26	辛卯	2 24	辛酉
十六	7 23	**庚寅**	6 23	庚申	5 25	辛卯	4 25	辛酉	3 27	壬辰	2 25	壬戌
十七	7 24	辛卯	6 24	辛酉	5 26	壬辰	4 26	壬戌	3 28	癸巳	2 26	癸亥
十八	7 25	壬辰	6 25	壬戌	5 27	癸巳	4 27	癸亥	3 29	甲午	2 27	甲子
十九	7 26	癸巳	6 26	癸亥	5 28	甲午	4 28	甲子	3 30	乙未	2 28	乙丑
二十	7 27	甲午	6 27	甲子	5 29	乙未	4 29	乙丑	3 31	丙申	3 1	丙寅
廿一	7 28	乙未	6 30	乙丑	5 30	丙申	4 30	丙寅	4 1	丁酉	3 2	丁卯
廿二	7 29	丙申	6 29	丙寅	5 31	丁酉	5 1	丁卯	4 2	戊戌	3 3	戊辰
廿三	7 30	丁酉	6 30	丁卯	6 1	戊戌	5 2	戊辰	4 3	己亥	3 4	己巳
廿四	7 31	戊戌	7 1	戊辰	6 2	己亥	5 3	己巳	4 4	**庚子**	3 5	**庚午**
廿五	8 1	己亥	7 2	己巳	6 3	庚子	5 4	庚午	4 5	辛丑	3 6	辛未
廿六	8 2	庚子	7 3	庚午	6 4	辛丑	5 5	**辛未**	4 6	壬寅	3 7	壬申
廿七	8 3	辛丑	7 4	辛未	6 5	**壬寅**	5 6	壬申	4 7	癸卯	3 8	癸酉
廿八	8 4	壬寅	7 5	壬申	6 6	癸卯	5 7	癸酉	4 8	甲辰	3 9	甲戌
廿九	8 5	癸卯	7 6	癸酉	6 7	甲辰	5 8	甲戌	4 9	乙巳	3 10	乙亥
三十	8 6	甲辰	7 7	**甲戌**			5 9	乙亥			3 11	丙子

十二月大		十一月小		十月大		九月小		八月大		七月小		月別
乙丑		甲子		癸亥		壬戌		辛酉		庚申		干支
九紫		一白		二黑		三碧		四綠		五黃		九星
大寒	小寒	冬至	大雪	小雪	立冬	霜降	寒露	秋分	白露	處暑	立秋	節氣
二十午時 12時15分	初六戌時 20時7分	二十丑時 2時5分	初五辰時 8時21分	二十未時 13時8分	初五申時 15時45分	十九申時 15時41分	初四午時 12時31分	十九卯時 6時22分	初三戌時 20時33分	十七辰時 8時5分	初一酉時 17時14分	
西曆	干支	西曆	干支	西曆	干支	西曆	干支	西曆	干支	西曆	干支	農曆
1 1	壬申	12 3	癸卯	11 3	癸酉	10 5	甲辰	9 5	甲戌	8 7	**乙巳**	初一
1 2	癸酉	12 4	甲辰	11 4	甲戌	10 6	乙巳	9 6	乙亥	8 8	丙午	初二
1 3	甲戌	12 5	乙巳	11 5	乙亥	10 7	丙午	9 7	**丙子**	8 9	丁未	初三
1 4	乙亥	12 6	丙午	11 6	丙子	10 8	**丁未**	9 8	丁丑	8 10	戊申	初四
1 5	丙子	12 7	**丁未**	11 7	**丁丑**	10 9	戊申	9 9	戊寅	8 11	己酉	初五
1 6	**丁丑**	12 8	戊申	11 8	戊寅	10 10	己酉	9 10	己卯	8 12	庚戌	初六
1 7	戊寅	12 9	己酉	11 9	己卯	10 11	庚戌	9 11	庚辰	8 13	辛亥	初七
1 8	己卯	12 10	庚戌	11 10	庚辰	10 12	辛亥	9 12	辛巳	8 14	壬子	初八
1 9	庚辰	12 11	辛亥	11 11	辛巳	10 13	壬子	9 13	壬午	8 15	癸丑	初九
1 10	辛巳	12 12	壬子	11 12	壬午	10 14	癸丑	9 14	癸未	8 16	甲寅	初十
1 11	壬午	12 13	癸丑	11 13	癸未	10 15	甲寅	9 15	甲申	8 17	乙卯	十一
1 12	癸未	12 14	甲寅	11 14	甲申	10 16	乙卯	9 16	乙酉	8 18	丙辰	十二
1 13	甲申	12 15	乙卯	11 15	乙酉	10 17	丙辰	9 17	丙戌	8 19	丁巳	十三
1 14	乙酉	12 16	丙辰	11 16	丙戌	10 18	丁巳	9 18	丁亥	8 20	戊午	十四
1 15	丙戌	12 17	丁巳	11 17	丁亥	10 19	戊午	9 19	戊子	8 21	己未	十五
1 16	丁亥	12 18	戊午	11 18	戊子	10 20	己未	9 20	己丑	8 22	庚申	十六
1 17	戊子	12 19	己未	11 19	己丑	10 21	庚申	9 21	庚寅	8 23	**辛酉**	十七
1 18	己丑	12 20	庚申	11 20	庚寅	10 22	辛酉	9 22	辛卯	8 24	壬戌	十八
1 19	庚寅	12 21	辛酉	11 21	辛卯	10 23	**壬戌**	9 23	**壬辰**	8 25	癸亥	十九
1 20	**辛卯**	12 22	**壬戌**	11 22	**壬辰**	10 24	癸亥	9 24	癸巳	8 26	甲子	二十
1 21	壬辰	12 23	癸亥	11 23	癸巳	10 25	甲子	9 25	甲午	8 27	乙丑	廿一
1 22	癸巳	12 24	甲子	11 24	甲午	10 26	乙丑	9 26	乙未	8 28	丙寅	廿二
1 23	甲午	12 25	乙丑	11 25	乙未	10 27	丙寅	9 27	丙申	8 29	丁卯	廿三
1 24	乙未	12 26	丙寅	11 26	丙申	10 28	丁卯	9 28	丁酉	8 30	戊辰	廿四
1 25	丙申	12 27	丁卯	11 27	丁酉	10 29	戊辰	9 29	戊戌	8 31	己巳	廿五
1 26	丁酉	12 28	戊辰	11 28	戊戌	10 30	己巳	9 30	己亥	9 1	庚午	廿六
1 27	戊戌	12 29	己巳	11 29	己亥	10 31	庚午	10 1	庚子	9 2	辛未	廿七
1 28	己亥	12 30	庚午	11 30	庚子	11 1	辛未	10 2	辛丑	9 3	壬申	廿八
1 29	庚子	12 31	辛未	12 1	辛丑	11 2	壬申	10 3	壬寅	9 4	癸酉	廿九
1 30	辛丑			12 2	壬寅			10 4	癸卯			三十

二〇一四年

歲次甲午（肖馬）

太歲姓張名詞

年星四綠

六月大		五月小		四月大		三月小		二月大		正月小		月別
辛未		庚午		己巳		戊辰		丁卯		丙寅		干支
三碧		四綠		五黃		六白		七赤		八白		九星
大暑	小暑	夏至	芒種	小滿	立夏	穀雨	清明	春分	驚蟄	雨水	立春	節氣
廿七卯時 6時27分	十一午時 12時57分	廿四戌時 19時21分	初九丑時 2時32分	廿三午時 12時17分	初七亥時 22時16分	廿一午時 12時12分	初六寅時 4時54分	廿一早子 0時57分	初六早子 0時9分	二十丑時 2時4分	初五卯時 6時21分	
西曆	干支	西曆	干支	西曆	干支	西曆	干支	西曆	干支	西曆	干支	農曆
6 27	己巳	5 29	庚子	4 29	庚午	3 31	辛丑	3 1	辛未	1 31	壬寅	初一
6 28	庚午	5 30	辛丑	4 30	辛未	4 1	壬寅	3 2	壬申	2 1	癸卯	初二
6 29	辛未	5 31	壬寅	5 1	壬申	4 2	癸卯	3 3	癸酉	2 2	甲辰	初三
6 30	壬申	6 1	癸卯	5 2	癸酉	4 3	甲辰	3 4	甲戌	2 3	乙巳	初四
7 1	癸酉	6 2	甲辰	5 3	甲戌	4 4	乙巳	3 5	乙亥	2 4	**丙午**	初五
7 2	甲戌	6 3	乙巳	5 4	乙亥	4 5	**丙午**	3 6	**丙子**	2 5	丁未	初六
7 3	乙亥	6 4	丙午	5 5	**丙子**	4 6	丁未	3 7	丁丑	2 6	戊申	初七
7 4	丙子	6 5	丁未	5 6	丁丑	4 7	戊申	3 8	戊寅	2 7	己酉	初八
7 5	丁丑	6 6	**戊申**	5 7	戊寅	4 8	己酉	3 9	己卯	2 8	庚戌	初九
7 6	戊寅	6 7	己酉	5 8	己卯	4 9	庚戌	3 10	庚辰	2 9	辛亥	初十
7 7	**己卯**	6 8	庚戌	5 9	庚辰	4 10	辛亥	3 11	辛巳	2 10	壬子	十一
7 8	庚辰	6 9	辛亥	5 10	辛巳	4 11	壬子	3 12	壬午	2 11	癸丑	十二
7 9	辛巳	6 10	壬子	5 11	壬午	4 12	癸丑	3 13	癸未	2 12	甲寅	十三
7 10	壬午	6 11	癸丑	5 12	癸未	4 13	甲寅	3 14	甲申	2 13	乙卯	十四
7 11	癸未	6 12	甲寅	5 13	甲申	4 14	乙卯	3 15	乙酉	2 14	丙辰	十五
7 12	甲申	6 13	乙卯	5 14	乙酉	4 15	丙辰	3 16	丙戌	2 15	丁巳	十六
7 13	乙酉	6 14	丙辰	5 15	丙戌	4 16	丁巳	3 17	丁亥	2 16	戊午	十七
7 14	丙戌	6 15	丁巳	5 16	丁亥	4 17	戊午	3 18	戊子	2 17	己未	十八
7 15	丁亥	6 16	戊午	5 17	戊子	4 18	己未	3 19	己丑	2 18	庚申	十九
7 16	戊子	6 17	己未	5 18	己丑	4 19	庚申	3 20	庚寅	2 19	**辛酉**	二十
7 17	己丑	6 18	庚申	5 19	庚寅	4 20	**辛酉**	3 21	**辛卯**	2 20	壬戌	廿一
7 18	庚寅	6 19	辛酉	5 20	辛卯	4 21	壬戌	3 22	壬辰	2 21	癸亥	廿二
7 19	辛卯	6 20	壬戌	5 21	**壬辰**	4 22	癸亥	3 23	癸巳	2 22	甲子	廿三
7 20	壬辰	6 21	**癸亥**	5 22	癸巳	4 23	甲子	3 24	甲午	2 23	乙丑	廿四
7 21	癸巳	6 22	甲子	5 23	甲午	4 24	乙丑	3 25	乙未	2 24	丙寅	廿五
7 22	甲午	6 23	乙丑	5 24	乙未	4 25	丙寅	3 26	丙申	2 25	丁卯	廿六
7 23	**乙未**	6 24	丙寅	5 25	丙申	4 26	丁卯	3 27	丁酉	2 26	戊辰	廿七
7 24	丙申	6 25	丁卯	5 26	丁酉	4 27	戊辰	3 28	戊戌	2 27	己巳	廿八
7 25	丁酉	6 26	戊辰	5 27	戊戌	4 28	己巳	3 29	己亥	2 28	庚午	廿九
7 26	戊戌			5 28	己亥			3 30	庚子			三十

十二月大		十一月小		十月大		閏十月小		九月大		八月大		七月小		月別
丁丑		丙子		乙亥				甲戌		癸酉		壬申		干支
六白		七赤		八白				九紫		一白		二黑		九星
立春	大寒	小寒	冬至	大雪	小雪		立冬	霜降	寒露	秋分	白露	處暑	立秋	節氣
十六午時 12時9分	初一酉時 18時5分	十六早子 0時57分	初一辰時 7時50分	十六未時 14時11分	初一酉時 18時58分		十五亥時 21時36分	三十亥時 21時30分	十五酉時 18時20分	三十午時 11時51分	十五丑時 2時21分	廿八未時 13時53分	十二夜子 23時2分	
西曆	干支	西曆	干支	西曆	干支	西曆	干支	西曆	干支	西曆	干支	西曆	干支	農曆
1 20	**丙申**	12 22	**丁卯**	11 22	**丁酉**	10 24	戊辰	9 24	戊戌	8 25	戊辰	7 27	己亥	初一
1 21	丁酉	12 23	戊辰	11 23	戊戌	10 25	己巳	9 25	己亥	8 26	己巳	7 28	庚子	初二
1 22	戊戌	12 24	己巳	11 24	己亥	10 26	庚午	9 26	庚子	8 27	庚午	7 29	辛丑	初三
1 23	己亥	12 25	庚午	11 25	庚子	10 27	辛未	9 27	辛丑	8 28	辛未	7 30	壬寅	初四
1 24	庚子	12 26	辛未	11 26	辛丑	10 28	壬申	9 28	壬寅	8 29	壬申	7 31	癸卯	初五
1 25	辛丑	12 27	壬申	11 27	壬寅	10 29	癸酉	9 29	癸卯	8 30	癸酉	8 1	甲辰	初六
1 26	壬寅	12 28	癸酉	11 28	癸卯	10 30	甲戌	9 30	甲辰	8 31	甲戌	8 2	乙巳	初七
1 27	癸卯	12 29	甲戌	11 29	甲辰	10 31	乙亥	10 1	乙巳	9 1	乙亥	8 3	丙午	初八
1 28	甲辰	12 30	乙亥	11 30	乙巳	11 1	丙子	10 2	丙午	9 2	丙子	8 4	丁未	初九
1 29	乙巳	12 31	丙子	12 1	丙午	11 2	丁丑	10 3	丁未	9 3	丁丑	8 5	戊申	初十
1 30	丙午	1 1	丁丑	12 2	丁未	11 3	戊寅	10 4	戊申	9 4	戊寅	8 6	己酉	十一
1 31	丁未	1 2	戊寅	12 3	戊申	11 4	己卯	10 5	己酉	9 5	己卯	8 7	**庚戌**	十二
2 1	戊申	1 3	己卯	12 4	己酉	11 5	庚辰	10 6	庚戌	9 6	庚辰	8 8	辛亥	十三
2 2	己酉	1 4	庚辰	12 5	庚戌	11 6	辛巳	10 7	辛亥	9 7	辛巳	8 9	壬子	十四
2 3	庚戌	1 5	辛巳	12 6	辛亥	11 7	**壬午**	10 8	**壬子**	9 8	**壬午**	8 10	癸丑	十五
2 4	**辛亥**	1 6	**壬午**	12 7	**壬子**	11 8	癸未	10 9	癸丑	9 9	癸未	8 11	甲寅	十六
2 5	壬子	1 7	癸未	12 8	癸丑	11 9	甲申	10 10	甲寅	9 10	甲申	8 12	乙卯	十七
2 6	癸丑	1 8	甲申	12 9	甲寅	11 10	乙酉	10 11	乙卯	9 11	乙酉	8 13	丙辰	十八
2 7	甲寅	1 9	乙酉	12 10	乙卯	11 11	丙戌	10 12	丙辰	9 12	丙戌	8 14	丁巳	十九
2 8	乙卯	1 10	丙戌	12 11	丙辰	11 12	丁亥	10 13	丁巳	9 13	丁亥	8 15	戊午	二十
2 9	丙辰	1 11	丁亥	12 12	丁巳	11 13	戊子	10 14	戊午	9 14	戊子	8 16	己未	廿一
2 10	丁巳	1 12	戊子	12 13	戊午	11 14	己丑	10 15	己未	9 15	己丑	8 17	庚申	廿二
2 11	戊午	1 13	己丑	12 14	己未	11 15	庚寅	10 16	庚申	9 16	庚寅	8 18	辛酉	廿三
2 12	己未	1 14	庚寅	12 15	庚申	11 16	辛卯	10 17	辛酉	9 17	辛卯	8 19	壬戌	廿四
2 13	庚申	1 15	辛卯	12 16	辛酉	11 17	壬辰	10 18	壬戌	9 18	壬辰	8 20	癸亥	廿五
2 14	辛酉	1 16	壬辰	12 17	壬戌	11 18	癸巳	10 19	癸亥	9 19	癸巳	8 21	甲子	廿六
2 15	壬戌	1 17	癸巳	12 18	癸亥	11 19	甲午	10 20	甲子	9 20	甲午	8 22	乙丑	廿七
2 16	癸亥	1 18	甲午	12 19	甲子	11 20	乙未	10 21	乙丑	9 21	乙未	8 23	**丙寅**	廿八
2 17	甲子	1 19	乙未	12 20	乙丑	11 21	丙申	10 22	丙寅	9 22	丙申	8 24	丁卯	廿九
2 18	乙丑			12 21	丙寅			10 23	**丁卯**	9 23	**丁酉**			三十

二〇一五年

歲次乙未（肖羊）

太歲姓楊名賢

年星三碧

六月小		五月大		四月小		三月小		二月大		正月小		月別
癸未		壬午		辛巳		庚辰		己卯		戊寅		干支
九紫		一白		二黑		三碧		四綠		五黃		九星
立秋	大暑	小暑	夏至	芒種	小滿	立夏	穀雨	清明	春分	驚蟄	雨水	節氣
廿四寅時 4時51分	初八午時 12時16分	廿二酉時 18時30分	初七丑時 2時9分	二十辰時 8時20分	初四酉時 17時8分	十八寅時 4時11分	初二酉時 17時52分	十七巳時 10時58分	初二卯時 6時47分	十六卯時 5時56分	初一辰時 7時54分	
西曆	干支	西曆	干支	西曆	干支	西曆	干支	西曆	干支	西曆	干支	農曆
7 16	癸巳	6 16	癸亥	5 18	甲午	4 19	乙丑	3 20	乙未	2 19	**丙寅**	初一
7 17	甲午	6 17	甲子	5 19	乙未	4 20	**丙寅**	3 21	**丙申**	2 20	丁卯	初二
7 18	乙未	6 18	乙丑	5 20	丙申	4 21	丁卯	3 22	丁酉	2 21	戊辰	初三
7 19	丙申	6 19	丙寅	5 21	**丁酉**	4 22	戊辰	3 23	戊戌	2 22	己巳	初四
7 20	丁酉	6 20	丁卯	5 22	戊戌	4 23	己巳	3 24	己亥	2 23	庚午	初五
7 21	戊戌	6 21	戊辰	5 23	己亥	4 24	庚午	3 25	庚子	2 24	辛未	初六
7 22	己亥	6 22	**己巳**	5 24	庚子	4 25	辛未	3 26	辛丑	2 25	壬申	初七
7 23	**庚子**	6 23	庚午	5 25	辛丑	4 26	壬申	3 27	壬寅	2 26	癸酉	初八
7 24	辛丑	6 24	辛未	5 26	壬寅	4 27	癸酉	3 28	癸卯	2 27	甲戌	初九
7 25	壬寅	6 25	壬申	5 27	癸卯	4 28	甲戌	3 29	甲辰	2 28	乙亥	初十
7 26	癸卯	6 26	癸酉	5 28	甲辰	4 29	乙亥	3 30	乙巳	3 1	丙子	十一
7 27	甲辰	6 27	甲戌	5 29	乙巳	4 30	丙子	3 31	丙午	3 2	丁丑	十二
7 28	乙巳	6 28	乙亥	5 30	丙午	5 1	丁丑	4 1	丁未	3 3	戊寅	十三
7 29	丙午	6 29	丙子	5 31	丁未	5 2	戊寅	4 2	戊申	3 4	己卯	十四
7 30	丁未	6 30	丁丑	6 1	戊申	5 3	己卯	4 3	己酉	3 5	庚辰	十五
7 31	戊申	7 1	戊寅	6 2	己酉	5 4	庚辰	4 4	庚戌	3 6	**辛巳**	十六
8 1	己酉	7 2	己卯	6 3	庚戌	5 5	辛巳	4 5	**辛亥**	3 7	壬午	十七
8 2	庚戌	7 3	庚辰	6 4	辛亥	5 6	**壬午**	4 6	壬子	3 8	癸未	十八
8 3	辛亥	7 4	辛巳	6 5	壬子	5 7	癸未	4 7	癸丑	3 9	甲申	十九
8 4	壬子	7 5	壬午	6 6	**癸丑**	5 8	甲申	4 8	甲寅	3 10	乙酉	二十
8 5	癸丑	7 6	癸未	6 7	甲寅	5 9	乙酉	4 9	乙卯	3 11	丙戌	廿一
8 6	甲寅	7 7	**甲申**	6 8	乙卯	5 10	丙戌	4 10	丙辰	3 12	丁亥	廿二
8 7	乙卯	7 8	乙酉	6 9	丙辰	5 11	丁亥	4 11	丁巳	3 13	戊子	廿三
8 8	**丙辰**	7 9	丙戌	6 10	丁巳	5 12	戊子	4 12	戊午	3 14	己丑	廿四
8 9	丁巳	7 10	丁亥	6 11	戊午	5 13	己丑	4 13	己未	3 15	庚寅	廿五
8 10	戊午	7 11	戊子	6 12	己未	5 14	庚寅	4 14	庚申	3 16	辛卯	廿六
8 11	己未	7 12	己丑	6 13	庚申	5 15	辛卯	4 15	辛酉	3 17	壬辰	廿七
8 12	庚申	7 13	庚寅	6 14	辛酉	5 16	壬辰	4 16	壬戌	3 18	癸巳	廿八
8 13	辛酉	7 14	辛卯	6 15	壬戌	5 17	癸巳	4 17	癸亥	3 19	甲午	廿九
		7 15	壬辰					4 18	甲子			三十

十二月小		十一月大		十月小		九月大		八月大		七月大		月別
己丑		戊子		丁亥		丙戌		乙酉		甲申		干支
三碧		四綠		五黃		六白		七赤		八白		九星
立春	大寒	小寒	冬至	大雪	小雪	立冬	霜降	寒露	秋分	白露	處暑	節氣
18時14分 廿六酉時	23時50分 十二夜子	6時47分 廿七卯時	13時45分 十二未時	20時1分 廿六戌時	0時48分 十二早子	3時25分 廿七寅時	3時20分 十二寅時	0時9分 廿七早子	17時45分 十一酉時	8時10分 廿六辰時	19時51分 初十戌時	
西曆	**干支**	**西曆**	**干支**	**西曆**	**干支**	**西曆**	**干支**	**西曆**	**干支**	**西曆**	**干支**	**農曆**
1 10	辛卯	12 11	辛酉	11 12	壬辰	10 13	壬戌	9 13	壬辰	8 14	壬戌	初一
1 11	壬辰	12 12	壬戌	11 13	癸巳	10 14	癸亥	9 14	癸巳	8 15	癸亥	初二
1 12	癸巳	12 13	癸亥	11 14	甲午	10 15	甲子	9 15	甲午	8 16	甲子	初三
1 13	甲午	12 14	甲子	11 15	乙未	10 16	乙丑	9 16	乙未	8 17	乙丑	初四
1 14	乙未	12 15	乙丑	11 16	丙申	10 17	丙寅	9 17	丙申	8 18	丙寅	初五
1 15	丙申	12 16	丙寅	11 17	丁酉	10 18	丁卯	9 18	丁酉	8 19	丁卯	初六
1 16	丁酉	12 17	丁卯	11 18	戊戌	10 19	戊辰	9 19	戊戌	8 20	戊辰	初七
1 17	戊戌	12 18	戊辰	11 19	己亥	10 20	己巳	9 20	己亥	8 21	己巳	初八
1 18	己亥	12 19	己巳	11 20	庚子	10 21	庚午	9 21	庚子	8 22	庚午	初九
1 19	庚子	12 20	庚午	11 21	辛丑	10 22	辛未	9 22	辛丑	8 23	**辛未**	初十
1 20	辛丑	12 21	辛未	11 22	壬寅	10 23	壬申	9 23	**壬寅**	8 24	壬申	十一
1 21	**壬寅**	12 22	**壬申**	11 23	**癸卯**	10 24	**癸酉**	9 24	癸卯	8 25	癸酉	十二
1 22	癸卯	12 23	癸酉	11 24	甲辰	10 25	甲戌	9 25	甲辰	8 26	甲戌	十三
1 23	甲辰	12 24	甲戌	11 25	乙巳	10 26	乙亥	9 26	乙巳	8 27	乙亥	十四
1 24	乙巳	12 25	乙亥	11 26	丙午	10 27	丙子	9 27	丙午	8 28	丙子	十五
1 25	丙午	12 26	丙子	11 27	丁未	10 28	丁丑	9 28	丁未	8 29	丁丑	十六
1 26	丁未	12 27	丁丑	11 28	戊申	10 29	戊寅	9 29	戊申	8 30	戊寅	十七
1 27	戊申	12 28	戊寅	11 29	己酉	10 30	己卯	9 30	己酉	8 31	己卯	十八
1 28	己酉	12 29	己卯	11 30	庚戌	10 31	庚辰	10 1	庚戌	9 1	庚辰	十九
1 29	庚戌	12 30	庚辰	12 1	辛亥	11 1	辛巳	10 2	辛亥	9 2	辛巳	二十
1 30	辛亥	12 31	辛巳	12 2	壬子	11 2	壬午	10 3	壬子	9 3	壬午	廿一
1 31	壬子	1 1	壬午	12 3	癸丑	11 3	癸未	10 4	癸丑	9 4	癸未	廿二
2 1	癸丑	1 2	癸未	12 4	甲寅	11 4	甲申	10 5	甲寅	9 5	甲申	廿三
2 2	甲寅	1 3	甲申	12 5	乙卯	11 5	乙酉	10 6	乙卯	9 6	乙酉	廿四
2 3	乙卯	1 4	乙酉	12 6	丙辰	11 6	丙戌	10 7	丙辰	9 7	丙戌	廿五
2 4	**丙辰**	1 5	丙戌	12 7	**丁巳**	11 7	丁亥	10 8	丁巳	9 8	**丁亥**	廿六
2 5	丁巳	1 6	**丁亥**	12 8	戊午	11 8	**戊子**	10 9	**戊午**	9 9	戊子	廿七
2 6	戊午	1 7	戊子	12 9	己未	11 9	己丑	10 10	己未	9 10	己丑	廿八
2 7	己未	1 8	己丑	12 10	庚申	11 10	庚寅	10 11	庚申	9 11	庚寅	廿九
		1 9	庚寅			11 11	辛卯	10 12	辛酉	9 12	辛卯	三十

二〇一六年

歲次丙申（肖猴）

太歲姓管名仲

年星二黑

六月大		五月小		四月小		三月大		二月小		正月大		月別
乙未		甲午		癸巳		壬辰		辛卯		庚寅		干支
六白		七赤		八白		九紫		一白		二黑		九星
大暑	小暑	夏至	芒種		小滿	立夏	穀雨	清明	春分	驚蟄	雨水	節氣
十九酉時 17時35分	初四早子 0時5分	十七卯時 6時35分	初一未時 13時50分		十四亥時 22時38分	廿九巳時 9時43分	十三夜子 23時31分	廿七申時 16時29分	十二午時 12時32分	廿七午時 11時45分	十二未時 13時35分	
西曆	干支	西曆	干支	西曆	干支	西曆	干支	西曆	干支	西曆	干支	農曆
7 4	丁亥	6 5	**戊午**	5 7	己丑	4 7	己未	3 9	庚寅	2 8	庚申	初一
7 5	戊子	6 6	己未	5 8	庚寅	4 8	庚申	3 10	辛卯	2 9	辛酉	初二
7 6	己丑	6 7	庚申	5 9	辛卯	4 9	辛酉	3 11	壬辰	2 10	壬戌	初三
7 7	**庚寅**	6 8	辛酉	5 10	壬辰	4 10	壬戌	3 12	癸巳	2 11	癸亥	初四
7 8	辛卯	6 9	壬戌	5 11	癸巳	4 11	癸亥	3 13	甲午	2 12	甲子	初五
7 9	壬辰	6 10	癸亥	5 12	甲午	4 12	甲子	3 14	乙未	2 13	乙丑	初六
7 10	癸巳	6 11	甲子	5 13	乙未	4 13	乙丑	3 15	丙申	2 14	丙寅	初七
7 11	甲午	6 12	乙丑	5 14	丙申	4 14	丙寅	3 16	丁酉	2 15	丁卯	初八
7 12	乙未	6 13	丙寅	5 15	丁酉	4 15	丁卯	3 17	戊戌	2 16	戊辰	初九
7 13	丙申	6 14	丁卯	5 16	戊戌	4 16	戊辰	3 18	己亥	2 17	己巳	初十
7 14	丁酉	6 15	戊辰	5 17	己亥	4 17	己巳	3 19	庚子	2 18	庚午	十一
7 15	戊戌	6 16	己巳	5 18	庚子	4 18	庚午	3 20	**辛丑**	2 19	**辛未**	十二
7 16	己亥	6 17	庚午	5 19	辛丑	4 19	**辛未**	3 21	壬寅	2 20	壬申	十三
7 17	庚子	6 18	辛未	5 20	**壬寅**	4 20	壬申	3 22	癸卯	2 21	癸酉	十四
7 18	辛丑	6 19	壬申	5 21	癸卯	4 21	癸酉	3 23	甲辰	2 22	甲戌	十五
7 19	壬寅	6 20	癸酉	5 22	甲辰	4 22	甲戌	3 24	乙巳	2 23	乙亥	十六
7 20	癸卯	6 21	**甲戌**	5 23	乙巳	4 23	乙亥	3 25	丙午	2 24	丙子	十七
7 21	甲辰	6 22	乙亥	5 24	丙午	4 24	丙子	3 26	丁未	2 25	丁丑	十八
7 22	**乙巳**	6 23	丙子	5 25	丁未	4 25	丁丑	3 27	戊申	2 26	戊寅	十九
7 23	丙午	6 24	丁丑	5 26	戊申	4 26	戊寅	3 28	己酉	2 27	己卯	二十
7 24	丁未	6 25	戊寅	5 27	己酉	4 27	己卯	3 29	庚戌	2 28	庚辰	廿一
7 25	戊申	6 26	己卯	5 28	庚戌	4 28	庚辰	3 30	辛亥	2 29	辛巳	廿二
7 26	己酉	6 27	庚辰	5 29	辛亥	4 29	辛巳	3 31	壬子	3 1	壬午	廿三
7 27	庚戌	6 28	辛巳	5 30	壬子	4 30	壬午	4 1	癸丑	3 2	癸未	廿四
7 28	辛亥	6 29	壬午	5 31	癸丑	5 1	癸未	4 2	甲寅	3 3	甲申	廿五
7 29	壬子	6 30	癸未	6 1	甲寅	5 2	甲申	4 3	乙卯	3 4	乙酉	廿六
7 30	癸丑	7 1	甲申	6 2	乙卯	5 3	乙酉	4 4	**丙辰**	3 5	**丙戌**	廿七
7 31	甲寅	7 2	乙酉	6 3	丙辰	5 4	丙戌	4 5	丁巳	3 6	丁亥	廿八
8 1	乙卯	7 3	丙戌	6 4	丁巳	5 5	**丁亥**	4 6	戊午	3 7	戊子	廿九
8 2	丙辰					5 6	戊子			3 8	己丑	三十

十二月大		十一月大		十月小		九月大		八月大		七月小		月別
辛丑		庚子		己亥		戊戌		丁酉		丙申		干支
九紫		一白		二黑		三碧		四綠		五黃		九星
大寒	小寒	冬至	大雪	小雪	立冬	霜降	寒露	秋分	白露	處暑	立秋	節氣
5時25分 廿三卯時	11時57分 初八午時	18時46分 廿三酉時	0時43分 初九早子	5時24分 廿三卯時	7時49分 初八辰時	7時47分 廿三辰時	4時35分 初八寅時	22時23分 廿二亥時	12時53分 初七午時	0時40分 廿一早子	9時54分 初五巳時	
西曆	干支	西曆	干支	西曆	干支	西曆	干支	西曆	干支	西曆	干支	農曆
12 29	乙酉	11 29	乙卯	10 31	丙戌	10 1	丙辰	9 1	丙戌	8 3	丁巳	初一
12 30	丙戌	11 30	丙辰	11 1	丁亥	10 2	丁巳	9 2	丁亥	8 4	戊午	初二
12 31	丁亥	12 1	丁巳	11 2	戊子	10 3	戊午	9 3	戊子	8 5	己未	初三
1 1	戊子	12 2	戊午	11 3	己丑	10 4	己未	9 4	己丑	8 6	庚申	初四
1 2	己丑	12 3	己未	11 4	庚寅	10 5	庚申	9 5	庚寅	8 7	**辛酉**	初五
1 3	庚寅	12 4	庚申	11 5	辛卯	10 6	辛酉	9 6	辛卯	8 8	壬戌	初六
1 4	辛卯	12 5	辛酉	11 6	壬辰	10 7	壬戌	9 7	**壬辰**	8 9	癸亥	初七
1 5	**壬辰**	12 6	壬戌	11 7	**癸巳**	10 8	**癸亥**	9 8	癸巳	8 10	甲子	初八
1 6	癸巳	12 7	**癸亥**	11 8	甲午	10 9	甲子	9 9	甲午	8 11	乙丑	初九
1 7	甲午	12 8	甲子	11 9	乙未	10 10	乙丑	9 10	乙未	8 12	丙寅	初十
1 8	乙未	12 9	乙丑	11 10	丙申	10 11	丙寅	9 11	丙申	8 13	丁卯	十一
1 9	丙申	12 10	丙寅	11 11	丁酉	10 12	丁卯	9 12	丁酉	8 14	戊辰	十二
1 10	丁酉	12 11	丁卯	11 12	戊戌	10 13	戊辰	9 13	戊戌	8 15	己巳	十三
1 11	戊戌	12 12	戊辰	11 13	己亥	10 14	己巳	9 14	己亥	8 16	庚午	十四
1 12	己亥	12 13	己巳	11 14	庚子	10 15	庚午	9 15	庚子	8 17	辛未	十五
1 13	庚子	12 14	庚午	11 15	辛丑	10 16	辛未	9 16	辛丑	8 18	壬申	十六
1 14	辛丑	12 15	辛未	11 16	壬寅	10 17	壬申	9 17	壬寅	8 19	癸酉	十七
1 15	壬寅	12 16	壬申	11 17	癸卯	10 18	癸酉	9 18	癸卯	8 20	甲戌	十八
1 16	癸卯	12 17	癸酉	11 18	甲辰	10 19	甲戌	9 19	甲辰	8 21	乙亥	十九
1 17	甲辰	12 18	甲戌	11 19	乙巳	10 20	乙亥	9 20	乙巳	8 22	丙子	二十
1 18	乙巳	12 19	乙亥	11 20	丙午	10 21	丙子	9 21	丙午	8 23	**丁丑**	廿一
1 19	丙午	12 20	丙子	11 21	丁未	10 22	丁丑	9 22	**丁未**	8 24	戊寅	廿二
1 20	**丁未**	12 21	**丁丑**	11 22	**戊申**	10 23	**戊寅**	9 23	戊申	8 25	己卯	廿三
1 21	戊申	12 22	戊寅	11 23	己酉	10 24	己卯	9 24	己酉	8 26	庚辰	廿四
1 22	己酉	12 23	己卯	11 24	庚戌	10 25	庚辰	9 25	庚戌	8 27	辛巳	廿五
1 23	庚戌	12 24	庚辰	11 25	辛亥	10 26	辛巳	9 26	辛亥	8 28	壬午	廿六
1 24	辛亥	12 25	辛巳	11 26	壬子	10 27	壬午	9 27	壬子	8 29	癸未	廿七
1 25	壬子	12 26	壬午	11 27	癸丑	10 28	癸未	9 28	癸丑	8 30	甲申	廿八
1 26	癸丑	12 27	癸未	11 28	甲寅	10 29	甲申	9 29	甲寅	8 31	乙酉	廿九
1 27	甲寅	12 28	甲申			10 30	乙酉	9 30	乙卯			三十

二〇一七年

歲次丁酉（肖雞）

太歲姓康名傑

年星一白

月別	正月小		二月大		三月小		四月大		五月小		六月小	
干支	壬寅		癸卯		甲辰		乙巳		丙午		丁未	
九星	八白		七赤		六白		五黃		四綠		三碧	
節氣	立春	雨水	驚蟄	春分	清明	穀雨	立夏	小滿	芒種	夏至	小暑	大暑
	23時36分 初七夜子	19時33分 廿二戌時	17時34分 初八酉時	18時30分 廿三酉時	22時19分 初八亥時	5時28分 廿四卯時	15時33分 初十申時	4時32分 廿六寅時	19時38分 十一戌時	12時25分 廿七午時	5時52分 十四卯時	23時17分 廿九夜子
農曆	干支	西曆	干支	西曆	干支	西曆	干支	西曆	干支	西曆	干支	西曆
初一	乙卯	1 28	甲申	2 26	甲寅	3 28	癸未	4 26	癸丑	5 26	壬午	6 24
初二	丙辰	1 29	乙酉	2 27	乙卯	3 29	甲申	4 27	甲寅	5 27	癸未	6 25
初三	丁巳	1 30	丙戌	2 28	丙辰	3 30	乙酉	4 28	乙卯	5 28	甲申	6 26
初四	戊午	1 31	丁亥	3 1	丁巳	3 31	丙戌	4 29	丙辰	5 29	乙酉	6 27
初五	己未	2 1	戊子	3 2	戊午	4 1	丁亥	4 30	丁巳	5 30	丙戌	6 28
初六	庚申	2 2	己丑	3 3	己未	4 2	戊子	5 1	戊午	5 31	丁亥	6 29
初七	**辛酉**	2 3	庚寅	3 4	庚申	4 3	己丑	5 2	己未	6 1	戊子	6 30
初八	壬戌	2 4	**辛卯**	3 5	**辛酉**	4 4	庚寅	5 3	庚申	6 2	己丑	7 1
初九	癸亥	2 5	壬辰	3 6	壬戌	4 5	辛卯	5 4	辛酉	6 3	庚寅	7 2
初十	甲子	2 6	癸巳	3 7	癸亥	4 6	**壬辰**	5 5	壬戌	6 4	辛卯	7 3
十一	乙丑	2 7	甲午	3 8	甲子	4 7	癸巳	5 6	**癸亥**	6 5	壬辰	7 4
十二	丙寅	2 8	乙未	3 9	乙丑	4 8	甲午	5 7	甲子	6 6	癸巳	7 5
十三	丁卯	2 9	丙申	3 10	丙寅	4 9	乙未	5 8	乙丑	6 7	甲午	7 6
十四	戊辰	2 10	丁酉	3 11	丁卯	4 10	丙申	5 9	丙寅	6 8	**乙未**	7 7
十五	己巳	2 11	戊戌	3 12	戊辰	4 11	丁酉	5 10	丁卯	6 9	丙申	7 8
十六	庚午	2 12	己亥	3 13	己巳	4 12	戊戌	5 11	戊辰	6 10	丁酉	7 9
十七	辛未	2 13	庚子	3 14	庚午	4 13	己亥	5 12	己巳	6 11	戊戌	7 10
十八	壬申	2 14	辛丑	3 15	辛未	4 14	庚子	5 13	庚午	6 12	己亥	7 11
十九	癸酉	2 15	壬寅	3 16	壬申	4 15	辛丑	5 14	辛未	6 13	庚子	7 12
二十	甲戌	2 16	癸卯	3 17	癸酉	4 16	壬寅	5 15	壬申	6 14	辛丑	7 13
廿一	乙亥	2 17	甲辰	3 18	甲戌	4 17	癸卯	5 16	癸酉	6 15	壬寅	7 14
廿二	**丙子**	2 18	乙巳	3 19	乙亥	4 18	甲辰	5 17	甲戌	6 16	癸卯	7 15
廿三	丁丑	2 19	**丙午**	3 20	丙子	4 19	乙巳	5 18	乙亥	6 17	甲辰	7 16
廿四	戊寅	2 20	丁未	3 21	**丁丑**	4 20	丙午	5 19	丙子	6 18	乙巳	7 17
廿五	己卯	2 21	戊申	3 22	戊寅	4 21	丁未	5 20	丁丑	6 19	丙午	7 18
廿六	庚辰	2 22	己酉	3 23	己卯	4 22	**戊申**	5 21	戊寅	6 20	丁未	7 19
廿七	辛巳	2 23	庚戌	3 24	庚辰	4 23	己酉	5 22	**己卯**	6 21	戊申	7 20
廿八	壬午	2 24	辛亥	3 25	辛巳	4 24	庚戌	5 23	庚辰	6 22	己酉	7 21
廿九	癸未	2 25	壬子	3 26	壬午	4 25	辛亥	5 24	辛巳	6 23	**庚戌**	7 22
三十			癸丑	3 27			壬子	5 25				

十二月大		十一月大		十月大		九月小		八月大		七月小		閏六月大		月別
癸丑		壬子		辛亥		庚戌		己酉		戊申				干支
六白		七赤		八白		九紫		一白		二黑				九星
立春 5時30分 十九卯時	大寒 11時11分 初四年時	小寒 17時50分 十九酉時	冬至 0時30分 初五早子時	大雪 6時34分 二十卯時	小雪 11時6分 初五午時	立冬 13時39分 十九未時	霜降 13時28分 初四未時	寒露 10時24分 十九巳時	秋分 4時2分 初四寅時	白露 18時40分 十七酉時	處暑 6時22分 初二卯時	立秋 15時41分 十六申時		節氣
西曆	干支	西曆	干支	西曆	干支	西曆	干支	西曆	干支	西曆	干支	西曆	干支	農曆
1 17	己酉	12 18	己卯	11 18	己酉	10 20	庚辰	9 20	庚戌	8 22	辛巳	7 23	辛亥	初一
1 18	庚戌	12 19	庚辰	11 19	庚戌	10 21	辛巳	9 21	辛亥	8 23	壬午	7 24	壬子	初二
1 19	辛亥	12 20	辛巳	11 20	辛亥	10 22	壬午	9 22	壬子	8 24	癸未	7 25	癸丑	初三
1 20	壬子	12 21	壬午	11 21	壬子	10 23	癸未	9 23	癸丑	8 25	甲申	7 26	甲寅	初四
1 21	癸丑	12 22	癸未	11 22	癸丑	10 24	甲申	9 24	甲寅	8 26	乙酉	7 27	乙卯	初五
1 22	甲寅	12 23	甲申	11 23	甲寅	10 25	乙酉	9 25	乙卯	8 27	丙戌	7 28	丙辰	初六
1 23	乙卯	12 24	乙酉	11 24	乙卯	10 26	丙戌	9 26	丙辰	8 28	丁亥	7 29	丁巳	初七
1 24	丙辰	12 25	丙戌	11 25	丙辰	10 27	丁亥	9 27	丁巳	8 29	戊子	7 30	戊午	初八
1 25	丁巳	12 26	丁亥	11 26	丁巳	10 28	戊子	9 28	戊午	8 30	己丑	7 31	己未	初九
1 26	戊午	12 27	戊子	11 27	戊午	10 29	己丑	9 29	己未	8 31	庚寅	8 1	庚申	初十
1 27	己未	12 28	己丑	11 28	己未	10 30	庚寅	9 30	庚申	9 1	辛卯	8 2	辛酉	十一
1 28	庚申	12 29	庚寅	11 29	庚申	10 31	辛卯	10 1	辛酉	9 2	壬辰	8 3	壬戌	十二
1 29	辛酉	12 30	辛卯	11 30	辛酉	11 1	壬辰	10 2	壬戌	9 3	癸巳	8 4	癸亥	十三
1 30	壬戌	12 31	壬辰	12 1	壬戌	11 2	癸巳	10 3	癸亥	9 4	甲午	8 5	甲子	十四
1 31	癸亥	1 1	癸巳	12 2	癸亥	11 3	甲午	10 4	甲子	9 5	乙未	8 6	乙丑	十五
2 1	甲子	1 2	甲午	12 3	甲子	11 4	乙未	10 5	乙丑	9 6	丙申	8 7	丙寅	十六
2 2	乙丑	1 3	乙未	12 4	乙丑	11 5	丙申	10 6	丙寅	9 7	丁酉	8 8	丁卯	十七
2 3	丙寅	1 4	丙申	12 5	丙寅	11 6	丁酉	10 7	丁卯	9 8	戊戌	8 9	戊辰	十八
2 4	丁卯	1 5	丁酉	12 6	丁卯	11 7	戊戌	10 8	戊辰	9 9	己亥	8 10	己巳	十九
2 5	戊辰	1 6	戊戌	12 7	戊辰	11 8	己亥	10 9	己巳	9 10	庚子	8 11	庚午	二十
2 6	己巳	1 7	己亥	12 8	己巳	11 9	庚子	10 10	庚午	9 11	辛丑	8 12	辛未	廿一
2 7	庚午	1 8	庚子	12 9	庚午	11 10	辛丑	10 11	辛未	9 12	壬寅	8 13	壬申	廿二
2 8	辛未	1 9	辛丑	12 10	辛未	11 11	壬寅	10 12	壬申	9 13	癸卯	8 14	癸酉	廿三
2 9	壬申	1 10	壬寅	12 11	壬申	11 12	癸卯	10 13	癸酉	9 14	甲辰	8 15	甲戌	廿四
2 10	癸酉	1 11	癸卯	12 12	癸酉	11 13	甲辰	10 14	甲戌	9 15	乙巳	8 16	乙亥	廿五
2 11	甲戌	1 12	甲辰	12 13	甲戌	11 14	乙巳	10 15	乙亥	9 16	丙午	8 17	丙子	廿六
2 12	乙亥	1 13	乙巳	12 14	乙亥	11 15	丙午	10 16	丙子	9 17	丁未	8 18	丁丑	廿七
2 13	丙子	1 14	丙午	12 15	丙子	11 16	丁未	10 17	丁丑	9 18	戊申	8 19	戊寅	廿八
2 14	丁丑	1 15	丁未	12 16	丁丑	11 17	戊申	10 18	戊寅	9 19	己酉	8 20	己卯	廿九
2 15	戊寅	1 16	戊申	12 17	戊寅			10 19	己卯			8 21	庚辰	三十

二〇一八年

歲次戊戌（肖狗）

太歲姓姜名武

年星九紫

六月小		五月小		四月大		三月小		二月大		正月小		月別
己未		戊午		丁巳		丙辰		乙卯		甲寅		干支
九紫		一白		二黑		三碧		四綠		五黃		九星
立秋	大暑	小暑	夏至	芒種	小滿	立夏	穀雨	清明	春分	驚蟄	雨水	節氣
廿六 21時32分 亥時	十一 5時2分 卯時	廿四 11時43分 午時	初八 18時9分 酉時	廿三 1時31分 丑時	初七 10時16分 巳時	二十 21時27分 亥時	初五 11時14分 午時	二十 4時14分 寅時	初五 0時17分 早子	十八 23時30分 夜子	初四 1時20分 丑時	
西曆	干支	西曆	干支	西曆	干支	西曆	干支	西曆	干支	西曆	干支	農曆
7 13	丙午	6 14	丁丑	5 15	丁未	4 16	戊寅	3 17	戊申	2 16	己卯	初一
7 14	丁未	6 15	戊寅	5 16	戊申	4 17	己卯	3 18	己酉	2 17	庚辰	初二
7 15	戊申	6 16	己卯	5 17	己酉	4 18	庚辰	3 19	庚戌	2 18	辛巳	初三
7 16	己酉	6 17	庚辰	5 18	庚戌	4 19	辛巳	3 20	辛亥	2 19	**壬午**	初四
7 17	庚戌	6 18	辛巳	5 19	辛亥	4 20	**壬午**	3 21	**壬子**	2 20	癸未	初五
7 18	辛亥	6 19	壬午	5 20	壬子	4 21	癸未	3 22	癸丑	2 21	甲申	初六
7 19	壬子	6 20	癸未	5 21	**癸丑**	4 22	甲申	3 23	甲寅	2 22	乙酉	初七
7 20	癸丑	6 21	**甲申**	5 22	甲寅	4 23	乙酉	3 24	乙卯	2 23	丙戌	初八
7 21	甲寅	6 22	乙酉	5 23	乙卯	4 24	丙戌	3 25	丙辰	2 24	丁亥	初九
7 22	乙卯	6 23	丙戌	5 24	丙辰	4 25	丁亥	3 26	丁巳	2 25	戊子	初十
7 23	**丙辰**	6 24	丁亥	5 25	丁巳	4 26	戊子	3 27	戊午	2 26	己丑	十一
7 24	丁巳	6 25	戊子	5 26	戊午	4 27	己丑	3 28	己未	2 27	庚寅	十二
7 25	戊午	6 26	己丑	5 27	己未	4 28	庚寅	3 29	庚申	2 28	辛卯	十三
7 26	己未	6 27	庚寅	5 28	庚申	4 29	辛卯	3 30	辛酉	3 1	壬辰	十四
7 27	庚申	6 28	辛卯	5 29	辛酉	4 30	壬辰	3 31	壬戌	3 2	癸巳	十五
7 28	辛酉	6 29	壬辰	5 30	壬戌	5 1	癸巳	4 1	癸亥	3 3	甲午	十六
7 29	壬戌	6 30	癸巳	5 31	癸亥	5 2	甲午	4 2	甲子	3 4	乙未	十七
7 30	癸亥	7 1	甲午	6 1	甲子	5 3	乙未	4 3	乙丑	3 5	**丙申**	十八
7 31	甲子	7 2	乙未	6 2	乙丑	5 4	丙申	4 4	丙寅	3 6	丁酉	十九
8 1	乙丑	7 3	丙申	6 3	丙寅	5 5	**丁酉**	4 5	**丁卯**	3 7	戊戌	二十
8 2	丙寅	7 4	丁酉	6 4	丁卯	5 6	戊戌	4 6	戊辰	3 8	己亥	廿一
8 3	丁卯	7 5	戊戌	6 5	戊辰	5 7	己亥	4 7	己巳	3 9	庚子	廿二
8 4	戊辰	7 6	己亥	6 6	**己巳**	5 8	庚子	4 8	庚午	3 10	辛丑	廿三
8 5	己巳	7 7	**庚子**	6 7	庚午	5 9	辛丑	4 9	辛未	3 11	壬寅	廿四
8 6	庚午	7 8	辛丑	6 8	辛未	5 10	壬寅	4 10	壬申	3 12	癸卯	廿五
8 7	**辛未**	7 9	壬寅	6 9	壬申	5 11	癸卯	4 11	癸酉	3 13	甲辰	廿六
8 8	壬申	7 10	癸卯	6 10	癸酉	5 12	甲辰	4 12	甲戌	3 14	乙巳	廿七
8 9	癸酉	7 11	甲辰	6 11	甲戌	5 13	乙巳	4 13	乙亥	3 15	丙午	廿八
8 10	甲戌	7 12	乙巳	6 12	乙亥	5 14	丙午	4 14	丙子	3 16	丁未	廿九
				6 13	丙子			4 15	丁丑			三十

十二月大		十一月大		十月小		九月大		八月小		七月大		月別
乙丑		甲子		癸亥		壬戌		辛酉		庚申		干支
三碧		四綠		五黃		六白		七赤		八白		九星
立春	大寒	小寒	冬至	大雪	小雪	立冬	霜降	寒露	秋分	白露	處暑	
11時16分 三十午時	17時1分 十五酉時	23時41分 三十夜子	6時24分 十六卯時	12時28分 十一月初一午時	17時3分 十五酉時	19時33分 三十戌時	19時24分 十五戌時	16時16分 廿九申時	9時56分 十四巳時	0時31分 廿九早子	12時10分 十三午時	節氣
西曆	干支	西曆	干支	西曆	干支	西曆	干支	西曆	干支	西曆	干支	農曆
1 6	癸卯	12 7	**癸酉**	11 8	甲辰	10 9	甲戌	9 10	乙巳	8 11	乙亥	初一
1 7	甲辰	12 8	甲戌	11 9	乙巳	10 10	乙亥	9 11	丙午	8 12	丙子	初二
1 8	乙巳	12 9	乙亥	11 10	丙午	10 11	丙子	9 12	丁未	8 13	丁丑	初三
1 9	丙午	12 10	丙子	11 11	丁未	10 12	丁丑	9 13	戊申	8 14	戊寅	初四
1 10	丁未	12 11	丁丑	11 12	戊申	10 13	戊寅	9 14	己酉	8 15	己卯	初五
1 11	戊申	12 12	戊寅	11 13	己酉	10 14	己卯	9 15	庚戌	8 16	庚辰	初六
1 12	己酉	12 13	己卯	11 14	庚戌	10 15	庚辰	9 16	辛亥	8 17	辛巳	初七
1 13	庚戌	12 14	庚辰	11 15	辛亥	10 16	辛巳	9 17	壬子	8 18	壬午	初八
1 14	辛亥	12 15	辛巳	11 16	壬子	10 17	壬午	9 18	癸丑	8 19	癸未	初九
1 15	壬子	12 16	壬午	11 17	癸丑	10 18	癸未	9 19	甲寅	8 20	甲申	初十
1 16	癸丑	12 17	癸未	11 18	甲寅	10 19	甲申	9 20	乙卯	8 21	乙酉	十一
1 17	甲寅	12 18	甲申	11 19	乙卯	10 20	乙酉	9 21	丙辰	8 22	丙戌	十二
1 18	乙卯	12 19	乙酉	11 20	丙辰	10 21	丙戌	9 22	丁巳	8 23	**丁亥**	十三
1 19	丙辰	12 20	丙戌	11 21	丁巳	10 22	丁亥	9 23	**戊午**	8 24	戊子	十四
1 20	**丁巳**	12 21	丁亥	11 22	**戊午**	10 23	**戊子**	9 24	己未	8 25	己丑	十五
1 21	戊午	12 22	**戊子**	11 23	己未	10 24	己丑	9 25	庚申	8 26	庚寅	十六
1 22	己未	12 23	己丑	11 24	庚申	10 25	庚寅	9 26	辛酉	8 27	辛卯	十七
1 23	庚申	12 24	庚寅	11 25	辛酉	10 26	辛卯	9 27	壬戌	8 28	壬辰	十八
1 24	辛酉	12 25	辛卯	11 26	壬戌	10 27	壬辰	9 28	癸亥	8 29	癸巳	十九
1 25	壬戌	12 26	壬辰	11 27	癸亥	10 28	癸巳	9 29	甲子	8 30	甲午	二十
1 26	癸亥	12 27	癸巳	11 28	甲子	10 29	甲午	9 30	乙丑	8 31	乙未	廿一
1 27	甲子	12 28	甲午	11 29	乙丑	10 30	乙未	10 1	丙寅	9 1	丙申	廿二
1 28	乙丑	12 29	乙未	11 30	丙寅	10 31	丙申	10 2	丁卯	9 2	丁酉	廿三
1 29	丙寅	12 30	丙申	12 1	丁卯	11 1	丁酉	10 3	戊辰	9 3	戊戌	廿四
1 30	丁卯	12 31	丁酉	12 2	戊辰	11 2	戊戌	10 4	己巳	9 4	己亥	廿五
1 31	戊辰	1 1	戊戌	12 3	己巳	11 3	己亥	10 5	庚午	9 5	庚子	廿六
2 1	己巳	1 2	己亥	12 4	庚午	11 4	庚子	10 6	辛未	9 6	辛丑	廿七
2 2	庚午	1 3	庚子	12 5	辛未	11 5	辛丑	10 7	壬申	9 7	壬寅	廿八
2 3	辛未	1 4	辛丑	12 6	壬申	11 6	壬寅	10 8	**癸酉**	9 8	**癸卯**	廿九
2 4	**壬申**	1 5	**壬寅**			11 7	**癸卯**			9 9	甲辰	三十

二〇一九年

歲次己亥（肖豬）

太歲姓謝名壽

年星八白

六月小		五月大		四月小		三月大		二月小		正月大		月別
辛未		庚午		己巳		戊辰		丁卯		丙寅		干支
六白		七赤		八白		九紫		一白		二黑		九星
大暑	小暑	夏至	芒種	小滿	立夏	穀雨	清明		春分	驚蟄	雨水	節氣
廿一 10時52分 巳時	初五 17時22分 酉時	十九 23時56分 夜子	初四 7時8分 辰時	十七 16時0分 申時	初二 3時4分 寅時	十六 16時57分 申時	初一 9時53分 巳時		十五 6時0分 卯時	三十 5時11分 卯時	十五 7時6分 辰時	
西曆	干支	西曆	干支	西曆	干支	西曆	干支	西曆	干支	西曆	干支	農曆
7 3	辛丑	6 3	辛未	5 5	壬寅	4 5	**壬申**	3 7	癸卯	2 5	癸酉	初一
7 4	壬寅	6 4	壬申	5 6	**癸卯**	4 6	癸酉	3 8	甲辰	2 6	甲戌	初二
7 5	癸卯	6 5	癸酉	5 7	甲辰	4 7	甲戌	3 9	乙巳	2 7	乙亥	初三
7 6	甲辰	6 6	**甲戌**	5 8	乙巳	4 8	乙亥	3 10	丙午	2 8	丙子	初四
7 7	**乙巳**	6 7	乙亥	5 9	丙午	4 9	丙子	3 11	丁未	2 9	丁丑	初五
7 8	丙午	6 8	丙子	5 10	丁未	4 10	丁丑	3 12	戊申	2 10	戊寅	初六
7 9	丁未	6 9	丁丑	5 11	戊申	4 11	戊寅	3 13	己酉	2 11	己卯	初七
7 10	戊申	6 10	戊寅	5 12	己酉	4 12	己卯	3 14	庚戌	2 12	庚辰	初八
7 11	己酉	6 11	己卯	5 13	庚戌	4 13	庚辰	3 15	辛亥	2 13	辛巳	初九
7 12	庚戌	6 12	庚辰	5 14	辛亥	4 14	辛巳	3 16	壬子	2 14	壬午	初十
7 13	辛亥	6 13	辛巳	5 15	壬子	4 15	壬午	3 17	癸丑	2 15	癸未	十一
7 14	壬子	6 14	壬午	5 16	癸丑	4 16	癸未	3 18	甲寅	2 16	甲申	十二
7 15	癸丑	6 15	癸未	5 17	甲寅	4 17	甲申	3 19	乙卯	2 17	乙酉	十三
7 16	甲寅	6 16	甲申	5 18	乙卯	4 18	乙酉	3 20	丙辰	2 18	丙戌	十四
7 17	乙卯	6 17	乙酉	5 19	丙辰	4 19	丙戌	3 21	**丁巳**	2 19	**丁亥**	十五
7 18	丙辰	6 18	丙戌	5 20	丁巳	4 20	**丁亥**	3 22	戊午	2 20	戊子	十六
7 19	丁巳	6 19	丁亥	5 21	**戊午**	4 21	戊子	3 23	己未	2 21	己丑	十七
7 20	戊午	6 20	戊子	5 22	己未	4 22	己丑	3 24	庚申	2 22	庚寅	十八
7 21	己未	6 21	**己丑**	5 23	庚申	4 23	庚寅	3 25	辛酉	2 23	辛卯	十九
7 22	庚申	6 22	庚寅	5 24	辛酉	4 24	辛卯	3 26	壬戌	2 24	壬辰	二十
7 23	**辛酉**	6 23	辛卯	5 25	壬戌	4 25	壬辰	3 27	癸亥	2 25	癸巳	廿一
7 24	壬戌	6 24	壬辰	5 26	癸亥	4 26	癸巳	3 28	甲子	2 26	甲午	廿二
7 25	癸亥	6 25	癸巳	5 27	甲子	4 27	甲午	3 29	乙丑	2 27	乙未	廿三
7 26	甲子	6 26	甲午	5 28	乙丑	4 28	乙未	3 30	丙寅	2 28	丙申	廿四
7 27	乙丑	6 27	乙未	5 29	丙寅	4 29	丙申	3 31	丁卯	3 1	丁酉	廿五
7 28	丙寅	6 28	丙申	5 30	丁卯	4 30	丁酉	4 1	戊辰	3 2	戊戌	廿六
7 29	丁卯	6 29	丁酉	5 31	戊辰	5 1	戊戌	4 2	己巳	3 3	己亥	廿七
7 30	戊辰	6 30	戊戌	6 1	己巳	5 2	己亥	4 3	庚午	3 4	庚子	廿八
7 31	己巳	7 1	己亥	6 2	庚午	5 3	庚子	4 4	辛未	3 5	辛丑	廿九
		7 2	庚子			5 4	辛丑			3 6	**壬寅**	三十

十二月大	十一月大	十月小	九月小	八月大	七月小	月別
丁丑	丙子	乙亥	甲戌	癸酉	壬申	干支
九紫	一白	二黑	三碧	四綠	五黃	九星
大寒 22時56分 廿六亥時 / 小寒 5時32分 十二卯時	冬至 12時21分 廿七午時 / 大雪 18時20分 十二酉時	小雪 23時1分 廿六夜子時 / 立冬 1時26分 十二丑時	霜降 1時21分 廿六丑時 / 寒露 22時7分 初十亥時	秋分 15時52分 廿五申時 / 白露 6時19分 初十卯時	處暑 18時3分 廿三酉時 / 立秋 3時14分 初八寅時	節氣
西曆 / 干支	西曆 / 干支	西曆 / 干支	西曆 / 干支	西曆 / 干支	西曆 / 干支	農曆
12 26 丁酉	11 26 丁卯	10 28 戊戌	9 29 己巳	8 30 己亥	8 1 庚午	初一
12 27 戊戌	11 27 戊辰	10 29 己亥	9 30 庚午	8 31 庚子	8 2 辛未	初二
12 28 己亥	11 28 己巳	10 30 庚子	10 1 辛未	9 1 辛丑	8 3 壬申	初三
12 29 庚子	11 29 庚午	10 31 辛丑	10 2 壬申	9 2 壬寅	8 4 癸酉	初四
12 30 辛丑	11 30 辛未	11 1 壬寅	10 3 癸酉	9 3 癸卯	8 5 甲戌	初五
12 31 壬寅	12 1 壬申	11 2 癸卯	10 4 甲戌	9 4 甲辰	8 6 乙亥	初六
1 1 癸卯	12 2 癸酉	11 3 甲辰	10 5 乙亥	9 5 乙巳	8 7 丙子	初七
1 2 甲辰	12 3 甲戌	11 4 乙巳	10 6 丙子	9 6 丙午	8 8 丁丑	初八
1 3 乙巳	12 4 乙亥	11 5 丙午	10 7 丁丑	9 7 丁未	8 9 戊寅	初九
1 4 丙午	12 5 丙子	11 6 丁未	10 8 戊寅	9 8 戊申	8 10 己卯	初十
1 5 丁未	12 6 丁丑	11 7 戊申	10 9 己卯	9 9 己酉	8 11 庚辰	十一
1 6 戊申	12 7 戊寅	11 8 己酉	10 10 庚辰	9 10 庚戌	8 12 辛巳	十二
1 7 己酉	12 8 己卯	11 9 庚戌	10 11 辛巳	9 11 辛亥	8 13 壬午	十三
1 8 庚戌	12 9 庚辰	11 10 辛亥	10 12 壬午	9 12 壬子	8 14 癸未	十四
1 9 辛亥	12 10 辛巳	11 11 壬子	10 13 癸未	9 13 癸丑	8 15 甲申	十五
1 10 壬子	12 11 壬午	11 12 癸丑	10 14 甲申	9 14 甲寅	8 16 乙酉	十六
1 11 癸丑	12 12 癸未	11 13 甲寅	10 15 乙酉	9 15 乙卯	8 17 丙戌	十七
1 12 甲寅	12 13 甲申	11 14 乙卯	10 16 丙戌	9 16 丙辰	8 18 丁亥	十八
1 13 乙卯	12 14 乙酉	11 15 丙辰	10 17 丁亥	9 17 丁巳	8 19 戊子	十九
1 14 丙辰	12 15 丙戌	11 16 丁巳	10 18 戊子	9 18 戊午	8 20 己丑	二十
1 15 丁巳	12 16 丁亥	11 17 戊午	10 19 己丑	9 19 己未	8 21 庚寅	廿一
1 16 戊午	12 17 戊子	11 18 己未	10 20 庚寅	9 20 庚申	8 22 辛卯	廿二
1 17 己未	12 18 己丑	11 19 庚申	10 21 辛卯	9 21 辛酉	8 23 壬辰	廿三
1 18 庚申	12 19 庚寅	11 20 辛酉	10 22 壬辰	9 22 壬戌	8 24 癸巳	廿四
1 19 辛酉	12 20 辛卯	11 21 壬戌	10 23 癸巳	9 23 癸亥	8 25 甲午	廿五
1 20 壬戌	12 21 壬辰	11 22 癸亥	10 24 甲午	9 24 甲子	8 26 乙未	廿六
1 21 癸亥	12 22 癸巳	11 23 甲子	10 25 乙未	9 25 乙丑	8 27 丙申	廿七
1 22 甲子	12 23 甲午	11 24 乙丑	10 26 丙申	9 26 丙寅	8 28 丁酉	廿八
1 23 乙丑	12 24 乙未	11 25 丙寅	10 27 丁酉	9 27 丁卯	8 29 戊戌	廿九
1 24 丙寅	12 25 丙申			9 28 戊辰		三十

二〇二〇年

歲次庚子（肖鼠）

太歲姓虞名起

年星七赤

五月大		閏四月小		四月大		三月大		二月大		正月小		月別
壬午				辛巳		庚辰		己卯		戊寅		干支
四綠				五黃		六白		七赤		八白		九星
小暑	夏至		芒種	小滿	立夏	穀雨	清明	春分	驚蟄	雨水	立春	節氣
23時16分 十六夜子	5時45分 初一卯時		13時0分 十四午時	21時51分 廿八亥時	8時53分 十三辰時	22時47分 廿七亥時	15時40分 十二申時	11時51分 廿七午時	10時59分 十二巳時	12時59分 廿六午時	17時5分 十一酉時	
西曆	干支	西曆	干支	西曆	干支	西曆	干支	西曆	干支	西曆	干支	農曆
6 21	**乙未**	5 23	丙寅	4 23	丙申	3 24	丙寅	2 23	丙申	1 25	丁卯	初一
6 22	丙申	5 24	丁卯	4 24	丁酉	3 25	丁卯	2 24	丁酉	1 26	戊辰	初二
6 23	丁酉	5 25	戊辰	4 25	戊戌	3 26	戊辰	2 25	戊戌	1 27	己巳	初三
6 24	戊戌	5 26	己巳	4 26	己亥	3 27	己巳	2 26	己亥	1 28	庚午	初四
6 25	己亥	5 27	庚午	4 27	庚子	3 28	庚午	2 27	庚子	1 29	辛未	初五
6 26	庚子	5 28	辛未	4 28	辛丑	3 29	辛未	2 28	辛丑	1 30	壬申	初六
6 27	辛丑	5 29	壬申	4 29	壬寅	3 30	壬申	2 29	壬寅	1 31	癸酉	初七
6 28	壬寅	5 30	癸酉	4 30	癸卯	3 31	癸酉	3 1	癸卯	2 1	甲戌	初八
6 29	癸卯	5 31	甲戌	5 1	甲辰	4 1	甲戌	3 2	甲辰	2 2	乙亥	初九
6 30	甲辰	6 1	乙亥	5 2	乙巳	4 2	乙亥	3 3	乙巳	2 3	丙子	初十
7 1	乙巳	6 2	丙子	5 3	丙午	4 3	丙子	3 4	丙午	2 4	**丁丑**	十一
7 2	丙午	6 3	丁丑	5 4	丁未	4 4	**丁丑**	3 5	**丁未**	2 5	戊寅	十二
7 3	丁未	6 4	戊寅	5 5	**戊申**	4 5	戊寅	3 6	戊申	2 6	己卯	十三
7 4	戊申	6 5	**己卯**	5 6	己酉	4 6	己卯	3 7	己酉	2 7	庚辰	十四
7 5	己酉	6 6	庚辰	5 7	庚戌	4 7	庚辰	3 8	庚戌	2 8	辛巳	十五
7 6	**庚戌**	6 7	辛巳	5 8	辛亥	4 8	辛巳	3 9	辛亥	2 9	壬午	十六
7 7	辛亥	6 8	壬午	5 9	壬子	4 9	壬午	3 10	壬子	2 10	癸未	十七
7 8	壬子	6 9	癸未	5 10	癸丑	4 10	癸未	3 11	癸丑	2 11	甲申	十八
7 9	癸丑	6 10	甲申	5 11	甲寅	4 11	甲申	3 12	甲寅	2 12	乙酉	十九
7 10	甲寅	6 11	乙酉	5 12	乙卯	4 12	乙酉	3 13	乙卯	2 13	丙戌	二十
7 11	乙卯	6 12	丙戌	5 13	丙辰	4 13	丙戌	3 14	丙辰	2 14	丁亥	廿一
7 12	丙辰	6 13	丁亥	5 14	丁巳	4 14	丁亥	3 15	丁巳	2 15	戊子	廿二
7 13	丁巳	6 14	戊子	5 15	戊午	4 15	戊子	3 16	戊午	2 16	己丑	廿三
7 14	戊午	6 15	己丑	5 16	己未	4 16	己丑	3 17	己未	2 17	庚寅	廿四
7 15	己未	6 16	庚寅	5 17	庚申	4 17	庚寅	3 18	庚申	2 18	辛卯	廿五
7 16	庚申	6 17	辛卯	5 18	辛酉	4 18	辛卯	3 19	辛酉	2 19	**壬辰**	廿六
7 17	辛酉	6 18	壬辰	5 19	壬戌	4 19	**壬辰**	3 20	**壬戌**	2 20	癸巳	廿七
7 18	壬戌	6 19	癸巳	5 20	**癸亥**	4 20	癸巳	3 21	癸亥	2 21	甲午	廿八
7 19	癸亥	6 20	甲午	5 21	甲子	4 21	甲午	3 22	甲子	2 22	乙未	廿九
7 20	甲子			5 22	乙丑	4 22	乙未	3 23	乙丑			三十

十二月大		十一月小		十月大		九月小		八月大		七月小		六月小		月別
己丑		戊子		丁亥		丙戌		乙酉		甲申		癸未		干支
六白		七赤		八白		九紫		一白		二黑		三碧		九星
立春	大寒	小寒	冬至	大雪	小雪	立冬	霜降	寒露	秋分	白露	處暑	立秋	大暑	節氣
廿二夜子 23時0分	初八寅時 4時42分	廿二午時 11時25分	初七酉時 18時4分	廿三早子 0時11分	初八寅時 4時42分	廿二辰時 7時16分	初七辰時 7時1分	廿二寅時 3時57分	初六亥時 21時32分	二十午時 12時9分	初四夜子 23時46分	十八巳時 9時8分	初二申時 16時38分	
西曆	干支	西曆	干支	西曆	干支	西曆	干支	西曆	干支	西曆	干支	西曆	干支	農曆
1 13	辛酉	12 15	壬辰	11 15	壬戌	10 17	癸巳	9 17	癸亥	8 19	甲午	7 21	乙丑	初一
1 14	壬戌	12 16	癸巳	11 16	癸亥	10 18	甲午	9 18	甲子	8 20	乙未	7 22	**丙寅**	初二
1 15	癸亥	12 17	甲午	11 17	甲子	10 19	乙未	9 19	乙丑	8 21	丙申	7 23	丁卯	初三
1 16	甲子	12 18	乙未	11 18	乙丑	10 20	丙申	9 20	丙寅	8 22	**丁酉**	7 24	戊辰	初四
1 17	乙丑	12 19	丙申	11 19	丙寅	10 21	丁酉	9 21	丁卯	8 23	戊戌	7 25	己巳	初五
1 18	丙寅	12 20	丁酉	11 20	丁卯	10 22	戊戌	9 22	**戊辰**	8 24	己亥	7 26	庚午	初六
1 19	丁卯	12 21	**戊戌**	11 21	戊辰	10 23	**己亥**	9 23	己巳	8 25	庚子	7 27	辛未	初七
1 20	**戊辰**	12 22	己亥	11 22	**己巳**	10 24	庚子	9 24	庚午	8 26	辛丑	7 28	壬申	初八
1 21	己巳	12 23	庚子	11 23	庚午	10 25	辛丑	9 25	辛未	8 27	壬寅	7 29	癸酉	初九
1 22	庚午	12 24	辛丑	11 24	辛未	10 26	壬寅	9 26	壬申	8 28	癸卯	7 30	甲戌	初十
1 23	辛未	12 25	壬寅	11 25	壬申	10 27	癸卯	9 27	癸酉	8 29	甲辰	7 31	乙亥	十一
1 24	壬申	12 26	癸卯	11 26	癸酉	10 28	甲辰	9 28	甲戌	8 30	乙巳	8 1	丙子	十二
1 25	癸酉	12 27	甲辰	11 27	甲戌	10 29	乙巳	9 29	乙亥	8 31	丙午	8 2	丁丑	十三
1 26	甲戌	12 28	乙巳	11 28	乙亥	10 30	丙午	9 30	丙子	9 1	丁未	8 3	戊寅	十四
1 27	乙亥	12 29	丙午	11 29	丙子	10 31	丁未	10 1	丁丑	9 2	戊申	8 4	己卯	十五
1 28	丙子	12 30	丁未	11 30	丁丑	11 1	戊申	10 2	戊寅	9 3	己酉	8 5	庚辰	十六
1 29	丁丑	12 31	戊申	12 1	戊寅	11 2	己酉	10 3	己卯	9 4	庚戌	8 6	辛巳	十七
1 30	戊寅	1 1	己酉	12 2	己卯	11 3	庚戌	10 4	庚辰	9 5	辛亥	8 7	**壬午**	十八
1 31	己卯	1 2	庚戌	12 3	庚辰	11 4	辛亥	10 5	辛巳	9 6	壬子	8 8	癸未	十九
2 1	庚辰	1 3	辛亥	12 4	辛巳	11 5	壬子	10 6	壬午	9 7	**癸丑**	8 9	甲申	二十
2 2	辛巳	1 4	壬子	12 5	壬午	11 6	癸丑	10 7	癸未	9 8	甲寅	8 10	乙酉	廿一
2 3	**壬午**	1 5	**癸丑**	12 6	癸未	11 7	**甲寅**	10 8	**甲申**	9 9	乙卯	8 11	丙戌	廿二
2 4	癸未	1 6	甲寅	12 7	**甲申**	11 8	乙卯	10 9	乙酉	9 10	丙辰	8 12	丁亥	廿三
2 5	甲申	1 7	乙卯	12 8	乙酉	11 9	丙辰	10 10	丙戌	9 11	丁巳	8 13	戊子	廿四
2 6	乙酉	1 8	丙辰	12 9	丙戌	11 10	丁巳	10 11	丁亥	9 12	戊午	8 14	己丑	廿五
2 7	丙戌	1 9	丁巳	12 10	丁亥	11 11	戊午	10 12	戊子	9 13	己未	8 15	庚寅	廿六
2 8	丁亥	1 10	戊午	12 11	戊子	11 12	己未	10 13	己丑	9 14	庚申	8 16	辛卯	廿七
2 9	戊子	1 11	己未	12 12	己丑	11 13	庚申	10 14	庚寅	9 15	辛酉	8 17	壬辰	廿八
2 10	己丑	1 12	庚申	12 13	庚寅	11 14	辛酉	10 15	辛卯	9 16	壬戌	8 18	癸巳	廿九
2 11	庚寅			12 14	辛卯			10 16	壬辰					三十

二〇二一年

歲次辛丑（肖牛）

太歲姓湯名信

年星六白

六月小		五月大		四月小		三月大		二月大		正月小		月別
乙未		甲午		癸巳		壬辰		辛卯		庚寅		干支
九紫		一白		二黑		三碧		四綠		五黃		九星
立秋	大暑	小暑	夏至	芒種	小滿	立夏	穀雨	清明	春分	驚蟄	雨水	節氣
廿九未時 14時55分	十三亥時 22時28分	廿八卯時 5時7分	十二午時 11時34分	廿五酉時 18時53分	初十寅時 3時39分	廿四未時 14時49分	初九寅時 4時35分	廿三亥時 21時37分	初八酉時 17時39分	廿二申時 16時55分	初七酉時 18時46分	
西曆	干支	西曆	干支	西曆	干支	西曆	干支	西曆	干支	西曆	干支	農曆
7 10	己未	6 10	己丑	5 12	庚申	4 12	庚寅	3 13	庚申	2 12	辛卯	初一
7 11	庚申	6 11	庚寅	5 13	辛酉	4 13	辛卯	3 14	辛酉	2 13	壬辰	初二
7 12	辛酉	6 12	辛卯	5 14	壬戌	4 14	壬辰	3 15	壬戌	2 14	癸巳	初三
7 13	壬戌	6 13	壬辰	5 15	癸亥	4 15	癸巳	3 16	癸亥	2 15	甲午	初四
7 14	癸亥	6 14	癸巳	5 16	甲子	4 16	甲午	3 17	甲子	2 16	乙未	初五
7 15	甲子	6 15	甲午	5 17	乙丑	4 17	乙未	3 18	乙丑	2 17	丙申	初六
7 16	乙丑	6 16	乙未	5 18	丙寅	4 18	丙申	3 19	丙寅	2 18	**丁酉**	初七
7 17	丙寅	6 17	丙申	5 19	丁卯	4 19	丁酉	3 20	**丁卯**	2 19	戊戌	初八
7 18	丁卯	6 18	丁酉	5 20	戊辰	4 20	**戊戌**	3 21	戊辰	2 20	己亥	初九
7 19	戊辰	6 19	戊戌	5 21	**己巳**	4 21	己亥	3 22	己巳	2 21	庚子	初十
7 20	己巳	6 20	己亥	5 22	庚午	4 22	庚子	3 23	庚午	2 22	辛丑	十一
7 21	庚午	6 21	**庚子**	5 23	辛未	4 23	辛丑	3 24	辛未	2 23	壬寅	十二
7 22	**辛未**	6 22	辛丑	5 24	壬申	4 24	壬寅	3 25	壬申	2 24	癸卯	十三
7 23	壬申	6 23	壬寅	5 25	癸酉	4 25	癸卯	3 26	癸酉	2 25	甲辰	十四
7 24	癸酉	6 24	癸卯	5 26	甲戌	4 26	甲辰	3 27	甲戌	2 26	乙巳	十五
7 25	甲戌	6 25	甲辰	5 27	乙亥	4 27	乙巳	3 28	乙亥	2 27	丙午	十六
7 26	乙亥	6 26	乙巳	5 28	丙子	4 28	丙午	3 29	丙子	2 28	丁未	十七
7 27	丙子	6 27	丙午	5 29	丁丑	4 29	丁未	3 30	丁丑	3 1	戊申	十八
7 28	丁丑	6 28	丁未	5 30	戊寅	4 30	戊申	3 31	戊寅	3 2	己酉	十九
7 29	戊寅	6 29	戊申	5 31	己卯	5 1	己酉	4 1	己卯	3 3	庚戌	二十
7 30	己卯	6 30	己酉	6 1	庚辰	5 2	庚戌	4 2	庚辰	3 4	辛亥	廿一
7 31	庚辰	7 1	庚戌	6 2	辛巳	5 3	辛亥	4 3	辛巳	3 5	**壬子**	廿二
8 1	辛巳	7 2	辛亥	6 3	壬午	5 4	壬子	4 4	**壬午**	3 6	癸丑	廿三
8 2	壬午	7 3	壬子	6 4	癸未	5 5	**癸丑**	4 5	癸未	3 7	甲寅	廿四
8 3	癸未	7 4	癸丑	6 5	**甲申**	5 6	甲寅	4 6	甲申	3 8	乙卯	廿五
8 4	甲申	7 5	甲寅	6 6	乙酉	5 7	乙卯	4 7	乙酉	3 9	丙辰	廿六
8 5	乙酉	7 6	乙卯	6 7	丙戌	5 8	丙辰	4 8	丙戌	3 10	丁巳	廿七
8 6	丙戌	7 7	**丙辰**	6 8	丁亥	5 9	丁巳	4 9	丁亥	3 11	戊午	廿八
8 7	**丁亥**	7 8	丁巳	6 9	戊子	5 10	戊午	4 10	戊子	3 12	己未	廿九
		7 9	戊午			5 11	己未	4 11	己丑			三十

十二月小		十一月大		十月小		九月大		八月小		七月大		月別
辛丑		庚子		己亥		戊戌		丁酉		丙申		干支
三碧		四綠		五黃		六白		七赤		八白		九星
大寒	小寒	冬至	大雪	小雪	立冬	霜降	寒露	秋分	白露	處暑		節氣
十八 10時41分 巳時	初三 17時16分 酉時	十八 0時1分 早子	初四 5時59分 卯時	十八 10時36分 巳時	初三 13時0分 未時	十八 12時53分 午時	初三 9時41分 巳時	十七 3時23分 寅時	初一 17時55分 酉時	十六 5時37分 卯時		
西曆	干支	西曆	干支	西曆	干支	西曆	干支	西曆	干支	西曆	干支	農曆
1 3	丙辰	12 4	丙戌	11 5	丁巳	10 6	丁亥	9 7	**戊午**	8 8	戊子	初一
1 4	丁巳	12 5	丁亥	11 6	戊午	10 7	戊子	9 8	己未	8 9	己丑	初二
1 5	**戊午**	12 6	戊子	11 7	**己未**	10 8	**己丑**	9 9	庚申	8 10	庚寅	初三
1 6	己未	12 7	**己丑**	11 8	庚申	10 9	庚寅	9 10	辛酉	8 11	辛卯	初四
1 7	庚申	12 8	庚寅	11 9	辛酉	10 10	辛卯	9 11	壬戌	8 12	壬辰	初五
1 8	辛酉	12 9	辛卯	11 10	壬戌	10 11	壬辰	9 12	癸亥	8 13	癸巳	初六
1 9	壬戌	12 10	壬辰	11 11	癸亥	10 12	癸巳	9 13	甲子	8 14	甲午	初七
1 10	癸亥	12 11	癸巳	11 12	甲子	10 13	甲午	9 14	乙丑	8 15	乙未	初八
1 11	甲子	12 12	甲午	11 13	乙丑	10 14	乙未	9 15	丙寅	8 16	丙申	初九
1 12	乙丑	12 13	乙未	11 14	丙寅	10 15	丙申	9 16	丁卯	8 17	丁酉	初十
1 13	丙寅	12 14	丙申	11 15	丁卯	10 16	丁酉	9 17	戊辰	8 18	戊戌	十一
1 14	丁卯	12 15	丁酉	11 16	戊辰	10 17	戊戌	9 18	己巳	8 19	己亥	十二
1 15	戊辰	12 16	戊戌	11 17	己巳	10 18	己亥	9 19	庚午	8 20	庚子	十三
1 16	己巳	12 17	己亥	11 18	庚午	10 19	庚子	9 20	辛未	8 21	辛丑	十四
1 17	庚午	12 18	庚子	11 19	辛未	10 20	辛丑	9 21	壬申	8 22	壬寅	十五
1 18	辛未	12 19	辛丑	11 20	壬申	10 21	壬寅	9 22	癸酉	8 23	**癸卯**	十六
1 19	壬申	12 20	壬寅	11 21	癸酉	10 22	癸卯	9 23	**甲戌**	8 24	甲辰	十七
1 20	**癸酉**	12 21	**癸卯**	11 22	**甲戌**	10 23	**甲辰**	9 24	乙亥	8 25	乙巳	十八
1 21	甲戌	12 22	甲辰	11 23	乙亥	10 24	乙巳	9 25	丙子	8 26	丙午	十九
1 22	乙亥	12 23	乙巳	11 24	丙子	10 25	丙午	9 26	丁丑	8 27	丁未	二十
1 23	丙子	12 24	丙午	11 25	丁丑	10 26	丁未	9 27	戊寅	8 28	戊申	廿一
1 24	丁丑	12 25	丁未	11 26	戊寅	10 27	戊申	9 28	己卯	8 29	己酉	廿二
1 25	戊寅	12 26	戊申	11 27	己卯	10 28	己酉	9 29	庚辰	8 30	庚戌	廿三
1 26	己卯	12 27	己酉	11 28	庚辰	10 29	庚戌	9 30	辛巳	8 31	辛亥	廿四
1 27	庚辰	12 28	庚戌	11 29	辛巳	10 30	辛亥	10 1	壬午	9 1	壬子	廿五
1 28	辛巳	12 29	辛亥	11 30	壬午	10 31	壬子	10 2	癸未	9 2	癸丑	廿六
1 29	壬午	12 30	壬子	12 1	癸未	11 1	癸丑	10 3	甲申	9 3	甲寅	廿七
1 30	癸未	12 31	癸丑	12 2	甲申	11 2	甲寅	10 4	乙酉	9 4	乙卯	廿八
1 31	甲申	1 1	甲寅	12 3	乙酉	11 3	乙卯	10 5	丙戌	9 5	丙辰	廿九
		1 2	乙卯			11 4	丙辰			9 6	丁巳	三十

珍本萬年曆

二〇二二年

歲次壬寅（肖虎）

太歲姓賀名諤

年星五黃

月別	正月大		二月小		三月大		四月小		五月大		六月大	
干支	壬寅		癸卯		甲辰		乙巳		丙午		丁未	
九星	二黑		一白		九紫		八白		七赤		六白	
節氣	立春	雨水	驚蟄	春分	清明	穀雨	立夏	小滿	芒種	夏至	小暑	大暑
	初四 4時 52分 寅時	十九 0時 45分 早子	初三 22時 45分 亥時	十八 23時 35分 夜子	初五 3時 22分 寅時	二十 10時 26分 巳時	初五 20時 27分 戌時	廿一 9時 24分 巳時	初八 0時 27分 早子	廿三 17時 15分 酉時	初九 10時 39分 巳時	廿五 4時 8分 寅時
農曆	干支	西曆	干支	西曆	干支	西曆	干支	西曆	干支	西曆	干支	西曆
初一	乙酉	2 1	乙卯	3 3	甲申	4 1	甲寅	5 1	癸未	5 30	癸丑	6 29
初二	丙戌	2 2	丙辰	3 4	乙酉	4 2	乙卯	5 2	甲申	5 31	甲寅	6 30
初三	丁亥	2 3	**丁巳**	3 5	丙戌	4 3	丙辰	5 3	乙酉	6 1	乙卯	7 1
初四	**戊子**	2 4	戊午	3 6	丁亥	4 4	丁巳	5 4	丙戌	6 2	丙辰	7 2
初五	己丑	2 5	己未	3 7	**戊子**	4 5	**戊午**	5 5	丁亥	6 3	丁巳	7 3
初六	庚寅	2 6	庚申	3 8	己丑	4 6	己未	5 6	戊子	6 4	戊午	7 4
初七	辛卯	2 7	辛酉	3 9	庚寅	4 7	庚申	5 7	己丑	6 5	己未	7 5
初八	壬辰	2 8	壬戌	3 10	辛卯	4 8	辛酉	5 8	**庚寅**	6 6	庚申	7 6
初九	癸巳	2 9	癸亥	3 11	壬辰	4 9	壬戌	5 9	辛卯	6 7	**辛酉**	7 7
初十	甲午	2 10	甲子	3 12	癸巳	4 10	癸亥	5 10	壬辰	6 8	壬戌	7 8
十一	乙未	2 11	乙丑	3 13	甲午	4 11	甲子	5 11	癸巳	6 9	癸亥	7 9
十二	丙申	2 12	丙寅	3 14	乙未	4 12	乙丑	5 12	甲午	6 10	甲子	7 10
十三	丁酉	2 13	丁卯	3 15	丙申	4 13	丙寅	5 13	乙未	6 11	乙丑	7 11
十四	戊戌	2 14	戊辰	3 16	丁酉	4 14	丁卯	5 14	丙申	6 12	丙寅	7 12
十五	己亥	2 15	己巳	3 17	戊戌	4 15	戊辰	5 15	丁酉	6 13	丁卯	7 13
十六	庚子	2 16	庚午	3 18	己亥	4 16	己巳	5 16	戊戌	6 14	戊辰	7 14
十七	辛丑	2 17	辛未	3 19	庚子	4 17	庚午	5 17	己亥	6 15	己巳	7 15
十八	壬寅	2 18	**壬申**	3 20	辛丑	4 18	辛未	5 18	庚子	6 16	庚午	7 16
十九	**癸卯**	2 19	癸酉	3 21	壬寅	4 19	壬申	5 19	辛丑	6 17	辛未	7 17
二十	甲辰	2 20	甲戌	3 22	**癸卯**	4 20	癸酉	5 20	壬寅	6 18	壬申	7 18
廿一	乙巳	2 21	乙亥	3 23	甲辰	4 21	**甲戌**	5 21	癸卯	6 19	癸酉	7 19
廿二	丙午	2 22	丙子	3 24	乙巳	4 22	乙亥	5 22	甲辰	6 20	甲戌	7 20
廿三	丁未	2 23	丁丑	3 25	丙午	4 23	丙子	5 23	**乙巳**	6 21	乙亥	7 21
廿四	戊申	2 24	戊寅	3 26	丁未	4 24	丁丑	5 24	丙午	6 22	丙子	7 22
廿五	己酉	2 25	己卯	3 27	戊申	4 25	戊寅	5 25	丁未	6 23	**丁丑**	7 23
廿六	庚戌	2 26	庚辰	3 28	己酉	4 26	己卯	5 26	戊申	6 24	戊寅	7 24
廿七	辛亥	2 27	辛巳	3 29	庚戌	4 27	庚辰	5 27	己酉	6 25	己卯	7 25
廿八	壬子	2 28	壬午	3 30	辛亥	4 28	辛巳	5 28	庚戌	6 26	庚辰	7 26
廿九	癸丑	3 1	癸未	3 31	壬子	4 29	壬午	5 29	辛亥	6 27	辛巳	7 27
三十	甲寅	3 2			癸丑	4 30			壬子	6 28	壬午	7 28

十二月大		十一月小		十月大		九月小		八月大		七月小		月別
癸丑		壬子		辛亥		庚戌		己酉		戊申		干支
九紫		一白		二黑		三碧		四綠		五黃		九星
大寒	小寒	冬至	大雪	小雪	立冬	霜降	寒露	秋分	白露	處暑	立秋	節氣
16時31分 廿九申時	23時6分 十四夜子	5時50分 廿九卯時	11時48分 十四午時	16時22分 廿九申時	18時47分 十四酉時	18時37分 廿八酉時	15時24分 十三申時	9時5分 廿八巳時	23時34分 十二夜子	11時18分 廿六午時	20時30分 初十戌時	
西曆	干支	西曆	干支	西曆	干支	西曆	干支	西曆	干支	西曆	干支	農曆
12 23	庚戌	11 24	辛巳	10 25	辛亥	9 26	壬午	8 27	壬子	7 29	癸未	初一
12 24	辛亥	11 25	壬午	10 26	壬子	9 27	癸未	8 28	癸丑	7 30	甲申	初二
12 25	壬子	11 26	癸未	10 27	癸丑	9 28	甲申	8 29	甲寅	7 31	乙酉	初三
12 26	癸丑	11 27	甲申	10 28	甲寅	9 29	乙酉	8 30	乙卯	8 1	丙戌	初四
12 27	甲寅	11 28	乙酉	10 29	乙卯	9 30	丙戌	8 31	丙辰	8 2	丁亥	初五
12 28	乙卯	11 29	丙戌	10 30	丙辰	10 1	丁亥	9 1	丁巳	8 3	戊子	初六
12 29	丙辰	11 30	丁亥	10 31	丁巳	10 2	戊子	9 2	戊午	8 4	己丑	初七
12 30	丁巳	12 1	戊子	11 1	戊午	10 3	己丑	9 3	己未	8 5	庚寅	初八
12 31	戊午	12 2	己丑	11 2	己未	10 4	庚寅	9 4	庚申	8 6	辛卯	初九
1 1	己未	12 3	庚寅	11 3	庚申	10 5	辛卯	9 5	辛酉	8 7	**壬辰**	初十
1 2	庚申	12 4	辛卯	11 4	辛酉	10 6	壬辰	9 6	壬戌	8 8	癸巳	十一
1 3	辛酉	12 5	壬辰	11 5	壬戌	10 7	癸巳	9 7	**癸亥**	8 9	甲午	十二
1 4	壬戌	12 6	癸巳	11 6	癸亥	10 8	**甲午**	9 8	甲子	8 10	乙未	十三
1 5	**癸亥**	12 7	**甲午**	11 7	**甲子**	10 9	乙未	9 9	乙丑	8 11	丙申	十四
1 6	甲子	12 8	乙未	11 8	乙丑	10 10	丙申	9 10	丙寅	8 12	丁酉	十五
1 7	乙丑	12 9	丙申	11 9	丙寅	10 11	丁酉	9 11	丁卯	8 13	戊戌	十六
1 8	丙寅	12 10	丁酉	11 10	丁卯	10 12	戊戌	9 12	戊辰	8 14	己亥	十七
1 9	丁卯	12 11	戊戌	11 11	戊辰	10 13	己亥	9 13	己巳	8 15	庚子	十八
1 10	戊辰	12 12	己亥	11 12	己巳	10 14	庚子	9 14	庚午	8 16	辛丑	十九
1 11	己巳	12 13	庚子	11 13	庚午	10 15	辛丑	9 15	辛未	8 17	壬寅	二十
1 12	庚午	12 14	辛丑	11 14	辛未	10 16	壬寅	9 16	壬申	8 18	癸卯	廿一
1 13	辛未	12 15	壬寅	11 15	壬申	10 17	癸卯	9 17	癸酉	8 19	甲辰	廿二
1 14	壬申	12 16	癸卯	11 16	癸酉	10 18	甲辰	9 18	甲戌	8 20	乙巳	廿三
1 15	癸酉	12 17	甲辰	11 17	甲戌	10 19	乙巳	9 19	乙亥	8 21	丙午	廿四
1 16	甲戌	12 18	乙巳	11 18	乙亥	10 20	丙午	9 20	丙子	8 22	丁未	廿五
1 17	乙亥	12 19	丙午	11 19	丙子	10 21	丁未	9 21	丁丑	8 23	**戊申**	廿六
1 18	丙子	12 20	丁未	11 20	丁丑	10 22	戊申	9 22	戊寅	8 24	己酉	廿七
1 19	丁丑	12 21	戊申	11 21	戊寅	10 23	**己酉**	9 23	**己卯**	8 25	庚戌	廿八
1 20	**戊寅**	12 22	**己酉**	11 22	**己卯**	10 24	庚戌	9 24	庚辰	8 26	辛亥	廿九
1 21	己卯			11 23	庚辰			9 25	辛巳			三十

二〇二三年

歲次癸卯（肖兔）

太歲姓皮名時

年星四綠

月別	正月小		二月大		閏二月小		三月小		四月大		五月大	
干支	甲寅		乙卯				丙辰		丁巳		戊午	
九星	八白		七赤				六白		五黃		四綠	
節氣	立春 十四 10時44分 巳時	雨水 廿九 6時36分 卯時	驚蟄 十五 4時38分 寅時	春分 三十 5時26分 卯時	清明 十五 9時14分 巳時		穀雨 初一 16時15分 申時	立夏 十七 2時20分 丑時	小滿 初三 15時11分 申時	芒種 十九 6時20分 卯時	夏至 初四 22時59分 亥時	小暑 二十 16時32分 申時
農曆	干支	西曆	干支	西曆	干支	西曆	干支	西曆	干支	西曆	干支	西曆
初一	庚辰	1 22	己酉	2 20	己卯	3 22	**戊申**	4 20	丁丑	5 19	丁未	6 18
初二	辛巳	1 23	庚戌	2 21	庚辰	3 23	己酉	4 21	戊寅	5 20	戊申	6 19
初三	壬午	1 24	辛亥	2 22	辛巳	3 24	庚戌	4 22	**己卯**	5 21	己酉	6 20
初四	癸未	1 25	壬子	2 23	壬午	3 25	辛亥	4 23	庚辰	5 22	**庚戌**	6 21
初五	甲申	1 26	癸丑	2 24	癸未	3 26	壬子	4 24	辛巳	5 23	辛亥	6 22
初六	乙酉	1 27	甲寅	2 25	甲申	3 27	癸丑	4 25	壬午	5 24	壬子	6 23
初七	丙戌	1 28	乙卯	2 26	乙酉	3 28	甲寅	4 26	癸未	5 25	癸丑	6 24
初八	丁亥	1 29	丙辰	2 27	丙戌	3 29	乙卯	4 27	甲申	5 26	甲寅	6 25
初九	戊子	1 30	丁巳	2 28	丁亥	3 30	丙辰	4 28	乙酉	5 27	乙卯	6 26
初十	己丑	1 31	戊午	3 1	戊子	3 31	丁巳	4 29	丙戌	5 28	丙辰	6 27
十一	庚寅	2 1	己未	3 2	己丑	4 1	戊午	4 30	丁亥	5 29	丁巳	6 28
十二	辛卯	2 2	庚申	3 3	庚寅	4 2	己未	5 1	戊子	5 30	戊午	6 29
十三	壬辰	2 3	辛酉	3 4	辛卯	4 3	庚申	5 2	己丑	5 31	己未	6 30
十四	**癸巳**	2 4	壬戌	3 5	壬辰	4 4	辛酉	5 3	庚寅	6 1	庚申	7 1
十五	甲午	2 5	**癸亥**	3 6	**癸巳**	4 5	壬戌	5 4	辛卯	6 2	辛酉	7 2
十六	乙未	2 6	甲子	3 7	甲午	4 6	癸亥	5 5	壬辰	6 3	壬戌	7 3
十七	丙申	2 7	乙丑	3 8	乙未	4 7	**甲子**	5 6	癸巳	6 4	癸亥	7 4
十八	丁酉	2 8	丙寅	3 9	丙申	4 8	乙丑	5 7	甲午	6 5	甲子	7 5
十九	戊戌	2 9	丁卯	3 10	丁酉	4 9	丙寅	5 8	**乙未**	6 6	乙丑	7 6
二十	己亥	2 10	戊辰	3 11	戊戌	4 10	丁卯	5 9	丙申	6 7	**丙寅**	7 7
廿一	庚子	2 11	己巳	3 12	己亥	4 11	戊辰	5 10	丁酉	6 8	丁卯	7 8
廿二	辛丑	2 12	庚午	3 13	庚子	4 12	己巳	5 11	戊戌	6 9	戊辰	7 9
廿三	壬寅	2 13	辛未	3 14	辛丑	4 13	庚午	5 12	己亥	6 10	己巳	7 10
廿四	癸卯	2 14	壬申	3 15	壬寅	4 14	辛未	5 13	庚子	6 11	庚午	7 11
廿五	甲辰	2 15	癸酉	3 16	癸卯	4 15	壬申	5 14	辛丑	6 12	辛未	7 12
廿六	乙巳	2 16	甲戌	3 17	甲辰	4 16	癸酉	5 15	壬寅	6 13	壬申	7 13
廿七	丙午	2 17	乙亥	3 18	乙巳	4 17	甲戌	5 16	癸卯	6 14	癸酉	7 14
廿八	丁未	2 18	丙子	3 19	丙午	4 18	乙亥	5 17	甲辰	6 15	甲戌	7 15
廿九	**戊申**	2 19	丁丑	3 20	丁未	4 19	丙子	5 18	乙巳	6 16	乙亥	7 16
三十			**戊寅**	3 21					丙午	6 17	丙子	7 17

十二月大		十一月小		十月大		九月小		八月大		七月大		六月小		月別
乙丑		甲子		癸亥		壬戌		辛酉		庚申		己未		干支
六白		七赤		八白		九紫		一白		二黑		三碧		九星
立春	大寒	小寒	冬至	大雪	小雪	立冬	霜降	寒露	秋分	白露	處暑	立秋	大暑	
廿五申時 16時29分	初十亥時 22時9分	廿五寅時 4時51分	初十午時 11時29分	廿五酉時 17時35分	初十亥時 22時4分	廿五早子 0時37分	初十早子 0時23分	廿四亥時 21時17分	初九未時 14時52分	廿四卯時 5時28分	初八酉時 17時3分	廿二丑時 2時24分	初六巳時 9時52分	節氣
西曆	干支	西曆	干支	西曆	干支	西曆	干支	西曆	干支	西曆	干支	西曆	干支	農曆
1 11	甲戌	12 13	乙巳	11 13	乙亥	10 15	丙午	9 15	丙子	8 16	丙午	7 18	丁丑	初一
1 12	乙亥	12 14	丙午	11 14	丙子	10 16	丁未	9 16	丁丑	8 17	丁未	7 19	戊寅	初二
1 13	丙子	12 15	丁未	11 15	丁丑	10 17	戊申	9 17	戊寅	8 18	戊申	7 20	己卯	初三
1 14	丁丑	12 16	戊申	11 16	戊寅	10 18	己酉	9 18	己卯	8 19	己酉	7 21	庚辰	初四
1 15	戊寅	12 17	己酉	11 17	己卯	10 19	庚戌	9 19	庚辰	8 20	庚戌	7 22	辛巳	初五
1 16	己卯	12 18	庚戌	11 18	庚辰	10 20	辛亥	9 20	辛巳	8 21	辛亥	7 23	**壬午**	初六
1 17	庚辰	12 19	辛亥	11 19	辛巳	10 21	壬子	9 21	壬午	8 22	壬子	7 24	癸未	初七
1 18	辛巳	12 20	壬子	11 20	壬午	10 22	癸丑	9 22	癸未	8 23	**癸丑**	7 25	甲申	初八
1 19	壬午	12 21	癸丑	11 21	癸未	10 23	甲寅	9 23	**甲申**	8 24	甲寅	7 26	乙酉	初九
1 20	**癸未**	12 22	**甲寅**	11 22	**甲申**	10 24	**乙卯**	9 24	乙酉	8 25	乙卯	7 27	丙戌	初十
1 21	甲申	12 23	乙卯	11 23	乙酉	10 25	丙辰	9 25	丙戌	8 26	丙辰	7 28	丁亥	十一
1 22	乙酉	12 24	丙辰	11 24	丙戌	10 26	丁巳	9 26	丁亥	8 27	丁巳	7 29	戊子	十二
1 23	丙戌	12 25	丁巳	11 25	丁亥	10 27	戊午	9 27	戊子	8 28	戊午	7 30	己丑	十三
1 24	丁亥	12 26	戊午	11 26	戊子	10 28	己未	9 28	己丑	8 29	己未	7 31	庚寅	十四
1 25	戊子	12 27	己未	11 27	己丑	10 29	庚申	9 29	庚寅	8 30	庚申	8 1	辛卯	十五
1 26	己丑	12 28	庚申	11 28	庚寅	10 30	辛酉	9 30	辛卯	8 31	辛酉	8 2	壬辰	十六
1 27	庚寅	12 29	辛酉	11 29	辛卯	10 31	壬戌	10 1	壬辰	9 1	壬戌	8 3	癸巳	十七
1 28	辛卯	12 30	壬戌	11 30	壬辰	11 1	癸亥	10 2	癸巳	9 2	癸亥	8 4	甲午	十八
1 29	壬辰	12 31	癸亥	12 1	癸巳	11 2	甲子	10 3	甲午	9 3	甲子	8 5	乙未	十九
1 30	癸巳	1 1	甲子	12 2	甲午	11 3	乙丑	10 4	乙未	9 4	乙丑	8 6	丙申	二十
1 31	甲午	1 2	乙丑	12 3	乙未	11 4	丙寅	10 5	丙申	9 5	丙寅	8 7	丁酉	廿一
2 1	乙未	1 3	丙寅	12 4	丙申	11 5	丁卯	10 6	丁酉	9 6	丁卯	8 8	**戊戌**	廿二
2 2	丙申	1 4	丁卯	12 5	丁酉	11 6	戊辰	10 7	戊戌	9 7	戊辰	8 9	己亥	廿三
2 3	丁酉	1 5	戊辰	12 6	戊戌	11 7	己巳	10 8	**己亥**	9 8	**己巳**	8 10	庚子	廿四
2 4	**戊戌**	1 6	**己巳**	12 7	**己亥**	11 8	**庚午**	10 9	庚子	9 9	庚午	8 11	辛丑	廿五
2 5	己亥	1 7	庚午	12 8	庚子	11 9	辛未	10 10	辛丑	9 10	辛未	8 12	壬寅	廿六
2 6	庚子	1 8	辛未	12 9	辛丑	11 10	壬申	10 11	壬寅	9 11	壬申	8 13	癸卯	廿七
2 7	辛丑	1 9	壬申	12 10	壬寅	11 11	癸酉	10 12	癸卯	9 12	癸酉	8 14	甲辰	廿八
2 8	壬寅	1 10	癸酉	12 11	癸卯	11 12	甲戌	10 13	甲辰	9 13	甲戌	8 15	乙巳	廿九
2 9	癸卯			12 12	甲辰			10 14	乙巳	9 14	乙亥			三十

二〇二四年

歲次甲辰（肖龍）

太歲姓李名成

年星三碧

六月小		五月大		四月小		三月小		二月大		正月小		月別
辛未		庚午		己巳		戊辰		丁卯		丙寅		干支
九紫		一白		二黑		三碧		四綠		五黃		九星
大暑	小暑	夏至		芒種	小滿	立夏	穀雨	清明	春分	驚蟄	雨水	節氣
十七 15時 46分 申時	初一 22時 21分 亥時	十六 4時 52分 寅時		廿九 12時 11分 午時	十三 21時 1分 亥時	廿七 8時 12分 辰時	十一 22時 1分 亥時	廿六 15時 4分 申時	十一 11時 8分 午時	廿五 10時 24分 巳時	初十 12時 15分 午時	
西曆	干支	西曆	干支	西曆	干支	西曆	干支	西曆	干支	西曆	干支	農曆
7 6	**辛未**	6 6	辛丑	5 8	壬申	4 9	癸卯	3 10	癸酉	2 10	甲辰	初一
7 7	壬申	6 7	壬寅	5 9	癸酉	4 10	甲辰	3 11	甲戌	2 11	乙巳	初二
7 8	癸酉	6 8	癸卯	5 10	甲戌	4 11	乙巳	3 12	乙亥	2 12	丙午	初三
7 9	甲戌	6 9	甲辰	5 11	乙亥	4 12	丙午	3 13	丙子	2 13	丁未	初四
7 10	乙亥	6 10	乙巳	5 12	丙子	4 13	丁未	3 14	丁丑	2 14	戊申	初五
7 11	丙子	6 11	丙午	5 13	丁丑	4 14	戊申	3 15	戊寅	2 15	己酉	初六
7 12	丁丑	6 12	丁未	5 14	戊寅	4 15	己酉	3 16	己卯	2 16	庚戌	初七
7 13	戊寅	6 13	戊申	5 15	己卯	4 16	庚戌	3 17	庚辰	2 17	辛亥	初八
7 14	己卯	6 14	己酉	5 16	庚辰	4 17	辛亥	3 18	辛巳	2 18	壬子	初九
7 15	庚辰	6 15	庚戌	5 17	辛巳	4 18	壬子	3 19	壬午	2 19	**癸丑**	初十
7 16	辛巳	6 16	辛亥	5 18	壬午	4 19	**癸丑**	3 20	**癸未**	2 20	甲寅	十一
7 17	壬午	6 17	壬子	5 19	癸未	4 20	甲寅	3 21	甲申	2 21	乙卯	十二
7 18	癸未	6 18	癸丑	5 20	**甲申**	4 21	乙卯	3 22	乙酉	2 22	丙辰	十三
7 19	甲申	6 19	甲寅	5 21	乙酉	4 22	丙辰	3 23	丙戌	2 23	丁巳	十四
7 20	乙酉	6 20	乙卯	5 22	丙戌	4 23	丁巳	3 24	丁亥	2 24	戊午	十五
7 21	丙戌	6 21	**丙辰**	5 23	丁亥	4 24	戊午	3 25	戊子	2 25	己未	十六
7 22	**丁亥**	6 22	丁巳	5 24	戊子	4 25	己未	3 26	己丑	2 26	庚申	十七
7 23	戊子	6 23	戊午	5 25	己丑	4 26	庚申	3 27	庚寅	2 27	辛酉	十八
7 24	己丑	6 24	己未	5 26	庚寅	4 27	辛酉	3 28	辛卯	2 28	壬戌	十九
7 25	庚寅	6 25	庚申	5 27	辛卯	4 28	壬戌	3 29	壬辰	2 29	癸亥	二十
7 26	辛卯	6 26	辛酉	5 28	壬辰	4 29	癸亥	3 30	癸巳	3 1	甲子	廿一
7 27	壬辰	6 27	壬戌	5 29	癸巳	4 30	甲子	3 31	甲午	3 2	乙丑	廿二
7 28	癸巳	6 28	癸亥	5 30	甲午	5 1	乙丑	4 1	乙未	3 3	丙寅	廿三
7 29	甲午	6 29	甲子	5 31	乙未	5 2	丙寅	4 2	丙申	3 4	丁卯	廿四
7 30	乙未	6 30	乙丑	6 1	丙申	5 3	丁卯	4 3	丁酉	3 5	**戊辰**	廿五
7 31	丙申	7 1	丙寅	6 2	丁酉	5 4	戊辰	4 4	**戊戌**	3 6	己巳	廿六
8 1	丁酉	7 2	丁卯	6 3	戊戌	5 5	**己巳**	4 5	己亥	3 7	庚午	廿七
8 2	戊戌	7 3	戊辰	6 4	己亥	5 6	庚午	4 6	庚子	3 8	辛未	廿八
8 3	己亥	7 4	己巳	6 5	**庚子**	5 7	辛未	4 7	辛丑	3 9	壬申	廿九
		7 5	庚午					4 8	壬寅			三十

十二月小 丁丑 三碧		十一月大 丙子 四綠		十月大 乙亥 五黃		九月小 甲戌 六白		八月大 癸酉 七赤		七月大 壬申 八白		月別 干支 九星
大寒 4時2分 廿一寅時	小寒 10時35分 初六巳時	冬至 17時22分 廿一酉時	大雪 23時19分 初六夜子時	小雪 3時58分 廿二寅時	立冬 6時22分 初七卯時	霜降 6時16分 廿一卯時	寒露 3時2分 初六寅時	秋分 20時45分 二十戌時	白露 11時13分 初五午時	處暑 22時57分 十九亥時	立秋 8時11分 初四辰時	節氣
西曆	干支	西曆	干支	西曆	干支	西曆	干支	西曆	干支	西曆	干支	農曆
12 31	己巳	12 1	己亥	11 1	己巳	10 3	庚子	9 3	庚午	8 4	庚子	初一
1 1	庚午	12 2	庚子	11 2	庚午	10 4	辛丑	9 4	辛未	8 5	辛丑	初二
1 2	辛未	12 3	辛丑	11 3	辛未	10 5	壬寅	9 5	壬申	8 6	壬寅	初三
1 3	壬申	12 4	壬寅	11 4	壬申	10 6	癸卯	9 6	癸酉	8 7	癸卯	初四
1 4	癸酉	12 5	癸卯	11 5	癸酉	10 7	甲辰	9 7	甲戌	8 8	甲辰	初五
1 5	甲戌	12 6	甲辰	11 6	甲戌	10 8	乙巳	9 8	乙亥	8 9	乙巳	初六
1 6	乙亥	12 7	乙巳	11 7	乙亥	10 9	丙午	9 9	丙子	8 10	丙午	初七
1 7	丙子	12 8	丙午	11 8	丙子	10 10	丁未	9 10	丁丑	8 11	丁未	初八
1 8	丁丑	12 9	丁未	11 9	丁丑	10 11	戊申	9 11	戊寅	8 12	戊申	初九
1 9	戊寅	12 10	戊申	11 10	戊寅	10 12	己酉	9 12	己卯	8 13	己酉	初十
1 10	己卯	12 11	己酉	11 11	己卯	10 13	庚戌	9 13	庚辰	8 14	庚戌	十一
1 11	庚辰	12 12	庚戌	11 12	庚辰	10 14	辛亥	9 14	辛巳	8 15	辛亥	十二
1 12	辛巳	12 13	辛亥	11 13	辛巳	10 15	壬子	9 15	壬午	8 16	壬子	十三
1 13	壬午	12 14	壬子	11 14	壬午	10 16	癸丑	9 16	癸未	8 17	癸丑	十四
1 14	癸未	12 15	癸丑	11 15	癸未	10 17	甲寅	9 17	甲申	8 18	甲寅	十五
1 15	甲申	12 16	甲寅	11 16	甲申	10 18	乙卯	9 18	乙酉	8 19	乙卯	十六
1 16	乙酉	12 17	乙卯	11 17	乙酉	10 19	丙辰	9 19	丙戌	8 20	丙辰	十七
1 17	丙戌	12 18	丙辰	11 18	丙戌	10 20	丁巳	9 20	丁亥	8 21	丁巳	十八
1 18	丁亥	12 19	丁巳	11 19	丁亥	10 21	戊午	9 21	戊子	8 22	戊午	十九
1 19	戊子	12 20	戊午	11 20	戊子	10 22	己未	9 22	己丑	8 23	己未	二十
1 20	己丑	12 21	己未	11 21	己丑	10 23	庚申	9 23	庚寅	8 24	庚申	廿一
1 21	庚寅	12 22	庚申	11 22	庚寅	10 24	辛酉	9 24	辛卯	8 25	辛酉	廿二
1 22	辛卯	12 23	辛酉	11 23	辛卯	10 25	壬戌	9 25	壬辰	8 26	壬戌	廿三
1 23	壬辰	12 24	壬戌	11 24	壬辰	10 26	癸亥	9 26	癸巳	8 27	癸亥	廿四
1 24	癸巳	12 25	癸亥	11 25	癸巳	10 27	甲子	9 27	甲午	8 28	甲子	廿五
1 25	甲午	12 26	甲子	11 26	甲午	10 28	乙丑	9 28	乙未	8 29	乙丑	廿六
1 26	乙未	12 27	乙丑	11 27	乙未	10 29	丙寅	9 29	丙申	8 30	丙寅	廿七
1 27	丙申	12 28	丙寅	11 28	丙申	10 30	丁卯	9 30	丁酉	8 31	丁卯	廿八
1 28	丁酉	12 29	丁卯	11 29	丁酉	10 31	戊辰	10 1	戊戌	9 1	戊辰	廿九
		12 30	戊辰	11 30	戊戌			10 2	己亥	9 2	己巳	三十

二〇二五年

歲次乙巳（肖蛇）

太歲姓吳名遂

年星二黑

月別	正月大	二月小	三月大	四月小	五月小	六月大
干支	戊寅	己卯	庚辰	辛巳	壬午	癸未
九星	二黑	一白	九紫	八白	七赤	六白
節氣	立春 初六亥時 22時12分	驚蟄 初六申時 16時9分	清明 初七戌時 20時50分	立夏 初八未時 13時59分	芒種 初十酉時 17時58分	小暑 十三寅時 4時6分
節氣	雨水 廿一酉時 18時8分	春分 廿一酉時 17時3分	穀雨 廿三寅時 3時57分	小滿 廿四丑時 2時56分	夏至 廿六巳時 10時44分	大暑 廿八亥時 21時31分

農曆	正月 干支	正月 西曆	二月 干支	二月 西曆	三月 干支	三月 西曆	四月 干支	四月 西曆	五月 干支	五月 西曆	六月 干支	六月 西曆
初一	戊戌	1 29	戊辰	2 28	丁酉	3 29	丁卯	4 28	丙申	5 27	乙丑	6 25
初二	己亥	1 30	己巳	3 1	戊戌	3 30	戊辰	4 29	丁酉	5 28	丙寅	6 26
初三	庚子	1 31	庚午	3 2	己亥	3 31	己巳	4 30	戊戌	5 29	丁卯	6 27
初四	辛丑	2 1	辛未	3 3	庚子	4 1	庚午	5 1	己亥	5 30	戊辰	6 28
初五	壬寅	2 2	壬申	3 4	辛丑	4 2	辛未	5 2	庚子	5 31	己巳	6 29
初六	**癸卯**	2 3	**癸酉**	3 5	壬寅	4 3	壬申	5 3	辛丑	6 1	庚午	6 30
初七	甲辰	2 4	甲戌	3 6	**癸卯**	4 4	癸酉	5 4	壬寅	6 2	辛未	7 1
初八	乙巳	2 5	乙亥	3 7	甲辰	4 5	**甲戌**	5 5	癸卯	6 3	壬申	7 2
初九	丙午	2 6	丙子	3 8	乙巳	4 6	乙亥	5 6	甲辰	6 4	癸酉	7 3
初十	丁未	2 7	丁丑	3 9	丙午	4 7	丙子	5 7	**乙巳**	6 5	甲戌	7 4
十一	戊申	2 8	戊寅	3 10	丁未	4 8	丁丑	5 8	丙午	6 6	乙亥	7 5
十二	己酉	2 9	己卯	3 11	戊申	4 9	戊寅	5 9	丁未	6 7	丙子	7 6
十三	庚戌	2 10	庚辰	3 12	己酉	4 10	己卯	5 10	戊申	6 8	**丁丑**	7 7
十四	辛亥	2 11	辛巳	3 13	庚戌	4 11	庚辰	5 11	己酉	6 9	戊寅	7 8
十五	壬子	2 12	壬午	3 14	辛亥	4 12	辛巳	5 12	庚戌	6 10	己卯	7 9
十六	癸丑	2 13	癸未	3 15	壬子	4 13	壬午	5 13	辛亥	6 11	庚辰	7 10
十七	甲寅	2 14	甲申	3 16	癸丑	4 14	癸未	5 14	壬子	6 12	辛巳	7 11
十八	乙卯	2 15	乙酉	3 17	甲寅	4 15	甲申	5 15	癸丑	6 13	壬午	7 12
十九	丙辰	2 16	丙戌	3 18	乙卯	4 16	乙酉	5 16	甲寅	6 14	癸未	7 13
二十	丁巳	2 17	丁亥	3 19	丙辰	4 17	丙戌	5 17	乙卯	6 15	甲申	7 14
廿一	**戊午**	2 18	**戊子**	3 20	丁巳	4 18	丁亥	5 18	丙辰	6 16	乙酉	7 15
廿二	己未	2 19	己丑	3 21	戊午	4 19	戊子	5 19	丁巳	6 17	丙戌	7 16
廿三	庚申	2 20	庚寅	3 22	**己未**	4 20	己丑	5 20	戊午	6 18	丁亥	7 17
廿四	辛酉	2 21	辛卯	3 23	庚申	4 21	**庚寅**	5 21	己未	6 19	戊子	7 18
廿五	壬戌	2 22	壬辰	3 24	辛酉	4 22	辛卯	5 22	庚申	6 20	己丑	7 19
廿六	癸亥	2 23	癸巳	3 25	壬戌	4 23	壬辰	5 23	**辛酉**	6 21	庚寅	7 20
廿七	甲子	2 24	甲午	3 26	癸亥	4 24	癸巳	5 24	壬戌	6 22	辛卯	7 21
廿八	乙丑	2 25	乙未	3 27	甲子	4 25	甲午	5 25	癸亥	6 23	**壬辰**	7 22
廿九	丙寅	2 26	丙申	3 28	乙丑	4 26	乙未	5 26	甲子	6 24	癸巳	7 23
三十	丁卯	2 27			丙寅	4 27					甲午	7 24

十二月小		十一月大		十月大		九月大		八月小		七月大		閏六月小		月別
己丑		戊子		丁亥		丙戌		乙酉		甲申				干支
九紫		一白		二黑		三碧		四綠		五黃				九星
立春	大寒	小寒	冬至	大雪	小雪	立冬	霜降	寒露	秋分	白露	處暑		立秋	節氣
十七寅時 4時4分	初二巳時 9時47分	十七申時 16時25分	初二夜子 23時5分	十八卯時 5時6分	初三巳時 9時37分	十八午時 12時6分	初三午時 11時53分	十七辰時 8時43分	初二丑時 2時21分	十六申時 16時53分	初一寅時 4時35分		十四未時 13時53分	
西曆	干支	西曆	干支	西曆	干支	西曆	干支	西曆	干支	西曆	干支	西曆	干支	農曆
1 19	癸巳	12 20	癸亥	11 20	癸巳	10 21	癸亥	9 22	甲午	8 23	**甲子**	7 25	乙未	初一
1 20	**甲午**	12 21	**甲子**	11 21	甲午	10 22	甲子	9 23	**乙未**	8 24	乙丑	7 26	丙申	初二
1 21	乙未	12 22	乙丑	11 22	**乙未**	10 23	**乙丑**	9 24	丙申	8 25	丙寅	7 27	丁酉	初三
1 22	丙申	12 23	丙寅	11 23	丙申	10 24	丙寅	9 25	丁酉	8 26	丁卯	7 28	戊戌	初四
1 23	丁酉	12 24	丁卯	11 24	丁酉	10 25	丁卯	9 26	戊戌	8 27	戊辰	7 29	己亥	初五
1 24	戊戌	12 25	戊辰	11 25	戊戌	10 26	戊辰	9 27	己亥	8 28	己巳	7 30	庚子	初六
1 25	己亥	12 26	己巳	11 26	己亥	10 27	己巳	9 28	庚子	8 29	庚午	7 31	辛丑	初七
1 26	庚子	12 27	庚午	11 27	庚子	10 28	庚午	9 29	辛丑	8 30	辛未	8 1	壬寅	初八
1 27	辛丑	12 28	辛未	11 28	辛丑	10 29	辛未	9 30	壬寅	8 31	壬申	8 2	癸卯	初九
1 28	壬寅	12 29	壬申	11 29	壬寅	10 30	壬申	10 1	癸卯	9 1	癸酉	8 3	甲辰	初十
1 29	癸卯	12 30	癸酉	11 30	癸卯	10 31	癸酉	10 2	甲辰	9 2	甲戌	8 4	乙巳	十一
1 30	甲辰	12 31	甲戌	12 1	甲辰	11 1	甲戌	10 3	乙巳	9 3	乙亥	8 5	丙午	十二
1 31	乙巳	1 1	乙亥	12 2	乙巳	11 2	乙亥	10 4	丙午	9 4	丙子	8 6	丁未	十三
2 1	丙午	1 2	丙子	12 3	丙午	11 3	丙子	10 5	丁未	9 5	丁丑	8 7	**戊申**	十四
2 2	丁未	1 3	丁丑	12 4	丁未	11 4	丁丑	10 6	戊申	9 6	戊寅	8 8	己酉	十五
2 3	戊申	1 4	戊寅	12 5	戊申	11 5	戊寅	10 7	己酉	9 7	**己卯**	8 9	庚戌	十六
2 4	**己酉**	1 5	**己卯**	12 6	己酉	11 6	己卯	10 8	**庚戌**	9 8	庚辰	8 10	辛亥	十七
2 5	庚戌	1 6	庚辰	12 7	**庚戌**	11 7	**庚辰**	10 9	辛亥	9 9	辛巳	8 11	壬子	十八
2 6	辛亥	1 7	辛巳	12 8	辛亥	11 8	辛巳	10 10	壬子	9 10	壬午	8 12	癸丑	十九
2 7	壬子	1 8	壬午	12 9	壬子	11 9	壬午	10 11	癸丑	9 11	癸未	8 13	甲寅	二十
2 8	癸丑	1 9	癸未	12 10	癸丑	11 10	癸未	10 12	甲寅	9 12	甲申	8 14	乙卯	廿一
2 9	甲寅	1 10	甲申	12 11	甲寅	11 11	甲申	10 13	乙卯	9 13	乙酉	8 15	丙辰	廿二
2 10	乙卯	1 11	乙酉	12 12	乙卯	11 12	乙酉	10 14	丙辰	9 14	丙戌	8 16	丁巳	廿三
2 11	丙辰	1 12	丙戌	12 13	丙辰	11 13	丙戌	10 15	丁巳	9 15	丁亥	8 17	戊午	廿四
2 12	丁巳	1 13	丁亥	12 14	丁巳	11 14	丁亥	10 16	戊午	9 16	戊子	8 18	己未	廿五
2 13	戊午	1 14	戊子	12 15	戊午	11 15	戊子	10 17	己未	9 17	己丑	8 19	庚申	廿六
2 14	己未	1 15	己丑	12 16	己未	11 16	己丑	10 18	庚申	9 18	庚寅	8 20	辛酉	廿七
2 15	庚申	1 16	庚寅	12 17	庚申	11 17	庚寅	10 19	辛酉	9 19	辛卯	8 21	壬戌	廿八
2 16	辛酉	1 17	辛卯	12 18	辛酉	11 18	辛卯	10 20	壬戌	9 20	壬辰	8 22	癸亥	廿九
		1 18	壬辰	12 19	壬戌	11 19	壬辰			9 21	癸巳			三十

二〇二六年

歲次丙午（肖馬）

太歲姓文名折

年星一白

六月大		五月小		四月小		三月大		二月小		正月大		月別
乙未		甲午		癸巳		壬辰		辛卯		庚寅		干支
三碧		四綠		五黃		六白		七赤		八白		九星
立秋	大暑	小暑	夏至	芒種	小滿	立夏	穀雨	清明	春分	驚蟄	雨水	節氣
廿五 19時44分 戌時	初十 3時15分 寅時	廿三 9時58分 巳時	初七 16時26分 申時	二十 23時50分 夜子	初五 8時38分 辰時	十九 19時50分 戌時	初四 9時41分 巳時	十八 2時42分 丑時	初二 22時47分 亥時	十七 22時0分 亥時	初二 23時54分 夜子	
西曆	干支	西曆	干支	西曆	干支	西曆	干支	西曆	干支	西曆	干支	農曆
7 14	己丑	6 15	庚申	5 17	辛卯	4 17	辛酉	3 19	壬辰	2 17	壬戌	初一
7 15	庚寅	6 16	辛酉	5 18	壬辰	4 18	壬戌	3 20	**癸巳**	2 18	**癸亥**	初二
7 16	辛卯	6 17	壬戌	5 19	癸巳	4 19	癸亥	3 21	甲午	2 19	甲子	初三
7 17	壬辰	6 18	癸亥	5 20	甲午	4 20	**甲子**	3 22	乙未	2 20	乙丑	初四
7 18	癸巳	6 19	甲子	5 21	**乙未**	4 21	乙丑	3 23	丙申	2 21	丙寅	初五
7 19	甲午	6 20	乙丑	5 22	丙申	4 22	丙寅	3 24	丁酉	2 22	丁卯	初六
7 20	乙未	6 21	**丙寅**	5 23	丁酉	4 23	丁卯	3 25	戊戌	2 23	戊辰	初七
7 21	丙申	6 22	丁卯	5 24	戊戌	4 24	戊辰	3 26	己亥	2 24	己巳	初八
7 22	丁酉	6 23	戊辰	5 25	己亥	4 25	己巳	3 27	庚子	2 25	庚午	初九
7 23	**戊戌**	6 24	己巳	5 26	庚子	4 26	庚午	3 28	辛丑	2 26	辛未	初十
7 24	己亥	6 25	庚午	5 27	辛丑	4 27	辛未	3 29	壬寅	2 27	壬申	十一
7 25	庚子	6 26	辛未	5 28	壬寅	4 28	壬申	3 30	癸卯	2 28	癸酉	十二
7 26	辛丑	6 27	壬申	5 29	癸卯	4 29	癸酉	3 31	甲辰	3 1	甲戌	十三
7 27	壬寅	6 28	癸酉	5 30	甲辰	4 30	甲戌	4 1	乙巳	3 2	乙亥	十四
7 28	癸卯	6 29	甲戌	5 31	乙巳	5 1	乙亥	4 2	丙午	3 3	丙子	十五
7 29	甲辰	6 30	乙亥	6 1	丙午	5 2	丙子	4 3	丁未	3 4	丁丑	十六
7 30	乙巳	7 1	丙子	6 2	丁未	5 3	丁丑	4 4	戊申	3 5	**戊寅**	十七
7 31	丙午	7 2	丁丑	6 3	戊申	5 4	戊寅	4 5	**己酉**	3 6	己卯	十八
8 1	丁未	7 3	戊寅	6 4	己酉	5 5	**己卯**	4 6	庚戌	3 7	庚辰	十九
8 2	戊申	7 4	己卯	6 5	**庚戌**	5 6	庚辰	4 7	辛亥	3 8	辛巳	二十
8 3	己酉	7 5	庚辰	6 6	辛亥	5 7	辛巳	4 8	壬子	3 9	壬午	廿一
8 4	庚戌	7 6	辛巳	6 7	壬子	5 8	壬午	4 9	癸丑	3 10	癸未	廿二
8 5	辛亥	7 7	**壬午**	6 8	癸丑	5 9	癸未	4 10	甲寅	3 11	甲申	廿三
8 6	壬子	7 8	癸未	6 9	甲寅	5 10	甲申	4 11	乙卯	3 12	乙酉	廿四
8 7	**癸丑**	7 9	甲申	6 10	乙卯	5 11	乙酉	4 12	丙辰	3 13	丙戌	廿五
8 8	甲寅	7 10	乙酉	6 11	丙辰	5 12	丙戌	4 13	丁巳	3 14	丁亥	廿六
8 9	乙卯	7 11	丙戌	6 12	丁巳	5 13	丁亥	4 14	戊午	3 15	戊子	廿七
8 10	丙辰	7 12	丁亥	6 13	戊午	5 14	戊子	4 15	己未	3 16	己丑	廿八
8 11	丁巳	7 13	戊子	6 14	己未	5 15	己丑	4 16	庚申	3 17	庚寅	廿九
8 12	戊午					5 16	庚寅			3 18	辛卯	三十

十二月小		十一月大		十月大		九月大		八月小		七月小		月別
辛丑		庚子		己亥		戊戌		丁酉		丙申		干支
六白		七赤		八白		九紫		一白		二黑		九星
立春	大寒	小寒	冬至	大雪	小雪	立冬	霜降	寒露	秋分	白露	處暑	節氣
9時48分 廿八巳時	15時32分 十三申時	22時12分 廿八亥時	4時52分 十四寅時	10時54分 廿九巳時	15時25分 十四申時	17時54分 廿九酉時	17時40分 十四酉時	14時31分 廿八未時	8時7分 十三辰時	22時43分 廿六亥時	10時20分 十一巳時	
西曆	干支	西曆	干支	西曆	干支	西曆	干支	西曆	干支	西曆	干支	農曆
1 8	丁亥	12 9	丁巳	11 9	丁亥	10 10	丁巳	9 11	戊子	8 13	己未	初一
1 9	戊子	12 10	戊午	11 10	戊子	10 11	戊午	9 12	己丑	8 14	庚申	初二
1 10	己丑	12 11	己未	11 11	己丑	10 12	己未	9 13	庚寅	8 15	辛酉	初三
1 11	庚寅	12 12	庚申	11 12	庚寅	10 13	庚申	9 14	辛卯	8 16	壬戌	初四
1 12	辛卯	12 13	辛酉	11 13	辛卯	10 14	辛酉	9 15	壬辰	8 17	癸亥	初五
1 13	壬辰	12 14	壬戌	11 14	壬辰	10 15	壬戌	9 16	癸巳	8 18	甲子	初六
1 14	癸巳	12 15	癸亥	11 15	癸巳	10 16	癸亥	9 17	甲午	8 19	乙丑	初七
1 15	甲午	12 16	甲子	11 16	甲午	10 17	甲子	9 18	乙未	8 20	丙寅	初八
1 16	乙未	12 17	乙丑	11 17	乙未	10 18	乙丑	9 19	丙申	8 21	丁卯	初九
1 17	丙申	12 18	丙寅	11 18	丙申	10 19	丙寅	9 20	丁酉	8 22	戊辰	初十
1 18	丁酉	12 19	丁卯	11 19	丁酉	10 20	丁卯	9 21	戊戌	8 23	**己巳**	十一
1 19	戊戌	12 20	戊辰	11 20	戊戌	10 21	戊辰	9 22	己亥	8 24	庚午	十二
1 20	**己亥**	12 21	己巳	11 21	己亥	10 22	己巳	9 23	**庚子**	8 25	辛未	十三
1 21	庚子	12 22	**庚午**	11 22	**庚子**	10 23	**庚午**	9 24	辛丑	8 26	壬申	十四
1 22	辛丑	12 23	辛未	11 23	辛丑	10 24	辛未	9 25	壬寅	8 27	癸酉	十五
1 23	壬寅	12 24	壬申	11 24	壬寅	10 25	壬申	9 26	癸卯	8 28	甲戌	十六
1 24	癸卯	12 25	癸酉	11 25	癸卯	10 26	癸酉	9 27	甲辰	8 29	乙亥	十七
1 25	甲辰	12 26	甲戌	11 26	甲辰	10 27	甲戌	9 28	乙巳	8 30	丙子	十八
1 26	乙巳	12 27	乙亥	11 27	乙巳	10 28	乙亥	9 29	丙午	8 31	丁丑	十九
1 27	丙午	12 28	丙子	11 28	丙午	10 29	丙子	9 30	丁未	9 1	戊寅	二十
1 28	丁未	12 29	丁丑	11 29	丁未	10 30	丁丑	10 1	戊申	9 2	己卯	廿一
1 29	戊申	12 30	戊寅	11 30	戊申	10 31	戊寅	10 2	己酉	9 3	庚辰	廿二
1 30	己酉	12 31	己卯	12 1	己酉	11 1	己卯	10 3	庚戌	9 4	辛巳	廿三
1 31	庚戌	1 1	庚辰	12 2	庚戌	11 2	庚辰	10 4	辛亥	9 5	壬午	廿四
2 1	辛亥	1 2	辛巳	12 3	辛亥	11 3	辛巳	10 5	壬子	9 6	癸未	廿五
2 2	壬子	1 3	壬午	12 4	壬子	11 4	壬午	10 6	癸丑	9 7	**甲申**	廿六
2 3	癸丑	1 4	癸未	12 5	癸丑	11 5	癸未	10 7	甲寅	9 8	乙酉	廿七
2 4	**甲寅**	1 5	**甲申**	12 6	甲寅	11 6	甲申	10 8	**乙卯**	9 9	丙戌	廿八
2 5	乙卯	1 6	乙酉	12 7	**乙卯**	11 7	**乙酉**	10 9	丙辰	9 10	丁亥	廿九
		1 7	丙戌	12 8	丙辰	11 8	丙戌					三十

205

二〇二七年

歲次丁未（肖羊）

太歲姓僇名丙

年星九紫

六月小		五月小		四月大		三月小		二月大		正月大		月別
丁未		丙午		乙巳		甲辰		癸卯		壬寅		干支
九紫		一白		二黑		三碧		四綠		五黃		九星
大暑	小暑	夏至	芒種	小滿	立夏		穀雨	清明	春分	驚蟄	雨水	節氣
二十巳時 9時6分	初四申時 15時38分	十七亥時 22時12分	初二卯時 5時27分	十六未時 14時20分	初一丑時 1時26分		十四申時 15時19分	廿九辰時 8時19分	十四寅時 4時26分	廿九寅時 3時41分	十四卯時 5時35分	
西曆	干支	西曆	干支	西曆	干支	西曆	干支	西曆	干支	西曆	干支	農曆
7 4	甲申	6 5	乙卯	5 6	**乙酉**	4 7	丙辰	3 8	丙戌	2 6	丙辰	初一
7 5	乙酉	6 6	**丙辰**	5 7	丙戌	4 8	丁巳	3 9	丁亥	2 7	丁巳	初二
7 6	丙戌	6 7	丁巳	5 8	丁亥	4 9	戊午	3 10	戊子	2 8	戊午	初三
7 7	**丁亥**	6 8	戊午	5 9	戊子	4 10	己未	3 11	己丑	2 9	己未	初四
7 8	戊子	6 9	己未	5 10	己丑	4 11	庚申	3 12	庚寅	2 10	庚申	初五
7 9	己丑	6 10	庚申	5 11	庚寅	4 12	辛酉	3 13	辛卯	2 11	辛酉	初六
7 10	庚寅	6 11	辛酉	5 12	辛卯	4 13	壬戌	3 14	壬辰	2 12	壬戌	初七
7 11	辛卯	6 12	壬戌	5 13	壬辰	4 14	癸亥	3 15	癸巳	2 13	癸亥	初八
7 12	壬辰	6 13	癸亥	5 14	癸巳	4 15	甲子	3 16	甲午	2 14	甲子	初九
7 13	癸巳	6 14	甲子	5 15	甲午	4 16	乙丑	3 17	乙未	2 15	乙丑	初十
7 14	甲午	6 15	乙丑	5 16	乙未	4 17	丙寅	3 18	丙申	2 16	丙寅	十一
7 15	乙未	6 16	丙寅	5 17	丙申	4 18	丁卯	3 19	丁酉	2 17	丁卯	十二
7 16	丙申	6 17	丁卯	5 18	丁酉	4 19	戊辰	3 20	戊戌	2 18	戊辰	十三
7 17	丁酉	6 18	戊辰	5 19	戊戌	4 20	**己巳**	3 21	**己亥**	2 19	**己巳**	十四
7 18	戊戌	6 19	己巳	5 20	己亥	4 21	庚午	3 22	庚子	2 20	庚午	十五
7 19	己亥	6 20	庚午	5 21	**庚子**	4 22	辛未	3 23	辛丑	2 21	辛未	十六
7 20	庚子	6 21	**辛未**	5 22	辛丑	4 23	壬申	3 24	壬寅	2 22	壬申	十七
7 21	辛丑	6 22	壬申	5 23	壬寅	4 24	癸酉	3 25	癸卯	2 23	癸酉	十八
7 22	壬寅	6 23	癸酉	5 24	癸卯	4 25	甲戌	3 26	甲辰	2 24	甲戌	十九
7 23	**癸卯**	6 24	甲戌	5 25	甲辰	4 26	乙亥	3 27	乙巳	2 25	乙亥	二十
7 24	甲辰	6 25	乙亥	5 26	乙巳	4 27	丙子	3 28	丙午	2 26	丙子	廿一
7 25	乙巳	6 26	丙子	5 27	丙午	4 28	丁丑	3 29	丁未	2 27	丁丑	廿二
7 26	丙午	6 27	丁丑	5 28	丁未	4 29	戊寅	3 30	戊申	2 28	戊寅	廿三
7 27	丁未	6 28	戊寅	5 29	戊申	4 30	己卯	3 31	己酉	3 1	己卯	廿四
7 28	戊申	6 29	己卯	5 30	己酉	5 1	庚辰	4 1	庚戌	3 2	庚辰	廿五
7 29	己酉	6 30	庚辰	5 31	庚戌	5 2	辛巳	4 2	辛亥	3 3	辛巳	廿六
7 30	庚戌	7 1	辛巳	6 1	辛亥	5 3	壬午	4 3	壬子	3 4	壬午	廿七
7 31	辛亥	7 2	壬午	6 2	壬子	5 4	癸未	4 4	癸丑	3 5	癸未	廿八
8 1	壬子	7 3	癸未	6 3	癸丑	5 5	甲申	4 5	**甲寅**	3 6	**甲申**	廿九
				6 4	甲寅			4 6	乙卯	3 7	乙酉	三十

十二月小		十一月大		十月大		九月小		八月小		七月大		月別
癸丑		壬子		辛亥		庚戌		己酉		戊申		干支
三碧		四綠		五黃		六白		七赤		八白		九星
大寒	小寒	冬至	大雪	小雪	立冬	霜降	寒露	秋分	白露	處暑	立秋	節氣
21時24分 廿四亥時	3時56分 初十寅時	10時44分 廿五巳時	16時39分 初十申時	21時18分 廿五亥時	23時40分 初十夜子	23時35分 廿四夜子	20時18分 初九戌時	14時3分 廿三未時	4時30分 初八寅時	16時16分 廿二申時	1時28分 初七丑時	
西曆	干支	西曆	干支	西曆	干支	西曆	干支	西曆	干支	西曆	干支	農曆
12 28	辛巳	11 28	辛亥	10 29	辛巳	9 30	壬子	9 1	癸未	8 2	癸丑	初一
12 29	壬午	11 29	壬子	10 30	壬午	10 1	癸丑	9 2	甲申	8 3	甲寅	初二
12 30	癸未	11 30	癸丑	10 31	癸未	10 2	甲寅	9 3	乙酉	8 4	乙卯	初三
12 31	甲申	12 1	甲寅	11 1	甲申	10 3	乙卯	9 4	丙戌	8 5	丙辰	初四
1 1	乙酉	12 2	乙卯	11 2	乙酉	10 4	丙辰	9 5	丁亥	8 6	丁巳	初五
1 2	丙戌	12 3	丙辰	11 3	丙戌	10 5	丁巳	9 6	戊子	8 7	戊午	初六
1 3	丁亥	12 4	丁巳	11 4	丁亥	10 6	戊午	9 7	己丑	8 8	**己未**	初七
1 4	戊子	12 5	戊午	11 5	戊子	10 7	己未	9 8	**庚寅**	8 9	庚申	初八
1 5	己丑	12 6	己未	11 6	己丑	10 8	**庚申**	9 9	辛卯	8 10	辛酉	初九
1 6	**庚寅**	12 7	**庚申**	11 7	**庚寅**	10 9	辛酉	9 10	壬辰	8 11	壬戌	初十
1 7	辛卯	12 8	辛酉	11 8	辛卯	10 10	壬戌	9 11	癸巳	8 12	癸亥	十一
1 8	壬辰	12 9	壬戌	11 9	壬辰	10 11	癸亥	9 12	甲午	8 13	甲子	十二
1 9	癸巳	12 10	癸亥	11 10	癸巳	10 12	甲子	9 13	乙未	8 14	乙丑	十三
1 10	甲午	12 11	甲子	11 11	甲午	10 13	乙丑	9 14	丙申	8 15	丙寅	十四
1 11	乙未	12 12	乙丑	11 12	乙未	10 14	丙寅	9 15	丁酉	8 16	丁卯	十五
1 12	丙申	12 13	丙寅	11 13	丙申	10 15	丁卯	9 16	戊戌	8 17	戊辰	十六
1 13	丁酉	12 14	丁卯	11 14	丁酉	10 16	戊辰	9 17	己亥	8 18	己巳	十七
1 14	戊戌	12 15	戊辰	11 15	戊戌	10 17	己巳	9 18	庚子	8 19	庚午	十八
1 15	己亥	12 16	己巳	11 16	己亥	10 18	庚午	9 19	辛丑	8 20	辛未	十九
1 16	庚子	12 17	庚午	11 17	庚子	10 19	辛未	9 20	壬寅	8 21	壬申	二十
1 17	辛丑	12 18	辛未	11 18	辛丑	10 20	壬申	9 21	癸卯	8 22	癸酉	廿一
1 18	壬寅	12 19	壬申	11 19	壬寅	10 21	癸酉	9 22	甲辰	8 23	**甲戌**	廿二
1 19	癸卯	12 20	癸酉	11 20	癸卯	10 22	甲戌	9 23	**乙巳**	8 24	乙亥	廿三
1 20	**甲辰**	12 21	甲戌	11 21	甲辰	10 23	**乙亥**	9 24	丙午	8 25	丙子	廿四
1 21	乙巳	12 22	**乙亥**	11 22	**乙巳**	10 24	丙子	9 25	丁未	8 26	丁丑	廿五
1 22	丙午	12 23	丙子	11 23	丙午	10 25	丁丑	9 26	戊申	8 27	戊寅	廿六
1 23	丁未	12 24	丁丑	11 24	丁未	10 26	戊寅	9 27	己酉	8 28	己卯	廿七
1 24	戊申	12 25	戊寅	11 25	戊申	10 27	己卯	9 28	庚戌	8 29	庚辰	廿八
1 25	己酉	12 26	己卯	11 26	己酉	10 28	庚辰	9 29	辛亥	8 30	辛巳	廿九
		12 27	庚辰	11 27	庚戌					8 31	壬午	三十

二〇二八年

歲次戊申（肖猴）

太歲姓俞名志

年星八白

閏五月小		五月大		四月小		三月大		二月大		正月大		月別
		戊午		丁巳		丙辰		乙卯		甲寅		干支
		七赤		八白		九紫		一白		二黑		九星
	小暑	夏至	芒種	小滿	立夏	穀雨	清明	春分	驚蟄	雨水	立春	節氣
	十四亥時 21時32分	廿九寅時 4時3分	十三午時 11時17分	廿六戌時 20時11分	十一辰時 7時13分	廿五亥時 21時11分	初十未時 14時5分	廿五巳時 10時19分	初十巳時 9時26分	廿五午時 11時28分	初十申時 15時33分	
西曆	干支	西曆	干支	西曆	干支	西曆	干支	西曆	干支	西曆	干支	農曆
6 23	己卯	5 24	己酉	4 25	庚辰	3 26	庚戌	2 25	庚辰	1 26	庚戌	初一
6 24	庚辰	5 25	庚戌	4 26	辛巳	3 27	辛亥	2 26	辛巳	1 27	辛亥	初二
6 25	辛巳	5 26	辛亥	4 27	壬午	3 28	壬子	2 27	壬午	1 28	壬子	初三
6 26	壬午	5 27	壬子	4 28	癸未	3 29	癸丑	2 28	癸未	1 29	癸丑	初四
6 27	癸未	5 28	癸丑	4 29	甲申	3 30	甲寅	2 29	甲申	1 30	甲寅	初五
6 28	甲申	5 29	甲寅	4 30	乙酉	3 31	乙卯	3 1	乙酉	1 31	乙卯	初六
6 29	乙酉	5 30	乙卯	5 1	丙戌	4 1	丙辰	3 2	丙戌	2 1	丙辰	初七
6 30	丙戌	5 31	丙辰	5 2	丁亥	4 2	丁巳	3 3	丁亥	2 2	丁巳	初八
7 1	丁亥	6 1	丁巳	5 3	戊子	4 3	戊午	3 4	戊子	2 3	戊午	初九
7 2	戊子	6 2	戊午	5 4	己丑	4 4	**己未**	3 5	**己丑**	2 4	**己未**	初十
7 3	己丑	6 3	己未	5 5	**庚寅**	4 5	庚申	3 6	庚寅	2 5	庚申	十一
7 4	庚寅	6 4	庚申	5 6	辛卯	4 6	辛酉	3 7	辛卯	2 6	辛酉	十二
7 5	辛卯	6 5	**辛酉**	5 7	壬辰	4 7	壬戌	3 8	壬辰	2 7	壬戌	十三
7 6	**壬辰**	6 6	壬戌	5 8	癸巳	4 8	癸亥	3 9	癸巳	2 8	癸亥	十四
7 7	癸巳	6 7	癸亥	5 9	甲午	4 9	甲子	3 10	甲午	2 9	甲子	十五
7 8	甲午	6 8	甲子	5 10	乙未	4 10	乙丑	3 11	乙未	2 10	乙丑	十六
7 9	乙未	6 9	乙丑	5 11	丙申	4 11	丙寅	3 12	丙申	2 11	丙寅	十七
7 10	丙申	6 10	丙寅	5 12	丁酉	4 12	丁卯	3 13	丁酉	2 12	丁卯	十八
7 11	丁酉	6 11	丁卯	5 13	戊戌	4 13	戊辰	3 14	戊戌	2 13	戊辰	十九
7 12	戊戌	6 12	戊辰	5 14	己亥	4 14	己巳	3 15	己亥	2 14	己巳	二十
7 13	己亥	6 13	己巳	5 15	庚子	4 15	庚午	3 16	庚子	2 15	庚午	廿一
7 14	庚子	6 14	庚午	5 16	辛丑	4 16	辛未	3 17	辛丑	2 16	辛未	廿二
7 15	辛丑	6 15	辛未	5 17	壬寅	4 17	壬申	3 18	壬寅	2 17	壬申	廿三
7 16	壬寅	6 16	壬申	5 18	癸卯	4 18	癸酉	3 19	癸卯	2 18	癸酉	廿四
7 17	癸卯	6 17	癸酉	5 19	甲辰	4 19	**甲戌**	3 20	**甲辰**	2 19	**甲戌**	廿五
7 18	甲辰	6 18	甲戌	5 20	**乙巳**	4 20	乙亥	3 21	乙巳	2 20	乙亥	廿六
7 19	乙巳	6 19	乙亥	5 21	丙午	4 21	丙子	3 22	丙午	2 21	丙子	廿七
7 20	丙午	6 20	丙子	5 22	丁未	4 22	丁丑	3 23	丁未	2 22	丁丑	廿八
7 21	丁未	6 21	**丁丑**	5 23	戊申	4 23	戊寅	3 24	戊申	2 23	戊寅	廿九
		6 22	戊寅			4 24	己卯	3 25	己酉	2 24	己卯	三十

209

十二月小		十一月大		十月大		九月小		八月小		七月大		六月小		月別
乙丑		甲子		癸亥		壬戌		辛酉		庚申		己未		干支
九紫		一白		二黑		三碧		四綠		五黃		六白		九星
立春	大寒	小寒	冬至	大雪	小雪	立冬	霜降	寒露	秋分	白露	處暑	立秋	大暑	節氣
21時22分 二十亥時	3時3分 初六寅時	9時44分 廿一巳時	16時21分 初六申時	22時26分 廿一亥時	2時56分 初七丑時	5時29分 廿一卯時	5時15分 初六卯時	2時10分 二十丑時	19時47分 初四戌時	10時23分 十九巳時	22時2分 初三亥時	7時22分 十七辰時	14時55分 初一未時	
西曆	干支	西曆	干支	西曆	干支	西曆	干支	西曆	干支	西曆	干支	西曆	干支	農曆
1 15	乙巳	12 16	乙亥	11 16	乙巳	10 18	丙子	9 19	丁未	8 20	丁丑	7 22	戊申	初一
1 16	丙午	12 17	丙子	11 17	丙午	10 19	丁丑	9 20	戊申	8 21	戊寅	7 23	己酉	初二
1 17	丁未	12 18	丁丑	11 18	丁未	10 20	戊寅	9 21	己酉	8 22	己卯	7 24	庚戌	初三
1 18	戊申	12 19	戊寅	11 19	戊申	10 21	己卯	9 22	庚戌	8 23	庚辰	7 25	辛亥	初四
1 19	己酉	12 20	己卯	11 20	己酉	10 22	庚辰	9 23	辛亥	8 24	辛巳	7 26	壬子	初五
1 20	庚戌	12 21	庚辰	11 21	庚戌	10 23	辛巳	9 24	壬子	8 25	壬午	7 27	癸丑	初六
1 21	辛亥	12 22	辛巳	11 22	辛亥	10 24	壬午	9 25	癸丑	8 26	癸未	7 28	甲寅	初七
1 22	壬子	12 23	壬午	11 23	壬子	10 25	癸未	9 26	甲寅	8 27	甲申	7 29	乙卯	初八
1 23	癸丑	12 24	癸未	11 24	癸丑	10 26	甲申	9 27	乙卯	8 28	乙酉	7 30	丙辰	初九
1 24	甲寅	12 25	甲申	11 25	甲寅	10 27	乙酉	9 28	丙辰	8 29	丙戌	7 31	丁巳	初十
1 25	乙卯	12 26	乙酉	11 26	乙卯	10 28	丙戌	9 29	丁巳	8 30	丁亥	8 1	戊午	十一
1 26	丙辰	12 27	丙戌	11 27	丙辰	10 29	丁亥	9 30	戊午	8 31	戊子	8 2	己未	十二
1 27	丁巳	12 28	丁亥	11 28	丁巳	10 30	戊子	10 1	己未	9 1	己丑	8 3	庚申	十三
1 28	戊午	12 29	戊子	11 29	戊午	10 31	己丑	10 2	庚申	9 2	庚寅	8 4	辛酉	十四
1 29	己未	12 30	己丑	11 30	己未	11 1	庚寅	10 3	辛酉	9 3	辛卯	8 5	壬戌	十五
1 30	庚申	12 31	庚寅	12 1	庚申	11 2	辛卯	10 4	壬戌	9 4	壬辰	8 6	癸亥	十六
1 31	辛酉	1 1	辛卯	12 2	辛酉	11 3	壬辰	10 5	癸亥	9 5	癸巳	8 7	甲子	十七
2 1	壬戌	1 2	壬辰	12 3	壬戌	11 4	癸巳	10 6	甲子	9 6	甲午	8 8	乙丑	十八
2 2	癸亥	1 3	癸巳	12 4	癸亥	11 5	甲午	10 7	乙丑	9 7	乙未	8 9	丙寅	十九
2 3	甲子	1 4	甲午	12 5	甲子	11 6	乙未	10 8	丙寅	9 8	丙申	8 10	丁卯	二十
2 4	乙丑	1 5	乙未	12 6	乙丑	11 7	丙申	10 9	丁卯	9 9	丁酉	8 11	戊辰	廿一
2 5	丙寅	1 6	丙申	12 7	丙寅	11 8	丁酉	10 10	戊辰	9 10	戊戌	8 12	己巳	廿二
2 6	丁卯	1 7	丁酉	12 8	丁卯	11 9	戊戌	10 11	己巳	9 11	己亥	8 13	庚午	廿三
2 7	戊辰	1 8	戊戌	12 9	戊辰	11 10	己亥	10 12	庚午	9 12	庚子	8 14	辛未	廿四
2 8	己巳	1 9	己亥	12 10	己巳	11 11	庚子	10 13	辛未	9 13	辛丑	8 15	壬申	廿五
2 9	庚午	1 10	庚子	12 11	庚午	11 12	辛丑	10 14	壬申	9 14	壬寅	8 16	癸酉	廿六
2 10	辛未	1 11	辛丑	12 12	辛未	11 13	壬寅	10 15	癸酉	9 15	癸卯	8 17	甲戌	廿七
2 11	壬申	1 12	壬寅	12 13	壬申	11 14	癸卯	10 16	甲戌	9 16	甲辰	8 18	乙亥	廿八
2 12	癸酉	1 13	癸卯	12 14	癸酉	11 15	甲辰	10 17	乙亥	9 17	乙巳	8 19	丙子	廿九
		1 14	甲辰	12 15	甲戌					9 18	丙午			三十

二〇二九年

歲次己酉（肖雞）

太歲姓程名寅

年星七赤

六月大		五月小		四月大		三月小		二月大		正月大		月別
辛未		庚午		己巳		戊辰		丁卯		丙寅		干支
三碧		四綠		五黃		六白		七赤		八白		九星
立秋	大暑	小暑	夏至	芒種	小滿	立夏	穀雨	清明	春分	驚蟄	雨水	節氣
廿八 13時 13分 未時	十二 20時 44分 戌時	廿六 3時 24分 寅時	初十 9時 50分 巳時	廿四 17時 11分 酉時	初九 1時 57分 丑時	廿二 13時 9分 未時	初七 2時 57分 丑時	廿一 20時 0分 戌時	初六 16時 4分 申時	廿一 15時 19分 申時	初六 17時 10分 酉時	
西曆	干支	西曆	干支	西曆	干支	西曆	干支	西曆	干支	西曆	干支	農曆
7 11	壬寅	6 12	癸酉	5 13	癸卯	4 14	甲戌	3 15	甲辰	2 13	甲戌	初一
7 12	癸卯	6 13	甲戌	5 14	甲辰	4 15	乙亥	3 16	乙巳	2 14	乙亥	初二
7 13	甲辰	6 14	乙亥	5 15	乙巳	4 16	丙子	3 17	丙午	2 15	丙子	初三
7 14	乙巳	6 15	丙子	5 16	丙午	4 17	丁丑	3 18	丁未	2 16	丁丑	初四
7 15	丙午	6 16	丁丑	5 17	丁未	4 18	戊寅	3 19	戊申	2 17	戊寅	初五
7 16	丁未	6 17	戊寅	5 18	戊申	4 19	己卯	3 20	**己酉**	2 18	**己卯**	初六
7 17	戊申	6 18	己卯	5 19	己酉	4 20	**庚辰**	3 21	庚戌	2 19	庚辰	初七
7 18	己酉	6 19	庚辰	5 20	庚戌	4 21	辛巳	3 22	辛亥	2 20	辛巳	初八
7 19	庚戌	6 20	辛巳	5 21	**辛亥**	4 22	壬午	3 23	壬子	2 21	壬午	初九
7 20	辛亥	6 21	**壬午**	5 22	壬子	4 23	癸未	3 24	癸丑	2 22	癸未	初十
7 21	壬子	6 22	癸未	5 23	癸丑	4 24	甲申	3 25	甲寅	2 23	甲申	十一
7 22	**癸丑**	6 23	甲申	5 24	甲寅	4 25	乙酉	3 26	乙卯	2 24	乙酉	十二
7 23	甲寅	6 24	乙酉	5 25	乙卯	4 26	丙戌	3 27	丙辰	2 25	丙戌	十三
7 24	乙卯	6 25	丙戌	5 26	丙辰	4 27	丁亥	3 28	丁巳	2 26	丁亥	十四
7 25	丙辰	6 26	丁亥	5 27	丁巳	4 28	戊子	3 29	戊午	2 27	戊子	十五
7 26	丁巳	6 27	戊子	5 28	戊午	4 29	己丑	3 30	己未	2 28	己丑	十六
7 27	戊午	6 28	己丑	5 29	己未	4 30	庚寅	3 31	庚申	3 1	庚寅	十七
7 28	己未	6 29	庚寅	5 30	庚申	5 1	辛卯	4 1	辛酉	3 2	辛卯	十八
7 29	庚申	6 30	辛卯	5 31	辛酉	5 2	壬辰	4 2	壬戌	3 3	壬辰	十九
7 30	辛酉	7 1	壬辰	6 1	壬戌	5 3	癸巳	4 3	癸亥	3 4	癸巳	二十
7 31	壬戌	7 2	癸巳	6 2	癸亥	5 4	甲午	4 4	**甲子**	3 5	**甲午**	廿一
8 1	癸亥	7 3	甲午	6 3	甲子	5 5	**乙未**	4 5	乙丑	3 6	乙未	廿二
8 2	甲子	7 4	乙未	6 4	乙丑	5 6	丙申	4 6	丙寅	3 7	丙申	廿三
8 3	乙丑	7 5	丙申	6 5	**丙寅**	5 7	丁酉	4 7	丁卯	3 8	丁酉	廿四
8 4	丙寅	7 6	丁酉	6 6	丁卯	5 8	戊戌	4 8	戊辰	3 9	戊戌	廿五
8 5	丁卯	7 7	**戊戌**	6 7	戊辰	5 9	己亥	4 9	己巳	3 10	己亥	廿六
8 6	戊辰	7 8	己亥	6 8	己巳	5 10	庚子	4 10	庚午	3 11	庚子	廿七
8 7	**己巳**	7 9	庚子	6 9	庚午	5 11	辛丑	4 11	辛未	3 12	辛丑	廿八
8 8	庚午	7 10	辛丑	6 10	辛未	5 12	壬寅	4 12	壬申	3 13	壬寅	廿九
8 9	辛未			6 11	壬申			4 13	癸酉	3 14	癸卯	三十

十二月大		十一月大		十月小		九月小		八月大		七月小		月別
丁丑		丙子		乙亥		甲戌		癸酉		壬申		干支
六白		七赤		八白		九紫		一白		二黑		九星
大寒	小寒	冬至	大雪	小雪	立冬	霜降	寒露	秋分		白露	處暑	節氣
十七 辰時 8時56分	初二 申時 15時32分	十七 亥時 22時16分	初三 寅時 4時15分	十七 辰時 8時51分	初二 午時 11時18分	十六 午時 11時10分	初一 辰時 8時0分	十六 丑時 1時40分		廿九 申時 16時13分	十四 寅時 3時53分	
西曆	干支	西曆	干支	西曆	干支	西曆	干支	西曆	干支	西曆	干支	農曆
1 4	己亥	12 5	己巳	11 6	庚子	10 8	**辛未**	9 8	辛丑	8 10	壬申	初一
1 5	**庚子**	12 6	庚午	11 7	**辛丑**	10 9	壬申	9 9	壬寅	8 11	癸酉	初二
1 6	辛丑	12 7	**辛未**	11 8	壬寅	10 10	癸酉	9 10	癸卯	8 12	甲戌	初三
1 7	壬寅	12 8	壬申	11 9	癸卯	10 11	甲戌	9 11	甲辰	8 13	乙亥	初四
1 8	癸卯	12 9	癸酉	11 10	甲辰	10 12	乙亥	9 12	乙巳	8 14	丙子	初五
1 9	甲辰	12 10	甲戌	11 11	乙巳	10 13	丙子	9 13	丙午	8 15	丁丑	初六
1 10	乙巳	12 11	乙亥	11 12	丙午	10 14	丁丑	9 14	丁未	8 16	戊寅	初七
1 11	丙午	12 12	丙子	11 13	丁未	10 15	戊寅	9 15	戊申	8 17	己卯	初八
1 12	丁未	12 13	丁丑	11 14	戊申	10 16	己卯	9 16	己酉	8 18	庚辰	初九
1 13	戊申	12 14	戊寅	11 15	己酉	10 17	庚辰	9 17	庚戌	8 19	辛巳	初十
1 14	己酉	12 15	己卯	11 16	庚戌	10 18	辛巳	9 18	辛亥	8 20	壬午	十一
1 15	庚戌	12 16	庚辰	11 17	辛亥	10 19	壬午	9 19	壬子	8 21	癸未	十二
1 16	辛亥	12 17	辛巳	11 18	壬子	10 20	癸未	9 20	癸丑	8 22	甲申	十三
1 17	壬子	12 18	壬午	11 19	癸丑	10 21	甲申	9 21	甲寅	8 23	**乙酉**	十四
1 18	癸丑	12 19	癸未	11 20	甲寅	10 22	乙酉	9 22	乙卯	8 24	丙戌	十五
1 19	甲寅	12 20	甲申	11 21	乙卯	10 23	**丙戌**	9 23	**丙辰**	8 25	丁亥	十六
1 20	**乙卯**	12 21	**乙酉**	11 22	**丙辰**	10 24	丁亥	9 24	丁巳	8 26	戊子	十七
1 21	丙辰	12 22	丙戌	11 23	丁巳	10 25	戊子	9 25	戊午	8 27	己丑	十八
1 22	丁巳	12 23	丁亥	11 24	戊午	10 26	己丑	9 26	己未	8 28	庚寅	十九
1 23	戊午	12 24	戊子	11 25	己未	10 27	庚寅	9 27	庚申	8 29	辛卯	二十
1 24	己未	12 25	己丑	11 26	庚申	10 28	辛卯	9 28	辛酉	8 30	壬辰	廿一
1 25	庚申	12 26	庚寅	11 27	辛酉	10 29	壬辰	9 29	壬戌	8 31	癸巳	廿二
1 26	辛酉	12 27	辛卯	11 28	壬戌	10 30	癸巳	9 30	癸亥	9 1	甲午	廿三
1 27	壬戌	12 28	壬辰	11 29	癸亥	10 31	甲午	10 1	甲子	9 2	乙未	廿四
1 28	癸亥	12 29	癸巳	11 30	甲子	11 1	乙未	10 2	乙丑	9 3	丙申	廿五
1 29	甲子	12 30	甲午	12 1	乙丑	11 2	丙申	10 3	丙寅	9 4	丁酉	廿六
1 30	乙丑	12 31	乙未	12 2	丙寅	11 3	丁酉	10 4	丁卯	9 5	戊戌	廿七
1 31	丙寅	1 1	丙申	12 3	丁卯	11 4	戊戌	10 5	戊辰	9 6	己亥	廿八
2 1	丁卯	1 2	丁酉	12 4	戊辰	11 5	己亥	10 6	己巳	9 7	**庚子**	廿九
2 2	戊辰	1 3	戊戌					10 7	庚午			三十

二〇三〇年

歲次庚戌（肖狗）

太歲姓化名秋

年星六白

六月小		五月大		四月大		三月小		二月大		正月小		月別
癸未		壬午		辛巳		庚辰		己卯		戊寅		干支
九紫		一白		二黑		三碧		四綠		五黃		九星
大暑	小暑	夏至	芒種	小滿	立夏	穀雨	清明	春分	驚蟄	雨水	立春	節氣
廿三丑時 2時26分	初七辰時 8時57分	廿一申時 15時33分	初五亥時 22時46分	二十辰時 7時42分	初四酉時 18時48分	十八辰時 8時45分	初三丑時 1時43分	十七亥時 21時54分	初二亥時 21時5分	十六夜子 23時2分	初二寅時 3時10分	
西曆	干支	西曆	干支	西曆	干支	西曆	干支	西曆	干支	西曆	干支	農曆
7 1	丁酉	6 1	丁卯	5 2	丁酉	4 3	戊辰	3 4	戊戌	2 3	己巳	初一
7 2	戊戌	6 2	戊辰	5 3	戊戌	4 4	己巳	3 5	**己亥**	2 4	**庚午**	初二
7 3	己亥	6 3	己巳	5 4	己亥	4 5	**庚午**	3 6	庚子	2 5	辛未	初三
7 4	庚子	6 4	庚午	5 5	**庚子**	4 6	辛未	3 7	辛丑	2 6	壬申	初四
7 5	辛丑	6 5	**辛未**	5 6	辛丑	4 7	壬申	3 8	壬寅	2 7	癸酉	初五
7 6	壬寅	6 6	壬申	5 7	壬寅	4 8	癸酉	3 9	癸卯	2 8	甲戌	初六
7 7	**癸卯**	6 7	癸酉	5 8	癸卯	4 9	甲戌	3 10	甲辰	2 9	乙亥	初七
7 8	甲辰	6 8	甲戌	5 9	甲辰	4 10	乙亥	3 11	乙巳	2 10	丙子	初八
7 9	乙巳	6 9	乙亥	5 10	乙巳	4 11	丙子	3 12	丙午	2 11	丁丑	初九
7 10	丙午	6 10	丙子	5 11	丙午	4 12	丁丑	3 13	丁未	2 12	戊寅	初十
7 11	丁未	6 11	丁丑	5 12	丁未	4 13	戊寅	3 14	戊申	2 13	己卯	十一
7 12	戊申	6 12	戊寅	5 13	戊申	4 14	己卯	3 15	己酉	2 14	庚辰	十二
7 13	己酉	6 13	己卯	5 14	己酉	4 15	庚辰	3 16	庚戌	2 15	辛巳	十三
7 14	庚戌	6 14	庚辰	5 15	庚戌	4 16	辛巳	3 17	辛亥	2 16	壬午	十四
7 15	辛亥	6 15	辛巳	5 16	辛亥	4 17	壬午	3 18	壬子	2 17	癸未	十五
7 16	壬子	6 16	壬午	5 17	壬子	4 18	癸未	3 19	癸丑	2 18	**甲申**	十六
7 17	癸丑	6 17	癸未	5 18	癸丑	4 19	甲申	3 20	**甲寅**	2 19	乙酉	十七
7 18	甲寅	6 18	甲申	5 19	甲寅	4 20	**乙酉**	3 21	乙卯	2 20	丙戌	十八
7 19	乙卯	6 19	乙酉	5 20	乙卯	4 21	丙戌	3 22	丙辰	2 21	丁亥	十九
7 20	丙辰	6 20	丙戌	5 21	**丙辰**	4 22	丁亥	3 23	丁巳	2 22	戊子	二十
7 21	丁巳	6 21	**丁亥**	5 22	丁巳	4 23	戊子	3 24	戊午	2 23	己丑	廿一
7 22	戊午	6 22	戊子	5 23	戊午	4 24	己丑	3 25	己未	2 24	庚寅	廿二
7 23	**己未**	6 23	己丑	5 24	己未	4 25	庚寅	3 26	庚申	2 25	辛卯	廿三
7 24	庚申	6 24	庚寅	5 25	庚申	4 26	辛卯	3 27	辛酉	2 26	壬辰	廿四
7 25	辛酉	6 25	辛卯	5 26	辛酉	4 27	壬辰	3 28	壬戌	2 27	癸巳	廿五
7 26	壬戌	6 26	壬辰	5 27	壬戌	4 28	癸巳	3 29	癸亥	2 28	甲午	廿六
7 27	癸亥	6 27	癸巳	5 28	癸亥	4 29	甲午	3 30	甲子	3 1	乙未	廿七
7 28	甲子	6 28	甲午	5 29	甲子	4 30	乙未	3 31	乙丑	3 2	丙申	廿八
7 29	乙丑	6 29	乙未	5 30	乙丑	5 1	丙申	4 1	丙寅	3 3	丁酉	廿九
		6 30	丙申	5 31	丙寅			4 2	丁卯			三十

十二月小		十一月大		十月小		九月大		八月小		七月大		月別
己丑		戊子		丁亥		丙戌		乙酉		甲申		干支
三碧		四綠		五黃		六白		七赤		八白		九星
大寒	小寒	冬至	大雪	小雪	立冬	霜降	寒露	秋分	白露	處暑	立秋	節氣
廿七 14時50分 未時	十二 21時25分 亥時	廿八 4時11分 寅時	十三 10時9分 巳時	廿七 14時46分 未時	十二 17時10分 酉時	廿七 17時2分 酉時	十二 13時47分 未時	廿六 7時28分 辰時	初十 21時54分 亥時	廿五 9時38分 巳時	初九 18時49分 酉時	
西曆	干支	西曆	干支	西曆	干支	西曆	干支	西曆	干支	西曆	干支	農曆
12 25	甲午	11 25	甲子	10 27	乙未	9 27	乙丑	8 29	丙申	7 30	丙寅	初一
12 26	乙未	11 26	乙丑	10 28	丙申	9 28	丙寅	8 30	丁酉	7 31	丁卯	初二
12 27	丙申	11 27	丙寅	10 29	丁酉	9 29	丁卯	8 31	戊戌	8 1	戊辰	初三
12 28	丁酉	11 28	丁卯	10 30	戊戌	9 30	戊辰	9 1	己亥	8 2	己巳	初四
12 29	戊戌	11 29	戊辰	10 31	己亥	10 1	己巳	9 2	庚子	8 3	庚午	初五
12 30	己亥	11 30	己巳	11 1	庚子	10 2	庚午	9 3	辛丑	8 4	辛未	初六
12 31	庚子	12 1	庚午	11 2	辛丑	10 3	辛未	9 4	壬寅	8 5	壬申	初七
1 1	辛丑	12 2	辛未	11 3	壬寅	10 4	壬申	9 5	癸卯	8 6	癸酉	初八
1 2	壬寅	12 3	壬申	11 4	癸卯	10 5	癸酉	9 6	甲辰	8 7	**甲戌**	初九
1 3	癸卯	12 4	癸酉	11 5	甲辰	10 6	甲戌	9 7	**乙巳**	8 8	乙亥	初十
1 4	甲辰	12 5	甲戌	11 6	乙巳	10 7	乙亥	9 8	丙午	8 9	丙子	十一
1 5	**乙巳**	12 6	乙亥	11 7	**丙午**	10 8	**丙子**	9 9	丁未	8 10	丁丑	十二
1 6	丙午	12 7	**丙子**	11 8	丁未	10 9	丁丑	9 10	戊申	8 11	戊寅	十三
1 7	丁未	12 8	丁丑	11 9	戊申	10 10	戊寅	9 11	己酉	8 12	己卯	十四
1 8	戊申	12 9	戊寅	11 10	己酉	10 11	己卯	9 12	庚戌	8 13	庚辰	十五
1 9	己酉	12 10	己卯	11 11	庚戌	10 12	庚辰	9 13	辛亥	8 14	辛巳	十六
1 10	庚戌	12 11	庚辰	11 12	辛亥	10 13	辛巳	9 14	壬子	8 15	壬午	十七
1 11	辛亥	12 12	辛巳	11 13	壬子	10 14	壬午	9 15	癸丑	8 16	癸未	十八
1 12	壬子	12 13	壬午	11 14	癸丑	10 15	癸未	9 16	甲寅	8 17	甲申	十九
1 13	癸丑	12 14	癸未	11 15	甲寅	10 16	甲申	9 17	乙卯	8 18	乙酉	二十
1 14	甲寅	12 15	甲申	11 16	乙卯	10 17	乙酉	9 18	丙辰	8 19	丙戌	廿一
1 15	乙卯	12 16	乙酉	11 17	丙辰	10 18	丙戌	9 19	丁巳	8 20	丁亥	廿二
1 16	丙辰	12 17	丙戌	11 18	丁巳	10 19	丁亥	9 20	戊午	8 21	戊子	廿三
1 17	丁巳	12 18	丁亥	11 19	戊午	10 20	戊子	9 21	己未	8 22	己丑	廿四
1 18	戊午	12 19	戊子	11 20	己未	10 21	己丑	9 22	庚申	8 23	**庚寅**	廿五
1 19	己未	12 20	己丑	11 21	庚申	10 22	庚寅	9 23	**辛酉**	8 24	辛卯	廿六
1 20	**庚申**	12 21	庚寅	11 22	**辛酉**	10 23	**辛卯**	9 24	壬戌	8 25	壬辰	廿七
1 21	辛酉	12 22	**辛卯**	11 23	壬戌	10 24	壬辰	9 25	癸亥	8 26	癸巳	廿八
1 22	壬戌	12 23	壬辰	11 24	癸亥	10 25	癸巳	9 26	甲子	8 27	甲午	廿九
		12 24	癸巳			10 26	甲午			8 28	乙未	三十

二〇三一年

歲次辛亥（肖豬）

太歲姓葉名堅

年星五黃

月別	正月小		二月大		三月大		閏三月小		四月大		五月小	
干支	庚寅		辛卯		壬辰				癸巳		甲午	
九星	二黑		一白		九紫				八白		七赤	
節氣	立春	雨水	驚蟄	春分	清明	穀雨	立夏		小滿	芒種	夏至	小暑
	十三辰時 9時0分	廿八寅時 4時52分	十四丑時 2時53分	廿九寅時 3時42分	十四辰時 7時30分	廿九未時 14時33分	十五早子 0時36分		初一未時 13時29分	十七寅時 4時37分	初二亥時 21時18分	十八未時 14時50分
農曆	干支	西曆	干支	西曆	干支	西曆	干支	西曆	干支	西曆	干支	西曆
初一	癸亥	1 23	壬辰	2 21	壬戌	3 23	壬辰	4 22	**辛酉**	5 21	辛卯	6 20
初二	甲子	1 24	癸巳	2 22	癸亥	3 24	癸巳	4 23	壬戌	5 22	**壬辰**	6 21
初三	乙丑	1 25	甲午	2 23	甲子	3 25	甲午	4 24	癸亥	5 23	癸巳	6 22
初四	丙寅	1 26	乙未	2 24	乙丑	3 26	乙未	4 25	甲子	5 24	甲午	6 23
初五	丁卯	1 27	丙申	2 25	丙寅	3 27	丙申	4 26	乙丑	5 25	乙未	6 24
初六	戊辰	1 28	丁酉	2 26	丁卯	3 28	丁酉	4 27	丙寅	5 26	丙申	6 25
初七	己巳	1 29	戊戌	2 27	戊辰	3 29	戊戌	4 28	丁卯	5 27	丁酉	6 26
初八	庚午	1 30	己亥	2 28	己巳	3 30	己亥	4 29	戊辰	5 28	戊戌	6 27
初九	辛未	1 31	庚子	3 1	庚午	3 31	庚子	4 30	己巳	5 29	己亥	6 28
初十	壬申	2 1	辛丑	3 2	辛未	4 1	辛丑	5 1	庚午	5 30	庚子	6 29
十一	癸酉	2 2	壬寅	3 3	壬申	4 2	壬寅	5 2	辛未	5 31	辛丑	6 30
十二	甲戌	2 3	癸卯	3 4	癸酉	4 3	癸卯	5 3	壬申	6 1	壬寅	7 1
十三	**乙亥**	2 4	甲辰	3 5	甲戌	4 4	甲辰	5 4	癸酉	6 2	癸卯	7 2
十四	丙子	2 5	**乙巳**	3 6	**乙亥**	4 5	乙巳	5 5	甲戌	6 3	甲辰	7 3
十五	丁丑	2 6	丙午	3 7	丙子	4 6	**丙午**	5 6	乙亥	6 4	乙巳	7 4
十六	戊寅	2 7	丁未	3 8	丁丑	4 7	丁未	5 7	丙子	6 5	丙午	7 5
十七	己卯	2 8	戊申	3 9	戊寅	4 8	戊申	5 8	**丁丑**	6 6	丁未	7 6
十八	庚辰	2 9	己酉	3 10	己卯	4 9	己酉	5 9	戊寅	6 7	**戊申**	7 7
十九	辛巳	2 10	庚戌	3 11	庚辰	4 10	庚戌	5 10	己卯	6 8	己酉	7 8
二十	壬午	2 11	辛亥	3 12	辛巳	4 11	辛亥	5 11	庚辰	6 9	庚戌	7 9
廿一	癸未	2 12	壬子	3 13	壬午	4 12	壬子	5 12	辛巳	6 10	辛亥	7 10
廿二	甲申	2 13	癸丑	3 14	癸未	4 13	癸丑	5 13	壬午	6 11	壬子	7 11
廿三	乙酉	2 14	甲寅	3 15	甲申	4 14	甲寅	5 14	癸未	6 12	癸丑	7 12
廿四	丙戌	2 15	乙卯	3 16	乙酉	4 15	乙卯	5 15	甲申	6 13	甲寅	7 13
廿五	丁亥	2 16	丙辰	3 17	丙戌	4 16	丙辰	5 16	乙酉	6 14	乙卯	7 14
廿六	戊子	2 17	丁巳	3 18	丁亥	4 17	丁巳	5 17	丙戌	6 15	丙辰	7 15
廿七	己丑	2 18	戊午	3 19	戊子	4 18	戊午	5 18	丁亥	6 16	丁巳	7 16
廿八	**庚寅**	2 19	己未	3 20	己丑	4 19	己未	5 19	戊子	6 17	戊午	7 17
廿九	辛卯	2 20	**庚申**	3 21	**庚寅**	4 20	庚申	5 20	己丑	6 18	己未	7 18
三十			辛酉	3 22	辛卯	4 21			庚寅	6 19		

十二月小		十一月大		十月小		九月大		八月小		七月大		六月大		月別
辛丑		庚子		己亥		戊戌		丁酉		丙申		乙未		干支
九紫		一白		二黑		三碧		四綠		五黃		六白		九星
立春	大寒	小寒	冬至	大雪	小雪	立冬	霜降	寒露	秋分	白露	處暑	立秋	大暑	節氣
廿三未時 14時50分	初八戌時 20時33分	廿四寅時 3時18分	初九巳時 9時57分	廿三申時 16時5分	初八戌時 20時34分	廿三夜子 23時7分	初八亥時 22時51分	廿二戌時 19時44分	初七未時 13時17分	廿二寅時 3時52分	初六申時 15時25分	廿一早子 0時44分	初五辰時 8時12分	
西曆	干支	西曆	干支	西曆	干支	西曆	干支	西曆	干支	西曆	干支	西曆	干支	農曆
1 13	戊午	12 14	戊子	11 15	己未	10 16	己丑	9 17	庚申	8 18	庚寅	7 19	庚申	初一
1 14	己未	12 15	己丑	11 16	庚申	10 17	庚寅	9 18	辛酉	8 19	辛卯	7 20	辛酉	初二
1 15	庚申	12 16	庚寅	11 17	辛酉	10 18	辛卯	9 19	壬戌	8 20	壬辰	7 21	壬戌	初三
1 16	辛酉	12 17	辛卯	11 18	壬戌	10 19	壬辰	9 20	癸亥	8 21	癸巳	7 22	癸亥	初四
1 17	壬戌	12 18	壬辰	11 19	癸亥	10 20	癸巳	9 21	甲子	8 22	甲午	7 23	**甲子**	初五
1 18	癸亥	12 19	癸巳	11 20	甲子	10 21	甲午	9 22	乙丑	8 23	**乙未**	7 24	乙丑	初六
1 19	甲子	12 20	甲午	11 21	乙丑	10 22	乙未	9 23	**丙寅**	8 24	丙申	7 25	丙寅	初七
1 20	**乙丑**	12 21	乙未	11 22	**丙寅**	10 23	**丙申**	9 24	丁卯	8 25	丁酉	7 26	丁卯	初八
1 21	丙寅	12 22	**丙申**	11 23	丁卯	10 24	丁酉	9 25	戊辰	8 26	戊戌	7 27	戊辰	初九
1 22	丁卯	12 23	丁酉	11 24	戊辰	10 25	戊戌	9 26	己巳	8 27	己亥	7 28	己巳	初十
1 23	戊辰	12 24	戊戌	11 25	己巳	10 26	己亥	9 27	庚午	8 28	庚子	7 29	庚午	十一
1 24	己巳	12 25	己亥	11 26	庚午	10 27	庚子	9 28	辛未	8 29	辛丑	7 30	辛未	十二
1 25	庚午	12 26	庚子	11 27	辛未	10 28	辛丑	9 29	壬申	8 30	壬寅	7 31	壬申	十三
1 26	辛未	12 27	辛丑	11 28	壬申	10 29	壬寅	9 30	癸酉	8 31	癸卯	8 1	癸酉	十四
1 27	壬申	12 28	壬寅	11 29	癸酉	10 30	癸卯	10 1	甲戌	9 1	甲辰	8 2	甲戌	十五
1 28	癸酉	12 29	癸卯	11 30	甲戌	10 31	甲辰	10 2	乙亥	9 2	乙巳	8 3	乙亥	十六
1 29	甲戌	12 30	甲辰	12 1	乙亥	11 1	乙巳	10 3	丙子	9 3	丙午	8 4	丙子	十七
1 30	乙亥	12 31	乙巳	12 2	丙子	11 2	丙午	10 4	丁丑	9 4	丁未	8 5	丁丑	十八
1 31	丙子	1 1	丙午	12 3	丁丑	11 3	丁未	10 5	戊寅	9 5	戊申	8 6	戊寅	十九
2 1	丁丑	1 2	丁未	12 4	戊寅	11 4	戊申	10 6	己卯	9 6	己酉	8 7	己卯	二十
2 2	戊寅	1 3	戊申	12 5	己卯	11 5	己酉	10 7	庚辰	9 7	庚戌	8 8	**庚辰**	廿一
2 3	己卯	1 4	己酉	12 6	庚辰	11 6	庚戌	10 8	**辛巳**	9 8	**辛亥**	8 9	辛巳	廿二
2 4	**庚辰**	1 5	庚戌	12 7	**辛巳**	11 7	**辛亥**	10 9	壬午	9 9	壬子	8 10	壬午	廿三
2 5	辛巳	1 6	**辛亥**	12 8	壬午	11 8	壬子	10 10	癸未	9 10	癸丑	8 11	癸未	廿四
2 6	壬午	1 7	壬子	12 9	癸未	11 9	癸丑	10 11	甲申	9 11	甲寅	8 12	甲申	廿五
2 7	癸未	1 8	癸丑	12 10	甲申	11 10	甲寅	10 12	乙酉	9 12	乙卯	8 13	乙酉	廿六
2 8	甲申	1 9	甲寅	12 11	乙酉	11 11	乙卯	10 13	丙戌	9 13	丙辰	8 14	丙戌	廿七
2 9	乙酉	1 10	乙卯	12 12	丙戌	11 12	丙辰	10 14	丁亥	9 14	丁巳	8 15	丁亥	廿八
2 10	丙戌	1 11	丙辰	12 13	丁亥	11 13	丁巳	10 15	戊子	9 15	戊午	8 16	戊子	廿九
		1 12	丁巳			11 14	戊午			9 16	己未	8 17	己丑	三十

二〇三二年

歲次壬子（肖鼠）

太歲姓邱名德

年星四綠

六月大		五月小		四月大		三月小		二月小		正月大		月別
丁未		丙午		乙巳		甲辰		癸卯		壬寅		干支
三碧		四綠		五黃		六白		七赤		八白		九星
大暑		小暑	夏至	芒種	小滿	立夏	穀雨	清明	春分	驚蟄	雨水	節氣
十六未時 14時6分		廿九戌時 20時42分	十四寅時 3時10分	廿八巳時 10時29分	十二戌時 19時16分	廿六卯時 6時27分	初十戌時 20時16分	廿四未時 13時19分	初九巳時 9時23分	廿四辰時 8時42分	初九巳時 10時34分	
西曆	干支	西曆	干支	西曆	干支	西曆	干支	西曆	干支	西曆	干支	農曆
7 7	甲寅	6 8	乙酉	5 9	乙卯	4 10	丙戌	3 12	丁巳	2 11	丁亥	初一
7 8	乙卯	6 9	丙戌	5 10	丙辰	4 11	丁亥	3 13	戊午	2 12	戊子	初二
7 9	丙辰	6 10	丁亥	5 11	丁巳	4 12	戊子	3 14	己未	2 13	己丑	初三
7 10	丁巳	6 11	戊子	5 12	戊午	4 13	己丑	3 15	庚申	2 14	庚寅	初四
7 11	戊午	6 12	己丑	5 13	己未	4 14	庚寅	3 16	辛酉	2 15	辛卯	初五
7 12	己未	6 13	庚寅	5 14	庚申	4 15	辛卯	3 17	壬戌	2 16	壬辰	初六
7 13	庚申	6 14	辛卯	5 15	辛酉	4 16	壬辰	3 18	癸亥	2 17	癸巳	初七
7 14	辛酉	6 15	壬辰	5 16	壬戌	4 17	癸巳	3 19	甲子	2 18	甲午	初八
7 15	壬戌	6 16	癸巳	5 17	癸亥	4 18	甲午	3 20	**乙丑**	2 19	**乙未**	初九
7 16	癸亥	6 17	甲午	5 18	甲子	4 19	**乙未**	3 21	丙寅	2 20	丙申	初十
7 17	甲子	6 18	乙未	5 19	乙丑	4 20	丙申	3 22	丁卯	2 21	丁酉	十一
7 18	乙丑	6 19	丙申	5 20	**丙寅**	4 21	丁酉	3 23	戊辰	2 22	戊戌	十二
7 19	丙寅	6 20	丁酉	5 21	丁卯	4 22	戊戌	3 24	己巳	2 23	己亥	十三
7 20	丁卯	6 21	**戊戌**	5 22	戊辰	4 23	己亥	3 25	庚午	2 24	庚子	十四
7 21	戊辰	6 22	己亥	5 23	己巳	4 24	庚子	3 26	辛未	2 25	辛丑	十五
7 22	**己巳**	6 23	庚子	5 24	庚午	4 25	辛丑	3 27	壬申	2 26	壬寅	十六
7 23	庚午	6 24	辛丑	5 25	辛未	4 26	壬寅	3 28	癸酉	2 27	癸卯	十七
7 24	辛未	6 25	壬寅	5 26	壬申	4 27	癸卯	3 29	甲戌	2 28	甲辰	十八
7 25	壬申	6 26	癸卯	5 27	癸酉	4 28	甲辰	3 30	乙亥	2 29	乙巳	十九
7 26	癸酉	6 27	甲辰	5 28	甲戌	4 29	乙巳	3 31	丙子	3 1	丙午	二十
7 27	甲戌	6 30	乙巳	5 29	乙亥	4 30	丙午	4 1	丁丑	3 2	丁未	廿一
7 28	乙亥	6 29	丙午	5 30	丙子	5 1	丁未	4 2	戊寅	3 3	戊申	廿二
7 29	丙子	6 30	丁未	5 31	丁丑	5 2	戊申	4 3	己卯	3 4	己酉	廿三
7 30	丁丑	7 1	戊申	6 1	戊寅	5 3	己酉	4 4	**庚辰**	3 5	**庚戌**	廿四
7 31	戊寅	7 2	己酉	6 2	己卯	5 4	庚戌	4 5	辛巳	3 6	辛亥	廿五
8 1	己卯	7 3	庚戌	6 3	庚辰	5 5	**辛亥**	4 6	壬午	3 7	壬子	廿六
8 2	庚辰	7 4	辛亥	6 4	辛巳	5 6	壬子	4 7	癸未	3 8	癸丑	廿七
8 3	辛巳	7 5	壬子	6 5	**壬午**	5 7	癸丑	4 8	甲申	3 9	甲寅	廿八
8 4	壬午	7 6	**癸丑**	6 6	癸未	5 8	甲寅	4 9	乙酉	3 10	乙卯	廿九
8 5	癸未			6 7	甲申					3 11	丙辰	三十

十二月大		十一月小		十月大		九月大		八月小		七月大		月別
癸丑		壬子		辛亥		庚戌		己酉		戊申		干支
六白		七赤		八白		九紫		一白		二黑		九星
大寒	小寒	冬至	大雪	小雪	立冬	霜降	寒露	秋分	白露	處暑	立秋	節氣
二十丑時 2時35分	初五巳時 9時10分	十九申時 15時58分	初四亥時 21時55分	二十丑時 2時33分	初五寅時 4時56分	二十寅時 4時48分	初五丑時 1時32分	十八戌時 19時12分	初三巳時 9時39分	十七亥時 21時20分	初二卯時 6時34分	
西曆	干支	西曆	干支	西曆	干支	西曆	干支	西曆	干支	西曆	干支	農曆
1 1	壬子	12 3	癸未	11 3	癸丑	10 4	癸未	9 5	甲寅	8 6	甲申	初一
1 2	癸丑	12 4	甲申	11 4	甲寅	10 5	甲申	9 6	乙卯	8 7	**乙酉**	初二
1 3	甲寅	12 5	乙酉	11 5	乙卯	10 6	乙酉	9 7	**丙辰**	8 8	丙戌	初三
1 4	乙卯	12 6	**丙戌**	11 6	丙辰	10 7	丙戌	9 8	丁巳	8 9	丁亥	初四
1 5	**丙辰**	12 7	丁亥	11 7	**丁巳**	10 8	**丁亥**	9 9	戊午	8 10	戊子	初五
1 6	丁巳	12 8	戊子	11 8	戊午	10 9	戊子	9 10	己未	8 11	己丑	初六
1 7	戊午	12 9	己丑	11 9	己未	10 10	己丑	9 11	庚申	8 12	庚寅	初七
1 8	己未	12 10	庚寅	11 10	庚申	10 11	庚寅	9 12	辛酉	8 13	辛卯	初八
1 9	庚申	12 11	辛卯	11 11	辛酉	10 12	辛卯	9 13	壬戌	8 14	壬辰	初九
1 10	辛酉	12 12	壬辰	11 12	壬戌	10 13	壬辰	9 14	癸亥	8 15	癸巳	初十
1 11	壬戌	12 13	癸巳	11 13	癸亥	10 14	癸巳	9 15	甲子	8 16	甲午	十一
1 12	癸亥	12 14	甲午	11 14	甲子	10 15	甲午	9 16	乙丑	8 17	乙未	十二
1 13	甲子	12 15	乙未	11 15	乙丑	10 16	乙未	9 17	丙寅	8 18	丙申	十三
1 14	乙丑	12 16	丙申	11 16	丙寅	10 17	丙申	9 18	丁卯	8 19	丁酉	十四
1 15	丙寅	12 17	丁酉	11 17	丁卯	10 18	丁酉	9 19	戊辰	8 20	戊戌	十五
1 16	丁卯	12 18	戊戌	11 18	戊辰	10 19	戊戌	9 20	己巳	8 21	己亥	十六
1 17	戊辰	12 19	己亥	11 19	己巳	10 20	己亥	9 21	庚午	8 22	**庚子**	十七
1 18	己巳	12 20	庚子	11 20	庚午	10 21	庚子	9 22	**辛未**	8 23	辛丑	十八
1 19	庚午	12 21	**辛丑**	11 21	辛未	10 22	辛丑	9 23	壬申	8 24	壬寅	十九
1 20	**辛未**	12 22	壬寅	11 22	**壬申**	10 23	**壬寅**	9 24	癸酉	8 25	癸卯	二十
1 21	壬申	12 23	癸卯	11 23	癸酉	10 24	癸卯	9 25	甲戌	8 26	甲辰	廿一
1 22	癸酉	12 24	甲辰	11 24	甲戌	10 25	甲辰	9 26	乙亥	8 27	乙巳	廿二
1 23	甲戌	12 25	乙巳	11 25	乙亥	10 26	乙巳	9 27	丙子	8 28	丙午	廿三
1 24	乙亥	12 26	丙午	11 26	丙子	10 27	丙午	9 28	丁丑	8 29	丁未	廿四
1 25	丙子	12 27	丁未	11 27	丁丑	10 28	丁未	9 29	戊寅	8 30	戊申	廿五
1 26	丁丑	12 28	戊申	11 28	戊寅	10 29	戊申	9 30	己卯	8 31	己酉	廿六
1 27	戊寅	12 29	己酉	11 29	己卯	10 30	己酉	10 1	庚辰	9 1	庚戌	廿七
1 28	己卯	12 30	庚戌	11 30	庚辰	10 31	庚戌	10 2	辛巳	9 2	辛亥	廿八
1 29	庚辰	12 31	辛亥	12 1	辛巳	11 1	辛亥	10 3	壬午	9 3	壬子	廿九
1 30	辛巳			12 2	壬午	11 2	壬子			9 4	癸丑	三十

二〇三三年

歲次癸丑（肖牛）

太歲姓林名簿

年星三碧

六月小		五月大		四月小		三月小		二月大		正月小		月別
己未		戊午		丁巳		丙辰		乙卯		甲寅		干支
九紫		一白		二黑		三碧		四綠		五黃		九星
大暑	小暑	夏至	芒種	小滿	立夏	穀雨	清明	春分	驚蟄	雨水	立春	節氣
廿六 19時 54分 戌時	十一 2時 26分 丑時	廿五 9時 2分 巳時	初九 16時 15分 申時	廿三 1時 12分 丑時	初七 12時 15分 午時	廿一 2時 15分 丑時	初五 19時 10分 戌時	二十 15時 24分 申時	初五 14時 34分 未時	十九 16時 35分 申時	初四 20時 43分 戌時	
西曆	干支	西曆	干支	西曆	干支	西曆	干支	西曆	干支	西曆	干支	農曆
6 27	己酉	5 28	己卯	4 29	庚戌	3 31	辛巳	3 1	辛亥	1 31	壬午	初一
6 28	庚戌	5 29	庚辰	4 30	辛亥	4 1	壬午	3 2	壬子	2 1	癸未	初二
6 29	辛亥	5 30	辛巳	5 1	壬子	4 2	癸未	3 3	癸丑	2 2	甲申	初三
6 30	壬子	5 31	壬午	5 2	癸丑	4 3	甲申	3 4	甲寅	2 3	**乙酉**	初四
7 1	癸丑	6 1	癸未	5 3	甲寅	4 4	**乙酉**	3 5	**乙卯**	2 4	丙戌	初五
7 2	甲寅	6 2	甲申	5 4	乙卯	4 5	丙戌	3 6	丙辰	2 5	丁亥	初六
7 3	乙卯	6 3	乙酉	5 5	**丙辰**	4 6	丁亥	3 7	丁巳	2 6	戊子	初七
7 4	丙辰	6 4	丙戌	5 6	丁巳	4 7	戊子	3 8	戊午	2 7	己丑	初八
7 5	丁巳	6 5	**丁亥**	5 7	戊午	4 8	己丑	3 9	己未	2 8	庚寅	初九
7 6	戊午	6 6	戊子	5 8	己未	4 9	庚寅	3 10	庚申	2 9	辛卯	初十
7 7	**己未**	6 7	己丑	5 9	庚申	4 10	辛卯	3 11	辛酉	2 10	壬辰	十一
7 8	庚申	6 8	庚寅	5 10	辛酉	4 11	壬辰	3 12	壬戌	2 11	癸巳	十二
7 9	辛酉	6 9	辛卯	5 11	壬戌	4 12	癸巳	3 13	癸亥	2 12	甲午	十三
7 10	壬戌	6 10	壬辰	5 12	癸亥	4 13	甲午	3 14	甲子	2 13	乙未	十四
7 11	癸亥	6 11	癸巳	5 13	甲子	4 14	乙未	3 15	乙丑	2 14	丙申	十五
7 12	甲子	6 12	甲午	5 14	乙丑	4 15	丙申	3 16	丙寅	2 15	丁酉	十六
7 13	乙丑	6 13	乙未	5 15	丙寅	4 16	丁酉	3 17	丁卯	2 16	戊戌	十七
7 14	丙寅	6 14	丙申	5 16	丁卯	4 17	戊戌	3 18	戊辰	2 17	己亥	十八
7 15	丁卯	6 15	丁酉	5 17	戊辰	4 18	己亥	3 19	己巳	2 18	**庚子**	十九
7 16	戊辰	6 16	戊戌	5 18	己巳	4 19	庚子	3 20	**庚午**	2 19	辛丑	二十
7 17	己巳	6 17	己亥	5 19	庚午	4 20	**辛丑**	3 21	辛未	2 20	壬寅	廿一
7 18	庚午	6 18	庚子	5 20	辛未	4 21	壬寅	3 22	壬申	2 21	癸卯	廿二
7 19	辛未	6 19	辛丑	5 21	**壬申**	4 22	癸卯	3 23	癸酉	2 22	甲辰	廿三
7 20	壬申	6 20	壬寅	5 22	癸酉	4 23	甲辰	3 24	甲戌	2 23	乙巳	廿四
7 21	癸酉	6 21	**癸卯**	5 23	甲戌	4 24	乙巳	3 25	乙亥	2 24	丙午	廿五
7 22	**甲戌**	6 22	甲辰	5 24	乙亥	4 25	丙午	3 26	丙子	2 25	丁未	廿六
7 23	乙亥	6 23	乙巳	5 25	丙子	4 26	丁未	3 27	丁丑	2 26	戊申	廿七
7 24	丙子	6 24	丙午	5 26	丁丑	4 27	戊申	3 28	戊寅	2 27	己酉	廿八
7 25	丁丑	6 25	丁未	5 27	戊寅	4 28	己酉	3 29	己卯	2 28	庚戌	廿九
		6 26	戊申					3 30	庚辰			三十

十二月大		十一月小		十月大		九月大		八月大		閏七月小		七月大		月別
乙丑		甲子		癸亥		壬戌		辛酉				庚申		干支
三碧		四綠		五黃		六白		七赤				八白		九星
雨水	立春	大寒	小寒	冬至	大雪	小雪	立冬	霜降	寒露	秋分	白露	處暑	立秋	節氣
三十亥時 22時32分	十六丑時 2時43分	十二月初一辰時 8時29分	十五申時 15時6分	三十亥時 21時48分	十六寅時 3時47分	十月初一辰時 8時18分	十六巳時 10時43分	九月初一巳時 10時29分	十六辰時 7時15分	八月初一子時 0時53分	十四申時 15時22分	廿九寅時 3時3分	十三午時 12時17分	
西曆	干支	西曆	干支	西曆	干支	西曆	干支	西曆	干支	西曆	干支	西曆	干支	農曆
1 20	**丙子**	12 22	丁未	11 22	**丁丑**	10 23	**丁未**	9 23	**丁丑**	8 25	戊申	7 26	戊寅	初一
1 21	丁丑	12 23	戊申	11 23	戊寅	10 24	戊申	9 24	戊寅	8 26	己酉	7 27	己卯	初二
1 22	戊寅	12 24	己酉	11 24	己卯	10 25	己酉	9 25	己卯	8 27	庚戌	7 28	庚辰	初三
1 23	己卯	12 25	庚戌	11 25	庚辰	10 26	庚戌	9 26	庚辰	8 28	辛亥	7 29	辛巳	初四
1 24	庚辰	12 26	辛亥	11 26	辛巳	10 27	辛亥	9 27	辛巳	8 29	壬子	7 30	壬午	初五
1 25	辛巳	12 27	壬子	11 27	壬午	10 28	壬子	9 28	壬午	8 30	癸丑	7 31	癸未	初六
1 26	壬午	12 28	癸丑	11 28	癸未	10 29	癸丑	9 29	癸未	8 31	甲寅	8 1	甲申	初七
1 27	癸未	12 29	甲寅	11 29	甲申	10 30	甲寅	9 30	甲申	9 1	乙卯	8 2	乙酉	初八
1 28	甲申	12 30	乙卯	11 30	乙酉	10 31	乙卯	10 1	乙酉	9 2	丙辰	8 3	丙戌	初九
1 29	乙酉	12 31	丙辰	12 1	丙戌	11 1	丙辰	10 2	丙戌	9 3	丁巳	8 4	丁亥	初十
1 30	丙戌	1 1	丁巳	12 2	丁亥	11 2	丁巳	10 3	丁亥	9 4	戊午	8 5	戊子	十一
1 31	丁亥	1 2	戊午	12 3	戊子	11 3	戊午	10 4	戊子	9 5	己未	8 6	己丑	十二
2 1	戊子	1 3	己未	12 4	己丑	11 4	己未	10 5	己丑	9 6	庚申	8 7	**庚寅**	十三
2 2	己丑	1 4	庚申	12 5	庚寅	11 5	庚申	10 6	庚寅	9 7	**辛酉**	8 8	辛卯	十四
2 3	庚寅	1 5	**辛酉**	12 6	辛卯	11 6	辛酉	10 7	辛卯	9 8	壬戌	8 9	壬辰	十五
2 4	**辛卯**	1 6	壬戌	12 7	**壬辰**	11 7	**壬戌**	10 8	**壬辰**	9 9	癸亥	8 10	癸巳	十六
2 5	壬辰	1 7	癸亥	12 8	癸巳	11 8	癸亥	10 9	癸巳	9 10	甲子	8 11	甲午	十七
2 6	癸巳	1 8	甲子	12 9	甲午	11 9	甲子	10 10	甲午	9 11	乙丑	8 12	乙未	十八
2 7	甲午	1 9	乙丑	12 10	乙未	11 10	乙丑	10 11	乙未	9 12	丙寅	8 13	丙申	十九
2 8	乙未	1 10	丙寅	12 11	丙申	11 11	丙寅	10 12	丙申	9 13	丁卯	8 14	丁酉	二十
2 9	丙申	1 11	丁卯	12 12	丁酉	11 12	丁卯	10 13	丁酉	9 14	戊辰	8 15	戊戌	廿一
2 10	丁酉	1 12	戊辰	12 13	戊戌	11 13	戊辰	10 14	戊戌	9 15	己巳	8 16	己亥	廿二
2 11	戊戌	1 13	己巳	12 14	己亥	11 14	己巳	10 15	己亥	9 16	庚午	8 17	庚子	廿三
2 12	己亥	1 14	庚午	12 15	庚子	11 15	庚午	10 16	庚子	9 17	辛未	8 18	辛丑	廿四
2 13	庚子	1 15	辛未	12 16	辛丑	11 16	辛未	10 17	辛丑	9 18	壬申	8 19	壬寅	廿五
2 14	辛丑	1 16	壬申	12 17	壬寅	11 17	壬申	10 18	壬寅	9 19	癸酉	8 20	癸卯	廿六
2 15	壬寅	1 17	癸酉	12 18	癸卯	11 18	癸酉	10 19	癸卯	9 20	甲戌	8 21	甲辰	廿七
2 16	癸卯	1 18	甲戌	12 19	甲辰	11 19	甲戌	10 20	甲辰	9 21	乙亥	8 22	乙巳	廿八
2 17	甲辰	1 19	乙亥	12 20	乙巳	11 20	乙亥	10 21	乙巳	9 22	丙子	8 23	**丙午**	廿九
2 18	**乙巳**			12 21	**丙午**	11 21	丙子	10 22	丙午			8 24	丁未	三十

二〇三四年　歲次甲寅（肖虎）　太歲姓張名朝　年星二黑

六月小		五月大		四月小		三月小		二月大		正月小		月別
辛未		庚午		己巳		戊辰		丁卯		丙寅		干支
六白		七赤		八白		九紫		一白		二黑		九星
立秋	大暑	小暑	夏至	芒種	小滿	立夏	穀雨	清明	春分		驚蟄	節氣
18時10分 廿三酉時	1時38分 初八丑時	8時19分 廿二辰時	14時46分 初六未時	22時8分 十九亥時	6時58分 初四卯時	18時11分 十七酉時	8時5分 初二辰時	1時8分 十七丑時	21時19分 初一亥時		20時34分 十五戌時	
西曆	干支	西曆	干支	西曆	干支	西曆	干支	西曆	干支	西曆	干支	農曆
7 16	癸酉	6 16	癸卯	5 18	甲戌	4 19	乙巳	3 20	乙亥	2 19	丙午	初一
7 17	甲戌	6 17	甲辰	5 19	乙亥	4 20	丙午	3 21	丙子	2 20	丁未	初二
7 18	乙亥	6 18	乙巳	5 20	丙子	4 21	丁未	3 22	丁丑	2 21	戊申	初三
7 19	丙子	6 19	丙午	5 21	丁丑	4 22	戊申	3 23	戊寅	2 22	己酉	初四
7 20	丁丑	6 20	丁未	5 22	戊寅	4 23	己酉	3 24	己卯	2 23	庚戌	初五
7 21	戊寅	6 21	戊申	5 23	己卯	4 24	庚戌	3 25	庚辰	2 24	辛亥	初六
7 22	己卯	6 22	己酉	5 24	庚辰	4 25	辛亥	3 26	辛巳	2 25	壬子	初七
7 23	庚辰	6 23	庚戌	5 25	辛巳	4 26	壬子	3 27	壬午	2 26	癸丑	初八
7 24	辛巳	6 24	辛亥	5 26	壬午	4 27	癸丑	3 28	癸未	2 27	甲寅	初九
7 25	壬午	6 25	壬子	5 27	癸未	4 28	甲寅	3 29	甲申	2 28	乙卯	初十
7 26	癸未	6 26	癸丑	5 28	甲申	4 29	乙卯	3 30	乙酉	3 1	丙辰	十一
7 27	甲申	6 27	甲寅	5 29	乙酉	4 30	丙辰	3 31	丙戌	3 2	丁巳	十二
7 28	乙酉	6 28	乙卯	5 30	丙戌	5 1	丁巳	4 1	丁亥	3 3	戊午	十三
7 29	丙戌	6 29	丙辰	5 31	丁亥	5 2	戊午	4 2	戊子	3 4	己未	十四
7 30	丁亥	6 30	丁巳	6 1	戊子	5 3	己未	4 3	己丑	3 5	庚申	十五
7 31	戊子	7 1	戊午	6 2	己丑	5 4	庚申	4 4	庚寅	3 6	辛酉	十六
8 1	己丑	7 2	己未	6 3	庚寅	5 5	辛酉	4 5	辛卯	3 7	壬戌	十七
8 2	庚寅	7 3	庚申	6 4	辛卯	5 6	壬戌	4 6	壬辰	3 8	癸亥	十八
8 3	辛卯	7 4	辛酉	6 5	壬辰	5 7	癸亥	4 7	癸巳	3 9	甲子	十九
8 4	壬辰	7 5	壬戌	6 6	癸巳	5 8	甲子	4 8	甲午	3 10	乙丑	二十
8 5	癸巳	7 6	癸亥	6 7	甲午	5 9	乙丑	4 9	乙未	3 11	丙寅	廿一
8 6	甲午	7 7	甲子	6 8	乙未	5 10	丙寅	4 10	丙申	3 12	丁卯	廿二
8 7	乙未	7 8	乙丑	6 9	丙申	5 11	丁卯	4 11	丁酉	3 13	戊辰	廿三
8 8	丙申	7 9	丙寅	6 10	丁酉	5 12	戊辰	4 12	戊戌	3 14	己巳	廿四
8 9	丁酉	7 10	丁卯	6 11	戊戌	5 13	己巳	4 13	己亥	3 15	庚午	廿五
8 10	戊戌	7 11	戊辰	6 12	己亥	5 14	庚午	4 14	庚子	3 16	辛未	廿六
8 11	己亥	7 12	己巳	6 13	庚子	5 15	辛未	4 15	辛丑	3 17	壬申	廿七
8 12	庚子	7 13	庚午	6 14	辛丑	5 16	壬申	4 16	壬寅	3 18	癸酉	廿八
8 13	辛丑	7 14	辛未	6 15	壬寅	5 17	癸酉	4 17	癸卯	3 19	甲戌	廿九
		7 15	壬申					4 18	甲辰			三十

十二月大		十一月小		十月大		九月大		八月小		七月大		月別
丁丑		丙子		乙亥		甲戌		癸酉		壬申		干支
九紫		一白		二黑		三碧		四綠		五黃		九星
立春	大寒	小寒	冬至	大雪	小雪	立冬	霜降	寒露	秋分	白露	處暑	節氣
廿七辰時 8時33分	十二未時 14時16分	廿六戌時 20時57分	十二寅時 3時36分	廿七巳時 9時38分	十二未時 14時7分	廿七申時 16時35分	十二申時 16時18分	廿六未時 13時9分	十一卯時 6時41分	廿五亥時 21時15分	初十辰時 8時49分	
西曆	干支	西曆	干支	西曆	干支	西曆	干支	西曆	干支	西曆	干支	農曆
1 9	庚午	12 11	辛丑	11 11	辛未	10 12	辛丑	9 13	壬申	8 14	壬寅	初一
1 10	辛未	12 12	壬寅	11 12	壬申	10 13	壬寅	9 14	癸酉	8 15	癸卯	初二
1 11	壬申	12 13	癸卯	11 13	癸酉	10 14	癸卯	9 15	甲戌	8 16	甲辰	初三
1 12	癸酉	12 14	甲辰	11 14	甲戌	10 15	甲辰	9 16	乙亥	8 17	乙巳	初四
1 13	甲戌	12 15	乙巳	11 15	乙亥	10 16	乙巳	9 17	丙子	8 18	丙午	初五
1 14	乙亥	12 16	丙午	11 16	丙子	10 17	丙午	9 18	丁丑	8 19	丁未	初六
1 15	丙子	12 17	丁未	11 17	丁丑	10 18	丁未	9 19	戊寅	8 20	戊申	初七
1 16	丁丑	12 18	戊申	11 18	戊寅	10 19	戊申	9 20	己卯	8 21	己酉	初八
1 17	戊寅	12 19	己酉	11 19	己卯	10 20	己酉	9 21	庚辰	8 22	庚戌	初九
1 18	己卯	12 20	庚戌	11 20	庚辰	10 21	庚戌	9 22	辛巳	8 23	**辛亥**	初十
1 19	庚辰	12 21	辛亥	11 21	辛巳	10 22	辛亥	9 23	**壬午**	8 24	壬子	十一
1 20	**辛巳**	12 22	**壬子**	11 22	**壬午**	10 23	**壬子**	9 24	癸未	8 25	癸丑	十二
1 21	壬午	12 23	癸丑	11 23	癸未	10 24	癸丑	9 25	甲申	8 26	甲寅	十三
1 22	癸未	12 24	甲寅	11 24	甲申	10 25	甲寅	9 26	乙酉	8 27	乙卯	十四
1 23	甲申	12 25	乙卯	11 25	乙酉	10 26	乙卯	9 27	丙戌	8 28	丙辰	十五
1 24	乙酉	12 26	丙辰	11 26	丙戌	10 27	丙辰	9 28	丁亥	8 29	丁巳	十六
1 25	丙戌	12 27	丁巳	11 27	丁亥	10 28	丁巳	9 29	戊子	8 30	戊午	十七
1 26	丁亥	12 28	戊午	11 28	戊子	10 29	戊午	9 30	己丑	8 31	己未	十八
1 27	戊子	12 29	己未	11 29	己丑	10 30	己未	10 1	庚寅	9 1	庚申	十九
1 28	己丑	12 30	庚申	11 30	庚寅	10 31	庚申	10 2	辛卯	9 2	辛酉	二十
1 29	庚寅	12 31	辛酉	12 1	辛卯	11 1	辛酉	10 3	壬辰	9 3	壬戌	廿一
1 30	辛卯	1 1	壬戌	12 2	壬辰	11 2	壬戌	10 4	癸巳	9 4	癸亥	廿二
1 31	壬辰	1 2	癸亥	12 3	癸巳	11 3	癸亥	10 5	甲午	9 5	甲子	廿三
2 1	癸巳	1 3	甲子	12 4	甲午	11 4	甲子	10 6	乙未	9 6	乙丑	廿四
2 2	甲午	1 4	乙丑	12 5	乙未	11 5	乙丑	10 7	丙申	9 7	**丙寅**	廿五
2 3	乙未	1 5	**丙寅**	12 6	丙申	11 6	丙寅	10 8	**丁酉**	9 8	丁卯	廿六
2 4	**丙申**	1 6	丁卯	12 7	**丁酉**	11 7	**丁卯**	10 9	戊戌	9 9	戊辰	廿七
2 5	丁酉	1 7	戊辰	12 8	戊戌	11 8	戊辰	10 10	己亥	9 10	己巳	廿八
2 6	戊戌	1 8	己巳	12 9	己亥	11 9	己巳	10 11	庚子	9 11	庚午	廿九
2 7	己亥			12 10	庚子	11 10	庚午			9 12	辛未	三十

二〇三五年

歲次乙卯（肖兔）

太歲姓方名清

年星一白

月別	正月大		二月小		三月大		四月小		五月小		六月大	
干支	戊寅		己卯		庚辰		辛巳		壬午		癸未	
九星	八白		七赤		六白		五黃		四綠		三碧	
節氣	雨水	驚蟄	春分	清明	穀雨	立夏	小滿		芒種	夏至	小暑	大暑
	十二 4時18分 寅時	廿七 2時23分 丑時	十二 3時4分 寅時	廿七 6時55分 卯時	十三 13時50分 未時	廿七 23時56分 夜子	十四 12時45分 午時		初一 3時52分 寅時	十六 20時35分 戌時	初三 14時3分 未時	十九 7時30分 辰時
農曆	干支	西曆	干支	西曆	干支	西曆	干支	西曆	干支	西曆	干支	西曆
初一	庚子	2 8	庚午	3 10	己亥	4 8	己巳	5 8	**戊戌**	6 6	丁卯	7 5
初二	辛丑	2 9	辛未	3 11	庚子	4 9	庚午	5 9	己亥	6 7	戊辰	7 6
初三	壬寅	2 10	壬申	3 12	辛丑	4 10	辛未	5 10	庚子	6 8	**己巳**	7 7
初四	癸卯	2 11	癸酉	3 13	壬寅	4 11	壬申	5 11	辛丑	6 9	庚午	7 8
初五	甲辰	2 12	甲戌	3 14	癸卯	4 12	癸酉	5 12	壬寅	6 10	辛未	7 9
初六	乙巳	2 13	乙亥	3 15	甲辰	4 13	甲戌	5 13	癸卯	6 11	壬申	7 10
初七	丙午	2 14	丙子	3 16	乙巳	4 14	乙亥	5 14	甲辰	6 12	癸酉	7 11
初八	丁未	2 15	丁丑	3 17	丙午	4 15	丙子	5 15	乙巳	6 13	甲戌	7 12
初九	戊申	2 16	戊寅	3 18	丁未	4 16	丁丑	5 16	丙午	6 14	乙亥	7 13
初十	己酉	2 17	己卯	3 19	戊申	4 17	戊寅	5 17	丁未	6 15	丙子	7 14
十一	庚戌	2 18	庚辰	3 20	己酉	4 18	己卯	5 18	戊申	6 16	丁丑	7 15
十二	**辛亥**	2 19	**辛巳**	3 21	庚戌	4 19	庚辰	5 19	己酉	6 17	戊寅	7 16
十三	壬子	2 20	壬午	3 22	**辛亥**	4 20	辛巳	5 20	庚戌	6 18	己卯	7 17
十四	癸丑	2 21	癸未	3 23	壬子	4 21	**壬午**	5 21	辛亥	6 19	庚辰	7 18
十五	甲寅	2 22	甲申	3 24	癸丑	4 22	癸未	5 22	壬子	6 20	辛巳	7 19
十六	乙卯	2 23	乙酉	3 25	甲寅	4 23	甲申	5 23	**癸丑**	6 21	壬午	7 20
十七	丙辰	2 24	丙戌	3 26	乙卯	4 24	乙酉	5 24	甲寅	6 22	癸未	7 21
十八	丁巳	2 25	丁亥	3 27	丙辰	4 25	丙戌	5 25	乙卯	6 23	甲申	7 22
十九	戊午	2 26	戊子	3 28	丁巳	4 26	丁亥	5 26	丙辰	6 24	**乙酉**	7 23
二十	己未	2 27	己丑	3 29	戊午	4 27	戊子	5 27	丁巳	6 25	丙戌	7 24
廿一	庚申	2 28	庚寅	3 30	己未	4 28	己丑	5 28	戊午	6 26	丁亥	7 25
廿二	辛酉	3 1	辛卯	3 31	庚申	4 29	庚寅	5 29	己未	6 27	戊子	7 26
廿三	壬戌	3 2	壬辰	4 1	辛酉	4 30	辛卯	5 30	庚申	6 28	己丑	7 27
廿四	癸亥	3 3	癸巳	4 2	壬戌	5 1	壬辰	5 31	辛酉	6 29	庚寅	7 28
廿五	甲子	3 4	甲午	4 3	癸亥	5 2	癸巳	6 1	壬戌	6 30	辛卯	7 29
廿六	乙丑	3 5	乙未	4 4	甲子	5 3	甲午	6 2	癸亥	7 1	壬辰	7 30
廿七	**丙寅**	3 6	**丙申**	4 5	**乙丑**	5 4	乙未	6 3	甲子	7 2	癸巳	7 31
廿八	丁卯	3 7	丁酉	4 6	丙寅	5 5	丙申	6 4	乙丑	7 3	甲午	8 1
廿九	戊辰	3 8	戊戌	4 7	丁卯	5 6	丁酉	6 5	丙寅	7 4	乙未	8 2
三十	己巳	3 9			戊辰	5 7					丙申	8 3

十二月大		十一月小		十月大		九月大		八月小		七月小		月別
己丑		戊子		丁亥		丙戌		乙酉		甲申		干支
六白		七赤		八白		九紫		一白		二黑		九星
大寒	小寒	冬至	大雪	小雪	立冬	霜降	寒露	秋分	白露	處暑	立秋	節氣
廿三 20時13分 戌時	初九 2時45分 丑時	廿三 9時33分 巳時	初八 15時27分 申時	廿三 20時5分 戌時	初八 22時26分 亥時	廿三 22時18分 亥時	初八 18時59分 酉時	廿二 12時41分 午時	初七 3時4分 寅時	二十 14時46分 未時	初四 23時56分 夜子時	
西曆	干支	西曆	干支	西曆	干支	西曆	干支	西曆	干支	西曆	干支	農曆
12 29	甲子	11 30	乙未	10 31	乙丑	10 1	乙未	9 2	丙寅	8 4	丁酉	初一
12 30	乙丑	12 1	丙申	11 1	丙寅	10 2	丙申	9 3	丁卯	8 5	戊戌	初二
12 31	丙寅	12 2	丁酉	11 2	丁卯	10 3	丁酉	9 4	戊辰	8 6	己亥	初三
1 1	丁卯	12 3	戊戌	11 3	戊辰	10 4	戊戌	9 5	己巳	8 7	**庚子**	初四
1 2	戊辰	12 4	己亥	11 4	己巳	10 5	己亥	9 6	庚午	8 8	辛丑	初五
1 3	己巳	12 5	庚子	11 5	庚午	10 6	庚子	9 7	辛未	8 9	壬寅	初六
1 4	庚午	12 6	辛丑	11 6	辛未	10 7	辛丑	9 8	**壬申**	8 10	癸卯	初七
1 5	辛未	12 7	**壬寅**	11 7	**壬申**	10 8	**壬寅**	9 9	癸酉	8 11	甲辰	初八
1 6	**壬申**	12 8	癸卯	11 8	癸酉	10 9	癸卯	9 10	甲戌	8 12	乙巳	初九
1 7	癸酉	12 9	甲辰	11 9	甲戌	10 10	甲辰	9 11	乙亥	8 13	丙午	初十
1 8	甲戌	12 10	乙巳	11 10	乙亥	10 11	乙巳	9 12	丙子	8 14	丁未	十一
1 9	乙亥	12 11	丙午	11 11	丙子	10 12	丙午	9 13	丁丑	8 15	戊申	十二
1 10	丙子	12 12	丁未	11 12	丁丑	10 13	丁未	9 14	戊寅	8 16	己酉	十三
1 11	丁丑	12 13	戊申	11 13	戊寅	10 14	戊申	9 15	己卯	8 17	庚戌	十四
1 12	戊寅	12 14	己酉	11 14	己卯	10 15	己酉	9 16	庚辰	8 18	辛亥	十五
1 13	己卯	12 15	庚戌	11 15	庚辰	10 16	庚戌	9 17	辛巳	8 19	壬子	十六
1 14	庚辰	12 16	辛亥	11 16	辛巳	10 17	辛亥	9 18	壬午	8 20	癸丑	十七
1 15	辛巳	12 17	壬子	11 17	壬午	10 18	壬子	9 19	癸未	8 21	甲寅	十八
1 16	壬午	12 18	癸丑	11 18	癸未	10 19	癸丑	9 20	甲申	8 22	乙卯	十九
1 17	癸未	12 19	甲寅	11 19	甲申	10 20	甲寅	9 21	乙酉	8 23	**丙辰**	二十
1 18	甲申	12 20	乙卯	11 20	乙酉	10 21	乙卯	9 22	丙戌	8 24	丁巳	廿一
1 19	乙酉	12 21	丙辰	11 21	丙戌	10 22	丙辰	9 23	**丁亥**	8 25	戊午	廿二
1 20	**丙戌**	12 22	**丁巳**	11 22	**丁亥**	10 23	**丁巳**	9 24	戊子	8 26	己未	廿三
1 21	丁亥	12 23	戊午	11 23	戊子	10 24	戊午	9 25	己丑	8 27	庚申	廿四
1 22	戊子	12 24	己未	11 24	己丑	10 25	己未	9 26	庚寅	8 28	辛酉	廿五
1 23	己丑	12 25	庚申	11 25	庚寅	10 26	庚申	9 27	辛卯	8 29	壬戌	廿六
1 24	庚寅	12 26	辛酉	11 26	辛卯	10 27	辛酉	9 28	壬辰	8 30	癸亥	廿七
1 25	辛卯	12 27	壬戌	11 27	壬辰	10 28	壬戌	9 29	癸巳	8 31	甲子	廿八
1 26	壬辰	12 28	癸亥	11 28	癸巳	10 29	癸亥	9 30	甲午	9 1	乙丑	廿九
1 27	癸巳			11 29	甲午	10 30	甲子					三十

二〇三六年

歲次丙辰（肖龍）

太歲姓辛名亞

年星九紫

六月小		五月小		四月大		三月小		二月大		正月大		月別
乙未		甲午		癸巳		壬辰		辛卯		庚寅		干支
九紫		一白		二黑		三碧		四綠		五黃		九星
大暑	小暑	夏至	芒種	小滿	立夏	穀雨	清明	春分	驚蟄	雨水	立春	節氣
廿九 13時24分 未時	十三 19時59分 戌時	廿七 2時34分 丑時	十一 9時48分 巳時	廿五 18時46分 酉時	初十 5時51分 卯時	廿三 19時52分 戌時	初八 12時48分 午時	廿三 9時4分 巳時	初八 8時14分 辰時	廿三 10時16分 巳時	初八 14時22分 未時	
西曆	干支	西曆	干支	西曆	干支	西曆	干支	西曆	干支	西曆	干支	農曆
6 24	壬戌	5 26	癸巳	4 26	癸亥	3 28	甲午	2 27	甲子	1 28	甲午	初一
6 25	癸亥	5 27	甲午	4 27	甲子	3 29	乙未	2 28	乙丑	1 29	乙未	初二
6 26	甲子	5 28	乙未	4 28	乙丑	3 30	丙申	2 29	丙寅	1 30	丙申	初三
6 27	乙丑	5 29	丙申	4 29	丙寅	3 31	丁酉	3 1	丁卯	1 31	丁酉	初四
6 28	丙寅	5 30	丁酉	4 30	丁卯	4 1	戊戌	3 2	戊辰	2 1	戊戌	初五
6 29	丁卯	5 31	戊戌	5 1	戊辰	4 2	己亥	3 3	己巳	2 2	己亥	初六
6 30	戊辰	6 1	己亥	5 2	己巳	4 3	庚子	3 4	庚午	2 3	庚子	初七
7 1	己巳	6 2	庚子	5 3	庚午	4 4	**辛丑**	3 5	**辛未**	2 4	**辛丑**	初八
7 2	庚午	6 3	辛丑	5 4	辛未	4 5	壬寅	3 6	壬申	2 5	壬寅	初九
7 3	辛未	6 4	壬寅	5 5	**壬申**	4 6	癸卯	3 7	癸酉	2 6	癸卯	初十
7 4	壬申	6 5	**癸卯**	5 6	癸酉	4 7	甲辰	3 8	甲戌	2 7	甲辰	十一
7 5	癸酉	6 6	甲辰	5 7	甲戌	4 8	乙巳	3 9	乙亥	2 8	乙巳	十二
7 6	**甲戌**	6 7	乙巳	5 8	乙亥	4 9	丙午	3 10	丙子	2 9	丙午	十三
7 7	乙亥	6 8	丙午	5 9	丙子	4 10	丁未	3 11	丁丑	2 10	丁未	十四
7 8	丙子	6 9	丁未	5 10	丁丑	4 11	戊申	3 12	戊寅	2 11	戊申	十五
7 9	丁丑	6 10	戊申	5 11	戊寅	4 12	己酉	3 13	己卯	2 12	己酉	十六
7 10	戊寅	6 11	己酉	5 12	己卯	4 13	庚戌	3 14	庚辰	2 13	庚戌	十七
7 11	己卯	6 12	庚戌	5 13	庚辰	4 14	辛亥	3 15	辛巳	2 14	辛亥	十八
7 12	庚辰	6 13	辛亥	5 14	辛巳	4 15	壬子	3 16	壬午	2 15	壬子	十九
7 13	辛巳	6 14	壬子	5 15	壬午	4 16	癸丑	3 17	癸未	2 16	癸丑	二十
7 14	壬午	6 15	癸丑	5 16	癸未	4 17	甲寅	3 18	甲申	2 17	甲寅	廿一
7 15	癸未	6 16	甲寅	5 17	甲申	4 18	乙卯	3 19	乙酉	2 18	乙卯	廿二
7 16	甲申	6 17	乙卯	5 18	乙酉	4 19	**丙辰**	3 20	**丙戌**	2 19	**丙辰**	廿三
7 17	乙酉	6 18	丙辰	5 19	丙戌	4 20	丁巳	3 21	丁亥	2 20	丁巳	廿四
7 18	丙戌	6 19	丁巳	5 20	**丁亥**	4 21	戊午	3 22	戊子	2 21	戊午	廿五
7 19	丁亥	6 20	戊午	5 21	戊子	4 22	己未	3 23	己丑	2 22	己未	廿六
7 20	戊子	6 21	**己未**	5 22	己丑	4 23	庚申	3 24	庚寅	2 23	庚申	廿七
7 21	**己丑**	6 22	庚申	5 23	庚寅	4 24	辛酉	3 25	辛卯	2 24	辛酉	廿八
7 22	庚寅	6 23	辛酉	5 24	辛卯	4 25	壬戌	3 26	壬辰	2 25	壬戌	廿九
				5 25	壬辰			3 27	癸巳	2 26	癸亥	三十

十二月大		十一月大		十月小		九月大		八月小		七月小		閏六月大		月別
辛丑		庚子		己亥		戊戌		丁酉		丙申				干支
三碧		四綠		五黃		六白		七赤		八白				九星
立春	大寒	小寒	冬至	大雪	小雪	立冬	霜降	寒露	秋分	白露	處暑	立秋		節氣
十九戌時 20時13分	初五丑時 1時56分	二十辰時 8時36分	初五申時 15時15分	十九亥時 21時18分	初五丑時 1時47分	二十寅時 4時16分	初五寅時 4時1分	十九早子 0時51分	初三酉時 18時25分	十七辰時 8時56分	初一戌時 20時34分	十六卯時 5時51分		
西曆	干支	西曆	干支	西曆	干支	西曆	干支	西曆	干支	西曆	干支	西曆	干支	農曆
1 16	戊子	12 17	戊午	11 18	己丑	10 19	己未	9 20	庚寅	8 22	**辛酉**	7 23	辛卯	初一
1 17	己丑	12 18	己未	11 19	庚寅	10 20	庚申	9 21	辛卯	8 23	壬戌	7 24	壬辰	初二
1 18	庚寅	12 19	庚申	11 20	辛卯	10 21	辛酉	9 22	**壬辰**	8 24	癸亥	7 25	癸巳	初三
1 19	辛卯	12 20	辛酉	11 21	壬辰	10 22	壬戌	9 23	癸巳	8 25	甲子	7 26	甲午	初四
1 20	**壬辰**	12 21	**壬戌**	11 22	**癸巳**	10 23	**癸亥**	9 24	甲午	8 26	乙丑	7 27	乙未	初五
1 21	癸巳	12 22	癸亥	11 23	甲午	10 24	甲子	9 25	乙未	8 27	丙寅	7 28	丙申	初六
1 22	甲午	12 23	甲子	11 24	乙未	10 25	乙丑	9 26	丙申	8 28	丁卯	7 29	丁酉	初七
1 23	乙未	12 24	乙丑	11 25	丙申	10 26	丙寅	9 27	丁酉	8 29	戊辰	7 30	戊戌	初八
1 24	丙申	12 25	丙寅	11 26	丁酉	10 27	丁卯	9 28	戊戌	8 30	己巳	7 31	己亥	初九
1 25	丁酉	12 26	丁卯	11 27	戊戌	10 28	戊辰	9 29	己亥	8 31	庚午	8 1	庚子	初十
1 26	戊戌	12 27	戊辰	11 28	己亥	10 29	己巳	9 30	庚子	9 1	辛未	8 2	辛丑	十一
1 27	己亥	12 28	己巳	11 29	庚子	10 30	庚午	10 1	辛丑	9 2	壬申	8 3	壬寅	十二
1 28	庚子	12 29	庚午	11 30	辛丑	10 31	辛未	10 2	壬寅	9 3	癸酉	8 4	癸卯	十三
1 29	辛丑	12 30	辛未	12 1	壬寅	11 1	壬申	10 3	癸卯	9 4	甲戌	8 5	甲辰	十四
1 30	壬寅	12 31	壬申	12 2	癸卯	11 2	癸酉	10 4	甲辰	9 5	乙亥	8 6	乙巳	十五
1 31	癸卯	1 1	癸酉	12 3	甲辰	11 3	甲戌	10 5	乙巳	9 6	丙子	8 7	**丙午**	十六
2 1	甲辰	1 2	甲戌	12 4	乙巳	11 4	乙亥	10 6	丙午	9 7	**丁丑**	8 8	丁未	十七
2 2	乙巳	1 3	乙亥	12 5	丙午	11 5	丙子	10 7	丁未	9 8	戊寅	8 9	戊申	十八
2 3	**丙午**	1 4	丙子	12 6	**丁未**	11 6	丁丑	10 8	**戊申**	9 9	己卯	8 10	己酉	十九
2 4	丁未	1 5	**丁丑**	12 7	戊申	11 7	**戊寅**	10 9	己酉	9 10	庚辰	8 11	庚戌	二十
2 5	戊申	1 6	戊寅	12 8	己酉	11 8	己卯	10 10	庚戌	9 11	辛巳	8 12	辛亥	廿一
2 6	己酉	1 7	己卯	12 9	庚戌	11 9	庚辰	10 11	辛亥	9 12	壬午	8 13	壬子	廿二
2 7	庚戌	1 8	庚辰	12 10	辛亥	11 10	辛巳	10 12	壬子	9 13	癸未	8 14	癸丑	廿三
2 8	辛亥	1 9	辛巳	12 11	壬子	11 11	壬午	10 13	癸丑	9 14	甲申	8 15	甲寅	廿四
2 9	壬子	1 10	壬午	12 12	癸丑	11 12	癸未	10 14	甲寅	9 15	乙酉	8 16	乙卯	廿五
2 10	癸丑	1 11	癸未	12 13	甲寅	11 13	甲申	10 15	乙卯	9 16	丙戌	8 17	丙辰	廿六
2 11	甲寅	1 12	甲申	12 14	乙卯	11 14	乙酉	10 16	丙辰	9 17	丁亥	8 18	丁巳	廿七
2 12	乙卯	1 13	乙酉	12 15	丙辰	11 15	丙戌	10 17	丁巳	9 18	戊子	8 19	戊午	廿八
2 13	丙辰	1 14	丙戌	12 16	丁巳	11 16	丁亥	10 18	戊午	9 19	己丑	8 20	己未	廿九
2 14	丁巳	1 15	丁亥			11 17	戊子					8 21	庚申	三十

二〇三七年

歲次丁巳（肖蛇）

太歲姓易名彥

年星八白

六月小		五月小		四月大		三月小		二月大		正月大		月別
丁未		丙午		乙巳		甲辰		癸卯		壬寅		干支
六白		七赤		八白		九紫		一白		二黑		九星
立秋	大暑	小暑	夏至	芒種	小滿	立夏	穀雨	清明	春分	驚蟄	雨水	節氣
廿六 11時44分 午時	初十 19時14分 戌時	廿四 1時57分 丑時	初八 8時24分 辰時	廿二 15時48分 申時	初七 0時37分 早子	二十 11時51分 午時	初五 1時42分 丑時	十九 18時46分 酉時	初四 14時52分 未時	十九 14時8分 未時	初四 16時1分 申時	
西曆	干支	西曆	干支	西曆	干支	西曆	干支	西曆	干支	西曆	干支	農曆
7 13	丙戌	6 14	丁巳	5 15	丁亥	4 16	戊午	3 17	戊子	2 15	戊午	初一
7 14	丁亥	6 15	戊午	5 16	戊子	4 17	己未	3 18	己丑	2 16	己未	初二
7 15	戊子	6 16	己未	5 17	己丑	4 18	庚申	3 19	庚寅	2 17	庚申	初三
7 16	己丑	6 17	庚申	5 18	庚寅	4 19	辛酉	3 20	**辛卯**	2 18	**辛酉**	初四
7 17	庚寅	6 18	辛酉	5 19	辛卯	4 20	**壬戌**	3 21	壬辰	2 19	壬戌	初五
7 18	辛卯	6 19	壬戌	5 20	壬辰	4 21	癸亥	3 22	癸巳	2 20	癸亥	初六
7 19	壬辰	6 20	癸亥	5 21	**癸巳**	4 22	甲子	3 23	甲午	2 21	甲子	初七
7 20	癸巳	6 21	**甲子**	5 22	甲午	4 23	乙丑	3 24	乙未	2 22	乙丑	初八
7 21	甲午	6 22	乙丑	5 23	乙未	4 24	丙寅	3 25	丙申	2 23	丙寅	初九
7 22	**乙未**	6 23	丙寅	5 24	丙申	4 25	丁卯	3 26	丁酉	2 24	丁卯	初十
7 23	丙申	6 24	丁卯	5 25	丁酉	4 26	戊辰	3 27	戊戌	2 25	戊辰	十一
7 24	丁酉	6 25	戊辰	5 26	戊戌	4 27	己巳	3 28	己亥	2 26	己巳	十二
7 25	戊戌	6 26	己巳	5 27	己亥	4 28	庚午	3 29	庚子	2 27	庚午	十三
7 26	己亥	6 27	庚午	5 28	庚子	4 29	辛未	3 30	辛丑	2 28	辛未	十四
7 27	庚子	6 28	辛未	5 29	辛丑	4 30	壬申	3 31	壬寅	3 1	壬申	十五
7 28	辛丑	6 29	壬申	5 30	壬寅	5 1	癸酉	4 1	癸卯	3 2	癸酉	十六
7 29	壬寅	6 30	癸酉	5 31	癸卯	5 2	甲戌	4 2	甲辰	3 3	甲戌	十七
7 30	癸卯	7 1	甲戌	6 1	甲辰	5 3	乙亥	4 3	乙巳	3 4	乙亥	十八
7 31	甲辰	7 2	乙亥	6 2	乙巳	5 4	丙子	4 4	**丙午**	3 5	**丙子**	十九
8 1	乙巳	7 3	丙子	6 3	丙午	5 5	**丁丑**	4 5	丁未	3 6	丁丑	二十
8 2	丙午	7 4	丁丑	6 4	丁未	5 6	戊寅	4 6	戊申	3 7	戊寅	廿一
8 3	丁未	7 5	戊寅	6 5	**戊申**	5 7	己卯	4 7	己酉	3 8	己卯	廿二
8 4	戊申	7 6	己卯	6 6	己酉	5 8	庚辰	4 8	庚戌	3 9	庚辰	廿三
8 5	己酉	7 7	**庚辰**	6 7	庚戌	5 9	辛巳	4 9	辛亥	3 10	辛巳	廿四
8 6	庚戌	7 8	辛巳	6 8	辛亥	5 10	壬午	4 10	壬子	3 11	壬午	廿五
8 7	**辛亥**	7 9	壬午	6 9	壬子	5 11	癸未	4 11	癸丑	3 12	癸未	廿六
8 8	壬子	7 10	癸未	6 10	癸丑	5 12	甲申	4 12	甲寅	3 13	甲申	廿七
8 9	癸丑	7 11	甲申	6 11	甲寅	5 13	乙酉	4 13	乙卯	3 14	乙酉	廿八
8 10	甲寅	7 12	乙酉	6 12	乙卯	5 14	丙戌	4 14	丙辰	3 15	丙戌	廿九
				6 13	丙辰			4 15	丁巳	3 16	丁亥	三十

十二月大		十一月小		十月大		九月小		八月小		七月大		月別
癸丑		壬子		辛亥		庚戌		己酉		戊申		干支
九紫		一白		二黑		三碧		四綠		五黃		九星
大寒	小寒	冬至	大雪	小雪	立冬		霜降	寒露	秋分	白露	處暑	節氣
十六 7時51分 辰時	初一 14時29分 未時	十五 21時10分 亥時	初一 3時9分 寅時	十六 7時40分 辰時	初一 10時6分 巳時		十五 9時52分 巳時	廿八 6時39分 卯時	十四 0時15分 早子時	廿八 14時47分 未時	十三 2時24分 丑時	
西曆	干支	西曆	干支	西曆	干支	西曆	干支	西曆	干支	西曆	干支	農曆
1 5	**壬午**	12 7	**癸丑**	11 7	**癸未**	10 9	甲寅	9 10	乙酉	8 11	乙卯	初一
1 6	癸未	12 8	甲寅	11 8	甲申	10 10	乙卯	9 11	丙戌	8 12	丙辰	初二
1 7	甲申	12 9	乙卯	11 9	乙酉	10 11	丙辰	9 12	丁亥	8 13	丁巳	初三
1 8	乙酉	12 10	丙辰	11 10	丙戌	10 12	丁巳	9 13	戊子	8 14	戊午	初四
1 9	丙戌	12 11	丁巳	11 11	丁亥	10 13	戊午	9 14	己丑	8 15	己未	初五
1 10	丁亥	12 12	戊午	11 12	戊子	10 14	己未	9 15	庚寅	8 16	庚申	初六
1 11	戊子	12 13	己未	11 13	己丑	10 15	庚申	9 16	辛卯	8 17	辛酉	初七
1 12	己丑	12 14	庚申	11 14	庚寅	10 16	辛酉	9 17	壬辰	8 18	壬戌	初八
1 13	庚寅	12 15	辛酉	11 15	辛卯	10 17	壬戌	9 18	癸巳	8 19	癸亥	初九
1 14	辛卯	12 16	壬戌	11 16	壬辰	10 18	癸亥	9 19	甲午	8 20	甲子	初十
1 15	壬辰	12 17	癸亥	11 17	癸巳	10 19	甲子	9 20	乙未	8 21	乙丑	十一
1 16	癸巳	12 18	甲子	11 18	甲午	10 20	乙丑	9 21	丙申	8 22	丙寅	十二
1 17	甲午	12 19	乙丑	11 19	乙未	10 21	丙寅	9 22	丁酉	8 23	**丁卯**	十三
1 18	乙未	12 20	丙寅	11 20	丙申	10 22	丁卯	9 23	**戊戌**	8 24	戊辰	十四
1 19	丙申	12 21	**丁卯**	11 21	丁酉	10 23	**戊辰**	9 24	己亥	8 25	己巳	十五
1 20	**丁酉**	12 22	戊辰	11 22	**戊戌**	10 24	己巳	9 25	庚子	8 26	庚午	十六
1 21	戊戌	12 23	己巳	11 23	己亥	10 25	庚午	9 26	辛丑	8 27	辛未	十七
1 22	己亥	12 24	庚午	11 24	庚子	10 26	辛未	9 27	壬寅	8 28	壬申	十八
1 23	庚子	12 25	辛未	11 25	辛丑	10 27	壬申	9 28	癸卯	8 29	癸酉	十九
1 24	辛丑	12 26	壬申	11 26	壬寅	10 28	癸酉	9 29	甲辰	8 30	甲戌	二十
1 25	壬寅	12 27	癸酉	11 27	癸卯	10 29	甲戌	9 30	乙巳	8 31	乙亥	廿一
1 26	癸卯	12 28	甲戌	11 28	甲辰	10 30	乙亥	10 1	丙午	9 1	丙子	廿二
1 27	甲辰	12 29	乙亥	11 29	乙巳	10 31	丙子	10 2	丁未	9 2	丁丑	廿三
1 28	乙巳	12 30	丙子	11 30	丙午	11 1	丁丑	10 3	戊申	9 3	戊寅	廿四
1 29	丙午	12 31	丁丑	12 1	丁未	11 2	戊寅	10 4	己酉	9 4	己卯	廿五
1 30	丁未	1 1	戊寅	12 2	戊申	11 3	己卯	10 5	庚戌	9 5	庚辰	廿六
1 31	戊申	1 2	己卯	12 3	己酉	11 4	庚辰	10 6	辛亥	9 6	辛巳	廿七
2 1	己酉	1 3	庚辰	12 4	庚戌	11 5	辛巳	10 7	**壬子**	9 7	**壬午**	廿八
2 2	庚戌	1 4	辛巳	12 5	辛亥	11 6	壬午	10 8	癸丑	9 8	癸未	廿九
2 3	辛亥			12 6	壬子					9 9	甲申	三十

六月大		五月小		四月大		三月小		二月大		正月大		月別	二〇三八年
己未		戊午		丁巳		丙辰		乙卯		甲寅		干支	
三碧		四綠		五黃		六白		七赤		八白		九星	
大暑	小暑	夏至	芒種	小滿	立夏	穀雨	清明	春分	驚蟄	雨水	立春	節氣	歲次戊午（肖馬）
1時 廿二 1分 丑時	7時 初六 34分 辰時	14時 十九 11分 未時	21時 初三 27分 亥時	6時 十八 24分 卯時	17時 初二 33分 酉時	7時 十六 30分 辰時	0時 初一 31分 早子	20時 十五 42分 戌時	19時 正月三十 57分 戌時	21時 十五 54分 亥時	2時 初一 6分 丑時		太歲姓姚名黎
西曆	干支	西曆	干支	西曆	干支	西曆	干支	西曆	干支	西曆	干支	農曆	年星七赤
7 2	庚辰	6 3	辛亥	5 4	辛巳	4 5	壬子	3 6	壬午	2 4	壬子	初一	
7 3	辛巳	6 4	壬子	5 5	壬午	4 6	癸丑	3 7	癸未	2 5	癸丑	初二	
7 4	壬午	6 5	癸丑	5 6	癸未	4 7	甲寅	3 8	甲申	2 6	甲寅	初三	
7 5	癸未	6 6	甲寅	5 7	甲申	4 8	乙卯	3 9	乙酉	2 7	乙卯	初四	
7 6	甲申	6 7	乙卯	5 8	乙酉	4 9	丙辰	3 10	丙戌	2 8	丙辰	初五	
7 7	乙酉	6 8	丙辰	5 9	丙戌	4 10	丁巳	3 11	丁亥	2 9	丁巳	初六	
7 8	丙戌	6 9	丁巳	5 10	丁亥	4 11	戊午	3 12	戊子	2 10	戊午	初七	
7 9	丁亥	6 10	戊午	5 11	戊子	4 12	己未	3 13	己丑	2 11	己未	初八	
7 10	戊子	6 11	己未	5 12	己丑	4 13	庚申	3 14	庚寅	2 12	庚申	初九	
7 11	己丑	6 12	庚申	5 13	庚寅	4 14	辛酉	3 15	辛卯	2 13	辛酉	初十	
7 12	庚寅	6 13	辛酉	5 14	辛卯	4 15	壬戌	3 16	壬辰	2 14	壬戌	十一	
7 13	辛卯	6 14	壬戌	5 15	壬辰	4 16	癸亥	3 17	癸巳	2 15	癸亥	十二	
7 14	壬辰	6 15	癸亥	5 16	癸巳	4 17	甲子	3 18	甲午	2 16	甲子	十三	
7 15	癸巳	6 16	甲子	5 17	甲午	4 18	乙丑	3 19	乙未	2 17	乙丑	十四	
7 16	甲午	6 17	乙丑	5 18	乙未	4 19	丙寅	3 20	丙申	2 18	丙寅	十五	
7 17	乙未	6 18	丙寅	5 19	丙申	4 20	丁卯	3 21	丁酉	2 19	丁卯	十六	
7 18	丙申	6 19	丁卯	5 20	丁酉	4 21	戊辰	3 22	戊戌	2 20	戊辰	十七	
7 19	丁酉	6 20	戊辰	5 21	戊戌	4 22	己巳	3 23	己亥	2 21	己巳	十八	
7 20	戊戌	6 21	己巳	5 22	己亥	4 23	庚午	3 24	庚子	2 22	庚午	十九	
7 21	己亥	6 22	庚午	5 23	庚子	4 24	辛未	3 25	辛丑	2 23	辛未	二十	
7 22	庚子	6 23	辛未	5 24	辛丑	4 25	壬申	3 26	壬寅	2 24	壬申	廿一	
7 23	辛丑	6 24	壬申	5 25	壬寅	4 26	癸酉	3 27	癸卯	2 25	癸酉	廿二	
7 24	壬寅	6 25	癸酉	5 26	癸卯	4 27	甲戌	3 28	甲辰	2 26	甲戌	廿三	
7 25	癸卯	6 26	甲戌	5 27	甲辰	4 28	乙亥	3 29	乙巳	2 27	乙亥	廿四	
7 26	甲辰	6 27	乙亥	5 28	乙巳	4 29	丙子	3 30	丙午	2 28	丙子	廿五	
7 27	乙巳	6 28	丙子	5 29	丙午	4 30	丁丑	3 31	丁未	3 1	丁丑	廿六	
7 28	丙午	6 29	丁丑	5 30	丁未	5 1	戊寅	4 1	戊申	3 2	戊寅	廿七	
7 29	丁未	6 30	戊寅	5 31	戊申	5 2	己卯	4 2	己酉	3 3	己卯	廿八	
7 30	戊申	7 1	己卯	6 1	己酉	5 3	庚辰	4 3	庚戌	3 4	庚辰	廿九	
7 31	己酉			6 2	庚戌			4 4	辛亥	3 5	辛巳	三十	

228

229

十二月小 乙丑 六白		十一月大 甲子 七赤		十月小 癸亥 八白		九月小 壬戌 九紫		八月大 辛酉 一白		七月小 庚申 二黑		月別 干支 九星
大寒 13時45分 廿六未時	小寒 20時18分 十一戌時	冬至 3時4分 廿七寅時	大雪 8時58分 十二辰時	小雪 13時33分 廿六未時	立冬 15時53分 十一申時	霜降 15時42分 廿五申時	寒露 12時23分 初十午時	秋分 6時4分 廿五卯時	白露 20時28分 初九戌時	處暑 8時12分 廿三辰時	立秋 17時23分 初七酉時	節氣
西曆	干支	西曆	干支	西曆	干支	西曆	干支	西曆	干支	西曆	干支	農曆
12 26	丁丑	11 26	丁未	10 28	戊寅	9 29	己酉	8 30	己卯	8 1	庚戌	初一
12 27	戊寅	11 27	戊申	10 29	己卯	9 30	庚戌	8 31	庚辰	8 2	辛亥	初二
12 28	己卯	11 28	己酉	10 30	庚辰	10 1	辛亥	9 1	辛巳	8 3	壬子	初三
12 29	庚辰	11 29	庚戌	10 31	辛巳	10 2	壬子	9 2	壬午	8 4	癸丑	初四
12 30	辛巳	11 30	辛亥	11 1	壬午	10 3	癸丑	9 3	癸未	8 5	甲寅	初五
12 31	壬午	12 1	壬子	11 2	癸未	10 4	甲寅	9 4	甲申	8 6	乙卯	初六
1 1	癸未	12 2	癸丑	11 3	甲申	10 5	乙卯	9 5	乙酉	8 7	丙辰	初七
1 2	甲申	12 3	甲寅	11 4	乙酉	10 6	丙辰	9 6	丙戌	8 8	丁巳	初八
1 3	乙酉	12 4	乙卯	11 5	丙戌	10 7	丁巳	9 7	丁亥	8 9	戊午	初九
1 4	丙戌	12 5	丙辰	11 6	丁亥	10 8	戊午	9 8	戊子	8 10	己未	初十
1 5	丁亥	12 6	丁巳	11 7	戊子	10 9	己未	9 9	己丑	8 11	庚申	十一
1 6	戊子	12 7	戊午	11 8	己丑	10 10	庚申	9 10	庚寅	8 12	辛酉	十二
1 7	己丑	12 8	己未	11 9	庚寅	10 11	辛酉	9 11	辛卯	8 13	壬戌	十三
1 8	庚寅	12 9	庚申	11 10	辛卯	10 12	壬戌	9 12	壬辰	8 14	癸亥	十四
1 9	辛卯	12 10	辛酉	11 11	壬辰	10 13	癸亥	9 13	癸巳	8 15	甲子	十五
1 10	壬辰	12 11	壬戌	11 12	癸巳	10 14	甲子	9 14	甲午	8 16	乙丑	十六
1 11	癸巳	12 12	癸亥	11 13	甲午	10 15	乙丑	9 15	乙未	8 17	丙寅	十七
1 12	甲午	12 13	甲子	11 14	乙未	10 16	丙寅	9 16	丙申	8 18	丁卯	十八
1 13	乙未	12 14	乙丑	11 15	丙申	10 17	丁卯	9 17	丁酉	8 19	戊辰	十九
1 14	丙申	12 15	丙寅	11 16	丁酉	10 18	戊辰	9 18	戊戌	8 20	己巳	二十
1 15	丁酉	12 16	丁卯	11 17	戊戌	10 19	己巳	9 19	己亥	8 21	庚午	廿一
1 16	戊戌	12 17	戊辰	11 18	己亥	10 20	庚午	9 20	庚子	8 22	辛未	廿二
1 17	己亥	12 18	己巳	11 19	庚子	10 21	辛未	9 21	辛丑	8 23	壬申	廿三
1 18	庚子	12 19	庚午	11 20	辛丑	10 22	壬申	9 22	壬寅	8 24	癸酉	廿四
1 19	辛丑	12 20	辛未	11 21	壬寅	10 23	癸酉	9 23	癸卯	8 25	甲戌	廿五
1 20	壬寅	12 21	壬申	11 22	癸卯	10 24	甲戌	9 24	甲辰	8 26	乙亥	廿六
1 21	癸卯	12 22	癸酉	11 23	甲辰	10 25	乙亥	9 25	乙巳	8 27	丙子	廿七
1 22	甲辰	12 23	甲戌	11 24	乙巳	10 26	丙子	9 26	丙午	8 28	丁丑	廿八
1 23	乙巳	12 24	乙亥	11 25	丙午	10 27	丁丑	9 27	丁未	8 29	戊寅	廿九
		12 25	丙子					9 28	戊申			三十

珍本萬年曆

作者

林國雄

編輯

圓方編輯委員會

美術統籌及封面設計

Amelia Loh

美術設計

Man

出版者

圓方出版社

香港英皇道499號北角工業大廈18樓

營銷部電話：2138 7961

電話：2138 7998

傳真：2597 4003

電郵：marketing@formspub.com

網址：http://www.formspub.com

http://www.facebook.com/formspub

發行者

香港聯合書刊物流有限公司

香港新界大埔汀麗路36號

中華商務印刷大廈3字樓

電話：2150 2100

傳真：2407 3062

電郵：info@suplogistics.com.hk

承印者

中華商務彩色印刷有限公司

香港新界大埔汀麗路36號

出版日期

二〇一三年七月第一次印刷

面相八字 ● 商住風水
流年吉凶 ● 國內廠房
擇日改名 ● 祖先墓地

歡迎預約

查詢請電 (852) 2771 7877, 9194 4428

地址：九龍長沙灣道 21-25 號長豐商業大廈 5 樓 505 室

網址：http://www.lamkwokhung.com

電子郵箱：master@ lamkwokhung.com

另每星期均有設班

教授面相、八字、風水，歡迎來電查詢。